DE KRONOS AFFAIRE

Van Gayle Lynds zijn verschenen:

Het Tolstoj gevoel
Maskerade
De Kronos affaire

De Hades factor (samen met *Robert Ludlum*)*
De Armageddon machine (samen met *Robert Ludlum*)*

* In POEMA-POCKET verschenen

Gayle Lynds

De Kronos affaire

Uitgeverij Luitingh

Voor meer informatie: kijk op **www.boekenwereld.com**

Oorspronkelijke titel: *The Coil*
Vertaling: Cherie van Gelder
Omslagontwerp: Rob van Middendorp
Omslagfotografie: Corbis/TCS
Foto auteur: Farbman

ISBN 90 245 4564 1
NUR 332

Voor mijn stiefdochter, Deirdre Lynds,
die zich met evenveel gratie en plezier aan muziek overgeeft
als aan surfen...
en die de rest van ons toont hoe het eigenlijk zou moeten

Proloog

Februari 1998, Fredericksburg, Virginia

Terwijl de limousine van het ministerie van Binnenlandse Zaken door het winterse bos zoefde, drukte Grey Mellencamp, de minister van Binnenlandse Zaken, op een knopje om het geluiddichte plexiglasscherm tussen hemzelf en de chauffeur te sluiten. Hij staarde naar de kale bomen en struiken, die in de schemering koud en zwart leken. Ze stonden als een donkere muur aan weerszijden van de weg door Virginia en zoals ze zich naar elkaar toebogen, leken ze bijna een tunnel die was afgezet met bergen gore sneeuw. Er was geen spoor van beweging te bekennen tussen dat beschaduwde hout, geen teken van leven.

Mellencamp had een slecht voorgevoel toen hij achterover leunde. Hij kwam net terug van zijn afspraak met Liz Sansborough en hij was er niet in geslaagd om de inlichtingen te krijgen die hij nodig had. Hij was kwaad en teleurgesteld, maar bij nader inzien toch ook opgelucht, want het had een haartje gescheeld of ze was opgeofferd. Er zou toch wel een slachtoffer vallen. Als puntje bij paaltje kwam waarschijnlijk een groot aantal mensen. Hij hoopte dat ze allemaal schuldig zouden zijn en dus terecht zouden worden geëxecuteerd. De hele toestand beviel hem totaal niet en nu hij overtuigd was van de onschuld van Liz Sansborough werd dat gevoel alleen maar sterker. Hij bleef uit het raampje staren en dwong zich te ontspannen, terwijl hij de geur van de dure leren bekleding opsnoof. Hij had overal ter wereld met succes onderhandelingen gevoerd, eerst als vertegenwoordiger van zijn advocatenkantoor en nu als minister van Binnenlandse Zaken, en hij wist wanneer hij een zaak naar zijn hand kon zetten.

Hij pakte zijn mobiele telefoon uit de binnenzak van zijn jas en belde Brussel.

Een stem met een Engels accent nam onmiddellijk op: 'Met Kronos.'

Mellencamp zorgde ervoor dat zijn stem autoritair klonk. 'Ik heb net op het onderduikadres een gesprek gehad met Sansborough. Ze beweert dat ze nooit dossiers heeft gezien en dat het niets voor haar vader zou zijn om een archief bij te houden. Ze week nergens ook maar een centimeter van haar verhaal af.'

'Verdomme nog aan toe! Hij móét een archief hebben gehad,' zei Kronos met stemverheffing, waardoor het Engelse accent nog nadrukkelijker werd. 'Hij moet hebben bijgehouden voor wie hij werkte en wat hij had gedaan. Jezusmina, alleen zijn contacten al! Wie veilig was en wie niet. Wat werkte en wat op een mislukking was uitgelopen. Adressen. Telefoonnummers. Schuilnamen. Niemand kan zaken doen zonder gegevens bij te houden, zeker niet bij dit werk. Ze moet wel liegen!'

De minister van Binnenlandse Zaken slikte een geërgerd antwoord in. 'Sansborough zegt dat de Carnivoor een fotografisch geheugen had en dat betekent dat hij voor zichzelf niets vast hoefde te leggen. Hij heeft haar verteld dat hij altijd alles vernietigde dat op papier stond – plannen, kaarten, tijdschema's, dat soort dingen – zodra hij een natte klus had opgeknapt. Tijdens het verhoor van Sansboroughs moeder heeft zij ons hetzelfde verteld en iedereen weet dat hij het voornamelijk zolang heeft uitgehouden omdat hij bijzonder op zijn qui-vive was.'

De stem van de Engelsman klonk spottend. 'Uit wat er gebeurd is, blijkt duidelijk dat er een archief móét zijn. En Sansborough moet weten waar het is. Ze is de enige logische kandidaat, nu haar moeder dood is.'

'Ja, het lijkt me duidelijk dat er inderdaad dossiers zijn, maar haar ouders hebben haar daar niets over verteld. Als zij haar vader niet tijdens die liquidatie in Lissabon tegen het lijf was gelopen, was ze er nooit achter gekomen dat ze een geheim leven leidden en wij waarschijnlijk ook niet. Onwetendheid was de beste manier om haar veiligheid te garanderen, dus waarom zouden ze haar in vredesnaam iets over dat archief hebben verteld? En trouwens, toen ze naar hen overliep, hebben ze hun werkzaamheden meteen gestaakt. Ze heeft haar ouders nooit betrapt bij het plannen van een moordaanslag. Als je alles bij elkaar optelt, lijkt het volkomen onlogisch dat zij iets van dat archief af zou weten.' Hij zweeg even en spande zijn zware schouders. 'We zullen het wel vinden, maar niet via haar.'

'Ze heeft je een rad voor de ogen gedraaid, Themis. Daar is ze toe in staat. Een van de beste krachten die Langley heeft opgeleverd.'

Mellencamp begon weer kwaad te worden. 'Denk je nou heus dat ik haar niet het vuur aan de schenen zou leggen als ze iets te verbergen had? Ík ben degene die het grootste risico loopt. Voor mij is dit verdomme een stuk belangrijker dan voor jou. Jíj wordt niet gechanteerd naar aanleiding van de gegevens uit dat verdomde archief.' Hij voelde zijn hart bonzen. Hij was te zwaar en leed aan een hartkwaal, wat hem doodsbang maakte als hij zichzelf toestond om over dat soort dingen na te denken.

Hij sloot zijn ogen en probeerde zijn emoties onder controle te krijgen. Liz Sansborough was het enige kind van Hal Sansborough, de

Carnivoor die gedurende de Koude Oorlog een van de meest gevreesde en ongrijpbare onafhankelijke huurmoordenaars was geweest. Ondanks het feit dat anderen hem qua bekendheid naar de kroon hadden gestoken – Carlos de Jakhals, Imad Fayez Mugniyeh en de Abt bijvoorbeeld – was de Carnivoor de enige echte legende voor iedereen die van dat soort dingen op de hoogte was: gehaat, maar door alle partijen in de arm genomen. Hij had nooit de grote fout gemaakt om zijn identiteit in gevaar te brengen. Er waren geen foto's van hem in roulatie en tot vlak voor zijn zelfmoord was het niemand gelukt om achter zijn echte naam te komen. Hij was een hersenschim geweest, een onverwoestbare kameleon in de zachte onderbuik van de wereld die bevolkt wordt door spionnen en internationale criminelen. De man zonder gezicht.

Toen Kronos opnieuw begon te praten klonk hij niet meer zo beschuldigend. 'Ga je doen wat die chanteur van je vraagt, Themis?'

'Geen denken aan.' De toon van de minister liet geen enkele ruimte voor twijfel. 'We moeten dat archief zelf zien te vinden. Ik moet steeds denken aan de drie knipsels die ik je gestuurd heb. Wellicht is het antwoord daarin te vinden.' Hij pakte ze uit zijn koffertje.

'Als dat zo is, zie ik het niet.'

Mellencamp zei niets en bestudeerde de krantenberichten.

> *Times*, Groot-Brittannië
> Sir Robert Childs, MP, is vandaag dood in zijn badkuip aangetroffen. Zijn doorgesneden polsen duidden op zelfmoord. Zijn dienstmeisje, dat het lichaam van het populaire parlementslid ontdekte, zegt dat ze een briefje heeft gevonden waarin hij zijn familie diepe spijt betuigde over zijn geheime leven met callgirls...

> *Bild*, Duitsland
> De hele natie kreeg een schok toen vanmorgen in alle vroegte bekend werd dat kanselier Hans Raab om middernacht was afgetreden. Onder de druk van de beschuldigingen, dat hij gedurende de zestien jaar dat hij aan het bewind is geweest illegale schenkingen heeft aanvaard in ruil voor politieke inspraak, heeft hij...

> *Washington Post*, Verenigde Staten
> De verkiezingscampagne heeft haar zoveelste verrassing opgeleverd toen het zesde congreslid in even zoveel weken aankondigde dat hij zich terugtrekt uit de race. Jay White (Democra-

ten, Oregon) zei dat hij zich vanwege de geboorte van zijn derde kind om financiële redenen gedwongen ziet terug te keren naar het bedrijfsleven, dat hem een beter inkomen kan geven om zijn gezin te onderhouden.
Dat betekent dat er nu in het totaal drie Republikeinen en drie Democraten, stuk voor stuk van de uiterst rechtse of linkse vleugels van hun partij, zich niet herkiesbaar stellen. Ze hadden geen van allen een serieuze tegenkandidaat...

'Neem nou sir Robert,' zei Mellencamp. 'Hij is als een of andere Romeinse senator doodgebloed in zijn badkuip, zogenaamd omdat was ontdekt dat hij af en toe met een paar hoeren tussen de lakens lag te kroelen. Belachelijk dat hij om zo'n wissewasje zelfmoord zou plegen.'
'In bepaalde kringen in Londen was bekend dat hij gebruik maakte van de diensten van callgirls.'
'Precies. Hij moet bang zijn geweest dat er iets anders aan het licht zou komen. Iets dat belangrijk genoeg was om zelfmoord te plegen.' Mellencamp zuchtte. 'En nu is Raab afgetreden onder het mom van financieel gekonkel. Het is niet te geloven dat hij om middernacht als een ordinaire dief de benen heeft genomen om zo'n licht vergrijp als een omkopingsschandaal.'
'In ieder geval kan hij nu zijn keus voor de minister van handel niet doordrijven. De milieubeperkingen zouden de hele internationale markt tien jaar achteruit hebben gezet.' De stem aan de andere kant van de lijn aarzelde even en ging toen nadenkend verder: 'Misschien zit dat er wel achter. Misschien werd Raab door chantage gedwongen om af te treden wegens een benoeming die hij van plan was door te voeren en is dat gezeur over omkoping alleen maar een excuus ten behoeve van de openbare mening.'
Mellencamp knikte. 'Maar wat heeft dat dan te maken met al die congresleden die zich hebben teruggetrokken voor de volgende verkiezingen? Drie extreem rechtse figuren en drie van uiterst links. Als we gelijk hebben en de chanteur inderdaad gebruik maakt van het archief van de Carnivoor...'
'Dan moet er op de een of andere manier verband zijn tussen de congresleden, Robert Childs, kanselier Raab en jou. Misschien moet je maar doen wat die chanteur van je eist, Themis. Per slot van rekening heeft hij je met de dood bedreigd. En zo'n ingrijpend verzoek was het niet. Een kleine verandering in die nieuwe overeenkomst tussen de EU en de Verenigde Staten...'
'Néé!' viel Mellencamp hem in de rede. 'Dat heb ik al gezegd.' Met-

een daarna bleef het ijzig stil. Hij had Kronos verteld wat hij moest weten over de reden waarom hij gechanteerd werd, meer niet. Hij wenste er verder geen woord vuil over te maken.
Maar Kronos had de draad alweer opgepakt en zijn stem klonk gespannen toen hij hardop peinsde: 'Wat hebben jullie dan met elkaar gemeen? Jullie komen uit verschillende landen. Jullie hebben ook andere banen, hoewel jullie wel allemaal op de een of andere manier bij de politiek betrokken zijn. En jullie zijn allemaal mannen. Blanke mannen met macht. We weten dat jij de Carnivoor in de arm hebt genomen, of dat je vrouw dat heeft gedaan.'
'Laat haar erbuiten,' snauwde Mellencamp. Ruth was vijf jaar geleden overleden en hij was nog steeds niet over zijn verdriet heen. In haar jeugd had ze een misstap begaan. Ze had zich samen met een vriendje tot de Carnivoor gewend om een Amerikaanse senator die haar jongere zuster had verkracht een halt toe te roepen. De senator en zijn machtige vader, die hem altijd had beschermd, waren samen bij een ongeluk met een zeilboot op de Middellandse Zee om het leven gekomen.
'Onze onderzoekers hebben ook een verband ontdekt tussen de Carnivoor en Raab en twee van de zes congresleden,' vervolgde Kronos. 'De chanteur schijnt niet op geld uit te zijn. Is er een of ander overkoepelend plan, of gaat het gewoon om een gek die puur op instinct werkt?'
'God mag het weten,' zei Mellencamp vermoeid.
'Onze mensen komen steeds op een doodlopende weg uit. Volgens hen is het alsof ze in de dichte mist op zoek zijn naar een geest. Degene die het archief heeft, schijnt precies te weten hoe hij buiten ons bereik moet blijven. En daarom vraag ik je nog eens: Weet je zeker dat de dochter van de moordenaar van niets weet?'
Mellencamp ging behoedzaam weer rechtop zitten. 'Vrijwel zeker.'
De stem klonk kil en zakelijk. 'Ze is de laatste levende schakel naar de Carnivoor. Ze moet uit de weg worden geruimd voordat ze ons echt schade toebrengt.'
Dat was precies wat Mellencamp had gevreesd. 'Elke dode wordt in de schijnwerpers gezet,' wierp hij tegen. 'En als de hoeveelheid licht toeneemt, wordt de aandacht steeds groter. Als je haar doodt, wordt het risico dat wij ontdekt worden ook steeds groter. In plaats daarvan is het voor ons beter – en veiliger – om haar onder controle te houden.'
Er viel een verbaasde stilte, die ten slotte door Mellencamp werd verbroken. Zijn stem klonk ongeïnteresseerd. Hij moest voorkomen dat het leek alsof hij een gunst vroeg. Dan zou Kronos willen onder-

handelen en dit was niet bespreekbaar. 'Als we het op de juiste manier aanpakken, zou Sansborough voor ons van belang kunnen zijn. Misschien zelfs van levensbelang als we er achter kunnen komen wie het archief heeft, of als ze zich iets herinnert waarvan ze niet beseft dat het belangrijk is. Zij is onze laatste schakel, dat heb je zelf al gezegd.'

'Die kans bestaat,' gaf de stem uit de verte toe. 'Heb je een plan?'

'Natuurlijk.' Mellencamp glimlachte bij zichzelf. 'Ga maar na. Op dit moment weet Sansborough niet waar ze aan toe is en ze zal wel behoorlijk in de put zitten. Haar ouders zijn allebei dood en haar man is al een tijd geleden om het leven gekomen. Ze heeft geen broers of zusters en vanwege het leven dat ze heeft geleid ook geen echte vrienden, met uitzondering van haar nichtje in Californië.'

'Sarah Walker, ja. Dat herinner ik me. En?'

'Ze zou het liefst weer voor Langley willen gaan werken, want dan weet ze waar ze aan toe is. Dat is bekend en vertrouwd terrein.'

'De directeur van jullie eigen veiligheidsdienst beschouwt haar als een risicofactor.'

'Ja, natuurlijk denkt Arlene er zo over en ze heeft gelijk. Arlene zal haar hoop om weer in dienst genomen te worden blijven aanwakkeren, alleen maar om haar koest te houden. Maar Sansborough zal nooit meer acceptabel worden voor Langley, wat ze ook doet. Ondertussen is ze bezig met een doctoraal studie psychologie aan Georgetown. Ik heb haar aangemoedigd om daarmee door te gaan. Het is aan ons haar op dat terrein een kans te geven. Maar dan moeten we wel snel zijn, voordat ze in iets anders geïnteresseerd raakt, of ons op de een of andere manier voor de voeten gaat lopen. Als we dit verstandig aanpakken, verdwijnt ze in de academische wereld, gewoon een van de vele vrouwen met een verleden dat ze het liefst zou willen vergeten. Een nummer bij een of ander college of universiteit. Onbetekenend. En zolang ze zich rustig en gedeisd houdt, kunnen wij haar in de gaten houden. Dan zal ze voor ons geen gevaar zijn. En evenmin voor zichzelf.'

Grey Mellencamp woonde op een fokkerij van volbloeds op een kilometer of zestig ten oosten van het onderduikadres. De limousine was vanaf de landweg de Beltway opgereden, waar de avondspits zoals gewoonlijk voor veel oponthoud en ergernis zorgde. De maan stond inmiddels hoog aan de hemel en wierp een zilveren schijnsel over de rijdende auto's, de huizen en de bedrijfspanden die waar hij ook keek verspreid lagen in een oceaan van twinkelende lichtjes.

Hij legde de knipsels weer in zijn koffertje, opgelucht dat Kronos akkoord was gegaan met zijn plan. Hij liet zijn gedachten vermoeid de vrije loop, hoewel hij de tere punten in zijn verleden meed, maar toen de limo stopte bij het wachthuisje naast het hek aan de voorkant van de boerderij en de veiligheidsbeambte wenkte dat ze door konden rijden, begon hij zich te ontspannen. Weliswaar had hij het archief van de Carnivoor niet kunnen lokaliseren, maar hij had in ieder geval het leven van een onschuldige vrouw gered.

De limo stopte bij het portiek met de voordeur, waar brandende rijtuiglampen een gouden gloed over de met klinkers geplaveide oprit wierpen. Chet sprong achter het stuur vandaan en holde om de auto heen om het portier open te doen.

Mellencamp stapte de kou in, met zijn koffertje in de hand. Hij knikte tegen Chet en liep vermoeid het trapje naar de voordeur op.

'Zes uur morgenochtend, meneer?' riep Chet hem na.

'Ja, natuurlijk. Tot dan.' Om een onverklaarbare reden draaide Mellencamp zich om en voegde zijn chauffeur nog een paar laatste woorden toe. 'Ik hoop dat je een prettige avond hebt, Chet.'

'Dank u wel, meneer. En hetzelfde geldt voor u, meneer.'

De minister van Binnenlandse Zaken liep het huis binnen dat doortrokken was van de geur van brandend dennenhout. Hij liep door de hal, gooide zijn overjas uit en stapte zijn studeerkamer binnen. De muren waren voorzien van een lambrisering van kersenhout en zware gordijnen voor de openslaande deuren hielden de nachtelijke vrieskou buiten. Hij gooide zijn jas op een bank en viel als een blok in zijn stoel naast de open haard.

De dansende vlammen waren oranje en blauw. Het was een echt vuur, met echte houtblokken, niet die imitatierotzooi die zoveel jonge mensen tegenwoordig hadden om al die troep met as en zo te vermijden. Hij leunde voorover, wreef in zijn handen om ze te warmen en begon zich opnieuw zorgen te maken over de persoon die het archief in handen had gekregen en wat de gevolgen daarvan zouden zijn voor de reputatie van zijn overleden vrouw en voor zijn toekomst.

Vanuit de keuken riep zijn huishoudster: 'Ik hoorde u binnenkomen, meneer. Wilt u iets te drinken?'

'Doe geen moeite, Gretchen,' riep hij terug. 'Ik schenk zelf wel iets in.'

Hij trok zijn das los en hees zichzelf overeind, gehinderd door zijn gewicht van meer dan 250 pond en zijn leeftijd van zesenzestig jaar. Hij liep moeizaam naar de bar en stond net een whisky sour in te schenken toen hij de vlaag ijskoude lucht voelde die achter de gordijnen vandaan kwam. Hij keek om en de adem stokte in zijn keel.

Een in het zwart gehulde gestalte stapte te voorschijn.
Voordat Mellencamp zijn gedachten had geordend of kon reageren, kwam de gestalte achter hem staan en trok zijn hoofd achterover.
'Nee!' Mellencamp liet zijn glas vallen en probeerde de handen te grijpen. Te laat.
De korte naald van een volle injectiespuit doorboorde zijn vlezige wang, waar het wondje niet zou opvallen tussen de grijze stoppeltjes van zijn opkomende baard. Toen zijn hoofd werd losgelaten werd hij overvallen door een aanval van duizeligheid. Hij draaide zich ontzet om en knipperde met zijn ogen terwijl de moordenaar achter de gordijnen verdween. Een snijdende pijn leek zijn hart open te splijten terwijl hij zich vol woede realiseerde dat er die avond toch een mens geslachtofferd zou worden. Zijn knieën knikten en hij sloeg dood achterover.

Deel Een

De konijnenstrik bestaat bij de gratie van het konijn. Zodra het konijn gevangen is, heb je de strik niet meer nodig.

CHUANG TSU

1

Mei 2003, Brussel, België

In een van de conservatieve pakken waarin je hem uit kon tekenen liep Gino Malko, zwaaiend met zijn exclusieve ebbenhouten wandelstok voorzien van een zilveren handgreep, door de rue Ste. Catherine in het lager gelegen gedeelte van de stad en genoot van het noordelijke lentezonnetje. Af en toe legde hij zijn hoofd in zijn nek, deed zijn ogen dicht en liet zijn gezicht warmen door de zon, terwijl hij er op de een of andere manier in slaagde de andere wandelaars te ontwijken alsof hij een ingebouwde radar had.

Uiteindelijk liep hij naar een café, Le Cerf Agile, en ging buiten aan een tafeltje met een wit kanten kleedje zitten.

De ijverige kelner kwam meteen naar hem toe. 'Goedemorgen, meneer. Alweer een mooie dag, hè?' zei hij in het Engels. 'Uw gewone bestelling?'

'Graag, Ruud,' zei Malko glimlachend, zonder uit zijn rol te vallen. Malko gaf altijd grote fooien, dus de kelner dook al snel weer op met een potje koffie, een kannetje warme melk en een Belgisch koffiebroodje. Malko knikte erkentelijk, schonk een kopje koffie in, roerde en nam een hap van zijn broodje. Hij leunde op zijn gemak achterover en bestudeerde de stroom voorbijgangers, die bestond uit personeelsleden van de NAVO, zakenlieden, toeristen en stafleden van de EG. Het was vrij vroeg in het jaar voor toeristen, maar het mooie lenteweer had toch een flink aantal aangetrokken.

Hij was net bezig met zijn tweede broodje, toen hij zijn doelwit in het oog kreeg. Achteloos pakte hij zijn wandelstok op en mengde zich onopvallend tussen de stroom passanten. Het was kennelijk zo druk dat hij zich gedwongen voelde zijn stok omhoog te houden.

Onvermijdelijk botste hij tegen een paar mensen op, onder wie zijn doelwit, bood telkens verschrikt zijn excuses aan en keerde ten slotte terug naar het café alsof de drukte hem te veel was geworden.

Een vrouw begon te gillen en iedereen keek in haar richting. Naast haar was een slanke man met een zuid-Europees uiterlijk op het trottoir in elkaar gezakt, met zijn hand tegen de borst.

Terwijl het drukke Brusselse verkeer voorbijraasde, liepen de men-

sen te hoop en schreeuwden in het Frans, Vlaams en Engels door elkaar.
'Zorg dat hij lucht krijgt!'
'Bel een ambulance!'
'Is er iemand die hem kan animeren?'
'Laat me erdoor, ik ben arts!'
Malko, die inmiddels weer aan zijn tafeltje op het terrasje zat, nam een slokje koffie, kauwde op zijn broodje en keek toe hoe de dokter zich tussen de belangstellenden doorworstelde. De omstanders fluisterden en stonden omlaag te kijken. Terwijl Malko de laatste hap van zijn broodje nam en zijn vingers schoonveegde, ging er een rilling van afschuw door de kring belangstellenden.
Vrijwel meteen daarna dook een man in hemdsmouwen met een mobiele telefoon in zijn hand op uit de drom toeschouwers. Zijn gezicht was rood van opwinding. 'Er heeft zich een drama afgespeeld in de rue Ste. Catherine!' rapporteerde hij. 'Een hartaanval – dat heeft een dokter net geconstateerd. Wat? Ja, hij is dood. Belangrijk? Hou je hart vast: het is gevolmachtigde Franco Peri van de EG-commissie voor concurrentiebedingingen! Gooi het maar meteen op de zender. Ja, als extra nieuwsuitzending. Schuif alle andere uitzendingen maar op!'
Gino Malko glimlachte, legde een paar euro op het kanten tafelkleedje en liep zwaaiend met zijn wandelstok weg. Over vijf minuten zou hij terug zijn in zijn hotel, waar hij tien minuten later zou uitboeken. En binnen een kwartier zou hij in een taxi zitten, op weg naar het vliegveld.

Juli 2003, Universiteit van Californië, Santa Barbara

Het was over negenen in de ochtend en Campbell Hall was afgeladen met studenten die de oplopende rijen van het amfitheater bevolkten. Liz Sansborough bestudeerde hen terwijl ze haar laatste college van het zomersemester gaf. Op de een of andere manier straalden hun onverschillige, geïnteresseerde, schoongeboende, smerige, slaperige en waakzame gezichten hoop uit.
Ze deden haar denken aan de jaren die zij in Cambridge had doorgebracht, toen ze even oud was als zij nu en ook op zoek was geweest naar een aanknopingspunt. Waarschijnlijk zou ze blijven zoeken tot ze omviel van het werk en de incidentele maar noodzakelijke martini. Het feit dat deze studenten keer op keer bij haar colleges bleven opduiken gaf haar het optimistische gevoel dat zij hun zoektocht ook niet zouden opgeven.
'Volgens Marx was geweld de vroedvrouw van de geschiedvorming,'

vertelde ze hun. 'Maar het fascisme is geen bedenksel van de aristocratie, net zomin als het communisme bedacht is door de lagere standen. Het zijn allebei uitvloeisels van politieke ideologieën, van Trotsky en Lenin tot Hitler en Mussolini, en het ontstaan van beide politieke systemen ging gepaard met een golf van geweld. Zij en hun volgelingen bezondigden zich aan "overkill" omdat ze bezeten waren van hun ideologie – je zou het een soort nieuwe religie kunnen noemen – waaruit een nieuwe wereld en een nieuw soort mens zou ontstaan. Precies zoals hedendaagse dictators maakten Stalin en Hitler daarbij gebruik van terrorisme en geweld, niet alleen tegen andere legers, maar ook tegen de burgerbevolking, waaronder die van hen zelf. Moderne voorbeelden zijn Saddam Hussein, Osama bin Laden, de Taliban en het Al-Qaedanetwerk.' Ze zweeg even om die opsomming te laten bezinken en glimlachte toen. 'Goed, nu is het jullie beurt. In welk opzicht past dit betoog volgens jullie bij wat we hebben besproken over de psychologie van het geweld?'

Ze keek toe hoe ze met hun voeten begonnen te schuifelen en hun blikken afwendden. De vingers van de gebruikelijke kandidaten schoten omhoog, maar ze wilde dat iemand anders wat meer lef zou tonen.

'Kom op, wees eens dapper,' moedigde ze hen aan. 'Wie durft een gok te wagen?' Er werden nog een paar vingers opgestoken. 'Goed, jij ziet eruit alsof je ons iets interessants te vertellen hebt.' Ze wees naar een van de vingers. Bij zo'n drukbezocht college waren geen vaste zitplaatsen en hoewel ze de ruim twintigjarige wel herkende, wist ze niet precies hoe ze heette.

De jonge vrouw had steil, lichtblond haar dat de helft van haar gezicht als een gordijn bedekte. Ze schudde met haar hoofd om haar ogen en mond vrij te maken en misschien ook om beter te kunnen ademhalen. 'Agressie en geweld bij volwassenen kunnen het gevolg zijn van een gebeurtenis tijdens de vroege jeugd, professor Sansborough,' zei ze ernstig, 'maar dat is niet altijd de volledige verklaring.'

'Ga door.'

'In feite kan die verklaring als te gemakzuchtig worden beschouwd,' zei ze met iets meer zelfvertrouwen. 'Een tikje goedkoop. "Brave" mensen worden af en toe door omstandigheden verleid om hun toevlucht te nemen tot geweld. Dan... eh... dan raken ze betrokken bij iets gewelddadigs en is het net alsof hun eigen persoonlijkheid in het gedrang komt.' Ze hield op en zocht naar woorden.

Liz knikte. 'Met andere woorden: hun persoonlijke identiteit raakt zoek omdat hun moraal doorbroken wordt. En ze proberen vervolgens dat gedrag te rechtvaardigen en in een ander daglicht te stel-

len. Dat is dan ook meteen de verklaring voor het "kuddegedrag" en "de macht van de menigte". En het toont aan hoe een doodgewoon mens uiteindelijk bereid kan zijn om iets afschuwelijks en gewelddadigs te doen en een kwaad aan te richten dat ze nooit meer zullen vergeten en dat ze zichzelf waarschijnlijk ook nooit zullen vergeven...'
Wat Liz betrof vloog de rest van het college voorbij. Na afloop was ze bekaf. Ze verzamelde haar aantekeningen en propte ze in haar koffertje. Eigenlijk had ze vandaag helemaal geen college horen te geven. Ze had in Parijs moeten zijn, voor een korte vakantie met Sarah en Asher. Maar toen puntje bij paaltje kwam, had ze het niet kunnen opbrengen om dit laatste college van het zomersemester aan haar assistent over te laten. Het was veel te belangrijk, want het moest een samenvatting worden van alles wat de studenten hadden geleerd. En als ze goed opgelet hadden en hun aantekeningen door zouden nemen, was de kans groot dat ze niet alleen hun tentamen zouden halen, maar dat ze zelfs iets zouden hebben opgestoken.
Vanwege de recente energieproblemen in Californië gingen de lichten uit en de collegezaal stroomde snel leeg. Zoals zo vaak bleven een paar studenten wachten om over het grasveld van de campus met haar mee te lopen naar haar kantoor.
'Maar hoort een "braaf" mens niet in staat te zijn die kuddementaliteit te weerstaan?' vroeg een van hen.
Hoge eucalyptusbomen wiegden in het briesje van de oceaan. De lucht rook fris, naar zon, zee en zout. Liz haalde diep adem, genietend van de zomerochtend en van het hele leven.
'Ongetwijfeld,' beaamde ze. 'Maar dat brengt ons op het thema van ethiek.'
'Het is niet zo gemakkelijk,' zei een ander rustig. 'Om daar weerstand aan te bieden, bedoel ik.'
'Dat klopt,' zei een derde. 'Als er iets op je af komt golven, moet je er soms wel induiken.'
'Maar niet altijd,' merkte Liz op. Hun vragen bevielen haar. Daaruit bleek dat ze nadachten en dat vond ze het belangrijkste bij een opleiding. 'Ga eens bij jezelf na wat je moet opbrengen om nee te zeggen als alle andere mensen volhouden dat het ja moet zijn. Zodra je gaat nadenken over hoe je zelf zou willen reageren, begin je al een soort reserve op te bouwen voor de tijden waarin je met moeilijke beslissingen zult worden geconfronteerd en die zul je dan ook onder ogen kunnen zien.'
'Ik ben echt blij dat je niet helemaal door dat gedoe op tv wordt opgeslokt,' zei de jongen die had gezegd dat je soms wel ergens in moest

duiken. 'Ik bedoel maar, het is hartstikke gaaf dat je nog steeds college geeft.'
'Ik kan me niet voorstellen dat ik daar ooit mee zal kappen,' verzekerde ze hem. 'Nu we bij die serie een professionele producer en een vakkundige staf hebben, zal ik ook meer tijd overhouden voor jullie.'
Ze lachten en bestookten haar met vragen over de nieuwe afleveringen over de Koude Oorlog die uitgezonden zouden worden.
'Jullie zullen geduld moeten oefenen,' zei ze. 'Ik heb een eed op geheimhouding afgelegd.'
Dat sprak hun gevoel voor humor aan en ze lachten. Toen het groepje bij het psychologiegebouw aankwam, stuurde ze hen met een smoesje weg. Er was één jongen bij die echt heel schattig was. Hij was verliefd op haar en maakte dan ook vaak deel uit van het groepje dat op haar bleef wachten.
Hij was zo verlegen dat hij er maar net in slaagde om 'fantastisch college, professor Sansborough' te mompelen voordat hij wegslofte.

Liz stapte naar binnen en liep de trappen op naar de tweede etage. Het gebouw was van verweerd roze beton, praktisch en zonder poespas, en dat vond ze prettig. In de gangen wemelde het van stafleden en studenten. Toen ze bij haar kantoor aankwam, zat Kirk Tedesco daar op haar te wachten, achterovergeleund in haar stoel, met zijn grote Rockports op haar bureau.
Hij zat de *TV Gids* door te kijken en grinnikte toen hij het blad liet zakken. 'Hallo, schat. Hoe ging het met de joelende meute?'
Haar kantoor lag vol slonzige stapels papier en boeken. Kirk was de stilte in het hart van de researchstorm. Ze lachte bij wijze van groet. 'Echt een stelletje slimme apen.' Ze deed de deur dicht en liet haar koffertje naast haar sporttas op de grond vallen.
'Ja, dat zal wel. Dat had je gedroomd.' Kirk was ook professor in de psychologie, gespecialiseerd in gedragsstoornissen. Hij was zo laconiek dat hij als wetenschapper niet veel te betekenen had, maar hij was vriendelijk en gezellig, waardoor ze gehecht was geraakt aan zijn gezelschap.
'Nee, echt waar, Kirk,' zei ze tegen hem. 'Dit is een geweldig stel. Ze zijn werkelijk in het onderwerp geïnteresseerd. Ik ben blij dat ik gebleven ben om dit college te geven. Parijs kan wel tot morgen wachten.'
Hij pakte de *TV Gids* weer op en zwaaide ermee. 'Hier staat een leuk artikel in over jou en over het nieuwe seizoen.'
Blij verrast pakte ze het blad aan. De eerste vier programma's van de

nieuwe serie waren inmiddels voltooid, de volgende drie werden op dit moment opgenomen en ze was alweer bezig met de research voor latere afleveringen. Haar ogen gleden snel over het verhaal:

> Sansboroughs serie over de Koude Oorlog is terug!
> Er was maar één woord – en een simpel beeld – voor nodig. Vorige maand doken overal op bushaltes in New York City posters op met in vuurrode letters '29 juli' en daaroverheen een zwart stempel 'Strikt geheim'. Geen foto's. Geen titel.
> Maar de echte liefhebbers voelden een rilling van verrukking bij de wetenschap dat ze niet veel langer meer hoefden te wachten op het vervolg van het langzaam maar zeker bijzonder populaire programma *Geheimen van de Koude Oorlog* van dr. Liz Sansborough.
> Een leidinggevende functionaris van Compass TV onthulde dat een van de huiveringwekkende uitzendingen over gebeurtenissen tijdens de Koude Oorlog zou gaan over de illegale ingrepen van een hoge CIA-functionaris op de presidentiële politiek. Daarnaast kunnen we een in de doofpot gestopt FBI-schandaal verwachten waarin een overloper van de KGB, een meester op het gebied van vermommingen, een hoofdrol speelt.
> In nog geen drie jaar is de serie van dr. Sansborough uitgegroeid van een simpel kabelprogramma tot een underground-sensatie. En voor het nieuwe seizoen houdt de professor in de psychologie ons in spanning met de belofte van sappige bijzonderheden over een paar van de meest ongrijpbare en levensgevaarlijke beroepskrachten van de Koude Oorlog: de beroepsmoordenaars die overal ter wereld werden ingezet, zoals de beruchte Abu Nidal en minder bekende, maar volgens zeggen mythische figuren als de Carnivoor en de Abt...

'Goeie publiciteit,' beaamde ze en wierp hem het blad weer toe.
'En daar blijft het niet bij. Op een dag zal jouw gezicht even bekend zijn als dat van Julia Roberts. En je bent nu al een verdomd stuk aantrekkelijker.'
'En jij bent een eersteklas slijmbal.' Maar ze grinnikte dankbaar, omdat hij aanvankelijk zijn bedenkingen had gehad met betrekking tot de serie.
Het raam van haar kantoor bood uitzicht op de campus en verder naar het noorden op de scherpgetande pieken van de Santa Ynez Mountains. En het lag hoog genoeg om te voorkomen dat iemand haar kon zien. Ze trok haar T-shirt over haar hoofd en stapte uit haar broek.

'Leuke sportbeha,' zei Kirk. 'Leuke string.'
Ze deed net alsof ze niets had gehoord en trok haar shorts aan die ze altijd droeg als ze ging hardlopen. 'Begint je dat nou niet te vervelen? Een paar keer per week kom je met een of ander slap smoesje binnenvallen om me dit te zien doen. Je hebt gewoon niet genoeg om handen, Kirk. Hé, en dit keer heb je niet eens de moeite genomen om een excuus te verzinnen.' Ze trok haar haar in een paardenstaart en deed er een elastiekje om.
'Het verveelt me absoluut niet. En ik heb een prima excuus.' Hij zette zijn voeten op de grond en kwam naar haar toe. Hij was een vierkant gebouwde man van begin veertig, met lekker brede schouders en het vage begin van een buikje, wat ze eigenlijk best lief vond.
'Ga weg.' Ze schudde geamuseerd haar hoofd en knielde om de veters van haar sportschoenen te strikken. 'Dit is de tijd waarop ik altijd ga joggen.'
'Dat was me al opgevallen. Je ziet er veel appetijtelijker uit in shorts dan in dat gevangenispak dat je aantrekt als je naar karate gaat.'
Met zijn opgewekte gezicht, zijn sproeten en zijn rode haar was Kirk ook best het aanzien waard. Ze waren allebei in 1998 aan de USCB begonnen, als professoren van twee gloednieuwe leerstoelen gefinancierd door de prestigieuze Aylesworth Foundation. Omdat ze lid waren van dezelfde faculteit en allebei vrijgezel hadden ze automatisch elkaars gezelschap gezocht en waren bevriend geraakt. De rest had wat meer tijd in beslag genomen.
'Vertel me dan maar wat je excuus is.' Ze sprong op en boog haar knieën om haar spieren los te maken.
'De zomerreceptie van de rector. Die is vanmiddag, weet je nog wel? Het begint om drie uur. Zien we elkaar daar of zal ik je ophalen?'
'We zien elkaar daar wel.' Ze tikte even tegen zijn overhemd en drukte snel een kus op zijn mond.
Hij stak zijn armen uit, maar ze dook weg.
'Je zult helemaal bezweet zijn,' waarschuwde hij met twinkelende ogen.
'Ja, daar verheug ik me echt op.' Ze pakte haar zonnebril en haar zonneklep.
Toen ze de deur op slot deed en de sleutels in haar buiktasje stopte, slofte hij terug naar zijn eigen kantoor. Opgewonden holde ze de trap af, de wazige Californische zonneschijn tegemoet.

Parijs, Frankrijk

Tien uur 's ochtends in Californië betekende zeven uur 's avonds in Frankrijk. Op het moment dat Liz Sansborough op meer dan tienduizend kilometer afstand in Santa Barbara vertrok om een eind te gaan hardlopen, wandelden Sarah Walker en Asher Flores hand in hand door de receptie van hun hotel in het Quartier Latin.

Ze vormden een knap stel, ergens tussen de vijfendertig en de veertig. Hij had krullend zwart haar en een sterk gezicht, met zo'n scherpe blik die altijd op de loer lag. Zij was lang en slungelachtig, met kort roodbruin haar. Een donkere moedervlek vlak boven de rechterhoek van haar glimlachende mond gaf haar een dramatisch trekje en de pink van haar linkerhand stond krom, kennelijk het aandenken van een sportief verleden waarin iets mis was gegaan.

Ze waren de avond ervoor in Parijs aangekomen en hadden kamers genomen in het favoriete hotel van haar nicht, die hen drie dagen lang gezelschap zou komen houden. Liz had haar komst uitgesteld en zou pas morgen arriveren, maar Sarah en Asher waren geen van beiden types om geduldig te gaan zitten wachten. Ze hadden al een paar toeristische uitstapjes gemaakt, naar het Louvre en naar andere attracties waarvoor ze nooit tijd hadden gehad, en waren teruggekomen om zich te verkleden om uit eten te gaan.

De avondportier had hen door de glazen deur van de receptie aan zien komen. Hij trok de deur open en boog. 'Mademoiselle Sansborough,' zei hij bij wijze van groet. 'Wat een prettige verrassing. Het was niet tot me doorgedrongen dat u opnieuw bij ons logeert.'

Sarah lachte hem vriendelijk toe toen ze naar buiten liep en onder de luifel stapte. 'Het spijt me, maar ik ben Liz Sansborough niet. Ze komt pas later.'

Verbijsterd bleef de portier even aarzelen, alsof hij verwachtte dat de vrouw in lachen zou uitbarsten om haar eigen grapje. Hij tikte snel tegen de klep van zijn pet. 'Neem me niet kwalijk, madame. Vergeef me alstublieft.' Zijn oog viel op de gouden trouwring om haar ringvinger.

'Maakt u zich geen zorgen,' zei Asher Flores minzaam terwijl hij achter haar aan liep. 'Ze zijn nichtjes en ze lijken zoveel op elkaar dat iedereen hen door elkaar haalt.'

Sarah schudde plotseling haar hoofd. 'O, verdorie. Ik heb mijn tas in de kamer laten staan. Heb jij creditcards bij je, Asher?'

'Een heel pak,' stelde Asher haar gerust. Hij zei tegen de portier: 'Denkt u dat het gaat regenen? Het ziet er de hele middag al dreigend uit.' Hij stapte onder de luifel uit om naar de lucht te kijken, die volgepakt was met donkere stapelwolken. Het begon te spetteren en de metaalachtige geur van ozon drong zich op. 'Nou, dat weten we dan ook weer.' Hij zocht haastig weer beschutting onder de luifel.

'Eén moment alstublieft, meneer.' De portier stak zijn hand uit en kwam op de proppen met een grote paraplu die achter de deur had gestaan. Hij stak hem op en overhandigde hem aan Asher.
Onder de paraplu stak Sarah haar arm door die van Asher en ze gingen vrolijk op weg. Op dat moment werden de hemelsluizen opengezet en kille regenvlagen plensden omlaag. Automobilisten deden hun ruitenwissers en hun lichten aan, terwijl de voetgangers onder luifels en zonneschermen doken om te schuilen.
Sarah lachte. 'Die paar lekkere, ontspannen dagen in het Franse zonnetje kunnen we wel vergeten.'
'Denk je dat dit de straf is omdat we hier nooit meer samen terug zijn gekomen?'
'Dat mocht je willen. Zo belangrijk vinden de goden ons heus niet.'
'Maar ik wel.' Terwijl het verkeer voorbij zoefde en de regen luidruchtig op de paraplu kletterde, trok hij haar impulsief in zijn armen en kuste haar.
Lachend sloeg ze haar armen om zijn nek. Parijse claxons begroetten het gebaar met veel lawaai.
Sarah had niet veel trek gehad om terug te gaan naar deze stad waar hen zoveel akeligs was overkomen, maar Langley had Asher eindelijk een volle maand vakantie gegund en het was hoog tijd dat die spookbeelden verjaagd werden. Ze hadden echt behoefte gehad om samen op reis te gaan en elkaar weer helemaal opnieuw te leren kennen en er was toch geen romantischer plekje te bedenken dan de Lichtstad, de Stad der Liefde?
Ze kuste hem enthousiast terug en drukte zich tegen hem aan, warm, gelukkig en zorgeloos terwijl ze elkaar streelden in hun eigen veilige holletje onder die paraplu.
Toen hij haar ten slotte losliet, keek ze hem diep in zijn ogen en zei lachend: 'Laten we nou maar gauw dat bistrootje opzoeken en iets gaan eten. Ik heb honger.'
De andere voorbijgangers waren winkels binnengestapt om aan de bui te ontsnappen en toen Sarah en Asher haastig doorliepen, was er niemand anders op het trottoir te bekennen. Een donderslag deed de grond onder hun voeten trillen. De auto's bleven met een belachelijke snelheid doorrijden en het vieze regenwater spatte vanaf hun banden op het trottoir.
'Nog één straat verder,' zei Asher toen ze een zijstraat overstaken. Hun kleren waren doorweekt.
'Dat zal best lukken. Ik zit nog niet in zak en as.'
Ze sprongen over het water dat door de goot gutste en belandden opnieuw op het verlaten trottoir, waar ze nog sneller verder liepen.

De lucht werd zwart. De koude regen plensde zo hard omlaag dat het water van de stoeptegels omhoogspatte. Ze ontweken de plassen en begonnen te rennen, omdat ze langzaam maar zeker koud en stijf werden. Eindelijk zag Asher aan het eind van de straat het uithangbord van de bistro: ROUGET DE LISLE. Hij wees ernaar en wilde het net tegen Sarah zeggen toen een zwarte bestelwagen plotseling met piepende remmen naast hen stopte en hen aan het oog van het verkeer onttrok.
Voordat de wielen tot stilstand kwamen, ging Ashers inwendige alarm al af. Zijn oplettende blik vloog van de bestelwagen over het lege trottoir naar het donkere steegje aan de andere kant, waaruit twee mannen met bivakmutsen op en pistolen in de hand te voorschijn kwamen. Ze hadden zich verstopt door zich plat tegen de muur te drukken. Asher smeet de geopende paraplu naar hen toe.
Ze bukten zich en hij gaf Sarah een stevige duw om haar veilig langs hen heen te loodsen. Hij rukte net het kleine pistool uit de holster om zijn enkel toen de deur van de bestelwagen met een klap openvloog.
Terwijl hij zijn pistool ophief en richtte, draaide Sarah zich om en keek waar hij bleef. Haar kletsnatte gezicht verstarde van schrik toen ze zag hoe weloverwogen de overval plaatsvond.
Op het moment dat hij zijn mond opendeed om tegen Sarah te schreeuwen dat ze ervandoor moest gaan klonk het zachte *pop-pop* van gedempte pistoolschoten. Een kogel boorde zich in Ashers borst. Het was net alsof er uit het niets ineens een reus opdook, die hem ruw beetpakte en hem achteruit smeet. Met gespreide armen en benen sloeg hij hard tegen de grond. Zijn hoofd kwam met een klap op het trottoir terecht en het pistool vloog uit zijn hand. Zijn ogen zakten dicht.
'Blijf van me af!' gilde Sarah.
Haar stem drong nauwelijks door tot zijn van pijn benevelde brein.
'Asher!' riep ze doodsbenauwd. 'Is alles goed met je? Asher! Ik wil naar hem toe!'
Hij hoorde het schuifelende geluid van een worsteling.
'Merde!' vloekte een van de mannen.
'Een echte tijgerin,' beaamde iemand anders in het Frans.
Asher probeerde zijn ogen open te doen, op zijn zij te rollen en op te staan. Vechten. *Red Sarah*. Zijn borst werd verteerd door een vlammenzee. Inwendig ziedde hij hulpeloos van woede.
'Zet Walker in de wagen!' riep een van de mannen. 'Schiet op.'
'Asher!' Haar kreet van verlangen doorboorde zijn hart.
Op van de zenuwen probeerde Asher nog fanatieker overeind te ko-

men. Hij voelde hoe hij bewoog. Zijn handpalmen drukten tegen de natte stoeptegels.
Voordat hij de kans kreeg te gaan zitten ramden krachtige knuisten zijn schouders weer terug. Iemand slaakte een kreet van pijn. Was hij dat?
Een ruwe stem klonk in zijn oor. 'Als je je vrouw levend terug wilt zien, Flores, zorg dan dat we het archief van de Carnivoor krijgen. Je krijgt er samen met Langley vier dagen voor. Niet meer. *Het archief van de Carnivoor*. Herhaal dat.' Deze man sprak Engels, met een Amerikaans accent.
Asher probeerde zijn lippen te bewegen. Een diepe zucht ontsnapte hem. 'Carnivoor,' kon hij net uitbrengen. 'Vier dagen.'
Het archief van de Carnivoor? *Welk archief? 'Dat kan niet!'*
Maar de handen waren verdwenen. Autoportieren sloegen dicht en banden piepten.
Razend van angst brulde hij: 'Sarah!'
Hij kreeg geen antwoord. Het bleef plenzen van de regen, die op zijn gezicht neerkletterde en hem bonzende oren bezorgde toen hij worstelde om op te staan. Hij viel weer achterover, verslikte zich en werd ijskoud. In gedachten zag hij Sarah voor zich en hij bestudeerde elk detail van haar gezicht terwijl hij haar melodieuze stem hoorde en haar lippen over zijn wang voelde strijken. Krimpend van verlangen en doodsbang voor wat ze haar aan zouden doen voelde hij zijn lichaam verslappen. Daarna werd alles zwart.

2

Santa Barbara, Californië
Liz bleef op het grasveld voor het psychologiegebouw staan om haar rekoefeningen te doen. Terwijl ze balancerend op één been achter haar rug eerst haar ene enkel en daarna de andere vastpakte, keek ze vol bewondering naar de zomerse lucht en genoot van het zilte briesje dat over haar huid streek. De temperatuur was nog steeds rond de drieëntwintig graden, dus perfect, terwijl ze van het weerbericht op tv wist dat de mensen in New York en Washington naar adem liepen te snakken in een verzengende hittegolf. Het was een slimme zet geweest om naar de westkust te verhuizen.
Haar leven was nu heel anders dan in die sombere tijd dat ze tot de ontdekking was gekomen dat haar ouders huurmoordenaars waren.

Ze had het idee dat ze nu zo gelukkig was als ze maar kon zijn en dat had ze te danken aan Grey Mellencamp, want hij had al die jaren geleden wel gelijk gehad. Het was jammer dat hij zo kort nadat hij haar die vaderlijke raad had gegeven was gestorven. Ze had hem graag willen vertellen dat hij haar daar echt mee had geholpen.

Zodra ze klaar was met haar rekoefeningen liep ze in gestrekte pas in de richting van het oceanografische instituut van de universiteit. Ze voelde zich licht en krachtig, alsof ze op het punt stond aan een wedstrijd te beginnen. Haar andere sport was karate, een van de weinige overblijfsels van haar vroegere leven, toen ze voor de inlichtingendienst werkte. Ze keek om zich heen terwijl ze langs de gebruikelijke sportauto's met de kap omlaag liep, langs de met koffiebekertjes van piepschuim volgepropte vuilnisbakken en de studenten, die in bikini's nauwelijks groter dan ooglapjes op de binnenplaatsen van hun flatgebouwen vol overgave huidkanker riskeerden. Er stonden niet veel palmen op het universiteitsterrein. In plaats daarvan zorgden notenbomen, magnolia's en exotische eucalyptusbomen voor een elegante sfeer die eerder aan een countryclub deed denken.

Toen ze het vierkante gebouw van het oceanografische lab in het oog kreeg, voerde ze haar tempo op tot een sukkeldrafje en rende langs het lab omlaag naar het smalle zandstrandje langs de lagune waaraan de universiteit lag. Ze zag niemand op de rotsen die een eindje verderop omhoogrezen, maar dat vond ze juist prettig. Ze begon al een beetje te zweten toen ze via een zandheuvel op het pad kwam dat over de smalle top van de rotsen liep. De wind streek door haar haar. Ze spande haar dijbeenspieren.

Genietend van de schone, zilte lucht keek ze naar rechts, waar het duingras, de lage bomen en het struikgewas houvast gaven aan het zand op de glooiende helling die omlaag liep naar een blauwe lagune die zo beschut lag dat er nauwelijks een golfje te zien was. Aan de overkant lag het universiteitsterrein, waar nog een paar studenten te zien waren, die snel een van de gebouwen binnenliepen, kennelijk te laat voor een college. Plotseling leek de universiteit uitgestorven... een foto van een volmaakt stilleven met eenvoudige, moderne gebouwen en zorgvuldig bijgehouden bomen in het al even zorgvuldig bijgehouden album van een liefhebber van architectuur.

Terwijl ze haar gebruikelijke rustige tempo oppakte, dwaalde haar blik naar links waar de oceaan zich als een turquoise spiegel uitstrekte naar de Channel Islands die ongeveer dertig kilometer verderop lagen. Hier, aan de kant van de oceaan, was de begroeiing heel anders. Niet zo dicht, hoog en sterk als op de helling naar de lagune, maar verspreid en kromgegroeid op de plekken waar de planten zich vanuit rotsspleten omhoogworstelden en af en toe blootgesteld werden aan een harde wind uit zee. Beneden, op een diepte van zeker vijftien meter, kon ze de branding horen, maar die was vanaf het pad niet te zien.

De steile rotswand strekte zich vanaf het universiteitsterrein nog kilometers verder uit. Ieder jaar kwamen er wel een paar mensen om die tijdens feestjes met veel drank, fietstochtjes, wandelingen of joggen naar beneden vielen. Dat soort drama's kwam breed uitgemeten in de pers en daarna waren de mensen meestal weer wat voorzichtiger. Maar na een tijdje dachten ze niet meer aan het gevaar. Oude gewoontes werden weer opgepakt en de voorzichtigheid werd uit het oog verloren. Tot iemand anders de dood vond.

Ze probeerde het onbehaaglijke gevoel dat haar plotseling bekroop van zich af te zetten. Af en toe had ze nog steeds het idee dat haar verleden de kop opstak en daar kon ze wanhopig van worden. Maar dat overkwam haar bijna nooit hier, met aan de ene kant het uitzicht op de vredige lagune en aan de andere kant de tijdloze oceaan. Waar de heldere lucht, de warme zon en het vrolijke gekrijs van zeemeeuwen haar eraan herinnerden hoe mooi het leven was. Als ze over dit hoge pad tussen het water liep, had ze meestal het gevoel dat ze onkwetsbaar was.

Maar vandaag niet. Ze was nerveus en op haar hoede en daar begreep ze niets van. Het pad voor haar was leeg, maar ze hoorde wel iemand achter zich. Ze keek achterom, terwijl ze ondertussen goed oplette dat ze zich niet verstapte op het oneffen pad. Het was een andere hardloper, lang en gespierd, met een zonnebril en een honkbalpetje op en gekleed als een jogger. Hij zag er heel gewoon uit. Achter hem zag ze een fietser, die diep gebogen over het stuur op hen af kwam stuiven terwijl hij overschakelde naar een andere versnelling. Ze luisterde naar het ritme van haar voeten, voelde het regelmatige kloppen van haar hart en testte haar andere zintuigen terwijl ze zich inprentte dat ze rustig moest blijven.

Binnen de kortste keren stoof de fietser rechts langs haar, door het duingras langs het pad aan de kant van de lagune. Opgelucht ging ze wat langzamer lopen om te voorkomen dat ze het stof zou inademen dat zijn banden opwierpen toen hij weer terugkwam op het pad en snel doorreed. Daarna voelde ze een luchtstroom waaruit ze kon opmaken dat de hardloper ook op het punt stond haar in te halen. Ze ging beleefd opzij om hem voorbij te laten. Maar hij ging niet naar rechts.

In plaats daarvan bleef hij vlak achter haar lopen en versnelde, waar-

door zijn voetstappen steeds dichterbij kwamen. Er gleed een rilling over haar rug en meteen daarna werd ze boos. Wat dacht hij wel! Maar meteen daarna besefte ze wat er aan de hand was. Ergens in haar achterhoofd, als overblijfsel uit een andere tijd en een ander leven dat ze met veel moeite van zich had afgezet, begreep ze dat ze hem voortdurend in de gaten had gehouden omdat hij haar achtervolgde. Hij wilde er niet langs omdat hij iets anders van plan was.
Ze schoot vooruit om aan hem te ontsnappen. Haar voeten waren licht, haar snelheid explosief. Haar spieren werkten geolied. De begroeiing vloog in een groen waas langs haar heen, maar uit het geroffel van zijn voetstappen kon ze opmaken dat hij ook snel was. Ze durfde niet om te kijken. Anders zou ze misschien struikelen en van de rotsen storten.
Ze sprong van het pad af, dwars door het verwilderde gras en de losse stenen, in de richting van de glooiende helling boven de lagune. Maar zo plotseling dat de angst door haar heen sloeg, voelde ze zijn zware, hete ademhaling in haar nek. Wanhopig probeerde ze haar snelheid te vergroten, maar dat lukte niet. Ze liep al zo snel als ze kon. Ze zou moeten vechten.
Toen ze op het punt stond zich om te draaien sloeg hij ineens zijn armen om haar middel, trok haar omver en sleepte haar naar de rand van de rotswand aan de kant van de oceaan.
Boven haar hoofd helde de lucht over. Hijgend ramde ze haar elleboog achteruit. Hij kreunde van pijn. Ze had hem op zijn harde, gespierde borst geraakt, maar niet krachtig genoeg om hem echt pijn te doen. Hij was groter en veel sterker. Ze kronkelde heen en weer en zag heel even zijn gezicht vanuit haar ooghoeken. Sterke kaken, holle wangen, een dikke, korte neus. Ray-Ban zonnebril. Zijn lippen waren een dunne, nietszeggende streep.
Krampachtig stootte ze haar andere elleboog tegen zijn schouder en sloeg over haar schouder met haar vuist naar zijn keel. Te slap, te laat. Als een groot verveeld kind wierp hij haar van zich af en bracht zich struikelend in veiligheid.
Volkomen uit haar evenwicht zeilde ze hulpeloos door de lucht. Haar mond ging open en terwijl ze met haar armen zwaaide, ontsnapte haar een oerkreet die ergens diep uit haar buik kwam. Ze herkende het geluid niet en het was ook meteen weer verdwenen, opgelost in het gebulder van de branding die ver beneden haar tegen de rotsen beukte.
Ze landde op de rand van de rotswand. Ze kon zichzelf niet meer houden en gleed met de voeten vooruit omlaag in het angstaanjagende niets van een bodemloze ruimte. Met een ongecontroleerde be-

weging rolde ze op haar buik en greep zich vast aan polletjes pampagras, die heel even vast bleven zitten aan de steile rotswand en vervolgens met wortel en al werden losgerukt. Maar ze remden de onvermijdelijke glijpartij af en ze maakte geen vrije val. Nog niet.
Met een tollend hoofd en overmand door een doodsangst die haar dreigde te verlammen greep ze zich vast aan elk uitsteeksel en elke struik terwijl haar voeten wanhopig een steunpunt zochten. Elk houvast dat ze vond, begaf het al snel en scherpe punten van de rotswand scheurden haar T-shirt en haar shorts aan flarden terwijl ze verder omlaag gleed. Honderden sneetjes, schrammen en snijwonden bedekten haar handen, armen, borst, buik en benen. Toen ze harder ging zweten, begonnen ze steeds meer te schrijnen, waardoor ze afgeleid raakte.
Ze had het bijna gemist. Een nietig boompje dat zich moeizaam vanuit een rotsspleet omhoogworstelde. Haar voeten, benen en middel gleden er langs, maar ze kon het nog net met twee handen vastgrijpen. Wonder boven wonder hield de boom haar gewicht. Ze bleef eraan bungelen en probeerde zich tegen de rots te drukken. Onder haar voeten was niets. Het zeewindje streek als ijzige vingers over haar natte huid.
De tijd stond stil. Ze had pijn, ze was ontmoedigd en uitgeput en ze was zich er scherp van bewust dat één verkeerde beweging, één lang stuk rots zonder houvast of voetsteun en zelfs één moment van onbedachtzaamheid haar dood konden betekenen.
Terwijl ze haar best deed om haar angst te onderdrukken en de energie op te brengen om verder te gaan, hoorde ze in gedachten een stem: *Je krijgt het best voor elkaar*. Ze herhaalde de woorden en toen drong ineens tot haar door dat er inderdaad één probleem was dat ze onder controle kon krijgen: zijzelf. Ze moest zich concentreren.
Haar koortsachtige zenuwen kwamen tot rust. Terwijl ze haar gedachten ordende, negeerde ze al haar pijntjes en verwondingen. Met haar hoofd in haar nek keek ze omhoog, maar ze kon de top van de rotswand niet zien. Omhoogklimmen zou haar toch nooit lukken.
De boom kraakte gevaarlijk en de wortels begonnen los te komen.
Ze dwong zichzelf kalm te blijven en keek omlaag. Het was een steile val naar beneden, nu van een meter of negen, en er stond niemand beneden die ze te hulp kon roepen. Er stond een hevige branding, maar in ieder geval was er een plekje zand onder haar, geen rotsen.
Ze zocht naar een steunpunt voor haar voeten en haar oog viel ten slotte op een smalle richel, ongeveer drie meter lager. Diep geconcentreerd trok ze het iele boompje om en verzette haar handen geduldig langs het stammetje terwijl ze zich omlaag liet zakken.

Ten slotte raakte de teen van één sportschoen de richel. Bijna meteen daarna lieten de wortels los en bedolven haar onder een regen van zand en steentjes.
Ze liet de boom los. Toen die naar beneden viel, wankelde ze even voordat ze haar evenwicht had gevonden en met haar rug plat tegen de rotswand bleef staan, plotseling overmand door pijn. Alles deed zeer. Ze haalde diep adem en dwong zichzelf daar niet meer aan te denken.
Iets verder naar beneden zag ze weer een richeltje. Voorzichtig kroop ze omlaag, met behulp van ieder uitsteeksel, nietig struikje en polletje gras. Ze schoot centimeter voor centimeter op. Toen ze het tweede richeltje bereikt had, kwam ze weer even tot rust en zag iets lager een derde plek waar ze met twee voeten op kon staan. Als je maar niet te hoge eisen stelde, lag het onmogelijke binnen bereik.
Toen ze op dat plekje stond, keek ze opnieuw omlaag. Nog viereneenhalve meter. Een reusachtige golf kwam aanrollen en sloeg kapot op het strand, waardoor het water zo hoog opspatte dat het haar bijna bereikte. Ze beschouwde het als een teken dat de afstand haalbaar was en besloot dat ze dat niet mocht negeren. Ze bestudeerde de val, boog haar knieën, spande haar lichaam en sprong weg van de rotswand.
Met bonzend hart stortte ze recht omlaag door de zilte zeelucht en landde op haar hurken in het zand. Om haar heen vlogen zeevogels op. Hun klagende gekrijs verdween langzaam in de verte. Ze bleef roerloos zitten, met haar vingers in het zand en probeerde hijgend haar evenwicht te hervinden.
Ten slotte, toen een witgekuifde golf bijna tegen haar voeten zijn einde vond, wreef ze met haar arm over haar gloeiende gezicht en dwong zichzelf na te denken. Het was onlogisch en onmogelijk dat ze het toevallige slachtoffer was geworden van een of andere rondzwervende gek. Nee, die klootzak had haar achtervolgd. Hij had geprobeerd haar te vermóórden en daar was hij nog bijna in geslaagd ook. Maar waarom hier? Waarom nu?
Ze huiverde en voelde opnieuw zijn stalen armen om haar middel en haar hulpeloosheid bij die goed geplande aanval. Uiteindelijk stond ze op, veegde het zand van haar handen en begon terug te lopen. Maar dat ging haar al gauw veel te langzaam en ze voelde een vlaag van woede opkomen. Kwaad begon ze weer hard te lopen. Werd ze nu eindelijk toch geconfronteerd met haar verleden?

3

Liz liep snel door de hal van het psychologiegebouw. Een studente kwam haar tegemoet, haar boeken tegen haar borst gedrukt en diep in gedachten, met de blik op oneindig. Toen zag ze Liz.
Haar ogen werden groot van verbazing. 'Is alles in orde met u, professor Sansborough?'
'Ik heb tijdens het joggen alleen maar een flinke tuimeling gemaakt,' antwoordde Liz hijgend. 'Niets om je druk over te maken.'
Liz liep verder. Studenten, boeken, de academische wereld. Dit was haar leven. Een fantastische, stimulerende wereld van de geest waarvan ze was gaan houden. Geweld was iets dat ze bestudeerde en waar ze college over gaf. Het maakte niet langer deel uit van haar leven. Dat was voorbij. Ze was een ander mens geworden.
Ze deed de deur van haar kantoor van het slot en repeteerde in gedachten wat ze moest zeggen als ze het kantoor van de sheriff belde. Maar toen ze op weg naar de telefoon door de kamer liep, had ze het rare gevoel dat hier ook iets was dat niet klopte. Ze bleef achter haar bureau staan. Haar kantoor was een voortdurend veranderende caleidoscoop van boeken, kranten, tijdschriften, cassettebandjes, foto's, correspondentie en allerlei researchmateriaal. Andere mensen werden er duizelig van en dat gold ook voor Kirk. Terwijl ze onderzoekend om zich heen keek, kwam ze tot de verrassende ontdekking dat ze nog steeds in staat was een omgeving correct te reconstrueren. Alles lag op de plaats. Waarschijnlijk was haar verbeelding op hol geslagen. Ze vloekte hardop, stak haar hand uit om de telefoon op te pakken en stopte abrupt.
Het rode lampje op haar antwoordapparaat knipperde. Ze drukte op de afspeelknop. 'Boodschap ontvangen om tien uur dertig,' deelde het apparaat mee.
Het was Shay Babcock, haar producer, met zijn onmiskenbare Hollywood-mengsel van geheimzinnig gefluister en zoete broodjes. 'Ha, die Liz. Hoe gaat het ermee? Ik heb beroerd nieuws voor je. Het ziet ernaar uit dat we een tijdje op onze krent kunnen gaan zitten. Compass Broadcasting heeft *Geheimen van Koude Oorlog* uitgesteld tot volgend seizoen. En het kan nog wel later worden. Het spijt me, meid.'
'Nee!' Liz liet zich in haar stoel vallen.
Plotseling schuldbewust ging Shay verder: 'Ik heb niets anders gedaan dan bellen, maar geen van die kontlikkers wilde me vertellen wat er precies aan de hand is. Persoonlijk begrijp ik er niets van.

Maar je kunt erop rekenen dat ik in dit geval helemaal aan jouw kant sta. Van alle programma's die ik produceer, ligt dit me het naast aan het hart. En aan mijn ziel. Het is echt een stukje van míj geworden. De Koude Oorlog is belángrijk. De stukken onbenul die er niets van snappen, moeten weten dat alles gewoon door blijft gaan. Geef me even een belletje als je een momentje hebt zonder dat er een stel jongetjes over je staat te kwijlen, dan praten we wel verder. Veel liefs.'
Het apparaat stopte met een klikje.
Heel even bleef ze bewegingloos zitten. Als iemand niet net had geprobeerd haar te vermoorden zou ze nu van top tot teen trillen. Van kwaadheid.
Ze drukte op het replayknopje en luisterde de boodschap nog een keer af. Het sloeg nergens op dat de serie nu ineens, op het allerlaatste moment, in de ijskast werd gezet. De zender had een fortuin gespendeerd aan het opkopen van de rechten, met inbegrip van al haar oude programma's die via de kabel waren uitgezonden en ze hadden ook nog eens een klein vermogen aan publiciteit uitgegeven. Alles liep op rolletjes... het nieuws deed als een lopend vuurtje de ronde. Ze was niet alleen door de *TV Gids* geïnterviewd, maar ook door *People, Entertainment Weekly* en, verrassend genoeg, door *GQ*. Bovendien had de omroep de serie achter het enorm populaire *60 Minutes* op zondagavond gepland. Hoewel de twee programma's op verschillende zenders zaten, betekende dat tijdstip toch een extra stimulans voor haar serie. Alles was erop gericht om het cultsucces van haar programma uit te bouwen en het op te vijzelen tot een tv-goudmijn. Maar wat zij zelf het allerbelangrijkste vond, was dat ze op die manier miljoenen kijkers zou bereiken.
'Goeie genade, Liz!' Kirk stond in de deuropening en trok wit weg. Zoals gewoonlijk was hij zonder te kloppen binnengekomen. 'Wat is er met je gebeurd? Ben je gewond? Ja, natuurlijk ben je gewond. Wat sta ik nou te wauwelen. Kijk toch eens hoe je eruitziet!' Hij kwam met grote passen naar haar toe.
Ze keek omlaag. Haar T-shirt was aan flarden en haar smerige armen en benen zaten onder de schrammen. Een beurse plek op haar middenrif begon al blauw te worden. Ze had geen flauw idee hoe haar gezicht eruitzag, maar ze nam blindelings aan dat ze niet op haar voordeligst was.
'Met mij is niets aan de hand,' verkondigde ze. 'Ik ga me zo wel even wassen. Maar nu moet ik eerst het kantoor van de sheriff bellen. Een of andere krankzinnige jogger heeft me van de rotsen gegooid.'
'Hoe bedoel je, een jogger heeft je van de rotsen gegooid? Welke jogger?'

'Ik wou dat ik dat wist.' Ze pakte de telefoon op.
Kirk wierp haar een boze blik toe en nam een besluit. 'De sheriff kan wel wachten. Je gaat eerst naar een dokter.'
'Heus, ik mankeer niets. Ik heb niets gebroken.' Ze begon het nummer in te toetsen.
Met een verrassend snel gebaar griste Kirk de hoorn uit haar hand. Zijn gezicht begon van nijd rood aan te lopen, waardoor zijn sproeten bijna onzichtbaar werden. Of misschien was het van angst. 'Ik zei dókter. Je kunt best veel erger gewond zijn dan je denkt. Wees niet zo verdomd koppig, Liz. Ik breng je wel. En als we daar zijn, zal ik de sheriff waarschuwen.'

Nadat haar eigen dokter haar had onderzocht, haar wonden schoon had gemaakt en haar had verzekerd dat ze verder niets mankeerde, liep Liz samen met hulpsheriff Harry Craine naar een van de houten banken in het parkje tegenover de dokterspraktijk op Montecito. Kirk liep de Tecolote Book Shop in om een nieuwe thriller die hij had besteld op te pikken.
Liz beschreef de overval.
'Hoe oud was hij?' wilde hulpsheriff Craine weten. 'Hoe zag hij eruit?' Craine was een grote man met een schorre stem en oude ogen. Ze had het idee dat hij hooguit midden veertig was, maar hij gedroeg zich als iemand die een leven lang met slechte mensen en nog kwalijker gedrag was geconfronteerd.
'Hij was blank, met een korte, stompe neus, krachtige kaken en uitstekende jukbeenderen,' vertelde ze hem. 'Zijn huid was strak en nergens slap. En als ik de toestand van zijn spieren daarbij optel, heb ik het idee dat hij begin of midden dertig was. Zijn haar was bruin, een beetje melkboerenhondenhaar, en vrij kort. Een centimeter of drie à vier schat ik. Hij had de bouw van een hardloper – gespierde benen en een magere borst. Hij was langer dan ik. Ongeveer een meter vijfentachtig. Hij droeg een Ray-Ban zonnebril, een of ander honkbalpetje, lichtblauwe shorts en een bijpassend T-shirt. Echte loopschoenen, wit met donkerblauwe strepen. Nikes. Er stonden nergens logo's of andere teksten op zijn kleren. Hij was erop gekleed om niet herkend te worden.'
De hulpsheriff keek op van zijn aantekeningen en bestudeerde haar. 'Er ontgaat u niet veel,' zei hij vriendelijk.
'Dank u wel. Ik heb geprobeerd om me alles te herinneren, zodat ik het door kon geven.'
'De meeste mensen zouden me nog geen tien procent hebben kunnen vertellen van wat u net hebt gezegd en dan zou ik me nog afvragen

of ze het wel bij het rechte eind hadden. Doorgaans zijn mensen slechte waarnemers.'
Ze haalde haar schouders op. 'Ik wou dat ik u nog meer kon vertellen. Het ging allemaal zo snel.'
'Ja, dat zal best.' Nog steeds op diezelfde vriendelijke toon, maar de ogen stonden argwanend. 'Ik vind uw opmerking dat hij erop was gekleed om niet herkend te worden nogal interessant.'
Ze had zichzelf meer blootgegeven dan ze van plan was geweest. 'Dat is gewoon een gevolgtrekking die ik heb gemaakt. Dat hoort bij mijn werk... conclusies trekken. Ik ben professor aan de universiteit.'
Hij knikte. 'Ja, dat zei u al. U hebt ook een tv-programma gemaakt. Ik heb het zelf nooit gezien, maar ik geloof dat ik er weleens iets over heb gehoord. Maar wat hebt u voor de rest gedaan? U hebt niet altijd college gegeven. U bent geboren en opgegroeid. Is er in uw verleden iets gebeurd dat nu misschien weer de kop opsteekt om het u lastig te maken?'
'Nee, meneer Craine. De enige boze mensen met wie ik te maken krijg, zijn gewone studenten die vinden dat ze betere cijfers moeten hebben of hoge omes van de omroep die denken dat ze mijn programma kunnen veranderen.'
Hij knikte en sloeg zijn opschrijfboekje dicht. 'Ik ben blij dat de dokter heeft gezegd dat u geen ernstige verwondingen heeft. Eigenlijk is het al een wonder dat u de val hebt overleefd.'
Ze haalde haar schouders op. 'Er was een boom waaraan ik me vast kon grijpen.' Een beetje slap voegde ze eraan toe: 'Gewoon stom geluk.'
'Ja, dat zal wel.' Hij keek op zijn horloge. 'Waar bent u de rest van de dag te bereiken?'
'Op mijn kantoor. Het nummer staat op het kaartje dat ik u heb gegeven. Vanavond ga ik naar een feestje in het huis van rector Quentin boven Mission Canyon. U hebt ook het nummer van mijn mobiele telefoon. Ik zou het bijzonder op prijs stellen als u mij opbelt zodra u iets te weten komt. Wat het ook is.'
Hij knikte even en liep naar zijn auto. 'U hoort nog van mij.'

Om een uur 's middags was Liz terug in haar kantoor op de universiteit. Ze stond vanaf de tweede verdieping naar buiten te kijken, de armen over elkaar geslagen. Het zonlicht glinsterde op de lage gebouwen en de groene bomen en palmen die overal in de vruchtbare Goleta Valley stonden. Haar uitzicht reikte tot de lavendelkleurige uitlopers van de hoog oprijzende Santa Ynez Mountains, waarvan de hoogste pieken een aureool van wolken hadden. Ze werd bekro-

pen door een gevoel van melancholie toen ze naar het weidse panorama keek. Meestal werd ze rustig van dit schitterende uitzicht, dat haar het idee gaf dat er niets mis kon gaan. Maar nu ze stond te wachten tot haar producer haar terug zou bellen zag ze alleen onrust en onzekerheid.
Ze stapte achteruit en wilde net teruglopen naar haar bureau toen ze ineens haar spiegelbeeld in de ruit zag. Ze had een vreemd gevoel van déjà-vu toen ze het beeld van haar eigen gezicht over dat van haar geliefde uitzicht zag. Het gaf haar het gevoel dat ze anders was, weer een outsider, die altijd moest toekijken. Ze was niet alleen overstuur door de overval, maar ergerde zich ook aan het feit dat ze het voorval niet meteen van zich af kon zetten zoals ze vroeger zou hebben gedaan.
Bovendien dreigde het haar nieuwe opvatting over geweld te ondermijnen, een mening die zich in de loop der jaren en mede dankzij haar studie gevormd had. En al die dingen stonden te lezen in de bezorgde blik op haar gezicht. Ze bestudeerde haar sterke gelaatstrekken: de hoge jukbeenderen, de brede neus en de zwarte moedervlek vlak boven haar rechtermondhoek. Haar bruine ogen hadden een waakzame blik, alert en boos.
Haar oog viel op haar haar. De kleur had haar altijd bevallen – kastanjekleurig, diepbruin met een rode gloed. Deze ochtend had ze het geborsteld en toen viel het nog glanzend en golvend over haar schouders, even ongedwongen als haar geest. Nu was het een puinhoop. Ze had zich wel weer omgekleed en het shirt en de broek aangetrokken die ze tijdens het college had gedragen, maar ze was vergeten haar haar te borstelen. In ieder geval was haar gezicht schoon, want dat had ze bij de dokter gewassen. Het vage spiegelbeeld toonde zelfs haar op het strand gebruinde huid, haar donkere ogen en haar wipneus, die weleens onvriendelijk met een skipiste was vergeleken. Ze had een brede mond en ze dwong zichzelf te lachen. Maar eigenlijk had ze helemaal geen zin om te lachen.
De telefoon ging. Ze griste de hoorn op en liet zich in haar stoel vallen.
Het was Shay Babcock en hij gunde haar geen tijd om hem met vragen te bestoken. Hij herhaalde de boodschap die hij eerder had ingesproken en voegde eraan toe: 'Ik heb sindsdien constant aan de telefoon gehangen om die draadnagels aan de lijn te krijgen. Ik weet dat het een hele klap voor je is, meid. Verdorie, ik rekende er zelf notabene op dat het een enorm succes zou worden.'
'Vertel me nou eens precies wat er is gebeurd.'
Het bleef even stil en ze voelde instinctief dat hij nijdig werd. Hun

verstandhouding was toch al vrij stormachtig. Hij had een hekel aan vragen en zij bleef hem bestoken met waarom, hoe en wanneer. Maar hij had die serie zo graag willen hebben dat hij haar op de koop toe had genomen en zij had haar zinnen gezet op een miljoenenpubliek, wat betekende dat ze een veteraan zoals hij nodig had. Het was een productief deelgenootschap gebleken, maar dit was de eerste keer dat het echt op de proef werd gesteld.

Uiteindelijk zei hij: 'Het gewone verhaal. Tv-bazen staan niet bepaald bekend om hun moed. Maar hun baan hangt dan ook constant aan een zijden draadje. Ik kreeg te horen van Bruce Fontana, de directeur amusement van de omroep, dat ze het gisteravond besloten hadden. Natuurlijk liet hij zijn assistent het vuile werk opknappen, maar die belde pas vanmorgen. Ik ben meteen naar het kantoor van Bruce gegaan. Hij heeft me een paar uur laten wachten, maar toen ik het verdomde om weg te gaan, liet hij me toch maar binnen. Hij zat te lunchen en had ondertussen ook constant een telefoon aan zijn hoofd. Een klassieke manier om iemand in de grond te trappen. Als ze niet eens de moeite nemen de telefoon lang genoeg neer te leggen om je te vertellen dat je op moet rotten, dan weet je dat het graf gegraven is, dat de kist erin ligt en dat jij als lijk fungeert. Daarna ben ik teruggegaan naar mijn kantoor en heb geprobeerd een paar hogere omes aan de lijn te krijgen. Tevergeefs. En daar keek ik niet echt van op.'

'Dan halen we de serie gewoon bij hen weg en gaan naar een andere omroep.'

'Vergeet het maar. We zitten vast aan Compass. O ja, je kunt natuurlijk contractbreuk plegen, maar dan draai jij voor de kosten op. Zoveel geld kan ik niet ophoesten. Jezus, als ik alleen maar aan de juridische kosten denk, begin ik al te hyperventileren.'

'Met wie heb je gesproken?'

Hij dreunde een hele lijst op en ze schreef alle namen op. 'Verdorie, Liz.' Hij klonk afgemat, bekaf. 'Er is gewoon niemand anders meer bij wie je kunt aankloppen.'

'Er is altijd iemand anders. Om te beginnen de directeur van de omroep.'

'Die heb ik ook al geprobeerd.' Hij herhaalde de naam. 'Luister nou maar naar me, meid. Je kunt het vergeten.'

'Geen denken aan.'

'Prima. Als jij erin slaagt om ze op hun besluit terug te laten komen, laat me dat dan weten. Ondertussen moet ik een oogje houden op mijn andere projecten. Ik wil niet dat die hieronder lijden. Als je begrijpt wat ik bedoel.'

Ze trok een gezicht. Ze wilde het helemaal niet begrijpen. Maar ze hoorde aan zijn stem dat hij bang was. Hij maakte zich echt zorgen dat zijn andere programma's schade zouden lijden als hij te hard aan de Koude Oorlog zou trekken. In de harde wereld van de nationale televisie moesten ze niets hebben van onruststokers.
'Zorg nou maar dat je het niet al te druk krijgt, Shay,' zei ze, zo geruststellend mogelijk. 'Ik zal je nodig hebben als ik ze heb omgepraat.'
'Prima. De eeuwige optimist. Veel succes. Ciao, meid.' En de verbinding werd verbroken.

Liz bleef rondbellen, op zoek naar iemand die in staat zou zijn die stomme beslissing te herroepen. Haar adressenbestand stond vol met namen uit de tijd dat de serie nog een van de beste aankopen van de omroep was geweest en ze belde ze stuk voor stuk op.
'Liz! Wat leuk dat je even belt,' zei het hoofd van de afdeling nieuwe projecten. 'Nee, dat had ik nog niet gehoord. Hebben ze het echt geannuleerd? Waarom?'
De directeur van de afdeling publiciteit kreunde. 'Wij krijgen dat soort dingen altijd het laatst te horen.'
Niemand kon haar helpen. Niemand wist iets. Ze had verwacht dat ze haar niets zouden willen vertellen, maar ze had ook gedacht dat ze er wel in zou slagen om iemand aan de praat te krijgen. Teleurgesteld ging ze het internet op om meer aan de weet te komen over Compass Broadcasting en kwam tot de ontdekking dat de omroep het eigendom was van InterDirections, het mediaconglomeraat dat onder leiding stond van de legendarische Nicholas Inglethorpe.
Dat was interessant. Ze vroeg zich af of de jet-settycoon wist dat hij een stel idioten in dienst had. Uiteraard zou ze hem dat meteen gaan vertellen.
Ze zocht het telefoonnummer van het internationale hoofdkantoor van InterDirections op, dat in Los Angeles zat, en toetste het nummer in. Nadat ze een aantal mensen dusdanig had lastig gevallen dat ze ten slotte doorverbonden werd met zijn secretaresse liep ze opnieuw met haar hoofd tegen die ondoordringbare muur. Dit keer werd ze beleefd afgepoeierd. 'Het spijt me, professor Sansborough, maar meneer Inglethorpe is in Europa en hij wordt pas volgende week terug verwacht. Maar ik wil met genoegen een boodschap aannemen.'
Liz liet haar boodschap achter en leunde opnieuw achterover in haar stoel. Ze rekte zich uit en bewoog haar hoofd van links naar rechts in een poging de woede te onderdrukken die in haar opwelde en haar

helemaal in beslag dreigde te nemen. Ze moest over haar volle denkvermogens beschikken voor een plan de campagne om Inglethorpe op de hoogte te brengen. Terwijl ze daaraan zat te denken, viel haar oog op haar archiefkast. Er zaten krassen om de ingebouwde sloten van twee lades. Krassen die er nooit opgezeten hadden.
Ze sprong meteen op. In twee stappen was ze bij de kast en knielde om de krassen te bestuderen. Iemand had in de lades ingebroken. Ze probeerde de onderste. Die was open, hoewel hij op slot had moeten zitten. Ze trok de la open. Haar koffertje lag erin. Toen ze de inhoud controleerde, bleek er niets te missen. Ze trok de tweede la open, die evenmin op slot zat, en bekeek de tabkaartjes. Ze las ze allemaal nog een keer door en de moed zonk haar in de schoenen. De dossiers met de ideeën voor het toekomstige programma over de huurmoordenaars van de Koude Oorlog waren verdwenen.
Ze kon zich herinneren dat ze de mappen had opgeborgen voor ze ging joggen en dat ze de la op slot had gedaan. Ze holde de kamer door en rukte de deur van haar kantoor open. Ook dat slot zat vol krassen. En dat was dan meteen de verklaring voor het feit dat ze het onbehaaglijke gevoel had gehad dat er iets mis was met haar kantoor. Waarschijnlijk had ze de krassen onbewust opgemerkt.
Het drong met een schok tot haar door. Er was niet alleen een moordaanslag op haar gepleegd, maar tegelijkertijd had iemand in haar kantoor ingebroken en dossiers gestolen.
Ze deed de deur weer dicht en liep terug naar de telefoon. Met een beetje geluk kon ze Harry Craine nog net te pakken krijgen op het kantoor van de sheriff. Ze dacht terug aan de kalme, ervaren blik in zijn ogen en aan zijn gruizige stem. Misschien was hij al iets meer te weten gekomen over de aanslag. Nadat ze het nummer had ingetoetst vroeg ze naar hem en hoorde tot haar opluchting dat hij aanwezig was.
'Wat kan ik voor u doen... u bent toch professor Sansborough?' Deze stem klonk heel anders. Geen spoor van gruis of ervaring. Deze man was jong, vol energie en enthousiasme.
'Bent u hulpsheriff Harry Craine?' vroeg ze. Toen hij haar verzekerde dat hij dat inderdaad was, zei ze: 'Ik heb vandaag aan een hulpsheriff gemeld dat er een aanslag op me is gepleegd. Ik dacht dat u die persoon was. In ieder geval is er iemand, wie dan ook, naar het praktijkadres van mijn dokter in Montecito gekomen om mijn verklaring op te nemen.'
'O. Ik ben al een week niet meer in Montecito geweest. U vergist zich kennelijk in de naam. Dat komt wel vaker voor. Ik neem aan dat u geen visitekaartje hebt gekregen?'

'Nee.' Verdomme. Ze had er niet aan gedacht daarom te vragen. Alweer een fout. Ze gaf de bijzonderheden van de aanslag door. 'Er zijn waarschijnlijk twee mensen bij betrokken,' besloot ze. 'De man die mij van de rotsen heeft gegooid en een tweede persoon die tijdens de aanslag in mijn kantoor heeft ingebroken. Hij heeft een paar van mijn researchmappen gestolen.'
'Ik zal het even controleren in onze database,' zei hij meteen. 'Als er een aanslag op iemands leven is gepleegd, wordt die informatie meteen ingevoerd. Maakt u zich maar geen zorgen. Ik zal alles meteen rechtzetten.'
'Kunt u in die database ook zien wie mijn verklaring opgenomen heeft?'
'Reken maar. En ook wie de leiding over het onderzoek heeft, als dat tenminste een andere persoon is.'
Nadat hij haar in de wacht had gezet, zat ze te piekeren over de aanslag en de inbraak. Ze had echt het gevoel dat er verband was tussen die twee gebeurtenissen, anders zou het echt te toevallig zijn. Maar wat hadden die twee dingen dan met elkaar te maken?
'Professor Sansborough?'
'Ja?'
De stem van Harry Craine klonk heel anders. Een beetje onzeker en argwanend. 'Ik heb de universiteit gebeld en die hebben bevestigd dat u inderdaad een van hun professoren bent. Daarna heb ik het nummer gecontroleerd waar u vandaan belt en dat blijkt uw kantoor te zijn. Dus ik ga er vanuit dat u inderdaad bent wie u beweert te zijn. Goed, u zei dus dat iemand u van de rotsen heeft gegooid. Hoe laat was dat?'
'Rond halfelf vanmorgen. Maar dat moet u toch al weten van het telefoontje waarbij de aanslag gemeld is.' Wat was er in vredesnaam aan de hand?
'Juist. Wanneer hebt u precies gebeld?'
'Ik heb niet gebeld. Dat heeft een collega van me gedaan, professor Kirk Tedesco. Hij heeft gebeld terwijl ik onderzocht werd door de dokter. Dat moet zo rond halftwaalf zijn geweest, misschien kwart voor twaalf. Daarna is die rechercheur van u gekomen.'
'Interessant. Vooral omdat we niets terug kunnen vinden van dat telefoontje. Vandaar dat ik me begin af te vragen... Probeert u soms een of ander psychisch experiment op ons uit voor uw tv-programma of zo? Is dat de clou?'
Ze was verbijsterd. 'Hebt u geen afschrift van Kirks telefoontje? Professor Kirk Tedesco?'
'Geen telefoontje. Geen verslag van een aanslag op u. Niets... van-

daag niet en nooit. Het lijkt me hoog tijd dat u eerlijk bent tegen me, professor. Wat wilt u nu eigenlijk?'
Ze snakte naar adem. 'Dit is schandalig. Kennelijk heeft iemand bij jullie de aangifte van professor Tedesco zoekgemaakt of genegeerd. Laat me één ding heel duidelijk stellen: *er is een aanslag op me gepleegd*. Als u mijn antecedenten natrekt, zult u wel moeten beamen dat ik heel goed in staat ben een aanslag van een ongeluk te onderscheiden en dat ik niet een of andere zenuwpees van een schooljuf ben! Ga maar met professor Tedesco en mijn dokter, Wendell D. Klossner, praten.'
'Heeft een van beiden gezien dat u van de rotsen werd gegooid?' vroeg Craine.
'Niemand heeft het gezien, behalve de man die me eraf gegooid heeft.'
'Dus het enige wat zij weten, is dat u verwondingen hebt opgelopen.'
'Dat klopt.' Ze begon harder te praten. 'Waarom zou ik daarover liegen?'
'Dat weet ik niet, professor Sansborough. Waarom vertellen mensen dat soort leugens?' Uit zijn gespannen stem kon ze opmaken dat hij zich moest inspannen om zijn ergernis te onderdrukken. 'We krijgen constant valse meldingen en echt niet alleen van gekken of junks. Ook brave burgers bellen ons op. Misschien omdat ze een alibi nodig hebben voor een echtgenoot die een beetje argwanend begint te worden. Of misschien proberen ze de verzekering op te lichten. Ik zeg niet dat voor u hetzelfde geldt, maar zelfs als professor Tedesco en dokter Klossner bevestigen dat u gewond bent geraakt, wil dat nog niet zeggen dat iemand heeft geprobeerd u te vermoorden.' Hij zuchtte. 'Ik zal een onderzoek instellen. Meer kan ik niet voor u doen.'
Haar stem klonk vlijmscherp. 'Als u zoveel moeite wilt doen, rechercheur, waag ik het te betwijfelen of ik daar iets mee opschiet.'
Het bleef even stil. Toen zei Craine: 'Stel dat we dat telefoontje waarin aangifte werd gedaan van die veronderstelde aanslag op u inderdaad hebben gekregen en stel dat iemand het verslag zoek heeft gemaakt of het zelfs heeft genegeerd. Waar kwam die zogenaamde hulpsheriff Harry Craine dan vandaan? Wie heeft hém dan verteld dat professor Tedesco had gebeld, of dat er een aanslag op u was gepleegd, of zelfs maar waar hij u kon vinden?'
Liz klemde haar vingers om de hoorn van de telefoon. Hoe was hij daar achter gekomen? Terwijl het antwoord langzaam maar zeker tot haar door begon te dringen, werd ze ijskoud. Het kostte haar de grootste moeite om haar stem in bedwang te houden en de rechercheur beleefd te bedanken voordat ze de verbinding verbrak.

Bevend drukte ze haar platte handen tegen haar voorhoofd en probeerde haar angst te onderdrukken. Misschien zat er iemand van het kantoor van de sheriff in het complot. Of misschien was de moordenaar haar gevolgd naar Klossners praktijkadres en had hij op de een of andere manier het telefoontje van Kirk onderschept. In beide gevallen hield dat in dat er een of andere organisatie bij betrokken was... een vakkundige, ervaren en efficiënte organisatie. Die haar wilde vermoorden.

4

Bratislava, Slowakije

Het was al negen uur geweest en de warme zomeravond was vervuld van de modderige geuren van de Donau. In de verte klonk een eenzame scheepshoorn en het zoeklicht van een boot streek langs de donkere hemel. Gekleed in een smoking stond Blase Kusterle verscholen in de schaduw van een boom op het Hviezdoslavovoplein, waar een groot aantal demonstranten zich onder de lantaarns voor de Amerikaanse ambassade verzameld had. Hij liet een onopgestoken sigaar tussen zijn vingers rollen. Eigenlijk wilde hij dat rotding opsteken, maar hij stond min of meer voor het blok.

De ambassade baadde in het licht vanwege een chique receptie en een officieel banket ter ere van Stanford Weaver, de rijke, nieuwe president-directeur van de Wereldbank. Blase kon in zijn verbeelding de smaakvolle muziek horen, net als het gerinkel van champagneglazen en het nietszeggende gebabbel, dat alleen maar werd verlevendigd als een toevallige dronkenlap iemand beledigde of de waarheid zei. Of allebei.

Buiten was het een heel ander geval. Er waren veel meer demonstranten komen opdagen dan hij had verwacht naar aanleiding van de inlichtingen die hij had gekregen. Ze zwierven langs de omheiningen van de ambassadetuin en meden de Amerikaanse mariniers die op wacht stonden. Blase keek een tikje verontrust toe toen een nieuw contingent mariniers plotseling vanuit de ambassade te voorschijn kwam, met het geweer in de aanslag.

Maar de menigte week gewoon achteruit en keek toe hoe de versterkingen hun plaats innamen. Daarna arriveerde een nieuwe golf demonstranten: mannen, vrouwen en zelfs een paar wat oudere kinderen, te voet, op de fiets, in Skodaatjes of roestige Fordjes. Er stop-

ten zelfs een paar gele taxi's, die er als een haas vandoor gingen nadat ze hun passagiers geloosd hadden.
De nieuwelingen begroetten oude vrienden in het Slowaaks en het Tsjechisch: *'Ahoj!'* en: *'Èau!'* In het Duits klonken ze wat formeler: *'Guten Abend!'* Hij hoorde zelfs een paar verdwaalde, ouderwetse Amerikaanse opmerkingen: *'What's happening, man?'*
Ze droegen vrijetijdskleding en rugzakken waarin hier en daar wat EHBO-doosjes en flessen azijn te onderscheiden waren. Die laatste voorspelden niet veel goeds. Mensen die azijn bij zich hadden, verwachtten moeilijkheden. Ze zouden hun sjaals doordrenken met azijn om zich te beschermen tegen de uitwerking van traangas.
Het geluid van al hun stemmen werd luider en dreunde door de modderige lucht terwijl ze weer naar het ambassadegebouw opdrongen, zwaaiend met spandoeken in een groot aantal talen, maar voornamelijk in het Slowaaks, het Duits en het Engels:

GLOBALISERING = HONGERSNOOD
RED ONZE BOSSEN & RIVIEREN
BOUW NATIES OP, IN PLAATS VAN ZE TE VERNIETIGEN

Er waren socialisten, anarchisten en gewone, ouderwetse nationalisten, die zich allemaal om verschillende redenen tegen de globalisering en de uitwerking ervan verzetten. De socialisten wilden een hoge mate van staatstoezicht. De anarchisten wilden helemaal geen toezicht. En de nationalisten wilden hun grenzen in stand houden. Alleen een verschijnsel als globalisering, dat door elke stroming als een aanval op hun politieke overtuiging werd beschouwd, kon hen verenigen. Natuurlijk waren er ook milieuactivisten en unionisten, maar voor hen waren partijbelangen ondergeschikt aan het doel.
Vanuit zijn schuilplaats kreeg Blase ineens Tomasz en zijn vrouw Maria in de gaten. Ze waren allebei in de vijftig en maakten zich zorgen over de teloorgang van sociale verworvenheden uit de communistische tijd, met name op het gebied van de zorg voor kinderen en bejaarden. Tomasz stond te zwaaien met een spandoek waarop stond: MENSEN GAAN VOOR WINST. Vlak bij hem stond Lukas, die begin dertig was en zijn baan kwijtraakte toen de fabriek waar hij als machinist werkte als gevolg van de globaliseringstheorieën geprivatiseerd en verkocht was. Het bedrijf was binnen een jaar failliet gegaan. Daarna had hij geen vaste baan meer kunnen vinden.
Overal waar hij keek, zag Blase huisvrouwen, kunstenaars, schrijvers, onderwijzers en boeren – mensen die hij had leren kennen bij antiglobaliseringsbijeenkomsten en demonstraties. Het merendeel

had fanatiek democratische overtuigingen en een vast geloof in een betere wereld. Ze waren enthousiaste strijders voor sociale gerechtigheid en een beter milieu.
Dat was allemaal niets bijzonders en geheel volgens verwachting. Waar Blase zich zorgen over maakte, waren de mensen die niet tot de plaatselijke bevolking behoorden. Het waren er minstens vijfduizend en er kwamen er nog steeds meer bij. Dat was een schrikbarend groot aantal voor Bratislava waarvan de meeste mensen niet eens wisten waar dat lag, omdat het geen bekend uitgaanscentrum was en ook geen plaats waar regelmatig botsingen plaatsvonden.
Te oordelen naar de gezichten die hij herkende en de gesprekken die hij opving, kwamen de meeste buitenstaanders uit de gouden driehoek van centraal Europa – Wenen, Boedapest en Praag – en ze vormden de bekende 'vriendengroepjes' van vijf tot vijftien man. Sommigen hadden de taak assistentie te verlenen voordat een demonstratie plaatsvond, door bijvoorbeeld uit te vissen waar eventuele arrestanten terecht zouden komen. Anderen moesten tijdens de demonstratie hulp verlenen, door water uit te delen of foto's te maken die als bewijsmateriaal konden dienen. En de rest moest na de demonstratie bijstand verlenen door op de kinderen, de huisdieren en de planten te passen van mensen die gewond of gearresteerd waren.
Hij hield zijn hoofd schuin en stond ingespannen te luisteren. Vier jongelui stonden te praten over een of andere grote 'directe actie' die voor vanavond gepland stond. Het enige aanknopingspunt was dat de groep die daar stond te praten een herhalingscursus had gehad op het gebied van lijdzaam verzet en de burgerrechten in Slowakije, wat meestal gebeurde als verwacht werd dat de toestand uit de hand zou lopen.
Terwijl hij die nieuwe informatie onbehaaglijk stond te verwerken, kreeg Blase Viera Jozef in het oog. Haar glanzende zwarte haar hing als een wolk over haar schouders en ze had een met een deksel afgesloten emmer in haar ene en een sporttas in haar andere hand. In haar dunne zomerjurkje dat net tot op haar knieën viel, bood ze een aantrekkelijk schouwspel terwijl ze zich in de maneschijn door de menigte worstelde met haar blik vast op het sobere gebouw van de ambassade voor haar gericht. Haar knappe gezicht stond streng en vastberaden. Ze was een fervent tegenstandster van globalisering. Hij was al een keer met haar naar bed geweest en koesterde de hoop dat het daar niet bij zou blijven.
Viera werd op de voet gevolgd door haar broer Johann, een mijnwerker met een stel krachtige armen, die iedere man die naar haar glimlachte op een woedende blik trakteerde. De intelligente en toe-

gewijde Viera en Johann Jozef waren de leiders van de antiglobaliseringsbeweging in de stad. Johann stond te praten met een man die een enorm spandoek met het opschrift NUCLEAIRE ENERGIE IS DODELIJK bij zich had. Blase kende hem niet. De twee waren diep in gesprek en hun schouders raakten elkaar als ze zich naar het oor van de ander overbogen.

Blase liet zijn blik over de menigte dwalen om de stemming te peilen. De spanning groeide zienderogen. Terwijl hij een blik wierp op de dubbele voordeur van de ambassade – beide deuren waren hermetisch gesloten – en vervolgens weer om zich heen keek, zag hij een ploeg van Markíza-tv in een busje arriveren. Twee cameralieden sprongen eruit en begonnen meteen te filmen, met hun camera's op hun schouders. Twee verslaggevers renden erachter aan, met hun opschrijfboekje en hun pen in de aanslag, terwijl technici haastig microfoons, kabels en andere apparatuur begonnen uit te laden. De privé-tv-zender had een grote ploeg gestuurd, dus ze verwachtten kennelijk dat er iets spannends zou gebeuren. En dat betekende weer dat de rest van de media niet lang op zich zou laten wachten.

Een minuut later kwam een stel politieauto's en -busjes met piepende banden tot stilstand. Maar toen de agenten uitstapten, bewogen ze zich langzaam en dreigend. Het communistische stelsel was al vijftien jaar geleden afgeschaft, maar de oude Oostbloksmerissen hadden nog steeds de uitstraling van een stel boeven en de politie van Bratislava vormde daar geen uitzondering op. Met de wapenstok in de hand keken ze nijdig om zich heen, met die overal ter wereld bekende blik van 'maak me niet kwaad, jongens, anders kun je een klap voor je kanis krijgen'.

Leden van de oproerpolitie verspreidden zich volgens een vooropgezet plan met de bedoeling een kordon te leggen en de menigte in bedwang te houden, terwijl andere politiemensen afzetlint, slangen en wapenschilden uitlaadden. Een aaneengesloten rij agenten in uniform dwong de mensen achteruit, weg van de ambassade, in de richting van het park.

Het beviel Blase Kusterle totaal niet. Viera had tegen hem gezegd dat er niets speciaals was gepland voor vanavond, alleen maar een demonstratie tegen de Wereldbank en de nieuwe, schatrijke directeur van die instelling. Johann had bevestigd dat alleen het bekende, kleine groepje fanatiekelingen werd verwacht. Als Blase iets anders te doen had, was dat geen enkel probleem.

Nu wist hij dat ze allebei gelogen hadden, of dat ze van niets hadden geweten. Als hij niet die verdomde smoking aan had gehad, die

hem duidelijk tot de vijand bestempelde, zou hij nu tussen hen in staan, waar hij hoorde.
Plotseling werd de zenuwachtige menigte aanzienlijk luidruchtiger. Niemand had een bevel geschreeuwd en hij zag er ook geen enkele aanleiding voor, maar als dreigende, donkere wolken leken de mensenmassa's samen te smelten tot één gigantisch monster dat van onder de laaghangende takken van de bomen, om de geparkeerde auto's heen, in de richting van de ambassade golfde. Het lawaai was oorverdovend en angstaanjagend. De warme lucht leek te knetteren. Blase concludeerde meteen dat dit de directe actie moest zijn. Het bevel was kennelijk van mond tot mond gegaan.
Hij gooide zijn sigaar weg en zette het op een lopen. Vlak bij de ambassade stond iemand in een megafoon te brullen dat de menigte weer achteruit moest gaan. De oproerkraaiers schreeuwden terug. Automobilisten begonnen te claxonneren toen de zee van demonstranten hen de weg versperde. En even plotseling als ze in beweging waren gekomen, bleven degenen die zich het dichtst bij de ambassade bevonden abrupt staan. De rest van de mensen stopte ook, waardoor er vanaf het begin een soort rilling door de meute leek te gaan. Het leek wel een duizendpoot die langzaam maar zeker tot stilstand kwam, waarbij iedereen zijn nek uitrekte om te zien wat er aan de hand was.
Blase rende om hen heen en wurmde zich langs groepjes mensen tot hij ten slotte hijgend bleef staan. Het was Viera. Ze rende naar het midden van de open ruimte tussen de relschoppers en de ambassade. Haar jurk fladderde om haar mooie benen. Er was even een moment van aarzeling, waarin de politie dacht dat ze de menigte tot staan had gebracht en de demonstranten gebiologeerd leken door de dappere, jonge vrouw.
Terwijl Blase onzeker een stap vooruit deed, blafte een van de mariniers van de ambassade hem in het Engels toe: 'Halt! Niet dichterbij komen!'
Hij draaide zich om en wilde net tegen de marinier zeggen dat hij zijn grote bek moest houden, toen hij het gezicht van de man zag. Het werd doodsbleek toen hij in de richting van Viera staarde.
Blase draaide zich met een ruk om. Hij zag hoe ze de emmer optilde die ze mee had gebracht, het deksel eraf trok en een of andere goudgele vloeistof over haar beide schouders goot, zodat haar jurk en haar lichaam kletsnat werden.
'Nie!' schreeuwde iemand ontzet in het Slowaaks. 'Dat is benzine!'
'Viera!' brulde Blase en stormde langs de wachtpost naar haar toe. 'Wat doe je nou? *Stop!'*

'Benzine!' Het woord weergalmde door de menigte, van de ene in de andere taal, in een groeiende schrikreactie van ongelovige stemmen. 'Benzine! Hou haar tégen!'
Onder het rennen voelde Blase zijn hart bonzen, terwijl zijn verstand het onbegrijpelijke probeerde te bevatten. Ze leek zo klein en kwetsbaar zoals ze daar stond, temidden van demonstranten, politie, mariniers en de ambassade. Maar op haar engelachtige gezicht stond een bepaalde blik te lezen, een blik die zei: ik weet wat ik doe. Ik heb het juist. Dit ís juist.
'Hou haar tegen!' schreeuwde Blase wanhopig in het Slowaaks en vervolgens in het Engels. 'Laat iemand haar tégenhouden!'
Maar daar was geen tijd voor. Ze bewoog snel, alsof ze dit al talloze keren gerepeteerd had. Terwijl hij samen met andere mensen dichterbij kwam, pakte ze een kleine soldeerbout uit de sporttas en drukte op een knop, waardoor er een lange vlam uit schoot. Ze draaide het apparaat om en richtte het op zichzelf.
'Viera!' schreeuwde hij.
'Hou haar tegen!' Het was de wanhopige stem van haar broer Johann, die zich door de menigte naar voren worstelde. 'Laat haar niet haar gang gaan! Help! *Hou haar tegen!'*
Ze ging in vlammen op. Heel even leek het bijna een sprookje... de mooie prinses die voor eeuwig in een vaas van brandend vuur opgesloten werd. Maar toen verdween haar rok, een dun lapje stof dat in rook opging. Halfnaakt stak ze door de vlammen heen haar handen uit naar de demonstranten en haar lippen weken van elkaar alsof ze iets wilde zeggen. Ze hield haar hoofd zelfs een tikje schuin en er leek een blik van verbazing op haar gezicht te komen.
Een wolk grijze rook spoot uit haar mond en haar dode lichaam viel om in de richting waarin haar hoofd zich had bewogen.
Blase stond zich verlamd af te vragen waarom ze dit in vredesnaam had gedaan. De geestelijke schok was zo groot, dat het lawaai hem aanvankelijk ontging. Net als het pandemonium dat uitbrak toen de menigte door het dolle heen raakte.
Haar lichaam rookte. Vlammen lekten eromheen. Een licht briesje stak op en voerde de walgelijke lucht van verbrand vlees mee over de demonstranten, de zoele nacht in.
Binnen de kortste keren braken er rellen uit. Demonstranten bestormden de politie en de mariniers. Er klonk geweervuur dat uit een kanon leek te komen. Brandspuiten werden ingezet en mensen schreeuwden van angst. Een van de geparkeerde auto's werd omvergegooid, al snel gevolgd door een tweede. Drie auto's werden in brand gestoken en de uitslaande vlammen spoten rood en geel als

fonteinen omhoog naar de met sterren bezaaide zwarte hemel.
Het was een herhaling van de veldslag die zich in Praag had afgespeeld tijdens de jaarvergaderingen van de Wereldbank en het Internationaal Monetair Fonds, maar voor Blase was dit veel erger. Meegesleurd door de menigte probeerde hij zich een weg te banen naar Viera's lichaam.
Tussen al het geduw en geschuif door voelde Blase hoe een hand behendig in zijn achterzak gleed en er weer uit werd getrokken. Hij greep naar de zak en draaide zich met een ruk om, maar er stond niemand vlak achter hem. Voordat hij de tijd had om er goed over na te denken, suisde er een vuist langs zijn oor en stampte een laars hard op zijn in een dunne leren schoen gestoken rechtervoet. De pijn schoot door tot in zijn hoofd.
Hij dook omlaag, gebruikte op zijn beurt ook zijn vuisten en drong verder, terwijl het beeld van Viera's walgelijke zelfdoding voor zijn ogen bleef dansen en al het andere wegvaagde. Hij moest bij haar zien te komen. Misschien vergiste hij zich. Misschien was het alleen maar verbeelding geweest.
Een intense pijn nestelde zich diep in zijn borst. Hij hield zichzelf voor de gek. De politie en de media lieten versterkingen aanrukken en hij raakte opnieuw betrokken bij een zinloze knokpartij. Ten slotte werd hij samen met een groot aantal anderen gearresteerd en in een volgepakt politiebusje gesmeten. Vol schuldgevoelens en verdriet hield hij zijn mond toen het busje de donkere nacht in reed.

5

Het hoofdbureau van politie in Bratislava moest het nog steeds doen met het goedkope meubilair uit het communistische verleden en de sfeer die er hing was dan ook navenant grimmig. In het grauwe gebouw met de felle verlichting hing een stank van zweet en rancune toen het 's avonds om elf uur uitpuilde van een legertje gearresteerde demonstranten. Nadat hij eindelijk officieel in hechtenis was genomen werd Blase in een gemeenschappelijke cel gepropt die vol zat met boze mannen. Een groot aantal van hen had lichte brandwonden en ander oppervlakkig letsel op hun hoofd, armen en benen waarvoor ze nog niet behandeld waren. De artsen die door de politie opgetrommeld waren, hielden zich eerst bezig met de ernstigste gevallen. De hitte in de cel was drukkend. Er was geen airconditioning om de

warme nachtlucht of de hoog opgelopen emoties af te koelen. Iedereen zat op de harde banken of stond in groepjes bij elkaar en de adrenaline bruiste nog door hun aderen terwijl ze de dood van Viera Jozef bespraken. Sommigen waren woedend omdat ze zo stom was geweest, terwijl anderen diep onder de indruk waren van wat zij als een daad van eer beschouwden, een zelfoffer. Maar iedereen was het erover eens dat dankzij haar dood hun pogingen een eind te maken aan de globalisering niet langer omschreven konden worden als ordinaire straatgevechten, zoals regeringen en de doorsnee media het grote publiek probeerden wijs te maken. Op de een of andere manier had ze de beweging, althans voorlopig, een aureool bezorgd.
Tandenknarsend van verdriet en schuldgevoelens liep Blase zoekend tussen de rest van de mannen door en negeerde de verbaasde blikken op zijn smoking tot hij Johann Jozef had gevonden, de broer van Viera. Johann zat met gebogen schouders en zijn gezicht in zijn handen op een van de banken.
De bank was vol, maar toen Blase woedend naar hen toe kwam, wierp de oudere man die naast Johann zat één blik op zijn gezicht en maakte zich haastig uit de voeten.
Blase viel naast Johann neer. 'Hoe kon je haar dat laten doen?' vroeg hij in het Slowaaks terwijl hij steeds harder ging praten. 'Je bent een verdomde klootzak, Johann!'
Johann schoot overeind. Hij was een zwaargebouwde jongeman van achter in de twintig, net onder de een meter tachtig, en zijn hele houding getuigde van het verdriet en de schok die ook op zijn smerige gezicht te lezen stonden.
'Omdat ik verdomme niet wist wat ze verdomme van plan was.' Hij kreunde en trok zijn lippen op in een grimas van pijn. 'We waren elkaar kwijtgeraakt. Ik schreeuwde nog dat ze het niet moest doen, maar ik was te ver weg. O, god.'
'Jij bent haar broer,' bleef Blase woedend doorhameren. 'Jij had het móéten weten. Jullie hebben deze demonstratie samen gepland. Ze móét iets gezegd hebben. Het was duidelijk te zien dat ze had geoefend hoe ze het precies voor elkaar moest krijgen.'
'Waarom wist jíj het niet?' betaalde Johann hem met gelijke munt terug. 'Ze heeft me zelf verteld dat ze gisteravond naar jou toe zou gaan. Eerst een etentje bij de Korzo en dan naar jouw flat. Om te vieren wat er vandaag zou gebeuren, zei ze. Als ze het aan iemand zou hebben verteld, ben jij het wel!'
In gedachten zag Blase Viera weer zoals ze tijdens hun laatste ontmoeting was geweest, levendig en vol enthousiasme. Hij voelde haar slanke armen om zijn nek en rook het natuurlijke parfum dat haar

huid leek uit te stralen. Hij hoorde weer haar stem die het vol passie over de zoveelste kwalijke uitwas van de globalisering had gehad – weer banen die verloren waren gegaan, weer kinderen die honger zouden moeten lijden, weer staatseigendommen die door corrupte regeringen verkocht waren en vervolgens door hebzuchtige bedrijven in winstobjecten waren omgezet.

Ze had hem graag gemogen en dat was wederzijds geweest. Toen ze met elkaar naar bed gingen, was dat op een partijtje vuurwerk uitgelopen. Maar dat was, eerlijk gezegd, ook alles geweest: vriendschap, aantrekkingskracht, fantastische seks. Alles wat er goed aan was geweest verbleekte bij het achteloze cynisme van hun relatie.

'Ze heeft onze afspraak afgezegd,' zei hij star. 'Ik heb haar gisteren of vandaag helemaal niet gezien.'

Hij werd opnieuw overstelpt door schuldgevoelens en draaide Johann de rug toe. Hij had geen zin meer om ruzie met hem te maken. Waarschijnlijk had Viera hem de hele week ontlopen... om niet te verraden wat ze van plan was. Omdat hij het zelf zo druk had gehad, was hem dat nauwelijks opgevallen. Een fatale vergissing.

Johann keek met grote ogen naar zijn kleren. 'Je hebt een smoking aan! Net als die lui! Daarom heb je het met Viera aangelegd! Je bent een verdomde spion!' Hij sprong Blase naar de keel.

Blase kwam met een schok tot de werkelijkheid terug, alsof hij een plens ijskoud water in zijn gezicht had gekregen. Anderen in de cel hadden Johanns beschuldiging ook gehoord en keken hem met groeiende argwaan aan. Blase greep Johanns polsen met twee handen vast, om te voorkomen dat de overspannen man hem bij zijn keel zou grijpen.

'Je vergist je,' zei Blase met opeengeklemde tanden. 'Ik had een plan. Ik moest een smoking aan, omdat ik met een smoesje de ambassade wilde binnendringen om die klootzak Stanford Weaver in een hoek te drijven. En het was me vast gelukt ook, als de demonstratie niet uit de hand was gelopen. Als Viera niet...' Hij knipperde met zijn ogen, hernam zichzelf en praatte snel door. 'Ik zou wachten tot Weaver omringd was door die andere smeerlappen die zo voor globalisering zijn en dan was ik van plan om hem te vragen zijn handtekening onder onze petitie te zetten. Natuurlijk zou hij me afwimpelen, maar ik wilde hem net zo lang lastig vallen tot iemand de mariniers zou optrommelen. Dat had vast een flinke rel opgeleverd en ze zouden me er ongetwijfeld uitgegooid hebben. Dat zou weer koren op de molen van de pers zijn geweest. Die zouden zich als een stel aasgieren op het verhaal hebben gestort. Ik zag de krantenkoppen al voor me: "Het Hoofd van de Rijkste Bank ter Wereld Weigert Hulp aan de Armen".'

Johann schoot onwillekeurig in de lach. 'Dat was precies het soort publiciteit geweest dat we nodig hebben.'
Johanns antwoord verbrak de spanning in de volgepakte cel.
Blase liet zijn handen zakken. 'Het was de moeite van het proberen waard.' Zijn gezicht vertrok. 'Hoe heeft ze dat voor ons allebei geheim kunnen houden, Johann?'
Johanns schouders zakten. 'Viera kon heel goed haar mond houden,' zei hij somber. Hij zakte achterover tegen de muur.
Iedereen keek vol medeleven naar de beide mannen. De broer en de minnaar.
'Niemand kon Viera iets uit haar hoofd praten,' besloot Blase.
Johann knikte verdrietig. Hij keek omlaag, strengelde zijn vingers in elkaar en keek toen om zich heen, alsof hij hoopte dat iemand het ongelooflijke, het onverdraaglijke kon verklaren.
Blase slaakte een zucht. Toen Johann zich omdraaide en iets tegen de man naast hem zei, zag Blase dat iedereen zich inmiddels al als gevangenen begon te gedragen. Om de beurt stonden ze op om iemand anders een tijdje te laten zitten. Zijn felle woede en schaamte begonnen iets af te nemen en op dat moment herinnerde hij zich plotseling de hand die in zijn achterzak was gestoken.
Hij keek om zich heen en zag dat de aandacht niet meer op hem was gericht. Hij stak zijn hand in zijn zak en haalde er een verfrommeld stukje papier uit, waarop stond: 'Sir Robert is vermoord. Als je wilt weten wie het heeft gedaan, kom dan naar me toe.' Blases adem stokte in zijn keel. Er stond geen handtekening onder, maar de boodschap werd gevolgd door een routebeschrijving naar de dom van St. Maarten. De persoon zou in een bepaalde bank in een bepaalde kapel om vijf uur 's ochtends op hem wachten. De tekst was in het Engels, met potlood geschreven in keurige blokletters.
De deur van de cel ging met een gerammel van metaal open. Blase keek meteen op en stopte het briefje weer in zijn zak. Iedereen keek om. Het werd dreigend stil in de ruimte toen vier politieagenten in uniform zich tussen de mensen doorwurmden. Drie van hen pakten twee mannen in de kraag die Duits hadden gesproken.
De derde kreeg Blase in de gaten en kwam naar hem toe. 'Jij! Ja, jij. Kom maar mee,' beval hij in het Slowaaks.
Toen Blase niet snel genoeg opstond, greep de bewaker hem bij zijn revers en trok hem met brute kracht naar de deur van de cel. Dankzij de uitgestoken handen van de omstanders wist Blase op de been te blijven tot hij bij het traliehek was. De deur werd opengeschoven en met zijn onderarm tegen Blases rug duwde de bewaker hem de gang in. Blase belandde met een dreun tegen de tegenoverliggende

muur. Een golf van pijn sloeg door zijn lichaam. Zijn hoofd begon te tollen.
'Zato ète vl'avo,' beval een van de bewakers.
Blase en de twee anderen sloegen gehoorzaam links af. Het groepje marcheerde naar het eind van de gang. De bewaker die het woord had gedaan, trok een deur open. 'Naar binnen.'
Blase kreeg opnieuw een duw. Terwijl hij naar binnen struikelde, hoorde hij dezelfde bewaker tegen een van de Duitsers zeggen: 'Jullie worden in de kamer hiernaast verhoord.'
De deur werd dichtgetrokken en op slot gedaan.
Ada Jackson, die op de Britse ambassade verantwoordelijk was voor de rechtshandhaving, zat alleen achter een gehavende houten tafel met haar vingers te trommelen. Ze wierp hem een boze blik toe. 'Godallemachtig.'
Ze was klein en gedrongen, met keurig gekapt zwart haar en een bril met een stalen montuur. In haar nette overhemdblouse en het jasje van haar mantelpak zag ze er zelfs op dit vroege uur uiterst zakelijk uit. Er stonden nog twee tafelstoelen met rechte leuningen in de kamer en in de hoek was een met staalgaas bespannen kooi aangebracht, ongetwijfeld bedoeld voor gevangenen die te moeilijk of te eigenwijs waren om zich aan te passen aan de betrekkelijke kameraadschap van een gemeenschappelijke cel.
Maar zijn aandacht werd voornamelijk getrokken door een tweede deur, die eruitzag alsof daarachter de vrijheid lonkte, omdat hij in een buitenmuur was aangebracht. Hij slaakte een zucht van opluchting. De bewakers hadden hem alleen maar tegelijk met de twee Duitsers uit de cel gehaald om de anderen een rad voor ogen te draaien. Zijn dekmantel was ongeschonden.
Hij was er zelf ook bijna ingetrapt. 'Je hebt er wel de tijd voor genomen.' Hij liep naar de deur.
Ze volgde hem op de hielen. 'Je zit behoorlijk in de problemen.'
'Met jullie of met Whitehall?'
Ze was ook het hoofd van de plaatselijke MI6-afdeling en deed de deur van het slot. De zwoele nachtlucht sloeg hen in het gezicht toen ze de gevangenis uitliepen.
'Met ons allemaal, Simon. Maak nou verdomme maar dat je in die auto komt.'

De onopvallende vierdeurswagen van de ambassade reed met Ada Jackson achter het stuur door de nauwe straatjes van de oude stad, langs middeleeuwse huizen en barokke kerken, op weg naar de Donau. Overgoten door het zilveren maanlicht leken de puntdaken en

de hoge torens van het eeuwenoude Bratislava lichtgevend. De charmante stad, die ooit een favoriete verblijfsplaats van Hongaars-Oostenrijkse koningen en keizers uit het huis Habsburg was, leek onschuldig en ongerept te slapen. Simon Childs was er jaloers op.
Zich bewust van het feit dat hij voor de zoveelste keer ten opzichte van zijn meerderen een onzichtbare grens had overschreden nestelde hij zich waakzaam in de linkervoorstoel, blij met de koele lucht die uit de airconditioning blies. Terwijl hij zijn best deed zo min mogelijk emoties te tonen, beschreef hij de demonstratie en de afschuwelijke dood van Viera. Hij somde de namen op van demonstranten die hij had herkend, herhaalde gesprekken die hij had gehoord, analyseerde de manier waarop alles georganiseerd was en onderdrukte zijn schuldgevoelens.
Onder het rijden door wilde Ada alle bijzonderheden weten. Hij keek nadenkend naar haar profiel, met de bril die op het puntje van haar korte neus balanceerde, en naar de strakke, strenge uitdrukking op haar gezicht. Al haar bewegingen waren beheerst, van het gladde zwarte haar dat als een kapje om haar hoofd sloot tot haar verstandige pumps, en hetzelfde gold voor haar denkwijze. Maar die precisie leidde af en toe tot onbuigzaamheid.
Hij keek naar haar handen die op het stuur lagen. Ze droeg geen ringen. Als ze ooit verliefd was geweest, of zelfs maar een afspraakje had gehad, dan was hem dat ontgaan. Ze was achter in de dertig en erg aantrekkelijk, maar ze had de onaantastbare uitstraling van een vrouw die al voorzien was. Hij veronderstelde dat het in haar geval geen man was die haar gedachten in beslag nam, maar haar 'carrière'.
'Je bent de ambassade uitgelopen terwijl je dat helemaal niet had mogen doen,' zei ze tegen hem. Haar stem klonk streng. 'En nog midden in een feest ook! Verdorie, Simon, je had een opdracht en daar heb je je niet aan gehouden. Wat bezielde je in vredesnaam?'
Hij had een groot risico genomen, daar had ze gelijk in. Hij was de expert van MI6 op het gebied van antiglobaliseringsgroeperingen in centraal Europa en zijn infiltratiepogingen hadden meer succes gehad dan die van de Amerikanen, de Duitsers of de Fransen. Omdat de angst voor terrorisme zo groot was, had niemand er kennelijk van opgekeken dat het pas benoemde hoofd van de Wereldbank een persoonlijk onderhoud had willen hebben met de mysterieuze antiglobaliseringsbron van Whitehall... met hem dus.
Per slot van rekening had de bank miljarden dollars geleend aan regeringen in dit gebied en een van de belangrijkste klachten van de meeste protestbewegingen was dat het geld werd gebruikt om landen

kapot te maken in plaats van ze op te bouwen. Vandaar dat was besloten om hem, vermomd in smoking, de Amerikaanse ambassade binnen te smokkelen, waar hij in een achterkamertje kon gaan zitten wachten tot Stanford Weaver tijd voor hem had.
Simon deed net alsof hij diep beledigd was. 'Ik ben alleen maar een paar minuten naar buiten gegaan om een frisse neus te halen. En volgens mij was ik echt niet de enige. Die feestjes zijn geestdodend. "Saai" is nog veel te mooi omschreven. Ik verveelde me dood, dus daarom was ik niet echt op mijn qui-vive.'
'In die "paar minuten" heb je jezelf anders behoorlijk in de nesten gewerkt,' wees ze hem terecht. 'Niemand houdt van die verplichte feestjes, maar iedereen neemt ze op de koop toe. Hoe oud ben je nu, dertig?' Hij keek haar verrast aan. 'Ja, dertig. Het wordt tijd dat je je als een grote jongen gaat gedragen, Simon. Je bent gewoon veel te aantrekkelijk. Te charmant en veel te zelfverzekerd.' Ze trok haar neus op. 'Iemand zou zich zelfs af kunnen vragen of je wel ooit tot meer in staat zult zijn dan infiltrant te spelen bij een zootje verkapte relschoppers.'
Hij slikte nog net een van zijn beruchte scherpe antwoorden in en beperkte zich tot de opmerking: 'Ik geloof niet dat ik je dat in dank moet afnemen.'
'Fout. Je zou me juist moeten bedanken. Ik betwijfel of er ooit iemand is geweest die je met de neus op de waarheid heeft gedrukt. Of misschien heb je gewoon nooit geluisterd.'
Ze stopte bij de rivier en parkeerde de auto op een helling, met de neus in de richting van het water. Ze deed de motor en de lichten uit en ze bleven zwijgend in het duister zitten, alleen op een parkeerplaats waar niemand hun gesprek kon afluisteren of door de getinte ramen naar binnen kon kijken. Links en rechts van hen strekte de Donau zich uit – de Dunaj in het Slowaaks – een schitterende en duistere stroom waarvan de golfjes alweer door die heldere maan met een kwikzilveren laagje werden overgoten. Links van hen was de futuristische SNP-brug, die de oude stad verbond met het zuidelijk gelegen stadsdeel Petržalka, met de vierkante, betonnen torenflats waar zich de meeste zelfmoorden in Bratislava afspeelden. Die flatgebouwen en alle andere lelijke blokkendozen langs de grenzen van de Oude Stad waren opgetrokken door de communisten... een sombere, uit cement gehouwen erfenis van de voormalige Sovjet-Unie.
'Ik wil niet onbeleefd zijn, Ada,' zei hij, 'maar volgens mij heeft dit weinig te betekenen. Ik kan nog altijd met Stanford Weaver praten als hij dat wil. Zeg maar hoe laat en waar, dan zorg ik wel dat ik er ben. Dat weet je best.'

Ze wierp hem vanuit de schaduw een boze blik toe. 'Te laat. Hij is weg.'
'Nou al?'
'De Amerikanen hebben hem meteen afgevoerd. Waarschijnlijk schamen ze zich dood. Die theatrale dood van Viera Jozef zal bij het aanbreken van de dag alle nieuwsmedia domineren. Dus moeten zowel de yanks als de Wereldbank even haastig verstoppertje spelen. Luister eens goed naar me, Simon. Je hebt je niet volgens afspraak gedragen. Het was de bedoeling dat je vanavond een bijzonder belangrijk gesprek zou hebben met een zeer belangrijke nieuwe bondgenoot van Groot-Brittannië. Je hebt hem niet alleen min of meer voor schut gezet, maar je hebt hem en de Amerikanen ook nog eens extra in de problemen gebracht. In die smoking viel je tussen al die haveloze schooiers natuurlijk op als een priester in vol ornaat bij een orgie.'
Ze had wel degelijk reden tot klagen, maar in de risicovolle wereld van MI6 – zowel op kantoor als in de praktijk – mocht je zwakheid noch twijfel tonen, anders was je ten dode opgeschreven. Soms zelfs letterlijk.
'Wat ik vanavond te weten ben gekomen, moet verder onderzocht worden,' zei hij stellig. 'De politie, de media en het publiek zijn altijd van tevoren op de hoogte van het feit dat er een grote demonstratie gepland staat, want de organisatoren houden zich aan de wet en geven alles precies op. Tegelijkertijd zijn ze vaak ook zo opgewonden dat ze toch hun mond niet kunnen houden. Maar gisteravond was daar geen sprake van.'
'Ga verder.'
'Op de een of andere manier zijn meer dan vijfduizend demonstranten langs de Slowaakse douane gekomen. Ik heb er vooraf geen woord over gehoord en dat geldt eveneens voor de autoriteiten en alle andere geïnteresseerden. Als je daar dan nog de zelfdoding van vanavond aan toevoegt... De eerste, godzijdank, maar je kunt er donder op zeggen dat het niet de laatste zal zijn. Viera was geen fundamentalistische godsdienstfanaat. Geen potentiële Al Qaeda-huurmoordenaar. Ze was een jonge onderwijzeres, die in haar vrije tijd vrijwilligerswerk deed in ziekenhuizen en bij de sociale dienst. Haar hele leven lag nog voor haar en ze had een engelachtig gezichtje. Prachtig voor op de voorpagina en als hoofdpunt van het nieuws. Bij uitstek geschikt om als martelares de geschiedenis in te gaan.'
'Wat wil je me nu eigenlijk duidelijk maken?' vroeg Ada koel.
'Wat ik je duidelijk wil maken, is dat ik dan misschien niet braaf pootjes ben gaan geven aan een of andere brutale bankier, maar dat

ik gewoon mijn werk heb gedaan. Mijn opdracht was om de antiglobaliseringsbeweging te infiltreren omdat we bang waren dat het een kweekvijver was voor terroristische groeperingen. Of niet soms?'
Ze haalde haar schouders op. 'Dat was een van de redenen.'
'Een verdomd belangrijke reden ook. Het fanatisme dat ik daar vanavond heb gezien heeft me wakker geschud. Viera heeft geweld gebruikt om de aandacht te vestigen op de grieven van haar beweging en als zij morgen alle krantenkoppen te zien krijgen, zullen ze begrijpen dat haar offer beloond is. Ik schijt bagger als ik denk aan wat er zal gebeuren als de hele antiglobaliseringsbeweging dat doorkrijgt en hun werkwijze aanpast. Dan kun je erop wachten dat ze in plaats van zelfmoordacties geweld gaan gebruiken tegen de mensen die volgens hen verantwoordelijk zijn voor hun problemen. En wat gebeurt er dan als ze echt een manier vinden om samen te werken en dingen van tevoren te regelen? Als ze de handen ineenslaan, zou dit nog weleens erger kunnen worden dan de protestbeweging uit de jaren zestig en die heeft zowel Europa als de Verenigde Staten bijna op de knieën gebracht.'
Ze schudde boos haar hoofd. 'Je overdrijft. Die mensen zijn een stel slappelingen, die zichzelf veel te graag als slachtoffers zien. Bovendien zijn bestaande instellingen als het IMF en de Wereldbank veel beter geoutilleerd om de strijd tegen de armoede en andere wereldproblemen aan te gaan dan de jengelende volwassenen en de onwetende jongelui die daar vanavond stonden te schreeuwen en te krijsen. Als die ophitsers van jou mij niet konden overtuigen, dan zal dat vast en zeker ook voor een heleboel anderen gelden. Wat maakt het uit dat er wat krantenkoppen aan gewijd worden? Het blijft een kwestie van meehuilen met de wolven in het bos.'
'Maar die wolven, zoals jij ze noemt, zouden weleens kunnen uitbreken. Het is heel onverstandig om de kracht van een underdog te onderschatten. Vooral als die underdog het gevoel heeft dat hij geen kant meer op kan.'
Ze keek hem aan met een blik die hem helemaal niet beviel. Haar stem klonk ijskoud. 'Jij probeert je gedrag van vanavond te verontschuldigen door me informatie te geven. Maar dat is alleen een rookgordijn dat moet verbloemen dat je de zaak hebt verknald. Ik heb mensen gestuurd om de videofilm te bekijken die vanavond is geschoten. Het is onvermijdelijk dat ook een paar van de andere fotografen en cameralieden opnames van je hebben gemaakt. Ik zal mijn contacten moeten inschakelen en ik houd er helemaal niet van om dat te doen voor iets wat nooit had mogen gebeuren.' Ze slaakte een vermoeide zucht. 'Zelfs als ik erin slaag om elk stukje film in han-

den te krijgen en het te laten vernietigen, moet je niet vergeten dat je alleen maar beschermd was binnen de ambassade. Het is heel goed mogelijk dat iemand je naar buiten heeft zien sluipen om vervolgens een van de hoofdrollen bij de demonstratie op te eisen. Met al die media-aandacht zullen er ongetwijfeld getuigen zijn die zich afvragen wat jij daar in vredesnaam uitspookte. Je had beter moeten opletten, Simon.'

'Ik doe gewoon mijn werk.'

'Dat is nou net het probleem. Voor jou is het gewoon werk. Je doet wel graag alsof je werk belangrijk voor je is, maar in werkelijkheid is het voor jou maar een spelletje. Je hebt eigenlijk geen mening over wat de mensen die je de laatste drie jaar hebt bespioneerd precies willen. Je weet niet of ze het wel of niet bij het rechte eind hebben. En zo denk je ook over onze regering. Wie is de echte Simon Childs? Waar zit die verstopt?'

God, wat was ze toch een vervelend mens. 'Maar ik houd van Groot-Brittannië. En dat is het enige waar jij je volgens mij druk over moet maken. Heb je verder nog iets met me te bespreken?' De gedachte aan trouw en Groot-Brittannië bezorgde hem een steek van pijn in zijn borst, hetzelfde wat hem ook altijd overkwam als hij aan de dood van zijn vader dacht. Sir Robert Childs was bijna een nationaal instituut geweest... lid van het parlement, geliefd bij de linkervleugel en gerespecteerd door de partij aan de andere kant van het spreekgestoelte. Hij had de hand aan zichzelf geslagen, net als Viera. Simon had de zaak destijds grondig onderzocht, maar hij had geen enkele aanwijzing kunnen vinden dat zijn vaders dood iets anders was geweest dan zelfmoord.

Hij zorgde dat zijn gezicht uitdrukkingsloos bleef en onderdrukte de neiging op zijn horloge te kijken. Hij wilde niet te laat komen op de afspraak met de naamloze persoon die dat briefje had geschreven.

Ada Jackson startte de motor weer. 'Ik wil een volledig rapport van alles wat je gezien hebt, compleet met je gevolgtrekkingen. Ik verwacht dat je dat morgenochtend om acht uur achterlaat in de brievenbus bij de brug. De media zullen Viera's leven binnenstebuiten keren om achter alle details te komen... en die kunnen niet intiem, pikant en goor genoeg zijn. Zeg maar tegen je vriend Johann dat je zo overstuur bent van alles wat er is gebeurd dat je er een tijdje uitstapt. Hij zal het ongetwijfeld doorvertellen en op die manier zal het ook de pers ter ore komen. Ik zal wel zorgen dat ik een onderduikadres voor je heb geregeld tegen de tijd dat jij je rapport indient. Ik wil dit hele gedoe laten overwaaien. Blase Kusterle moet verdwijnen.'

6

Santa Barbara, Californië

De avondspits zorgde voor een lange file op de 101 toen Liz op weg naar het feestje van de rector in haar Toyota sportwagen naar het noorden reed. Ze was zo gespannen dat ze niet wist wat ze moest doen: knokken of ervandoor gaan, dat atavistische overlevingsmechanisme dat altijd ergens in een hoekje van het menselijk brein ligt te sluimeren. Ze leek op een auto waarvan de chauffeur met zijn ene voet plankgas geeft en met de andere de rem intrapt. Het geordende, vredige wereldje dat ze de afgelopen vijf jaar voor zichzelf had gecreëerd was zonder waarschuwing in puin gevallen en ze was de klap nog niet te boven.

Ze had een boodschap achtergelaten voor Kirk, waarin ze vertelde wat er was gebeurd en hem vroeg of hij zich kon herinneren wat hij precies had gezegd in zijn gesprek met het bureau van de sheriff. Daarna ging ze op zoek naar getuigen die wellicht hadden gezien dat een vreemde haar kantoor was binnengedrongen, of dat een collegajogger haar van de rotsen had gegooid, of haar misschien met die onechte hulpsheriff hadden zien praten. Toen ze geen enkele aanwijzing kon vinden, annuleerde ze haar vakantiereis naar Parijs en liet een boodschap achter op de voicemail van Sarahs mobiele telefoon waarin ze zich verontschuldigde. Ze moest in Santa Barbara blijven tot ze wist wat er precies aan de hand was.

Ze was eigenlijk al te laat geweest toen ze naar huis reed om zich te verkleden voor het feest. En daar was ze plotseling overvallen door een gevoel dat haar koude rillingen bezorgde. Ze was aangevallen. Een of andere machtige groepering wilde haar om het leven brengen. Natuurlijk moest ze een pistool hebben, zodat zij hen dood kon schieten voordat ze de kans kregen haar te vermoorden. Ze was rechtstreeks naar haar muursafe gelopen en had haar oude 9mm Walther te voorschijn gehaald. Het wapen was schoon en goed geolied geweest, dus ze had het meteen geladen.

Het had haar geen enkele moeite gekost, omdat ze het vroeger tot in den treure geoefend had. Maar daardoor was alles ook ineens weer boven komen drijven uit de drie jaar dat ze in actieve dienst voor Langley had gewerkt: de lange periodes van verveling, onderbroken door hachelijke momenten waarin het angstzweet je uitbrak. Haar hulpeloosheid toen haar man eerst gevangengenomen en vervolgens vermoord werd door de islamitische Jihad. De schrik toen ze in Lissabon getuige was van de laatste bloederige opdrachten die de Car-

nivoor als huurmoordenaar had afgewerkt. Gevolgd door drie jaren vol gevaar waarin ze samen met haar ouders ondergedoken was en terwijl ze voortdurend op de vlucht waren geweest hadden geprobeerd een regeling te treffen waarbij hun politiek asiel zou worden aangeboden.
Ze keek neer op het pistool in haar hand. Een deel van haar had behoefte aan de veiligheid die het wapen bood, ook al was die nog zo oppervlakkig. Geweld kon zo'n gemakkelijke, zo'n uitnodigende, oplossing zijn. Maar uiteindelijk hield het zichzelf in stand, tot het een zinloze vicieuze cirkel werd die veel meer problemen veroorzaakte dan oploste. Geweld corrumpeerde niet alleen individuen, maar hele samenlevingen.
Ze schudde even heftig met haar hoofd. Néé. Ze liet zich niet opnieuw verleiden. Er moest een andere manier zijn om die overvallen te voorkomen. Ze haalde de kogels weer uit het pistool, legde het terug in de kluis, kleedde zich om en liep terug naar haar auto. Ze zou veel te laat komen, maar dat gaf niet. Ze moest alles maar even uit haar hoofd zetten, zich ontspannen en op zoek gaan naar een andere invalshoek. En ze wilde met Kirk praten over de man die zich had voorgedaan als Harry Craine.

In het laatste vleugje daglicht vormde de bloedrode bougainville langs de veranda aan de voorkant van het huis van rector Derrick Quentin een wirwar van felle kleuren tegen de witte verf. Liz had alleen haar schoudertas bij zich toen ze langs de bougainville liep en zich bij de feestgangers voegde. Nadat ze een paar collega's had begroet, bestelde ze een grote Belvedere-martini waar ze echt naar snakte en nam af en toe een slokje terwijl ze rondliep. Vrijwel iedereen had al gehoord dat ze overvallen was en ze moest het verhaal telkens opnieuw vertellen terwijl ze rondkeek of ze Kirk zag. Een paar mensen vertelden haar dat hij ook naar haar op zoek was.
Toen ze haar martini op had, liet ze het glas in de keuken achter en liep door de hordeur de achtertuin in. Op het terras stonden een stuk of tien docenten en hun aanhang in de invallende duisternis te drinken en te kibbelen over Freud, Jung en Rank, maar Kirk was er niet bij.
Ze liep over de veranda. De martini had haar geholpen zich te ontspannen en ze liet haar vingers over de bougainville glijden. De weelderige tropische plant was helemaal tegen het huis omhooggeklommen en had inmiddels al het dak bereikt. Terwijl ze er bewonderend naar stond te kijken, hoorde ze haar naam vallen. Nieuwsgierig gluurde ze door het dichte gebladerte.

Kirk en de rector stonden rustig met elkaar te praten in de tuin naast het huis. Achter hen reed een taxi met een snorrende motor snel de straat uit. Ze moest zich inspannen om te horen wat er werd gezegd.
'Ik moest Themis wel onmiddellijk het nieuws over Liz vertellen,' hoorde ze Kirk verklaren. 'Wat kon ik anders doen? Je weet dat hij het onmiddellijk wil weten als er iets ongewoons gebeurt.'
Ze fronste verbaasd. Wie was Themis? Moest Kirk verslag uitbrengen over háár?
'Maar het was wel verdomd riskant om Liz wijs te maken dat je de sheriff had gebeld, Kirk,' zei de rector. 'Ze is niet op haar achterhoofd gevallen en ze zou er best achter kunnen komen. En dat zou een ramp zijn.'
Haar maag kromp samen. Had Kirk gelógen?
Kirk grinnikte zacht. 'Dat gebeurt toch niet. Ze is verliefd op me. Ze vertrouwt me volkomen en wat er echt is gebeurd zal niet eens bij haar opkomen...'
Een golf van woede sloeg door haar heen. Wat dacht die verwaande kloot... Wat? *Wat had hij daar gezegd?*
Kirk stond nog steeds te praten. 'Trouwens, je hebt toch gezien hoe snel Themis die zogenaamde hulpsheriff liet opdraven om met haar te praten. De stichting wilde de politie er kennelijk buiten houden. En we willen onze afspraak met de stichting toch niet in gevaar brengen?'
Ze strengelde haar vingers in elkaar om te voorkomen dat ze van kwaadheid zou ontploffen. Waarom brachten de rector en Kirk verslag over haar uit? Wat was er in vredesnaam aan de hand? Die klootzak van een Kirk had haar bedrogen en datzelfde gold voor de rector. Maar wat nog veel erger leek, was dat hun baas, 'Themis', kennelijk over een enorme macht en onbeperkte middelen beschikte en dat er, zoals ze al had gevreesd, ook een of andere grote organisatie bij betrokken was: de 'stichting'.
Ze ontdekte een iets groter gat in de bougainville. De twee mannen stonden vlak bij elkaar onder een peperboom. Bij de meeste feestjes veranderde Kirk al vrij snel in een slungelachtige dronkenlap, maar nu stond hij kaarsrecht overeind. Vergeleken bij hem was de rector klein en tenger, maar hij had de felle blik van een ratelslang en hij leek even nuchter als Kirk.
'God mag weten hoe die lui van Aylesworth hadden gereageerd als ik geen verslag had uitgebracht en de politie wél was ingeschakeld,' zei Kirk.
'Het bevalt me nog steeds niet. Ik maak me echt zorgen. Tot nu toe heeft onze afspraak juist zo goed gewerkt. Iedereen had daar voor-

deel bij, vooral Liz. Vijf jaar geleden waren haar geloofsbrieven echt niet toereikend om zo'n prestigieuze leerstoel toegewezen te krijgen.'

Smeerlappen! Het hele zootje! Dus de Aylesworth Foundation zat achter de zaak... wat die zaak ook mocht wezen. Haar geloofsbrieven waren inderdaad niet toereikend geweest, maar haar voorstel... Liz onderdrukte de neiging om het feit dat de leerstoel haar toegewezen was te rechtvaardigen. Dat was het laatste waar ze zich nu druk over moest maken.

Bezorgd en kwaad leunde ze nog iets verder naar voren. Ze wilde geen woord missen.

'Nou, dat wíj er ons voordeel mee hebben gedaan staat wel vast.' Kirk lachte zelfvoldaan. 'Ik hoef mezelf niets wijs te maken. Ik zou nooit in aanmerking zijn gekomen voor zo'n gemakkelijk baantje bij een grote universiteit als Themis me niet had ingehuurd om Liz zeven dagen per week in de gaten te houden.'

'Je hebt gelijk,' zei de rector peinzend. 'Twee gesubsidieerde leerstoelen hebben mij bij het bestuur ook geen kwaad gedaan en financieel kunnen we de eindjes nu ook veel gemakkelijker aan elkaar knopen. Maar toch zou ik wel willen weten waarom hij haar per se hier wilde hebben. Onwillekeurig krijg ik toch het idee dat die onverwachte overval op haar en de diefstal van die dossiers uit haar archiefkast iets te maken hebben met onze regeling.' Hij tuitte zijn lippen en fronste. 'Ik ben een beetje bang dat we, zonder dat we daar het flauwste benul van hebben, misbruikt worden voor een of andere gevaarlijke onderneming. Als die op ons terugslaat, zullen we daar niet ongeschonden uit komen.'

Een stroom scheldwoorden schoot door haar hoofd. Haar gesubsidieerde leerstoel, haar bijzondere positie aan de universiteit, haar werk... al die dingen waren geregeld door die Themis, wie dat verdomme ook mocht zijn, en de Aylesworth Foundation. Niet omdat haar kennis van geweld en haar werk zo waardevol en belangrijk waren, maar omdat een of andere klootzak met een schuilnaam wilde weten waar ze uithing en wat ze deed.

Woedend draaide ze zich om en liep naar het trapje dat naar de tuin leidde. De walging die ze voelde, speelde niet alleen in woorden en zinnen maar in complete alinea's door haar hoofd. Nadat ze hun had verteld hoe weerzinwekkend ze waren, zou ze hen dwingen om alles op te hoesten wat ze wisten. Alles wat ze te horen hadden gekregen. Maar dan ook álles. Hoe heette Themis in werkelijkheid? Hadden ze hem weleens ontmoet? Ze moesten in ieder geval een telefoonnummer hebben dat ze konden bellen om verslag uit te brengen.

Ze bleef abrupt staan. Ze hield haar adem in, zorgde dat ze in de be-

schutting van de bougainville bleef en keek om zich heen. Er was iets veranderd op het trottoir... ze had een schaduw gezien op een plek waar geen schaduw hoorde te zijn. Haar ogen volgden de beweging en ze zag het silhouet van een man die op zijn hurken achter een boom zat, vlak bij het witte hek dat om de tuin stond. Ze wierp een snelle blik op Kirk en de rector. Die stonden met hun gezicht naar het huis, niet naar de straat.
De schaduw gleed over het trottoir en bleef verscholen achter het hek terwijl hij de tuin en het huis bestudeerde. Door de rechtopstaande latten van het hek kreeg ze de kans niet om zijn hele gezicht te zien. Maar hij kwam haar toch bekend voor. Met een schok herkende ze hem plotseling... de 'hulpsheriff', die vanmiddag haar verklaring had opgenomen.
Ze bleef stokstijf staan, maar haar besluit was snel genomen. Dat stel sukkels in de tuin kon wel wachten. De halfverborgen man in de duistere straat was een rechtstreekse afgezant van Themis en dus was hij degene die haar bij Themis kon brengen zodat ze erachter kon komen waarom ze overvallen was. Zonder iets te zeggen draaide ze zich om en keerde op haar passen terug. Dit keer liep ze verder over de veranda naar de andere kant van het huis, waar ze de minste kans liep gezien te worden. Ze hing de band van haar schoudertas dwars over haar borst, zodat de tas op haar rug kwam te hangen, waar hij haar niet in de weg zou zitten als ze hard weg moest lopen. Ze sloop om het huis heen.
Aan de voorkant gluurde ze voorzichtig om de hoek. De vooravond wierp lange purperen schaduwen over het grasveld voor Quentins huis en over de rustige straat, met aan weerszijden oude jacarandabomen. Ze kon een stuk of tien auto's zien staan, maar ze zag geen spoor van de zogenaamde hulpsheriff.
Liz holde via het verandatrapje en het lange tuinpad naar het tuinhekje, waar ze op haar hurken ging zitten om opnieuw om zich heen te kijken. Nog steeds niets. Ze zette alle gedachten uit haar hoofd om beter te kunnen luisteren. Achter haar kon ze vaag het gelach en het gepraat van het feestje horen. Daarna hoorde ze links van haar, ergens verderop in de straat, een zacht geluid dat ze onmiddellijk herkende... een elektrische autoruit die omhoog- of omlaag werd gedaan. Ze trok het hek open en liep in de richting van het geluid. Ze passeerde een jacaranda en twee auto's terwijl ze strak naar de schaduwen onder de lantaarns keek. Er stak een briesje op dat de boomblaadjes deed ritselen, maar het liet de roerloze, als uit steen gehouwen takken ongemoeid. De lucht was bezwangerd van de scherpe geur van versgemaaid gras.

Ze keek om naar het huis dat inmiddels bijna uit het zicht was en weer om zich heen, naar het verlaten trottoir en de rustige straat die kronkelend omhoog liep naar de glooiende uitlopers van de bergen. Ergens ver boven haar hoofd hoorde ze het scherpe gekef van een prairiewolf.

Waar was die man gebleven? Constant om zich heen kijkend sloop ze verder naar boven. Ineens ging ze langzamer lopen, puur op haar gevoel en ingespannen luisterend... Het was net alsof de echo van sluipende maar snelle voetstappen over het trottoir en door haar hoofd galmde. Toen ze zich met een ruk omdraaide, zag ze nog net de heldere flits van een mes in de linkerhand van een donkergeklede figuur met een bivakmuts op.

Hij sprong zonder geluid te maken op haar af, met de bedoeling haar van achteren aan te vallen.

De adrenaline bruiste door haar aderen. Ze dook weg en draaide zich om met de bedoeling de beter verlichte straat op te hollen. Maar haar voet bleef achter een boomwortel haken en ze struikelde. Haar tas bonsde tegen haar rug.

Het volgende moment stond hij naast haar. Hij klemde zijn rechterhand om haar keel en rukte haar achteruit, naar de schaduw van de boom. Hij was even groot als de man die haar van de rotsen had gegooid. Snakkend naar adem reageerde ze veel te laat en deed precies wat een ervaren overvaller zou verwachten: ze greep zijn arm met twee handen vast, kronkelend en worstelend in een vergeefse poging los te komen. Het enige wat in haar voordeel werkte, was dat ze jaren aan sport had gedaan. Ze was sterk en lenig en kon dan ook voelen dat hij moeite had om zijn evenwicht te bewaren.

Maar zijn arm bleef haar keel dichtknijpen. Ze haalde schurend adem en onderdrukte de neiging om aan hem te blijven trekken. In plaats daarvan ramde ze haar beide ellebogen achteruit in de beweging die *ushiro empi-uchi* wordt genoemd. Een van haar ellebogen raakte hem in zijn zij en ze voelde meer dan dat ze hoorde dat hij een kreunend geluid inslikte.

Heel even nam de druk op haar keel iets af. Ze probeerde te schreeuwen, maar hij spande haastig zijn arm opnieuw. Ze begon zich nog feller te verzetten, rukkend en trekkend in de invallende duisternis, happend naar adem. Het gebrek aan zuurstof maakte haar licht in haar hoofd.

Toen het mes opnieuw bewoog en ze het licht van de straatlantaarn erin weerkaatst zag, golfde er een vlaag van doodsangst door haar heen. Hij was van plan om haar vanaf links in het hart te raken. Als hij niet goed trof, zou haar einde langzaam en pijnlijk zijn. Ze zou

doodbloeden. Maar als hij haar wel op de juiste plek raakte, zou ze binnen een paar seconden dood zijn.
Ze vloekte inwendig. Daarna besefte ze ineens dat ze een kleine kans had. Zijn aandacht was volledig op het mes gericht, maar zij had ook een wapen: haar schoudertas die nog steeds op haar rug hing.
Moeizaam ademend hield ze zijn bewegingen nauwgezet in de gaten en zag hoe hij het mes achteruit haalde, klaar om toe te steken. Ze moest precies op tijd reageren en gebruik maken van het feit dat zijn aandacht volledig op het mes was gericht...
Plotseling stak hij toe. Ze gaf een snelle ruk naar rechts en draaide zich met haar volle gewicht om. Heel even was ze los en haar schoudertas zwiepte mee.
Het mes kwam met de kracht van een fikse vuistslag in haar tas terecht en ging er dwars doorheen. Ze vertrok haar gezicht, maar de punt raakte haar nauwelijks. De druk van de arm om haar keel verminderde toen de overvaller vloekte en probeerde zijn wapen los te trekken.
Meteen stak ze haar beide handen weer omhoog. Maar in plaats dat ze opnieuw probeerde zijn arm weg te trekken zoals ze eerder had gedaan, drukte ze die nu met al haar kracht omhoog en zette haar tanden erin, dwars door de stof. Het bloed spoot eruit en vloeide in haar mond.
Hij kreunde en probeerde haar af te schudden.
Zwetend en met longen die in brand leken te staan beet ze zich vast als een pitbull die een prooi bij de keel heeft. Toen ze een rilling van zwakte door zijn arm voelde gaan, liet ze hem gaan en rukte zich los. Op hetzelfde moment werd het mes uit haar schoudertas getrokken. Hij had zijn evenwicht verloren en stond te zwaaien op zijn benen. Dit was haar kans. Misschien wel de enige die ze zou krijgen.
Ze leunde achterover en zwaaide haar voet omhoog naar zijn kin. Zijn ogen in de bivakmuts werden groot toen haar trap hem raakte. Ze had hem precies op het juiste moment getroffen, toen hij kwetsbaar was, en hij wist het. Een flits van woede laaide op, toen klapte zijn hoofd achterover. Hij draaide hulpeloos rond op één voet en kwam met een harde dreun op zijn buik op het gras naast het trottoir terecht. Zijn lichaam lag in een kronkel die aangaf hoe hij gevallen was. Hij bewoog niet.
Ze boog zich hijgend over hem heen, op zoek naar het mes. Ze wreef over haar keel en slikte. *Waar was dat mes gebleven?*
Maar toen wist ze het ineens. Verbijsterd keek ze neer op de gevallen man. Zijn heupen lagen in een hoek, de linker iets opgeheven, de ene voet onder het andere been en één hand onder zijn bovenlichaam.

Maar zijn borst lag plat op het gras.
Ze vloekte en sloeg haar armen over elkaar.
Vrijwel meteen daarna hoorde ze voetstappen. Ze draaide zich om en wilde net wegrennen, toen ze zag wie het was. Drie meter verderop dook de zogenaamde hulpsheriff op tussen twee geparkeerde auto's en liet de 9mm Sig Sauer die hij in zijn hand had zakken. Hij knikte haar toe, stopte het pistool weer in de holster en liep met grote passen naar haar overvaller toe. Zonder iets te zeggen rolde hij hem op zijn rug. Het mes stak tot aan het heft in zijn borst. De bebloede hand klemde het nog steeds vast.
Liz wendde haar blik af. Het geweld en de doden uit haar verleden tolden door haar hoofd. De overvaller, een vreemde voor haar, had door haar schuld de dood gevonden. Hij had geprobeerd haar te vermoorden, maar ze vroeg zich af of dat wel relevant was. In het algemeen beschouwd was zijn dood even onnodig als de hare zou zijn geweest.
De zogenaamde hulpsheriff keek naar haar op. 'Goed werk. Help me even hem naar jouw auto te brengen.'
'Wie ben jij?' wilde ze weten. 'Wie heeft je gestuurd?'

7

Liz bestudeerde zijn ogen, die in de felle middagzon oud en vermoeid hadden geleken. Nu, in de schaduw, gloeiden ze als vurige kooltjes. Gehuld in sportcolbert, een openstaand grijs overhemd en een bruine katoenen broek torende zijn grote gestalte boven haar uit. Hij had een lang gezicht, met brede jukbeenderen. Zijn hoofd was bedekt met een dikke bos rechtopstaand steil haar. Hij had een smalle kin met een rond kuiltje in het midden wat hem iets sensueels gaf, alsof hij twintig jaar geleden, toen hij nog een optimistischer kijk op de wereld had, een echte hartenbreker was geweest.
'Je weet best wie ik ben en voor wie ik werk,' zei hij.
'Ja.' Ze voelde zich plotseling doodmoe. 'Dat is zo.'
Ze veronderstelde dat ze het eigenlijk al had geweten – althans in haar achterhoofd – vanaf het moment dat de jogger haar van de rotsen had gegooid. Langley was terug in haar leven... in de vorm van de jogger of in de vorm van de man met wie ze nu stond te praten. Of allebei.
'We zitten met een probleem,' zei hij. 'Een kritieke toestand. Pak jij

hem maar bij zijn voeten. Help me hem hier weg te krijgen voordat iemand ons ziet.'
Ze herinnerde zich hoe de rebellerende CIA-groepering van Hughes Bremner Sarah een rad voor ogen had gedraaid met een zogenaamde aanslag op haar leven, waardoor ze het idee had gekregen dat de Carnivoor mensen achter haar aan had gestuurd die haar bewakers hadden 'vermoord'. Een klein maar overtuigend toneelstukje.
'Even wachten,' zei ze tegen hem.
'We hebben geen tijd...'
'Hou je mond. Je zou hier niet zijn als je me niet nodig had. Dus laat me nou maar even kijken.' Ze ging op haar knieën liggen en drukte haar vingertoppen tegen de halsslagader van de man. Geen spoor van een hartslag. Er zat een bloedvlek op de plaats waar het mes in zijn borst was gedrongen toen hij erop viel. Ze drukte haar wang tegen zijn borst. Nog geen hartslag.
'Ik zei toch al dat hij dood was.'
Ze keek op. 'Wie heeft jou opgeleid, makker?' Ze fouilleerde de man.
'Ik was van plan om hem na te kijken als we hem in jouw auto hadden. Maar doe vooral wat je niet laten kunt.' Hij ging naast haar op zijn hurken zitten.
Ze zei niets. In een holster onder de arm van de man zat een klein pistool, bij wijze van reservewapen. Kennelijk moest het mes dienen om haar zonder lawaai te vermoorden. Hij had geen identiteitsbewijs in zijn zakken, alleen sigaretten.
Ze tilde haar hoofd op en luisterde. Vanaf het huis van de rector rolde een golf van gelach op hen af. Op de veranda stond een stel mensen afscheid te nemen.
'Oké, daar gaan we dan.' Ze pakte de dode man bij zijn voeten.
De man van Langley liep voorop en sjorde hem mee bij de schouders. Het lijk was niet zwaar, rond de zeventig kilo.
'Je weet waar mijn auto staat.' Ze besefte dat hij dat inderdaad wist.
'Ik heb me door een taxi laten afzetten,' zei hij tegen haar. 'Toen ik je bij dat feestje nergens zag, ben ik naar je auto gelopen om daar op je te wachten. Ik hield je in de achteruitkijkspiegel in de gaten.'
'Dus je hebt gezien dat hij me aanviel.'
Hij knikte. 'Het spijt me, maar ik kon niet snel genoeg bij je komen om je te helpen.'
'Wat een gelul. Je had tijd genoeg. Je wilde gewoon zien of ik mezelf nog steeds kon redden.'
Hij sprak haar niet tegen. Ze liet de voeten van het lijk los en maakte de kofferbak van haar auto open. Toen de klep omhoogzwaaide, spreidde ze de plastic tassen die daar altijd in lagen uit en hielp hem

de dode man erop te leggen. Ze trok de bivakmuts van zijn hoofd. Geen verrassing... dezelfde stompe neus, hetzelfde korte bruine haar, dezelfde strakke kaak.
'Dat is de man die me van de rotsen heeft gegooid,' zei ze tegen hem. 'Herken je hem?'
'Nee, maar daar kijk ik niet van op. Ze zullen heus niet iemand sturen die gemakkelijk herkenbaar is.'
'Wie zijn "ze"?'
'We hoopten juist dat jij ons dat zou kunnen vertellen.' Terwijl hij om zich heen keek, sloot hij de kofferbak en drukte de klep met de palm van een grote hand omlaag tot hij met een klik in het slot viel.
Liz had geen zin in spelletjes, ze wilde antwoorden. 'Wat is je echte naam? Wat wil Langley van me?'
'Laten we maar eerst instappen. Dan kunnen we in de auto praten.' Hij keek de straat in, waar een paar stelletjes naar hun auto's liepen. 'We staan hier al veel te lang.'
'Dat is mijn probleem niet. Je bent in mijn huis geweest.'
Ze had hem verrast. Hij fronste, maar zei niets.
'Je bent in mijn auto gestapt en hebt het raampje laten zakken,' zei ze tegen hem. 'Aangezien mijn enige reservesleutels altijd in mijn keuken liggen, lijkt het me duidelijk dat je ondernemend bent geweest en ze hebt gepikt. God mag weten wat je nog meer hebt meegenomen. Laat me je identiteitsbewijs maar eens zien.'
'Ik was gewaarschuwd dat je goed was,' mopperde hij terwijl hij zijn hand in zijn colbert stak en haar zijn legitimatie van de CIA gaf. De naam die erop stond, was Angus McIntosh.
'Dank je wel.' Ze liet het in haar schoudertas vallen.
Hij trok zijn wenkbrauwen op. 'Dat kun je niet maken.'
Ze deed net of ze niets hoorde en bestudeerde de scheur die het mes midden in haar leren tas had gemaakt. Het lemmet was aan twee kanten geslepen geweest... smal en scherp. Een stiletto. Toen ze haar tas liet zakken, viel haar oog op een verfrommeld stukje papier dat op de grond lag. Ze pakte het snel op.
'Wat is dat?' vroeg de agent.
Ze streek het papiertje glad. 'Het adres van rector Quentin.' Het adres was in blokletters geschreven, in potlood, en er stond een vreemd kronkeltje in de hoek.

Hij zat over haar schouder naar het briefje te kijken. 'Het enige wat we daaruit op kunnen maken, is dat hij niet de moeite heeft genomen het adres uit zijn hoofd te leren. Dat moet uit zijn zak zijn gevallen. Ik sta ervan te kijken dat je het over het hoofd hebt gezien. Kennelijk ben je toch een beetje uit vorm. Laten we nou maar gaan.'
'Langley is niet bepaald mijn favoriete ex-werkgever, agent McIntosh. Het feit dat jij me loopt te bespioneren bevalt me helemaal niet en geen haar op mijn hoofd denkt erover om weer voor Langley te gaan werken. Laat dat tot je botte hersens doordringen en maak alsjeblieft dat je wegkomt.' Ze propte het papiertje in haar tas.
Hij zuchtte. 'Noem me maar Mac. En dat bespioneren was gewoon mijn manier om de zaak subtiel aan te pakken. Goed, dan zal ik ter zake komen. Ik zei al eerder dat we met een kritieke toestand zitten, maar daar ben jij ook bij betrokken. Je nichtje Sarah Walker is een paar uur geleden in Parijs ontvoerd en Asher Flores is daarbij neergeschoten.'
'Nee!' Haar adem stokte in haar keel. 'Leeft Asher nog? Hebben jullie Sarah al gevonden?'
'Flores leeft. We zijn naar haar op zoek. De ontvoering vond plaats rond dezelfde tijd dat jij op de rotsen werd aangevallen.'
Het kostte haar moeite om haar emoties te onderdrukken. 'Waarom zou ik je geloven?'
Hij stak zijn hand door het open raampje van haar auto en pakte een cd-speler. 'Deze opname hebben we elektronisch vanuit Parijs ontvangen.' Hij drukte op een knopje en de cd begon te draaien.
Liz, dit is Asher. Het klonk als Asher, maar Langley had genoeg middelen om iemands stem te imiteren. *Een stel koeienkoppen heeft Sarah te pakken. Dit is geen geintje, Liz. Het gaat om het archief van de Carnivoor. Ze hebben ons vier dagen de tijd gegeven.* Hij hoestte en toen hij verder ging, klonk zijn stem bezorgd. *Waar hebben ze het in godsnaam over? Welk archief? Ze zullen haar vermoorden, Liz, en ik kan geen poot uitsteken. Ik zit hier vast in dit verdomde ziekenhuis. Als jij dat archief hebt of er iets van weet...*
McIntosh drukte op de stopknop. 'Is dat genoeg?'
Weer het archief van de Carnivoor. Haar borst kneep samen. 'Stap in. Ik rij.'
Asher Flores was een geval apart, kleurrijk en eigenzinnig. Ze had nooit iemand anders de term 'koeienkoppen' horen gebruiken en het was ook zijn manier van praten. Bovendien had ze niet alleen de angst in zijn stem kunnen horen, maar ook de frustratie omdat hij volslagen hulpeloos was terwijl Sarah in levensgevaar verkeerde. Zoals alle CIA-agenten kon hij goed toneelspelen, maar niet zo goed. Het ver-

zoek van Asher was precies wat hij zou hebben gedaan, wat hij zou hebben gezegd en hoe hij het zou hebben gezegd.
Ze deed de portieren open, terwijl haar maag samenkromp van angst om Sarah. Ze waren van oorsprong nichtjes, maar in de loop der jaren waren ze zo naar elkaar toegegroeid dat ze elkaar als zusters beschouwden. De rebelse CIA-groepering had ervoor gezorgd dat Sarah nu als twee druppels water op Liz leek, maar dat was alleen het begin geweest van de band tussen hen. Ze hadden ontdekt dat ze vrijwel op dezelfde manier dachten en dat ze zelfs dezelfde smaak en interesses hadden. Daar kwam nog bij dat ze Sarah bewonderde om haar gevoeligheid en haar intelligentie en om de koppige manier waarop ze zich honderd procent inzette bij het journalistieke speurwerk voor artikelen waaraan ze soms maandenlang werkte. Ze had de Pulitzerprijs gewonnen voor een uitgebreide serie over nucleaire krachtinstallaties in Californië.
Er was niets dat Liz ervan kon weerhouden om Sarah te helpen. Maar met betrekking tot Langley had ze haar lesje geleerd. Ze kon niemand van hen volledig vertrouwen, zelfs nu niet. Vooral nu niet.
Terwijl McIntosh zijn grote, gespierde lijf moeizaam op de rechtervoorstoel liet zakken, ging zij achter het stuur zitten. Ze trokken allebei rustig hun portier dicht en ze startte de motor. 'Ik neem aan dat je al geregeld hebt dat we naar Parijs kunnen vliegen.'
'Langley heeft een jet gestuurd. Die staat nu te wachten.'
Ze keerde de auto en reed heuvel afwaarts. 'Je hebt in mijn huis ingebroken. Heb je ook een koffer voor me gepakt?'
'Toevallig heb ik dat inderdaad gedaan. Ik heb ook je paspoort meegebracht. Jij hoeft alleen nog maar naar het vliegveld te rijden. Mijn mensen zorgen wel voor dat lijk.'
'Vertel me eens wat er is gebeurd.'
Hij beschreef de overval. 'Asher zei dat het hooguit een paar minuten kostte. Het was van tevoren in elkaar gezet. Het hotel had plaatsen bij de bistro voor hen gereserveerd, dus daar kan iemand gemakkelijk achter zijn gekomen. Dat zou verklaren hoe die twee kerels wisten dat ze hen in dat steegje konden opwachten. En dat busje is waarschijnlijk gewoon achter hen aan gereden.' Hij schudde bezorgd zijn hoofd. 'Maar de grote vraag, de vraag die ons allemaal dwarszit, is: "Waar is het archief van de Carnivoor?"'
Haar stem klonk grimmig. 'Volgens mij bestaat dat niet.'
'Dus je bent niet van gedachten veranderd sinds je verhoor door Grey Mellencamp?'
'Nee. Ik ben er later nog eens ingedoken, maar ik heb nooit iets gevonden waaruit bleek dat mijn vader een archief bijhield, op welke

manier ook.' Terwijl ze Mission Canyon Drive inreed, tikte ze zichzelf in gedachten op haar vingers. Voordat ze verder gingen, moest ze eerst uitvissen in hoeverre hij bereid was de waarheid te spreken. 'Heeft Langley de toestand hier in Santa Barbara geregeld? Hebben zij de Aylesworth-leerstoelen voor Kirk en mij gesubsidieerd om me hierheen te lokken zodat ze me in de gaten konden houden? Gebruikt een van jullie medewerkers de codenaam Themis?'
Hij wierp haar een blik toe. Er stond verbazing in zijn ogen te lezen en een tikje respect. 'Ben je op de hoogte van het bestaan van Themis?'
'Is hij een van jullie?' herhaalde ze.
Hij knikte. 'Hoe ben je daar achter gekomen?'
'Dat doet er niet toe. Waarom is dat allemaal voor mij in scène gezet?'
'Als geruchten over dat archief ons ter ore kwamen, zou het niet lang duren voordat anderen ze ook zouden horen. Dan zou jij automatisch het doelwit worden. Aangezien iemand vandaag twee keer een beroepskracht heeft gestuurd om jou uit de weg te ruimen, had Langley het volgens mij bij het rechte eind. En daar mag je best een beetje dankbaar voor zijn.'
Ze snoof minachtend. 'Langley maakte – en maakt – zich alleen maar zorgen over het feit dat er wellicht een archief bestaat. Of ik in leven blijf, laat hen koud.'
Zijn stem klonk verontschuldigend. 'We kunnen dat archief niet in de verkeerde handen laten vallen, Liz. Dat begrijp je best.'
'Waarom moet ik maar aannemen dat Langley die beroepskracht niet op me af heeft gestuurd?'
'Dat zou nergens op slaan. Als wij dat archief willen hebben, blijf jij onze beste gok. Daar is geen verandering in gekomen.'
Ze knikte bij zichzelf. Als Langley die moordenaar op haar af had gestuurd, hadden ze de gevolgen van die eerste aanslag veel soepeler kunnen afhandelen. 'Je was kennelijk al onderweg om met me te praten, anders had je nooit zo snel bij de praktijk van de dokter kunnen zijn. Of je bent in de buurt gestationeerd.'
Hij leunde achterover in zijn stoel en sloeg zijn armen over elkaar. De bovenste helft van zijn gezicht was in schaduwen gehuld, waardoor het kuiltje in zijn kin in het licht van de ondergaande zon nog donkerder en dieper leek. 'Ik werk vanuit L.A. Ik was al op weg naar het noorden, voor een onderzoek in Thomas Oaks, toen het nieuws over Flores en Walker ons bereikte. Meteen daarna hoorden we wat jou was overkomen. Langley regelde dat ik de identiteit van Harry Craine kon aannemen, zodat we de plaatselijke politie erbuiten kon-

den houden. De legitimatie lag hier op me te wachten.'
'Heb je de zaak inmiddels met de sheriff geregeld?'
'Ja, natuurlijk. Als je hen nu belt, krijg je te horen dat de aangifte van Kirk boven water is gekomen en dat de politie de zaak grondig zal onderzoeken.'
Maar zij zat alweer ergens anders aan te denken. Ze voelde zich bijna letterlijk ziek, alsof ze hoge koorts had. Ziek van angst om Sarah en Asher. 'Ik kan niet geloven dat Sarah en Asher er ook bij betrokken zijn.' Ze trapte het gaspedaal in om sneller op het vliegveld te zijn. En nog sneller in Parijs, waar ze haar nodig hadden.
'Wat had jij dan verwacht? Zodra jij bekendmaakte dat je bezig was met een tv-programma over de huurmoordenaars uit de Koude Oorlog en dat de Carnivoor daar één van was, werd je onvermijdelijk een doelwit. Iedereen die bedreigd werd door een bestaand archief had al minstens één keer een huurmoordenaar in de arm genomen toen ze de Carnivoor inschakelden. Als zij het idee hadden dat jij kon bewijzen wat ze gedaan hadden, zou je leven nog minder waard zijn dan een onbetaalde parkeerbon. En tegelijkertijd zou iedereen die op dat archief aasde het ook op jou gemunt hebben... en tot alles bereid zijn. Zelfs tot het ontvoeren van je nichtje.'
'Waarom heb je me dit niet verteld toen we elkaar voor het eerst ontmoetten? Waarom heb je me voor de gek gehouden?'
'Asher balanceerde op het randje van bewustzijn en we snapten niet meteen waar hij het over had. We moesten precies weten wat er was gebeurd en dat duurde even. Maar omdat Langley het idee had dat die aanslag op hen iets met jou te maken had, werd ik hiernaartoe gestuurd om een oogje in het zeil te houden.'
Ze slaakte een diepe zucht. 'Heeft Langley opdracht gegeven dat mijn tv-serie niet door mocht gaan?'
'We hebben druk uitgeoefend,' gaf hij toe. 'Nu die uitzending van de baan is, zal het gevaar voor jou hopelijk afnemen. We willen niet gehinderd worden bij onze speurtocht naar Sarah.'
'Of naar het archief.'
Hij haalde zijn schouders op. 'Uiteraard.'
In Mission Street nam ze de oprit naar de 101 en trapte het gaspedaal weer in om in westelijke richting naar het vliegveld te rijden. 'Goed, dus er zijn twee groeperingen bij betrokken. De eerste heeft Sarah ontvoerd en eist het archief als losgeld. En de tweede heeft die vent op mij afgestuurd om me te vermoorden. Kennelijk zijn ze bang dat de bezwarende gegevens uit dat zogenaamde archief bekend worden, of ze hebben het archief al in handen en zijn bang dat ik jullie zal helpen erachter te komen wie ze zijn.'

'Ja, dat denken wij ook.'
'Hoe is de toestand in Parijs nu?'
'We houden alles strikt geheim. Het laatste waar wij op zitten te wachten is dat er breed uitgemeten in de kranten komt te staan dat een van de bekendste huurmoordenaars uit de Koude Oorlog er een archief op na hield en dat de vrouw van een CIA-agent gegijzeld wordt tot wij die dossiers ophoesten. Om te voorkomen dat er iets uitlekt, werken we nauw samen met de Sûreté en met niemand anders. Geen andere opsporingsdiensten, binnen of buiten Frankrijk. De hotelstaf heeft te horen gekregen dat Asher bij een gewapende overval gewond is geraakt en dat Sarah bij hem in het ziekenhuis is gebleven. En tegelijkertijd is er tegen het ziekenhuis gezegd dat Sarah zo overstuur is, dat ze op bevel van de dokter in haar hotel moet blijven.'
'Hoe zit het met de hotelemployé die een tafeltje voor hen in die bistro heeft gereserveerd?'
'Dat was de receptionist. We hebben hem aan de tand gevoeld, maar daar zijn we niets wijzer van geworden. We houden hem wel in de gaten.'
'En wat wordt er van mij verwacht?'
'Jij moet zorgen dat we wat meer tijd krijgen om Sarah te redden. Aangezien de ontvoerders slim genoeg waren om Asher uit te schakelen en Sarah mee te nemen, denken wij dat ze ook wel verstandig genoeg zullen zijn om hun mensen opdracht te geven ons op de vingers te kijken, maar dan op zo'n manier dat wij daar niets van merken. Als ze jou zien, zullen ze denken dat jij bent gekomen om de overdracht te regelen en dat wij dus bereid zijn hun eisen in te willigen. Dat zal iets van de spanning wegnemen. Het komt maar al te vaak voor dat ontvoerders hun slachtoffers doden voordat ze zelfs maar de kans hebben gehad hun losgeld op te strijken, gewoon omdat ze de druk niet aan kunnen. Ze worden zenuwachtig en bang en vrezen het ergste.'
Helaas was dat maar al te waar. Weer iets waar ze zich zorgen over moest maken. 'Wat willen jullie dan precies van me?'
'Dat je eerst bij Asher op bezoek gaat, maar dan wel onder het mom dat je Sarah bent, zodat het verhaal dat wij rondgebazuind hebben overeind blijft. Als iemand je iets vraagt, heb je gewoon de ergste schok verwerkt en wil je nu bij je man op bezoek. Wij hopen dat hij zich meer zal herinneren als hij jou ziet. Daarna ga je naar het hotel. Misschien vind je een aanwijzing die wij over het hoofd hebben gezien. We willen dat je je gedraagt alsof het je eigen kamer is.'
'Als Sarah?'
'Als Sarah,' bevestigde hij. 'Op die manier hoeven we het hotelper-

soneel niets uit te leggen. Natuurlijk weten de ontvoerders wel dat jij het bent.'
'Wat doen jullie om haar te vinden?'
'Onze mensen lopen op straat rond en proberen discreet inlichtingen te ontfutselen aan bepaalde contactpersonen die ons of de Sûreté in het verleden goede diensten hebben bewezen. Voor de rest is het een kwestie van afwachten, zoals je weet, maar natuurlijk laten we geen mogelijkheid onbenut. Maar om eerlijk te zijn zouden we wel een zetje in de rug kunnen gebruiken. Van iemand die iets van ons wil en bereid is om in ruil inlichtingen te geven. Of een gerucht waarvan we de bron kunnen opsporen.'
De gebruikelijke werkwijze. 'En hoe zit het dan met het archief van de Carnivoor?'
'We proberen jou zover te krijgen dat jij het vindt.'
'Dat heb ik al eens geprobeerd, zonder succes, verdomme. Het bestaat niet!'
'Dan moet je gewoon nog beter je best doen. Langley is sinds jouw gesprek met Grey Mellencamp ook al van tijd tot tijd op zoek geweest, maar wij hebben evenmin geluk gehad. Het is echter overduidelijk dat iemand overtuigd is van het bestaan, anders zouden de gebeurtenissen van vandaag niet hebben plaatsgevonden.' Hij aarzelde. Zijn stem werd zachter. 'Natuurlijk kunnen ze zich ook best vergissen.'
Er verschenen zorgelijke rimpels in haar voorhoofd terwijl ze nerveus haar blik op het verkeer gericht hield. 'Dat zou fataal zijn voor Sarah.'

8

Bratislava, Slowakije

Een verstikkende hitte lag over de donkere stad toen de nacht overging in de vroege ochtend. Simon maakte zich zorgen over de tijd. Vanaf de rivier liep hij zo snel mogelijk terug naar zijn flat in de Oude Stad, rukte zijn smoking uit en hees een spijkerbroek en een loshangend overhemd aan. Hij pakte zijn 9mm Beretta uit een kluis onder zijn bed en controleerde het wapen. Hij kon bijna niet wachten om de persoon te ontmoeten die beweerde over informatie met betrekking tot de dood van zijn vader te beschikken, maar hij was tegelijkertijd op zijn hoede. Hij stopte het pistool in een holster mid-

den op zijn rug, ter hoogte van zijn broeksband, en pakte ook een krachtige miniatuurzaklantaarn. Die liet hij in de zak van zijn spijkerbroek glijden.
Maar toen hij zich omdraaide en weg wilde gaan, zag hij zichzelf in een flits in de spiegel boven het bureau. Heel even wist hij niet meer wie hij eigenlijk zag. Blase Kusterle? Simon Childs? Hij viel maar zelden uit zijn rol en het kwam niet vaak voor dat hij in eigen persoon rapport uitbracht aan MI6. Voor zijn geestelijk evenwicht was het beter dat hij slechts één van beiden was. Maar vanavond was alles ondersteboven gehaald en was hij abrupt en zonder waarschuwing weer ineens Simon Childs geworden.
Hij liep terug naar het bureau en staarde naar zijn spiegelbeeld. Ada had hem aantrekkelijk en verwaand genoemd, maar zo dacht hij helemaal niet over zichzelf. Hij was ongeveer een meter vijfentachtig, met golvend bruin haar dat hij vrij lang droeg, precies zoals Blase Kusterle, de oproerkraaier, leuk zou hebben gevonden. Hij moest zich nodig scheren. Zijn neus was groot en knobbelig. De herinnering aan hoe dat was gekomen, ging gepaard met een golf van verdriet waardoor hij even op zijn benen stond te zwaaien. Maar hij zette de gedachte meteen weer van zich af. Zijn ogen waren lichtblauw, met een vermoeide blik, en er stond iets in te lezen dat hem helemaal niet beviel. Hij wist niet zeker welke van zijn persoonlijkheden – Blase of Simon – daar debet aan was.
Hij schudde zijn hoofd, ontstemd over het feit dat hij zich zo liet gaan. Terwijl hij haastig de flat uitliep, schoot hem het rapport dat hij voor MI6 moest schrijven weer te binnen. Dat moest maar even wachten.
Ongeveer een uur voor zonsopgang draafde hij door Kapitulskástraat, op weg naar de Dom van St. Maarten. De enorme gotische kerk bood een statige en angstaanjagende aanblik zoals het gebouw daar verrees op hooguit enkele meters achter de door de communisten aangelegde Staromestká-snelweg, een verhoogde monstruositeit waar zelfs op dit vroege uur het verkeer met navenante uitlaatgassen overheen denderde. Toen hij vlak bij de kathedraal was, leek de omgeving verlaten. Maar voor alle zekerheid pakte hij toch zijn Beretta.
Op zijn hoede, met zijn wapen in de ene en zijn zaklantaarn in de andere hand, sloop hij rond de kerk om alle binnenplaatsen, de muren, de buitengebouwen en het aangrenzende Rudnayovoplein te controleren. De Dom van St. Maarten was een nationaal monument en in de laatste vijfhonderd jaar hadden daar de kroningsplechtigheden van de Hongaarse koningen plaatsgevonden. De kerk was trouwens

nog steeds in gebruik en zat 's nachts op slot. Nu was er geen mens in de buurt en Simon zag niets dat hem verdacht voorkwam.
Gerustgesteld liep hij volgens de instructies in het briefje naar een deur aan de noordkant van de kerk. Die bleek op een kier te staan en hij duwde hem voorzichtig verder open. Onmiddellijk sloeg de grondlucht van vochtige stenen hem in het gezicht. De gang voor hem was verlicht door gewijde kaarsen die op richels tegen de muren stonden, hoewel er elektrisch licht was dat net zo goed gebruikt had kunnen worden. Hij bleef even luisteren en stapte toen met bonzend hart naar binnen. Daar was de temperatuur zeker tien graden lager. Hij liet de deur op een kier staan, precies zoals hij hem had aangetroffen.
De kaarsen gaven net genoeg licht om te zien waar hij liep. Langzaam sloop hij verder, waarbij hij met zijn pistool de hele gang voor zich probeerde te bestrijken. De Dom van St. Maarten was een groot gebouw waarin nieuwkomers al gauw verdwaalden. De kerk had een schip met drie gangpaden, een presbyterium dat alleen voor de geestelijken was bestemd, drie gotische kapellen, een enorme gotische entreehal en de barokke kapel van St. Johannes. Terwijl hij door de gang liep, luisterde hij naar de intense stilte die de grauwe stenen muren uit leken te stralen.
Volgens opdracht liep hij de eerste kapel in. Hij bleef achterin staan en dwong zichzelf rustig adem te halen. Op het moment dat hij stilstond, verstarde alles om hem heen. Nergens was een beweging te bekennen, zelfs niet van de kaarsvlammetjes of van de schaduwen die ze opwierpen. De kapel leek volkomen verlaten. Hij tuurde strak naar de gewijde kaarsen, naar de rijen banken, de ouderwetse wandtapijten en de diepzwarte schaduwen en vroeg zich af of de persoon die het briefje had geschreven er ook zou zijn. Of hij – of zij – wel op zou komen dagen. Op hetzelfde moment drong het tot hem door dat hij daar een beetje bang voor was, maar dat hij tegelijkertijd ook intens hoopte dat het door zou gaan.
Hij keek op zijn horloge. Het was tijd. Hij liep naar de derde bank van achteren en ging aan het eind zitten, vlak naast een nis. Hij propte zijn Beretta onder zijn rechterbovenbeen, waar hij er gemakkelijk bij kon, en legde de zaklantaarn op de plaats links van hem.
Hij keek om naar de nis. In de duistere ruimte stond een wit marmeren beeld van de Heilige Maagd, dat een onaards licht leek uit te stralen. Hij bleef er gebiologeerd naar staren en dacht terug aan zijn jongenstijd in Londen, toen hij samen met zijn moeder, zijn vader en zijn stiefbroer regelmatig naar de kerk ging. Hij was de jongste van de twee jongens, de biologische zoon van zijn moeder, terwijl zijn

broer Michael – Mick – afkomstig was uit een eerder huwelijk van Robert Childs. Hij had ontzettend veel van zijn stiefvader gehouden. Toen hij zich weer omdraaide naar de voorkant van de kapel en zat na te denken over zijn ouders, hoorde hij een geluid dat zo zacht was dat het leek alsof hij zich het had verbeeld. Hij wilde zich omdraaien.
'Blijf zitten en kijk voor je.' De bevelende woorden waren Engels, maar met een Italiaans accent. De stem was die van een man, laag en vastberaden. 'Niet ongeduldig worden. Met een beetje geluk zijn we snel klaar en dan kunnen we er allebei weer vandoor.'
Simon kon het silhouet van een man onderscheiden, maar niet zijn gezicht. 'Wie ben je?' Hij wendde langzaam zijn blik af.
De stem deed net alsof hij de vraag niet had gehoord. 'Kun jij je de Miller Street Killer nog herinneren? Uit je jongenstijd in Londen?'
Simon had het idee dat de man zeker drie meter achter hem stond. Buiten zijn bereik, maar wel zo dichtbij dat zijn fluisterende stem in de stille kapel goed te verstaan was. Simon had hem het liefst bij zijn keel gegrepen om de inlichtingen uit hem te persen.
In plaats daarvan zorgde hij ervoor dat zijn stem even zacht klonk als die van de man. 'Je schreef dat mijn vader is vermoord. Door wie?'
'Rustig aan. *Più tardi*. Een beetje geduld. Je moet eerst weten hoe het allemaal is begonnen.' Aan de stem van de man was te horen dat hij meestal opdrachten gaf en het niet gewend was dat hij in de rede gevallen of ondervraagd werd. 'Ken je het verhaal van de Miller Street Killer?' vroeg hij nog eens.
Simon dook in zijn geheugen. 'Iedereen dacht dat hij een Londenaar was, omdat hij de lijken af en toe achterliet op de meest onbekende plekken in de stad. Een van de ergste moordenaars uit de geschiedenis van Londen. Ik geloof dat het eerste lijk ontdekt werd in een zijstraatje van Miller Street. Ik weet nog dat ik niet meer buiten mocht spelen, omdat alle moeders doodsbang waren.'
'*Buono*. De moordenaar was een monster. Hij zorgde ervoor dat de jongens bij bewustzijn bleven als hij zijn *disgustoso* spelletjes met hen speelde en uiteindelijk bloedden ze dood. Na het elfde mishandelde en vermoorde slachtoffer was de hoofdinspecteur overtuigd dat hij wist wie het was – iemand van adellijke afkomst, een aristocraat. Een geërfd fortuin, een oude titel. Maar toen verdween al het bewijsmateriaal. Het was nergens meer te vinden. Een kantoorbediende werd tot zondebok verklaard en op staande voet ontslagen. Maar tegelijkertijd vertrok de assistent van de hoofdinspecteur naar Zuid-Frankrijk om daar stil te gaan leven van de erfenis die hij plotseling had

gekregen, terwijl de hoofdinspecteur zelf – de man die erop aandrong dat de aristocraat vervolgd zou worden – ervan beschuldigd werd dat hij een gokker was. Na het besluit dat de verdachte niet aangeklaagd kon worden, werd ook de aanklacht wegens gokken ingetrokken.' De stem klonk vlak, alsof het hele verhaal van tevoren uit het hoofd was geleerd. 'Maar toen een twaalfde jongen de dood vond, greep jouw vader in.'
'Ik weet nog dat hij woedend was. Hij eiste dat de regering een onderzoek zou instellen naar de manier waarop de politie de zaak aanpakte. Maar ik kan me niet herinneren dat er ooit iemand is gearresteerd. Eigenlijk weet ik verder niets. Ik denk dat de seriemoordenaar ermee stopte.'
'Dat is gedeeltelijk waar. In werkelijkheid heeft je vader het heft zelf in handen genomen. Sir Robert had dit al vaker meegemaakt... dat er druk werd uitgeoefend om een eind te maken aan een onderzoek. Maar nooit in een zaak die zo belangrijk was als deze. Hij vond dat er iets gedaan moest worden om andere kinderen te beschermen, dus heeft hij via een discrete omweg een huurmoordenaar in de arm genomen. De huurmoordenaar heeft de aristocraat om het leven gebracht, maar hij zorgde ervoor dat het leek alsof het een verkeersongeval betrof. Uiteraard tot grote opluchting van Scotland Yard. En van de familie. Uiteindelijk heeft niemand de moeite genomen om een grondig onderzoek in te stellen naar dat zogenaamde ongeluk.'
Simon deed er verbaasd het zwijgen toe. Maar zijn verbijstering werd nog groter, toen hij besefte dat hij de aanpak afkeurde. Sir Robert had altijd op de bres gestaan voor burgerrechten. Het leek onmogelijk dat hij een huurmoordenaar in de arm zou nemen, dat klopte niet met zijn karakter. Maar toch... de informant had in één opzicht gelijk: de Miller Street Killer was een luguber monster geweest met een kennelijk niet te stillen drang om kleine jongetjes te martelen. En destijds had Sir Robert twee jonge zoontjes gehad en een bange vrouw.
'Vijf jaar geleden,' vervolgde de stem, 'kwam iemand erachter en begon Sir Robert te chanteren.' De stem zweeg even en zei toen afgemeten: 'Daarom heeft hij zijn polsen doorgesneden. Hij pleegde zelfmoord omdat hij anders gearresteerd zou worden en zijn reputatie zou verliezen. Dat zou het eind hebben betekend van zijn politieke carrière en het leven dat hij leidde. Natuurlijk besefte hij dat het schandaal ook zijn familie geen goed zou doen.'
Simon voelde hoe zijn lichaam verstarde. Hij zei niets, maar de gedachte schoot door zijn hoofd dat als zijn vader in leven was gebleven zijn moeder evenmin zou zijn gestorven. Dan zou ze een pace-

maker hebben genomen. Nu was ze een halfjaar later overleden. Simon strengelde zijn vingers in elkaar, terwijl hij zijn oude woede en verdriet weer voelde opwellen. Hij had zijn uiterste best gedaan om haar een reden te geven om verder te willen leven, maar uiteindelijk was haar verdriet te groot geweest. Ze wilde niet leven zonder haar grote liefde. Hij had met eigen ogen gezien hoe ze zienderogen vermagerde, hoe haar huid geel werd en haar energie verdween, tot ze niet meer was dan een schaduw. Het was een beeld dat hij altijd bij zich zou dragen, onder welke naam ook.
Om van onderwerp te veranderen vroeg hij: 'Wat wilde de chanteur van mijn vader?'
'Zijn stem met betrekking tot een bepaalde vrijhandelskwestie, maar daar wenste hij zich uiteraard niet voor te lenen.'
Simon knikte bedachtzaam. 'Zijn stem was nooit te koop. Of het nu om winst of verlies ging, daar was hij ver boven verheven.' Hij zweeg even, want dat was niet waar. Hij besefte dat zijn vaders gedrag niet altijd onberispelijk was geweest. Hij had niet alleen een huurmoordenaar in de arm genomen, maar door zelfmoord te plegen was hij ook verantwoordelijk geweest voor de dood van zijn vrouw. 'De politiek betekende alles voor hem,' zei Simon schor. 'Hij zou altijd in de zenuwen hebben gezeten, wachtend op de volgende keer dat de chanteur van hem zou eisen dat hij zijn stemgedrag aanpaste. Hoe kan een chanteur te weten zijn gekomen dat mijn vader gebruik had gemaakt van een huurmoordenaar? Je hebt zelf gezegd dat het via een uiterst discrete omweg is gebeurd. Of werd hij door de huurmoordenaar zelf gechanteerd?'
'Dat is onmogelijk. Die was dood.'
'Maar wie heeft hem dan gechanteerd?'
'Heb je niet naar me geluisterd?' Voor het eerst hoorde Simon een spoor van emotie in de zachte stem... nauwelijks onderdrukte woede, al was die niet op hem gericht. 'Dat weet niemand. Daarom ben ik hier. Jij moet een onderzoek instellen en achter zijn identiteit zien te komen. Zorg dat hij ermee ophoudt.'
Simons rechterhand lag naast hem op de zitting van de bank. Hij schoof hem voorzichtig in de richting van zijn bovenbeen en de Beretta die eronder verstopt lag. 'Waarom zou ik je geloven? Dat hele verhaal van je kan best gelogen zijn. Wat wil je écht?'
'Precies wat ik zei... zorg dat die barbaar ermee ophoudt. Niets meer en niets minder. Je bent nooit echt goedgelovig geweest, hè, Simmyboy?'
Simon verstarde.
'Zo noemde je vader je toch altijd? Je moet de *bastardo* vinden die

verantwoordelijk is voor de dood van je ouders. Ik weet niet eens of het een man is of een vrouw. Ik weet veel te weinig.' Opnieuw klonk er emotie door in de stem: frustratie. 'Herinner je je Terrill Leaming nog, die bankier uit Zürich met wie je vader bevriend was? Hij kan je meer vertellen. Maar ik geef je één goede raad... praat er verder met niemand over. We weten geen van beiden welke krachten je misschien los zult maken.'
'Waar weet hij meer over? Waar haal jij al die kennis vandaan?'
Het antwoord bleef uit.
Simon draaide zich met een ruk om in de bank, maar het enige wat hij zag, was dansende schaduwen. Hij sprong op en klikte zijn zaklantaarn aan terwijl hij de kapel uitrende. Hij richtte de lichtstraal op alle hoeken en gaten, maar de kerk was uitgestorven en doodstil. Hij bleef even stokstijf staan en dacht na. Ten slotte liep hij snel terug naar de gang die hem bij de uitgang van de kerk zou brengen en piekerde onderweg over zijn mysterieuze informant. De stem leek die van een oudere man, in de zestig of misschien zelfs al de zeventig gepasseerd, met een licht Italiaans accent, hoewel hij foutloos Engels had gesproken. Simon probeerde zich alle Italiaanse vrienden en kennissen uit het verleden voor de geest te halen, maar hij kon niemand vinden die de mysterieuze boodschapper zou kunnen zijn.
Het ging er niet alleen om dat de vent het koosnaampje van zijn vader voor hem had gekend... dat soort dingen kon je te weten komen van bedienden of vrienden van de familie. Maar zijn bewering dat Sir Robert de Miller Street Killer een halt had toegeroepen had waarheidsgetrouw geklonken. Dus zelfs als het verhaal van de man over Sir Robert, de moordenaar, de huurmoordenaar en de chanteur een leugen was, dan had hij genoeg van de omstandigheden geweten of gehoord om plausibel te klinken.
Toen Simon naar de buitendeur liep, zag hij dat die nog steeds op een kier stond. Hier was de gang zo nauw, dat de lucht bezwangerd was van de geur van oude stenen. Hij deed zijn zaklantaarn uit en blies de kaarsen uit. Terwijl hij op de tast door het duister liep, werd hij beslopen door een gevoel van onafwendbaarheid. Ada wilde dat hij Centraal-Europa de rug toekeerde, althans voor een tijdje. Hij wist zeker dat het niet haar bedoeling was dat hij een reisje naar Zürich zou gaan maken, maar daar ging hij wel naartoe.
Hij drukte zijn rug plat tegen de muur en tuurde door de kier van de openstaande deur. De opkomende zon overgoot de open ruimte rond de kerk met een gouden schijnsel.
Hij keek of hij iemand zag die hem in de gaten hield. De anonieme man bijvoorbeeld. Die kerel was gehaaid genoeg geweest om zonder

betrapt te worden het briefje in de zak te stoppen van iemand met de opleiding van Simon. En er was nog iets. Simon was al bijna drie jaar lang als infiltrant werkzaam, onder een valse naam. Voor zover zijn familie wist, was hij ver weg en onbereikbaar... ergens in Zuid-Amerika, in dienst van een Britse oliemaatschappij. Dus hoe was de informant erachter gekomen dat hij niet alleen in Bratislava zat, maar ook gisteravond op het plein zou zijn?
De zaak beviel Simon totaal niet. Een tikje van slag, maar wel op zijn hoede glipte hij naar buiten, naar het vroege morgenlicht. Hij zou dat rapport voor Ada schrijven, maar meteen daarna stapte hij op een vliegtuig naar Zürich. Voorlopig zou hij de raad van zijn informant opvolgen en tegen niemand iets zeggen.

9

Telefonische Vergadering vanuit Brussel, België
'Met Hyperion. Weet je al iets meer over de zaak, Kronos?'
'Je spreekt met Atlas.'
'Dit is Prometheus. Ik kan jullie verstaan.'
'Met Themis. Jezus, wat een onchristelijk uur!'
'Met Oceanus. Steek maar van wal, Kronos.'
'Mooi, dan zijn we er allemaal. Dit is Kronos. Atlas wilde graag precies weten hoe de zaak ervoor staat. Hij is dan ook verantwoordelijk voor het feit dat we elkaar op zo'n bezielend tijdstip spreken. Het antwoord is dat we deze kritieke fase succesvol hebben doorstaan. Er is nog een tweede aanslag op Sansborough gepleegd. Mac was erbij en heeft alles gezien. Ze hield zich prima staande. Haar vakmanschap volstaat voor wat wij nodig hebben. Daarna heeft hij contact met haar gemaakt. Ze is bereid om te helpen...'

In de lucht, op weg naar Parijs
De jet was een Gulfstream v, onderzocht op afluisterapparatuur en volledig afgetankt, het favoriete vervoermiddel van chique wereldburgers. De acht passagiersplaatsen waren losse draaistoelen, stuk voor stuk uitgerust met een satelliettelefoon en dito aansluiting voor computerinformatie. Natuurlijk was er ook een krachtige pc-installatie aan boord, met draadloze internetverbinding, in een communicatiecentrum achter in het vliegtuig. Aangezien de piloot en de copiloot hun handen vol hadden in de cockpit, hadden Liz en Mac het

rijk alleen in de rest van de luzueuze, snelle jet.
Mac stond achter de miniatuurbar en mixte een martini in een glas op een hoge voet. Daarna schonk hij voor zichzelf een Red Tail-biertje in. 'Belvedere wodka, precies zoals mevrouw wenste,' meldde hij zelfvoldaan. Hij gaf haar het drankje en ging in de stoel naast haar zitten, met het glas bier in zijn hand. Zijn zucht klonk opgelucht.
Ze nam een slok, genietend van de goede alcohol en de simpele cocktail. Het zou een lange reis worden, bijna elf uur van vertrek tot aankomst, ook al namen ze de snelle route over de noordpool. De gezagvoerder ging ervan uit dat ze op z'n laatst om vijf voor drie 's middags plaatselijke tijd in Parijs zouden zijn, misschien zelfs wel eerder als alles meezat.
Mac keek haar aan. 'Je bewijst ons een grote dienst. Dankzij jou zullen we meer tijd hebben.'
Hij klonk zo ernstig dat ze verbaasd opkeek. In een bepaald opzicht vond ze hem best aardig. Het kon best zijn dat al die ervaring die hij zelf als een smet ervoer hem juist in haar ogen acceptabel maakte. Maar dat veranderde niets aan het feit dat hij voor Langley werkte en dat onbetrouwbare wereldje op zijn duimpje kende. En toen ze nog een slok nam, drong het ineens tot haar door dat hij iets had gezegd dat niet klopte... dat niet overeenstemde met wat zij wist. Maar hoe ze zich ook concentreerde, ze kon zich niet herinneren wat het was geweest en wanneer hij het had gezegd.
Ze zette het van zich af toen een andere verontrustende gedachte door haar hoofd schoot. 'Waarom denken jullie dat Sarah nog in leven is?'
'Als ze haar haar hadden vermoord, was ons dat vast wel ter ore gekomen. Lijken komen op de een of andere manier altijd boven water.' Hij keek haar even aan en wendde toen zijn blik weer af. 'Je hebt gelijk. Dat weten we ook niet zeker. Maar we gaan er gewoon van uit dat ze nog in leven is, tot we verdomd zeker zijn van het tegendeel. Bekijk het maar op deze manier: als ze nog in leven is, zullen zij ook hun uiterste best doen om geen ruchtbaarheid aan de ontvoering te geven. Dat zou ook verklaren waarom er geen geluid komt uit de onderwereld.'
'Natuurlijk zit het er dik in dat ze haar toch vermoorden, ook al komen jullie met het archief op de proppen.'
Hij haalde zijn schouders op en staarde in zijn glas. 'We moeten ervan uitgaan dat ze nog steeds leeft en dat de Carnivoor inderdaad een archief heeft bijgehouden.'
'Goed.'
Liz probeerde achterover te leunen en zich te ontspannen, maar ze begon eerst over Sarah en Asher te piekeren en vervolgens over het

feit dat zij verantwoordelijk was voor hun moeilijkheden. Zonder ook maar een greintje argwaan was ze gretig ingegaan op het voorstel van de Aylesworth Foundation om te solliciteren. Ze had het nog geen week na de dood van Mellencamp ontvangen. Dat was het begin geweest van die hele schijnvertoning en ze had zich nooit afgevraagd of het misschien toeval was geweest. Het was haar eigen schuld, haar eigen zwakte, omdat ze zo verschrikkelijk graag haar verleden achter zich had willen laten en een manier had willen vinden om in een wereld die haar onbekend was het hoofd boven water te houden. En misschien zelfs gelukkig te worden. Nu moesten Sarah en Asher daar de tol voor betalen.

Mac schoof zijn tafeltje opzij, stond op en stak zijn hand uit naar het bagagevak boven hun hoofd. 'Ik heb iets voor je.'

Hij pakte er een metalen doos met een cijferslot uit, tikte een code in en viste er een Sig Sauer uit, het compacte 9mm pistool dat hij zelf ook bij zich had, net als de meeste agenten van de Amerikaanse geheime dienst. Een prachtig wapen... dat zou ze vroeger tenminste gedacht hebben, toen ze dat soort dodelijke instrumenten nog mooi vond.

Hij stak het haar toe. 'Dit is niet traceerbaar. Ik had eigenlijk je Walther mee willen brengen...'

Met opgetrokken wenkbrauwen bleef ze even zonder het aan te raken naar het pistool staren en keek hem toen aan. 'Heb je als klap op de vuurpijl zelfs mijn kluis opengebroken?'

'Ik kon je pistool nergens anders vinden. Het kan best zijn dat je een wapen nodig hebt. Aangezien ik daar toch al was, vond ik dat ik net zo goed het jouwe mee kon nemen. Maar toen besefte ik dat, als er onverhoopt iets in Parijs zou gebeuren, je aan de hand daarvan geïdentificeerd zou kunnen worden. Dat zou ook niet zo best zijn voor Sarah. Vandaar dat ik Langley heb gevraagd of ze ervoor wilden zorgen dat er een niet te traceren wapen voor je aan boord zou zijn. Dit is het.'

'Waar is mijn Walther?'

'Die heb ik in het handschoenenkastje van je auto laten liggen.'

Ze zuchtte. 'Ik wil geen pistool.'

'Doe niet zo idioot. Er is vandaag al twee keer een aanslag op je gepleegd.'

'Het is idioot om te denken dat je met een pistool problemen op kunt lossen.'

'In de juiste handen kan een pistool levens redden.'

'Dat is ook meteen de grote aantrekkingskracht,' zei ze ernstig. 'Als geweld voor een goede zaak wordt aangewend, is het goed. Als het een slechte zaak dient, is het slecht. Zo dacht Mussolini er ook over: "Er bestaat een morele vorm van geweld en een immorele". En we weten hoe hij die filosofie gebruikte om dictator te worden en een pact met Hitler te sluiten. Het probleem is, dat geweld niet een of andere neutrale grondstof is, zoals boter of staal. Niet in ethisch en niet in politiek opzicht. Als iemand een bepaald doel achtenswaardig vindt, wil dat nog niet zeggen dat het geweld dat "nodig" is om dat doel te bereiken ook achtenswaardig is.'

Hij fronste. 'Als ik je goed begrijp, is alle geweld dus slecht. Punt uit.'

'Je begint het door te krijgen.'

'Ook als het gebruikt wordt om erger te voorkomen? Massaal geweld, despotisme, volkerenmoord?'

'Luister eens, geweld is alleen maar overal ter wereld zo'n probleem omdat wij dat accepteren. We romantiseren het door mythes te creëren over een stel moordenaars als Bonnie en Clyde. We institutionaliseren het door legers, politiemachten en geheime diensten te formeren. Je ziet die mythevorming op allerlei manieren terugkomen. De meest trieste voorbeelden die ik daarvan heb gevonden, waren de stervende soldaten in Vietnam die de hospikken om een laatste sigaret vroegen, ook al hadden ze nooit gerookt. Ze imiteerden de heroïsche scènes uit de Tweede Wereldoorlog die ze alleen uit overlevering kenden of uit Hollywood-films. Ze romantiseerden hun eigen dood. Hartverscheurend.'

'Bedankt, professor Sansborough.'

'Het interesseert me niet of jij denkt dat ik geen realiteitszin heb. Ik weiger een pistool te dragen. Ik weet alles van geweld. Ik heb er middenin gezeten, ik heb er zelf gebruik van gemaakt. Nu ben ik een wetenschapper en ik geef ook nog eens college over dat onderwerp. Ik verdom het om het ook nog eens te bestendigen.'

Hij haalde zijn schouders op. 'Het gaat om je eigen hachje. Letterlijk.'

Hij bleef haar aandachtig aankijken, maar toen ze halsstarrig bleef, stopte hij de Sig Sauer terug in de doos. De jet trilde even en ze voelden een lichte schok toen hij een mobiele Nokia-telefoon te voorschijn haalde.

'Hiermee kun je niemand doden.' Hij overhandigde haar de telefoon. Ze pakte het toestel aan. 'Vertel me maar wat hier zo bijzonder aan is.'

'Het is voorzien van een speciale, ingebouwde stoorzender. Ik heb precies dezelfde. Ik zal in Parijs een oogje op je houden en je overal volgen als dat maar even mogelijk is, voor het geval je in moeilijkheden komt. Als je geen pistool wilt dragen, wordt die klus alleen

maar lastiger, maar ik heb brede schouders. Aangezien het stom zou zijn om in elkaars gezelschap te worden gesignaleerd, kunnen we via deze veilige telefoons contact houden.'
'Ik verwacht niet dat je me zult moeten redden. In mijn tijd was ik een behoorlijk goede agent. Maar je hebt gelijk, het is best mogelijk dat we om een andere reden met elkaar moeten praten. Wat is jouw nummer?'
Toen hij het haar gaf, leerde ze het uit haar hoofd. Ze wilde het niet in de telefoon inprogrammeren, voor het geval het toestel in verkeerde handen zou vallen.
'Er is nog één ding,' zei hij. 'Asher heeft ons verteld dat Sarah en jij elkaar al een paar maanden niet meer hebben gezien. Wist je dat ze haar haar heeft afgeknipt?'
'Nee.'
Hij gaf haar een stel kleurenfoto's die vanaf een computer waren geprint. Op de eerste stonden Asher en Sarah breed lachend met de armen om elkaar tot hun enkels in de branding op een gouden strand. Op de volgende holden ze over het zand en op de derde gooide Asher haar in de oceaan. Op de foto's was duidelijk te zien hoe dol ze op elkaar waren. Liz kreeg een brok in haar keel.
'Hierop is ze van alle kanten te zien,' ging hij verder. 'Denk je dat je het ook zo kunt knippen?' Hij stak haar een schaar toe.
Ze pakte de schaar aan. 'Waar heb je die foto's vandaan? Uit hun huis?' Ze woonden in Malibu, ongeveer honderdvijftig kilometer ten zuiden van Santa Barbara. Vlakbij, maar toch ver genoeg weg om ervoor te zorgen dat Sarah en zij elkaar niet zo vaak hadden gezien als ze eigenlijk van plan waren geweest.
Hij knikte. 'Een van mijn mensen heeft ingebroken. De foto's zijn digitaal verstuurd.'
'Dat dacht ik al.'
Voor de Company was niets heilig, zelfs de grondwet niet. Een van de directeuren had het Congres een keer verteld dat de dienst zich daar niet altijd aan kon houden. Dat was ook een probleem met gewelddadige mannen en instituten: hoewel ze in het leven waren geroepen om bepaalde zaken in stand te houden, kwam het maar al te vaak voor dat ze die juist met voeten traden, onder het motto dat de verpakking belangrijker was dan de inhoud.
Ze liep terug naar de badkamer waar een spiegel was en goed licht.

Santa Barbara, Californië

Het was bijna tien uur 's avonds en Kirk Tedesco reed boos, bezorgd en dronken in zijn Mustang cabrio naar huis. *Waar was Liz?* Ze had-

den een afspraak gehad, maar ze was nergens te vinden.
Na zijn overleg met de rector in de tuin had hij haar overal gezocht. Ze was vanaf het begin verdomme veel te frivool geweest. Hij had niet aan de rector verteld dat zij vriendschap bij hun relatie veel belangrijker vond dan seks en dat ze lang niet vaak genoeg met elkaar naar bed gingen. Toen hij ontdekte dat haar auto weg was, had hij haar huis gebeld, maar hij had alleen haar antwoordapparaat gekregen. Met een beetje geluk zat ze in zijn appartement op hem te wachten.
Nijdig sloeg hij drie straffe glazen whisky achterover, heel wat beter dan die slappe troep die hij de hele avond had moeten drinken. Schandalig om goede Jack Daniel's zo te mishandelen. Hij was nog steeds kwaad toen hij vanuit het huis van de rector naar zijn Mustang wankelde, de kap omlaag deed en met een luid gebrul van de sterke V-8-motor de donkere straat aan de voet van de bergen uit reed.
Nu reed hij rustig over de 101 in zuidelijke richting, op weg naar zijn strandhuis in de buurt van Summerland. Het verkeer aan zijn kant was drukker dan dat op weg naar het noorden, maar dat was altijd zo op dit tijdstip. De mensen die naar L.A. reden, gingen naar huis of ze waren op weg naar een hotel in de stad, waar ze nog een paar uurtjes slaap konden pakken, voordat ze morgenochtend moesten vergaderen.
Hij zat daar net over na te denken, toen hij ontdekte dat hij aanhang had. Dat vond hij leuk... een andere automobilist die dezelfde snelheid aanhield als hij. Allebei op cruise control, allebei op de uitkijk voor de verkeerspolitie. De andere auto was kennelijk een SUV, want de koplampen zaten vrij hoog. Hij keek op zijn snelheidsmeter. Hij zat op honderdtwintig kilometer per uur, de snelheid die hem het best beviel, en dat gold kennelijk ook voor die andere vent.
De wind suisde langs hem heen, een warme nachtwind waarin je de Stille Oceaan kon proeven. De maan stond boven de oceaan en wierp een zilveren trechter die aan de randen grijs werd over het donkere water. Dat beviel hem ook. Eigenlijk zou niets zwart-wit moeten zijn.
Hij zette KCLU aan, zijn favoriete jazz-zender. Maar in plaats van muziek was er een praatprogramma, dus probeerde hij KLTE, een rockstation waar hij ook van hield. Hè ja, dat was beter.
Hij trommelde met zijn vingers op het stuur op de maat van Head Shear en keek opnieuw in zijn achteruitkijkspiegel. Hij schrok. De koplampen van de terreinwagen waren veel dichterbij gekomen en schenen fel op zijn auto. Hij begon een beetje nerveus te worden van zijn achtervolger... niet alleen omdat hij plotseling zo snel was gaan rijden, maar ook vanwege de koplampen die nu zo dichtbij en zo hoog waren dat ze iets roofzuchtigs kregen.

Hij drukte het gaspedaal in en schoot vooruit. Toen hij op 130 zat, wierp hij weer een blik in zijn spiegel. De terreinwagen was zelfs nog dichterbij gekomen. Niet te geloven. Wat rookte die vent in vredesnaam?

Hij dwong zichzelf om nuchter te worden, of zich in ieder geval nuchter te voelen. Er was geen ander verkeer toen ze de lange heuvel opreden, die zo meteen omlaag zou duiken naar Summerland. Rechts van hem lag de oceaan rustig in het maanlicht te blinken. De wind sloeg hem in het gezicht toen hij van de linkerbaan naar rechts uitweek. Hij nam niet de moeite richting aan te geven en hij remde niet af. Die klootzak moest hem maar met supersonische snelheid passeren.

Maar de SUV reed hem niet voorbij, hij volgde hem naar de langzamere baan. Kirks hart begon te bonzen en hij kreeg een droge mond. Hij zat als verlamd in zijn spiegel te staren toen de koplampen nog dichter bij zijn open Mustang kwamen tot de terreinwagen met een plotselinge beweging tegen de achterkant van zijn auto botste.

Kirk gaf een ruk aan het stuur en schreeuwde. Hij trapte het gaspedaal in en probeerde naar links uit te wijken, maar de SUV kwam naast hem rijden en sneed hem de weg af. Hij had te laat gereageerd. Terwijl hij zijn hoofd schudde om zijn benevelde brein helder te maken, ramde de terreinwagen de zijkant van zijn cabrio. Brullend van verontwaardiging probeerde hij de klap op te vangen, maar hij verloor de macht over het stuur.

De angst sloeg door hem heen. Op het moment dat de auto door de vangrail schoot, drong het tot hem door dat hij op het punt stond te sterven. Terwijl hij de longen uit zijn lijf schreeuwde, klemde hij zich vast aan het stuur toen de Mustang over de hoge berm schoot, met een dreun op de spoorbaan terechtkwam en verder naar beneden denderde, dwars door het struikgewas, over kleine rotsblokken en inheemse eiken. De ene klap volgde de andere op en hij werd heen en weer gesmeten in zijn gordel. Toen de auto over de laatste steile rotswand vloog en met de neus omlaag naar de in schaduwen gehulde kustlijn dook, slaakte hij een laatste schrille kreet. Hij was zich nog één moment bewust van de enorme knal, maar meteen daarna voelde hij niets meer.

10

In de lucht, boven de noordpool

Liz keek neer op de bos roodbruin haar in de wastafel van de badkamer. Het was een hele hoop, alsof er een schaap geschoren was. Ze veroorloofde zich een bitter lachje om die vergelijking en kamde haar nieuwe kapsel glad en uit haar gezicht, tot het ongeveer net zo zat als op de foto's van Sarah... een beetje wild en uiterst modern. Ze keek diep in haar ogen en raakte de dramatische moedervlek vlak bij haar mond aan. Zij was ermee geboren, terwijl die van Sarah kunstmatig aangebracht was. Daarna viel haar blik op de kromme pink van haar linkerhand, die ze als kind bij het schaatsen had gebroken. De vinger van die arme Sarah was opzettelijk gebroken, om hem op de hare te laten lijken. Net als haar vader en moeder was ze Sarah veel verschuldigd, want ze was door een hel gegaan omdat Liz haar ouders had overgehaald zich aan te geven. Dat had ze althans gedacht. Toen puntje bij paaltje kwam, had alleen haar moeder zich aan de afspraak gehouden. Bij de herinnering daaraan kreeg ze een hol gevoel in haar borst dat haar bekend voorkwam.

Ze had genoeg tijd verspild. Met een diepe zucht liep ze de badkamer uit en wandelde het gangpad in. Mac zat nog steeds in zijn stoel, het hoofd achterover, de ogen dicht. Zijn gezicht was ontspannen. Hij had ergens een deken gevonden en die lag nu over zijn schoot en zijn benen.

Ze dacht dat hij sliep tot hij zei: 'We moeten het over je ouders hebben. Het zou best kunnen dat je iets vergeten bent dat ons op het spoor kan brengen van het archief.'

'Ik heb Langley alles verteld wat ik wist, toen ik verslag uitbracht. En vergeet niet dat ik dat tot twee keer toe gedaan heb. Ze hebben geen middel onbeproefd gelaten, tot vervelens toe. Ik werd er gewoon misselijk van.'

Hij sloeg zijn armen over elkaar en er verscheen een glimlachje om zijn mond. Maar hij deed zijn ogen niet open. 'Toe nou. Beschouw het maar als een kleine afrekening voor een dure, privévlucht naar Parijs.'

Ze liet zich in haar stoel vallen. 'Zijn er nog meer dekens?'

Maar hij had er al een gepakt, die aan de andere kant van zijn stoel op de grond had gelegen. 'Ruilen voor mijn legitimatiebewijs?'

'Mij best.'

Ze viste de CIA-legitimatie uit haar tas en gaf hem die. De legitimatie verdween in zijn binnenzak toen zij de deken aanpakte en over

haar benen legde. Hij was warm en behaaglijk. Op dit moment leek comfort erg aantrekkelijk.
Hij deed zijn ogen open. 'Laten we maar bij het begin beginnen. Het karakter van de man. Hoe zou jij je vader omschrijven? Als een sociopaat? Of als een psychopaat?'
Ze voelde dat ze verstarde. Dit was niet bepaald een van haar favoriete gespreksonderwerpen. Maar Mac had gelijk. Als ze over hem praatte, bestond de kans dat ze zich iets herinnerde, dat hen op weg kon helpen.
'Nee, die definities slaan geen van beide op papa. Hij toonde berouw, als je hem tenminste zo ver kreeg dat hij erover praatte.' Ze draaide haar hoofd om en keek hem aan. 'Het feit dat ze nooit berouw tonen, is symptomatisch voor zowel psychopaten als sociopaten. Of het nu om diefstal gaat of om het verdriet dat ze veroorzaken door iemand te vermoorden, ze trekken zich er niets van aan. Of ze proberen het recht te praten. Beide afwijkingen gaan gepaard met een volkomen gebrek aan het vermogen om zich in de gevoelens van andere mensen in te leven en dat is iets dat je voornamelijk ziet bij personen die vrijwel altijd liegen en zich niet druk maken over de rechten en de gevoelens van anderen.'
Mac fronste. 'Als ik je goed begrijp, maak je geen verschil tussen een psychopaat en een sociopaat.'
'Ik ben nog niet klaar. Bij een psychopaat is ook sprake van psychotische afwijkingen, meestal paranoia of een kromme, krankzinnige gedachtegang, zoals de overtuiging dat mensen het leuk vinden dat hij hen pijn doet, of dat zijn slachtoffers het verdienen.'
Hij tuitte nadenkend zijn lippen. 'Dus als een vent wordt betaald om iemand om zeep te brengen en daar niet over inzit, dan is hij een sociopaat. En als een andere vent hetzelfde doet omdat hij gelooft dat iemand het op hem heeft voorzien, is hij een psychopaat.'
'Dat klopt. Adolf Hitler was waarschijnlijk een psychopaat, terwijl een zakenman die mensen uit winstbejag ruïneert sociopathische trekjes vertoont.'
'Dat is een regelrechte aanklacht tegen het kapitalisme.'
'O ja? Nou, je kunt nog steeds lachen. Ik kan me herinneren dat een van mijn professoren van mening was dat er nooit meer oorlog zou komen als iedereen evenwichtig was, en dat we dan meer dan genoeg voedsel, kleding, onderdak en vrije tijd zouden hebben. Dan zouden we namelijk ook productief en creatief zijn. Heel plezierig als je je een dergelijke wereld voor de geest kunt halen.'
'Vroeger kreeg ik altijd te horen dat dat zou gebeuren als vrouwen aan de macht kwamen.'

'Dat zou best kunnen. Momenteel maakt het me niet uit wie er aan de macht is. Ik ben alleen geïnteresseerd in resultaten. Maar laten we het weer over psychopaten en sociopaten hebben. Dan zul je begrijpen waarom papa anders was. Zij delen hun leven in vakjes in. Een prachtig voorbeeld daarvan kun je zien in *Analyse This*. Je weet wel, die film waarin Robert De Niro een mafiabons speelt.'
Hij knikte.
'Er is een scène waarin zijn personage gepijpt wordt door een prostituee. Terwijl ze bezig is, vertelt hij haar dat hij van zijn vrouw houdt, maar dat hij zich niet door haar kan laten pijpen, want dat zou met dezelfde lippen gebeuren waarmee ze haar kinderen kust. De Niro brengt die tekst geweldig, waardoor je echt dubbel ligt. Maar het is ook heel verhelderend. Zijn personage heeft geen flauw idee hoe zijn vrouw denkt over zijn omgang met prostituees, over fellatio of over andere dingen. Hij is een sociopaat. Afgezien van het feit dat ze zijn vrouw is, laat haar persoonlijkheid hem volkomen koud. Wat hem betreft, hoeft ze zich alleen maar aan de rol te houden die hij voor haar heeft gecreëerd.'
'Ja, het is ook de klassieke mafioso. Ze willen allemaal trouwen. Dat verhoogt hun status binnen de familie. Bij de mafia draait alles om status.'
'Precies. Het is een rollenspel. Je zou ook kunnen zeggen dat de rollen niets te maken hebben met de mensen die ze vervullen. Daarom kan dat personage van De Niro zich ook gedragen als een liefhebbende echtgenoot, zonder liefde te tonen en zonder zijn vrouw echt te kennen. Waarschijnlijk gedraagt hij zich alleen maar uit egoïstische overwegingen alsof hij teerhartig is en laten de gevoelens van andere mensen hem koud. Sociopaten doen altijd net alsof ze zo meevoelend zijn, maar wie zal zeggen wat ze werkelijk voelen?'
'Maar je vader was niet zo?'
'Dat weet ik eigenlijk niet.' Ze liet een onbehaaglijke stilte vallen. 'Ik had het idee dat hij van ons hield. Ook al was hij een moordenaar, ik had toch het gevoel dat hij van ons hield. Toen mam en ik ons wilden overgeven, zei hij dat hij met ons mee zou gaan. Want dat was het verstandigste wat we konden doen. Destijds vroeg ik me af of hij dat alleen zei om ons een plezier te doen.' Ze schudde haar hoofd. 'Zijn eerste moord was een kwestie van hartstocht. Hij werkte in Las Vegas en was nog maar net twintig jaar, maar hij werd er niet voor opgepakt. Toch kwam de mafia erachter. Ze waren van mening dat hij een "natuurtalent" was. En als je door de mafia opgeleid wordt tot huurmoordenaar zijn de eerste mensen die je in opdracht koud moet maken meestal andere mafialeden, of ze werken

voor de mafia. Hij had het idee dat hij alleen slechte mensen doodde.'
'Voelde hij zich een soort burgerwacht?'
'Je plakt mensen graag etiketjes op, hè? Ja en nee. Hij werd ervoor betaald, maar hij trok wel een grens. Zijn slachtoffer moest een smeerlap zijn en hij bepaalde zelf of het zo'n grote smeerlap was dat hij het echt verdiende om koud gemaakt te worden. Toen de mafia hem toestond om zelfstandig te gaan werken, kon hij dat besluit nemen zonder dat iemand hem op de vingers keek of zijn oordeel in twijfel trok. Hij gaf er altijd de voorkeur aan om zelf de touwtjes in handen te hebben.'
'Maar hoe zat het dan met je moeder? Heeft ze zelf ontdekt op welke manier hij zijn geld verdiende, of heeft hij dat uit eigen beweging opgebiecht?'
'Ze heeft het zelf ontdekt. Ze dacht dat hij een minnares had en begon zijn gangen na te gaan.'
Plotseling schoot haar een akelig voorval uit haar jeugd te binnen. Haar moeder, Melanie, die met een angstig gezicht en betraande wangen de kleren in de kast van haar vader doorzocht. Ze was naar Melanie toe gerend en Melanie was voor haar neergeknield en had haar jurkje rechtgetrokken.
'Maak je geen zorgen, schattebout. Er is niets aan de hand. Papa heeft een briefje achtergelaten, maar ik kan het nergens vinden. Echt waar, het is helemaal niet belangrijk. Ga maar gauw naar buiten en pak je fiets, dan gaan we samen naar het park. Vind je dat geen goed idee?'
Liz keerde met enige moeite terug naar het heden. 'Maar natuurlijk heeft hij haar de waarheid niet verteld. Hij zei dat hij voor MI6 werkte, want hij wist dat ze dat een aantrekkelijk idee zou vinden. Ze begon hem te helpen met de planning en de routinekarweitjes ter voorbereiding van een moord. Na een poosje ging ze zelf ook mensen ombrengen.'
Hij keek haar verbaasd en vervolgens een beetje argwanend aan. 'Hoe weet je dat allemaal?'
'Jaren later, toen ik weer bij hen woonde, heeft mam me alles verteld.'
Hij knikte. 'Dat klinkt logisch. Ik veronderstel dat de militaire achtergrond van haar familie wel heeft geholpen.'
Ze keek hem even aan, maar zijn gezicht was uitdrukkingsloos. Natuurlijk had hij van Langley haar persoonlijke dossier gekregen, compleet met een volledige – en inmiddels correcte – familiehistorie. Terwijl Melanies vader in rang steeg en haar moeder in beslag genomen werd door de sociale en liefdadige verplichtingen van een officiers-

vrouw had Melanie haar drie jongere broers opgevoed. Na het overlijden van Melanies grootvader had haar vader ontslag genomen. Ze waren teruggegaan naar huis, Childs Hall in Londen, en hij was Sir John Childs geworden. Na zijn dood erfde Melanies broer Robert de titel. Toen Sir Robert zelfmoord pleegde, gingen de titel en de landerijen over op zijn oudste zoon, haar neef Michael.

'Ja,' zei Liz. 'Ze kon al met wapens omgaan en ze was opgegroeid in een omgeving waarin geweld en dood een onderdeel vormden van het dagelijkse leven. Later, toen ze uiteindelijk tot de ontdekking kwam dat papa in feite onafhankelijk was en voor alle partijen moordde, was ze er al zo diep bij betrokken dat ze niet meer kon ophouden, hoewel ze nooit tegen haar land heeft gewerkt. Maar dat gold ook voor hem. Toen ik erachter kwam wat ze deden, was ze in staat om meteen te stoppen. En hij ook.'

Ze sloot haar ogen en leunde achterover in haar stoel. In gedachten zag ze een donker appartement in Madrid voor zich, een van hun onderduikadressen waar ze na zijn laatste opdracht, in Lissabon, naartoe waren gevlucht. Haar moeders gezicht was bleek van schaamte en woede. *Ik haat je, Hal. Vuile klootzak. Kijk nou eens wat je van ons hebt gemaakt. Nu weet Liz het ook. Straks help je haar ook de vernieling in!*

Liz zuchtte diep en verdrong de herinneringen. Ze vermande zich, omdat Melanie al veel eerder nee had kunnen zeggen. 'Papa was heel gevoelig als het om ons ging. Hij heeft ontzettend veel aandacht aan me besteed toen ik opgroeide.'

'Je hebt min of meer gesuggereerd dat hij psychisch letsel had opgelopen. Op welke manier?'

'Dat is nogal ingewikkeld. Papa's vader was partner van een advocatenkantoor, een van de belangrijkste aan de hele westkust. Het schijnt dat hij zo'n meedogenloze smeerlap was, dat zelfs zijn eigen collega's niets van hem moesten hebben. Sarah kende hem. Haar moeder heeft me verteld dat opa koud en afstandelijk was en dat hij zich vooral heel akelig gedroeg tegenover papa. Toen hij inmiddels een tiener was, had papa een heel stel wilde vrienden, waardoor hij in grote moeilijkheden kwam. Dus stuurde zijn vader hem naar Las Vegas, naar een oom die contacten had met de mafia. Echt een belachelijke – en heel bedenkelijke – keuze. Een gangster was voor hem kennelijk de juiste volwassen persoon om zijn zoon onder de duim te houden en als voorbeeld te dienen.'

'Het begint me langzaam maar zeker te dagen.'

Liz knikte. 'Maar het wordt nog vreemder. Aanvankelijk zorgde papa ervoor dat hij op het rechte pad bleef. Hij kreeg een baan in een

casino, werd verliefd en trouwde. Maar toen werd zijn vrouw vermoord en papa werd helemaal gek. Hij was zo gewend dat hij de touwtjes zelf in handen moest nemen, dat hij niet bij de pakken neer ging zitten, maar uitzocht wie het had gedaan en hem vermoordde.'
Macs blik versomberde. 'Dus dat was zijn eerste moord. Natuurlijk kwam de mafia erachter, omdat hij zulke nauwe banden met hen had. Op dat moment zullen ze wel besloten hebben om hem in dienst te nemen en zo werd hij precies hetzelfde wat zijn vader was, een ingehuurde kracht.'
'Dus dat had je ook al begrepen.' Ze keek hem aandachtig aan. 'De rest weet je.'
'Ja,' knikte Mac. 'De rest weet ik.'
Mac bleef haar nog twee uur lang ondervragen over wat haar vader en moeder allemaal precies hadden gedaan en ze antwoordde geduldig. Als vader had ze van Hal Sansborough gehouden, maar als de huurmoordenaar die de Carnivoor werd genoemd had ze alleen maar minachting voor hem gekoesterd. Ze twijfelde tussen boosheid en liefde, tussen haar plicht ten opzichte van haar vaderland en haar schuldgevoelens omdat zij de gebeurtenissen in beweging had gezet die tot zijn zelfmoord hadden geleid.
Het was een strijd die nog steeds niet gestreden was en hoewel haar wetenschappelijke opleiding haar alle inzicht gaf in de menselijke geest bracht haar dat niet tot rust. Het was een reden temeer geweest om zich bij haar studie te concentreren op de psychologie van het geweld. Uiteindelijk kwam het erop neer dat Mac dankzij haar wel meer begrip en inzicht kreeg in de zaak, maar geen nieuwe aanwijzingen die hem konden helpen om te bepalen of de huurmoordenaar inderdaad een archief had bijgehouden en zo ja, waar dat was.

Santa Barbara, Californië

Vlak na middernacht stopte een zwarte Dodge terreinwagen op de oprit van het witte Victoriaanse huis van Derrick en Dolores Quentin in de schaars bebouwde uitlopers van de bergen ten noorden van de stad. De chauffeur hield rekening met getuigen, precies zoals hij had gedaan toen hij professor Kirk Tedesco had geëlimineerd, maar de afgelegen plek maakte zijn werk gemakkelijker.
De chauffeur was alleen. Hij sprong uit de auto, met een zaklantaarn en een 9mm Browning voorzien van een geluiddemper in de hand. Het huis was donker. Hij had de plattegrond die hij via e-mail had ontvangen in zijn geheugen geprent.
Bij de keukendeur sloeg de chauffeur een ruitje in met de kolf van zijn pistool, stak zijn in een handschoen gestoken hand door het gat

en maakte het slot open. Hij ging naar binnen en bleef staan luisteren. Boven hoorde hij iets bewegen. Dat maakte niets uit, het zou het karwei alleen interessanter maken. Hij rolde zijn bivakmuts op om beter te kunnen zien, deed zijn zaklantaarn aan en sloop door de keuken, langs de rommelige restanten van het feestje van de afgelopen avond. De trap was in de hal bij de voordeur. Hij liep naar boven.
Op de tweede verdieping kwam de rector met een slaperig en verbaasd gezicht zijn slaapkamer uit. De chauffeur wachtte tot hij oogcontact had. Zijn slachtoffer keek op en staarde hem aan. Zijn gezicht vertrok van schrik en hij moest zich vasthouden aan de deurpost. De beroepskracht glimlachte en richtte zijn pistool met de geluiddemper op het voorhoofd van het doelwit. Er klonk een zachte *plop* en het bloed spatte in het rond. Het slachtoffer wankelde achteruit, stak hulpeloos zijn handen uit toen hij tegen een bureau botste en zakte op de grond in elkaar, terwijl het bloed uit zijn wond gutste. Gelukkig had hij nog steeds zijn ogen open.
Hij bleef nog een tijdje staan toekijken en liep toen naar de slaapkamer van de vrouw. Ze bewoog onder het dekbed. Hij hoopte dat het geluid van het schot tot haar slaap was doorgedrongen. Hij wachtte en staarde neer op het gezicht. Plastische chirurgie, concludeerde hij. Ze was bijna zestig, maar kosmetische ingrepen hadden ervoor gezorgd dat ze vijfenveertig leek. Ze had zich mooi laten maken voor dit moment.
Alsof ze zich instinctief bewust werd van zijn aanwezigheid deed ze plotseling haar ogen open. Tevreden zag hij de blik van ontzetting. Haar gezicht vertrok en haar mond ging open om te schreeuwen. Hij vuurde in haar mond.
De moordenaar controleerde alle andere kamers. Zoals verwacht was er verder niemand in het huis. Vervolgens liep hij naar de studeerkamer, waar hij op zoek ging naar de vloerkluis. Hij schoot een kogel in het slot, trok de deur open en haalde de juwelen en het geld eruit. Nadat hij zich ervan had overtuigd dat zowel het mannelijke als het vrouwelijke slachtoffer dood was, wandelde hij naar zijn SUV en reed weg.

In de lucht, vanaf de noordpool op weg naar het zuiden

Liz keek naar Mac die lag te slapen. Er zat haar nog steeds iets dwars. Hij had iets gezegd waarvan ze wist dat het niet klopte. Om erachter te komen wat het precies was geweest, trok ze in gedachten alles na wat er gezegd was. Toen ze het antwoord vond, voelde ze opnieuw een golf van boosheid opkomen. Het was allemaal begonnen met dat telefoongesprek met Shay Babcock, haar producer. Toen hij

haar had verteld dat de serie uitgesteld was, had hij gezegd: *Ik kreeg te horen van Bruce Fontana, de directeur amusement van de omroep, dat ze het gisteravond besloten hadden.*
Gisteravond. En Shay had de boodschap op haar antwoordapparaat ingesproken toen zij aan het joggen was en werd overvallen. Ongeveer op hetzelfde moment was Sarah ontvoerd.
Mac had haar ook verteld dat Langley druk had uitgeoefend om de omroep zover te krijgen dat ze de serie uit zouden stellen, maar volgens hem was dat pas ná Sarahs ontvoering gebeurd. *We hebben druk uitgeoefend. Nu die uitzending van de baan is, zal het gevaar voor jou hopelijk afnemen. We willen niet gehinderd worden bij onze speurtocht naar Sarah.*
Iemand had gelogen en ze durfde te wedden dat het niet Shay was geweest. Daar zou hij niets mee opschieten. Maar waarom zou Mac liegen? Of had Langley hem bedrogen? Ze begon te piekeren over de akelige mogelijkheid dat Langley van tevoren had geweten dat Sarah ontvoerd zou worden.
Met dichtgeknepen keel bleef ze hem bestuderen. Hij lag rustig te ademen, met zijn ogen dicht en zijn gezicht ontspannen in zijn slaap. Ze bleef geduldig wachten. Na een halfuur had ze geen enkel teken gezien dat hij deed alsof. Ze stond voorzichtig op, sloop terug naar het zakengedeelte en gebruikte de computer daar om in te loggen op het internet met behulp van de veilige code die Shay voor haar had geregeld ten bate van haar research. Daarmee kon ze haar cyberspoor uitwissen.
Bij het onaardse licht van de monitor ging ze op zoek naar gegevens over mediamagnaat Nicholas Inglethorpe, de man die uiteindelijk de macht had om haar serie wel of geen nieuw leven in te blazen. Hij was geboren in Houston, Texas, een selfmade man, die was begonnen met één op sterven na dode radiozender die hij had gebruikt om een hele keten radiostations op te zetten. En dat was uiteindelijk uitgemond in een internationaal imperium dat kranten bezat, boek-, video- en muziekuitgeverijen, een filmstudio en uiteraard Compass Broadcasting.
Terwijl ze de bijzonderheden doornam van zijn zorgvuldig opgezette carrière, de zakelijke overwinningen die hij met veel strijd had behaald en de voelhoorns die hij had uitgestoken om zijn kansen op een mogelijk gouverneurschap van Californië in te schatten, glimlachte ze grimmig. Een man die niet alleen belust was op macht, maar ook wist hoe hij die moest gebruiken.
Bij een artikel in *Business Week* stond een lijstje van de liefdadige instellingen waarbij hij betrokken was. Ze bleef er met grote ogen ge-

schrokken naar staren. Inglethorpe was momenteel voorzitter van de raad van bestuur van de Aylesworth Foundation. Wat een klóótzak! Haar vingers vlogen opnieuw over de toetsen en ze bleef zoeken tot ze een lijst van voormalige bestuursleden had gevonden. Ze concentreerde zich op januari 1998, toen Grey Mellencamp haar had ondervraagd en vloekte binnensmonds. Mellencamp was destijds voorzitter van de raad van bestuur geweest en na zijn dood had Inglethorpe hem opgevolgd... hooguit een paar dagen voordat de stichting haar had uitgenodigd om te solliciteren naar de leerstoel die haar uiteindelijk was toegewezen. Terwijl ze met moeite haar angst en woede onderdrukte, zocht ze verder en het kostte haar nauwelijks moeite om nog meer raden van bestuur en ondernemingen te vinden waarbij beide mannen betrokken waren geweest, meestal tegelijkertijd.

Ten slotte leunde ze achterover, sloeg haar armen over elkaar en zette haar bevindingen koel op een rijtje. In het bestuur van de Aylesworth Foundation hadden Mellencamp en Inglethorpe rechtstreeks contact met elkaar gehad. Vandaar was het geen grote stap om ervan uit te gaan dat Inglethorpe op zakelijk gebied samenwerkte met de CIA – dat deden wel meer zakenmagnaten die een graantje mee wilden pikken uit de ruif van de overheid. Bij de stichting had hij ervoor gezorgd dat zij die aanbieding kreeg en hij had opnieuw een handje geholpen door haar tv-serie af te gelasten. Misschien rapporteerde hij ook wel aan die Themis, wie dat ook mocht wezen.

De nieuwe informatie hielp niet om haar wantrouwen jegens Langley op te heffen. In feite begreep ze nu helemaal niet meer waarom Mac tegen haar zou liegen. Ze dwong zichzelf kalm te blijven. Wat zou Langley nu precies van plan zijn? Was Sarahs leven echt van het grootste belang... of zou Langley een eigen doel nastreven dat haar momenteel nog ontging?

11

Zürich, Zwitserland

De legendarische, met groen omzoomde en rustige Bahnhofstrasse was niet alleen een van de meest chique winkelboulevards van Europa, maar ook het kloppend hart van een van de meest lucratieve ondernemingen waar het land bekend om stond: de internationale bankierswereld. Desondanks besefte het merendeel van het winke-

lende publiek en de toeristen die de dure boetieks en de elegante winkels binnenliepen om zich te vergapen aan horloges van vijfduizend dollar en sokken van vijfhonderd dollar per paar niet dat ze letterlijk over een straat van goud wandelden.
Voor de Zwitsers was het bankgeheim slechts één voorbeeld van de vanzelfsprekende discretie waarmee iemands zaken werden afgehandeld. Je hoorde bijna nooit iemand praten over de met goudstaven en de schatten van vele naties volgepakte opslagruimtes onder de Bahnhofstrasse, waarvan de meeste wel vijf verdiepingen telden. In feite was dit de grootste goudmarkt ter wereld. De banken, die aan de straat stonden, of verstopt lagen aan een van de brede zijstraten, waren zo machtig dat ze niet alleen dicteerden wat er met het Zwitserse kapitaal gebeurde, maar ook mede bepaalden wat zich op financieel terrein in andere wereldsteden afspeelde.
Terrill Leaming was een hoge employé van de Darmond Bank AG, gevestigd in een aristocratisch gebouw in een van de zijstraten van de Paradeplatz. Het pand had geen ramen aan de straatzijde. Naast de ebbenhouten deur bevond zich alleen een koperen plaat waar het adres – maar niet de naam – van de bank op stond. Op het marmeren bordes stond een bewaker in een donker, driedelig pak, de bolhoed op het hoofd en een nauwelijks waarneembare bobbel onder zijn oksel. Zomaar even binnenlopen werd bij Darmond niet aangemoedigd.
Simon gaf de bewaker zijn naam op en de bewaker meldde hem aan via een walkie-talkie. Er kon geen lachje af, maar Simon was zelf ook niet bepaald het zonnetje in huis terwijl ze daar samen op het bordes stonden te wachten. Hij had geprobeerd de afschuwelijke dood van Viera uit zijn hoofd te zetten, maar toen de wachttijd langer werd, dreigden zijn gedachten er onwillekeurig naar terug te dwalen. Na zijn ontmoeting met de anonieme man in de Dom van St. Maarten was hij teruggegaan naar zijn appartement om een douche te nemen, andere kleren aan te trekken en zijn rapport voor MI6 te tikken. Hij verstopte het in een oud, gedeukt colablikje dat hij aan de voet van een esdoorn bij de oude brug achterliet. Tegelijkertijd pakte hij achteloos een verfomfaaid hamburgerdoosje van McDonald's op, uiteraard met Slowaaks opschrift. Zodra hij uit het zicht was van de brievenbus haalde hij er een stijf opgevouwen velletje papier uit en gooide de verpakking in een vuilnisbak.
Bij een cafeetje onder de schaduw van de St. Michielspoort versterkte hij de inwendige mens met een vers hard broodje en een kop sterke zwarte koffie voordat hij het papier openvouwde. Er zat nog een ander velletje bij. Op het eerste stond een gecodeerde boodschap van

Ada met de opdracht om naar een onderduikadres in Florence te gaan, compleet met de naam van de straat en een korte boodschap: *Viera heeft een boodschap voor de wereld achtergelaten. Kopie bijgesloten. Vertrek onder geen beding uit Florence voordat iemand contact met je heeft opgenomen.*
Met dichtgeknepen keel nam hij een stevige slok van de zwarte koffie en opende Viera's laatste woorden. Hij las ze langzaam door. Het was een smeekbede aan de rijken om evenveel te geven als ze namen, om zich humaan op te stellen en winst niet heilig te verklaren. Het leken wel bijbelteksten, hoewel Viera atheïst was geweest. In het briefje vroeg ze haar broer en vrienden om begrip te tonen, de strijd voort te zetten en haar te vergeven. Hij kwam in het verhaal niet voor. Raar dat hij daarvan opkeek, maar nog vreemder was dat hij zich gekwetst voelde. Wat had hij dan verwacht?
Heel even stond hem het beeld van haar vurige dood weer voor ogen. Hij knipperde de tranen die op de loer lagen weg, scheurde het briefje in kleine stukjes en liet ze op het tafeltje vallen. Hij veegde ze op een hoopje alsof het de asresten van een gedoofd vuur waren en las zijn orders nog eens door. Leuk van Ada dat ze hem naar Florence stuurde. Een adembenemende stad, vol afleiding en ver van het strijdgewoel. Geen haar op zijn hoofd piekerde erover om daarheen te gaan. Ook dat briefje werd versnipperd.
Inmiddels was het drie uur in de middag en stond hij te wachten op het bordes van de chique Darmond Bank. Hij had zijn koffer ergens in het centrum in een bagagekluis gezet en zijn pistool zat in de holster op zijn rug, onder zijn bruine sportcolbertje. Dankzij zijn MI6-legitimatie had hij het Zwitserland binnen kunnen krijgen.
Het was hoog tijd om Viera en de fouten te vergeten die hij ten opzichte van haar misschien had gemaakt, hoewel hij niet precies wist hoe hij dat moest klaarspelen. Op het moment dat die gedachte door zijn hoofd schoot, piepte de walkie-talkie van de bewaker zacht.
De kerel drukte het apparaat tegen zijn oor. '*Ja?*' Zijn chagrijnige gezicht veranderde niet terwijl hij stond te luisteren en hij draaide zich pas om toen een zacht klikje aan de binnenkant van de overdreven grote deur van de bank aangaf dat het slot van binnenuit elektrisch werd geopend.
De bewaker trok de deur open en Simon stapte naar binnen in de gewijde stilte van de receptie. Hij kon een waarderend gefluit nog net onderdrukken. De receptie was drie verdiepingen hoog en omzoomd door witmarmeren Romeinse zuilen. De ruimte was groot genoeg voor twee cricketvelden en majestueus genoeg voor een koninklijk banket. Zeker zes meter verderop zat een receptioniste ach-

ter een schandalig rijk versierd bureau. Boven haar hoofd draafden bankiers en kantoorpersoneel zwijgend van kantoor naar kantoor over open passages met balustrades van sierlijk zwart smeedijzer. Hij kon zich goed voorstellen dat een Indische vorst zich meteen thuis zou voelen als hij hier zijn juwelen en rijkdommen kwam deponeren.
'Simon?' Rechts van hem ging een smeedijzeren liftdeur open en Terrill Leaming stapte eruit. Hij was grijzer geworden en liep wat meer gebogen, maar hij zag eruit als een gladde, iets te dikke otter. Een bezorgde otter.
Ze gaven elkaar een hand. 'Leuk om je weer te zien, Terrill.'
'Ik zou je nooit herkend hebben, Simon. Wanneer hebben we elkaar voor het laatst ontmoet?'
'Vijf jaar geleden. Bij de begrafenis van pa.'
'Ja. Ja, natuurlijk.' Hij leek nauwelijks te luisteren, het was net alsof hij iets anders aan zijn hoofd had. 'Wat kan ik voor je doen?' Hij nodigde hem niet uit om mee te gaan naar zijn kantoor, waar ze in alle rust konden praten.
Simon hield zijn stem gedempt. 'Ik wil met je praten over de dood van pa.'
Leaming keek nerveus om zich heen, alsof hij verwachtte dat hij zou worden aangevallen door een roedel wolven.
'De kans bestaat dat het geen gewone zelfmoord is geweest, Terrill,' zei Simon. 'Iemand heeft me verteld dat een huurmoordenaar en chantage er iets mee te maken hadden en dat jij over inlichtingen beschikt die me kunnen helpen.'
Leaming stond te trillen op zijn benen en Simon pakte zijn arm vast om hem te ondersteunen.
De bankier schraapte zijn keel. 'Ik... ik ben vanmiddag bezet. Morgen. Ja, morgen! Kom morgen maar terug.'
Simon boog zich naar hem over. 'Je bent ergens bang voor. En dat werd nog erger toen ik over de zelfmoord van pa begon. Je moet met me praten, Terrill. Het kan me niet schelen waar. Anders ga ik hier op een ongelooflijke manier stennis schoppen.'
De receptioniste wierp hem een boze blik toe en hield haar ogen gevestigd op Simons hand die Terrills arm ondersteunde. Waarschijnlijk sprak ze niet alleen Duits en Frans, zoals hier gebruikelijk was, maar ook Engels en nog een paar andere talen.
Glimlachend zei Simon op hartelijke toon: 'Een wandelingetje, Terrill? Dat vind ik een prima idee. Even een frisse neus halen. Dat is beter dan een stoffig kantoor, hè?'
Terrill keek hem eindelijk recht aan. Simon las niet alleen de angst

die hij verwachtte in zijn ogen, maar ook een vreemd soort berusting. En nog iets anders... hoop.
De bankier knikte gretig. 'Ja, ja. Ik heb te lang binnen gezeten, dat zal het zijn. Op de Paradeplatz is een tearoom die je wel zal bevallen.'
Twee minuten later waren ze buiten en liepen snel weg. Glanzende Citroëns, BMW's en Rolls-Royces met getinte ramen zoefden voorbij. De mensen die onder de bomen wandelden, hadden alleen belangstelling voor de winkels. Terrill keek angstig om zich heen en gedroeg zich nog steeds als een verschrikt hert, dat ieder moment de aanval van de wolven verwacht.
'Ben je door iemand gevolgd? Word je in de gaten gehouden? Is dat het probleem?'
Terrill knikte zwijgend, alsof hij te bang was om zijn mond open te doen.
Simon gebruikte de reflecterende winkelruit van een boetiek om de trottoirs en de straat af te speuren. 'Ik zie niemand die me verdacht voorkomt.'
'Maar ze zijn er wel.' Terrills stem verraadde een doffe ellende. Toen scheen hij een besluit te nemen. 'Ik heb het gerucht gehoord dat je bij MI6 zit, Simon. Is dat waar?'
Simon bestudeerde de radeloze bankier. Een van de grondregels van het werken voor een geheime dienst was, dat je aan niemand die daar geen deel van uitmaakte verraadde wat je deed, helemaal niemand. Met uitzondering van je echtgenote of echtgenoot, hoewel die ook lang niet altijd op de hoogte waren. Maar Simon was er ook van overtuigd dat regels er waren om overtreden te worden.
'Ja, dat is waar. Maar dat vertel je niet verder, begrepen?'
Terrill knikte schichtig. 'Natuurlijk.'
'Wat heb je voor problemen?'
Ze bereikten de Paradeplatz, waar de blauw-witte elektrische trams van Zürich het plein omlijstten, kindermeisjes achter kinderwagens liepen, toeristen foto's maakten en jonge, verliefde stelletjes met boodschappentassen zwaaiden en elkaar in het zonnetje enthousiast kusten, blij met hun nieuwe aankopen. Aan de rand van al die drukte vormde de tearoom waar Terrill het over had gehad een oase van rust. Ze kozen een tafeltje op het terras, bestelden thee – subtiele *Formosa oolong* voor Terrill en sterke, pittige *Lapsang sou-chong* voor Simon – en wachtten tot de kelner weer wegstommelde.
'Ik heb... ik heb net geregeld dat mijn hele vermogen in een trust wordt ondergebracht,' zei Terrill tegen hem. Zijn ogen waren rood omrand en vermoeid. 'Ik was eigenlijk van plan om vanmiddag naar

de politie te gaan, maar toen kwam jij opduiken. Ik geloof dat mijn bank me ergens voor op wil laten draaien en dat ik binnenkort gearresteerd zal worden. Of erger.'
'Of erger?' herhaalde Simon vol medeleven, terwijl hij zijn ongeduld onderdrukte. 'Geen wonder dat je je zorgen maakt. Laten we het volgende afspreken... ik zorg dat je veilig bij de politie komt als jij me alles vertelt over pa's dood.'
Terrill keek neer op het kanten tafelkleedje en knikte. 'Bedankt. Ja, heel hartelijk bedankt. Wat wil je weten?'
'Heeft hij zelfmoord gepleegd omdat hij ooit een huurmoordenaar in de arm heeft genomen en daarmee gechanteerd werd?'
'Ja, ik ben bang dat dat waar is.' Terrill keek op. 'Je moet goed begrijpen dat hij helemaal niet trots was op wat hij had gedaan, maar in zijn ogen had hij geen keus gehad. Hij zei tegen mij dat hij bereid was de consequenties ervan te aanvaarden, bij leven of in het hiernamaals. Toen het zover was... toen hij gechanteerd werd, heeft hij dat ook gedaan. Een sterke man, die vader van je.'
Simon had het gevoel dat zijn hart zich omdraaide. Geen keus? Wat een gelul. Het om zeep brengen van een moordenaar was een lapmiddel voor het onuitroeibare institutionele probleem van voortrekkerij, onverantwoordelijkheid en oneerlijkheid dat walgelijke misdaden uitlokte en ze vervolgens in de doofpot stopte.
'Maar in welk opzicht houdt wat pa heeft gedaan verband met jouw problemen?'
Ze hielden hun mond toen de thee werd gebracht.
Zodra de kelner was vertrokken, ging Terrill verzitten, nam een slokje van zijn thee en keek rond over de Platz. 'Weet je iets af van de Darmond Bank?'
'Oud kapitaal, een gevestigde naam en aanzien, verholen macht. Onbeschoft elitair. Ik heb gelezen dat een potentiële cliënt met een vermogen van iets minder dan een miljoen Zwitserse francs ooit een poging heeft gedaan er geld vast te zetten. Kennelijk heeft jouw bank daar beleefd voor bedankt en hem in een van hun Rolls-Royces gezet om hem naar een concurrent aan de andere kant van de stad te brengen.'
Het scheelde een haartje of Terrill was in lachen uitgebarsten. 'Dat verhaal klopt. De Darmond Bank hanteert een uitzonderlijk fiscaal niveau. Ik heb dertig jaar lang nauw samengewerkt met de president-directeur, baron De Darmond en de geldzaken behandeld van Europa's allerbelangrijkste inwoners.' Zijn schouders zakten en hij fluisterde: 'Bij het behartigen van de zaken van die cliënten hebben de baron, de bank en ik maar net weten te voorkomen dat we meege-

sleurd werden in de smerigste financiële schandalen van de laatste tijd, van de BCCI tot de Banca de Tebaldi.'
'Waren jullie betrokken bij de BCCI en Tebaldi?'
'En ook bij andere dubieuze zaken. Een paar van onze hoogste Italiaanse families wilden de Italiaanse vermogensbelasting ontduiken, dus hebben de baron en ik schijnfirma's opgericht om het eigendom van hun bezittingen te maskeren en vervolgens hebben we daarover meineed gepleegd tegenover Italiaanse rechtbanken. Daar ben ik niet trots op, maar destijds leek het verstandig vanuit zakelijk standpunt.'
'Op de een of andere manier schijnt dat altijd zo te zijn,' zei Simon met nauwelijks verholen minachting. Hij nam een slok van zijn thee en zette zijn kopje neer. 'En ben je daar nu bang voor?'
'Ik wou dat dat alles was. Zegt de naam Giovanni de Tebaldi je iets?'
'De bankier die in '82 is opgehangen onder de Blackfriars Bridge?'
Terrill haalde een zijden zakdoek te voorschijn en depte zijn gezicht af. Een diamanten ring – met een steen van zeker twee karaat – glinsterde aan zijn duim. 'Ja. Dat was een misdadiger. Een eenling die weigerde samen te werken met de gevestigde financiële orde in Europa. Toen de baron besloot dat hij uit de weg geruimd moest worden, heb ik een koffer met een half miljoen dollar afgeleverd bij een professionele huurmoordenaar. Nu heeft de Italiaanse belastingdienst een nieuw onderzoek gelast en dit keer wil de aanklager bloed zien. De baron is doodsbang dat er iets over de moord op Tebaldi aan het licht zal komen en ik denk dat hij van plan is mij de schuld in de schoenen te schuiven.' Zijn gekwelde blik richtte zich op Simon. 'En nu word ik vanwege de moord op Tebaldi ook gechanteerd, net als je vader vijf jaar geleden.'
Dus daarom was Terrill bij de bank bijna flauwgevallen... chantage.
'Jullie hebben allebei dezelfde huurmoordenaar in de arm genomen,' gokte Simon.
'Ja. Ik vertelde je vader dat ik nu ook dat soort problemen had en hij bracht me in contact met die man... iemand die de Carnivoor werd genoemd. Ik kan nog niet geloven dat ik het door heb gezet.'
De Carnivoor. Simon hield zijn gezicht in bedwang. Aan niets was te zien dat hij net een schok had gehad. Zijn vader had zijn eigen zwager in de arm genomen. Hij vroeg zich af of Sir Robert dat had geweten.
Terrills ogen schoten vuur. 'Maar ik ben nog niet verslagen. Ik zal alles bekennen en die verdomde baron, de bank – iedereéén – in mijn val meeslepen.' Hij slaagde erin om elke referentie aan ethiek en zedelijke beginselen te vermijden. Zijn enige beweegredenen waren angst en wraakzucht.

'Ik heb weleens van de Carnivoor gehoord,' zei Simon behoedzaam, omdat Terrill kennelijk niet op de hoogte was van de relatie tussen de Carnivoor en zijn familie. 'Voor zover ik mij kan herinneren, was hij een soort legende. Maar hij is dood, dus hij kan de chanteur niet zijn.'
'Dat is waar. Maar je vader was ervan overtuigd dat hij een archief had bijgehouden en dat de chanteur dat in zijn bezit had. Dat was de enige manier waarop iemand te weten had kunnen komen wat Sir Robert had gedaan.'
'En wat jij hebt gedaan.' Simon worstelde in gedachten alweer met een ander probleem. Jezus! *De Carnivoor had een archief bijgehouden*. Dat betekende namen, datums en plaatsen op het allerhoogste niveau. Misschien niet alleen van degenen die hem in de arm hadden genomen, maar ook van de personen in de omgeving van het slachtoffer... onschuldige mensen, maar ook mensen met gênante pekelzonden die ze geheim wilden houden, of die betrokken waren bij misdrijven en misschien zelfs bij moorden.
Simon zorgde dat zijn stem neutraal bleef klinken. 'Dus degene die het archief heeft, moet de chanteur zijn. Had mijn vader enig idee wie dat zou kunnen zijn?'
Terrill schudde zijn hoofd. 'Nee, maar hij dacht dat hij wist hoe die klootzak het in handen had gekregen.'
Simon trok zijn wenkbrauwen op. 'Hoe dan?'
'Via de vrouw van de Carnivoor. Kennelijk wist je vader wie dat was. Ze was zes maanden voordat hij werd gechanteerd bij een ongeluk om het leven gekomen.'
Tante Melanie. 'Dacht pa dat zij het archief aan iemand had gegeven?'
'Nee, dat iemand anders van haar familie er misschien beslag op had gelegd. Hij verdacht een van haar broers, maar hij wilde me niet vertellen wie dat was, omdat hij het niet kon bewijzen. Hij zei dat het niets zou veranderen en dat onschuldige mensen eronder zouden lijden. Ik heb al gezegd dat hij een sterke man was.'
'Hoe neemt de chanteur contact met je op?'
'De eerste keer was het een fluisterende stem via mijn mobiele telefoon. Uiteraard onherkenbaar. De tweede keer, en dat was pas vanmorgen, was het een beveiligde e-mail op mijn computer thuis. De lul had me iets gestuurd dat leek op het echte dossier uit het archief van de Carnivoor. Daarin werd alles beschreven vanaf de tijd dat ik hem in de arm had genomen tot het moment waarop hij Tebaldi onder die brug ophing.'
'Heb je die e-mail bewaard?'

'Ben je gek geworden? Natuurlijk niet.'
'Wat wilde de chanteur van je?'
Terrill zuchtte diep. 'Dat ik naar Italië zou gaan en de volledige verantwoordelijkheid voor alles wat de bank had misdaan op me zou nemen. Die straf zou heel wat lichter zijn dan de straf die ik kon verwachten als bekend werd dat ik de moord op Tebaldi had beraamd. In ruil daarvoor zou ik het geld dat ik had verdiend mogen houden en dan zou er met geen woord worden gerept over mijn aandeel in de moord op Tebaldi.'
'Als je gelijk hebt, zou het de baron kunnen zijn die je chanteert.'
Terrills stem klonk bijna levenloos. 'Ja, of ze werken op de een of andere manier samen. Ik heb je verteld dat ze van plan waren om mij tot zondebok te verklaren. Ik veronderstel dat ze de dingen zo proberen te regelen dat het erop lijkt alsof ik volledig verantwoordelijk ben voor beide gevallen.' Hij wierp een blik op zijn horloge. 'Wil je me nu naar het politiebureau brengen?'
Simon was het liefst weggelopen om die egoïstische lafaard aan zijn lot over te laten. In plaats daarvan zei hij: 'Natuurlijk.' Bovendien zou Terrill met zijn bekentenis baron De Darmond en de chanteur nog meer onder druk zetten.
Ze legden wat geld op tafel en mengden zich tussen het winkelende publiek en de toeristen. Terrill ging gewoon door met het beschuldigen van de baron, de chanteur en Tebaldi. Iedereen kreeg de schuld, behalve hijzelf.
'Ik ga de autoriteiten alles vertellen!' riep hij woedend. 'Het zal de baron berouwen dat hij...'
Ze liepen tussen een groep toeristen langs een van de blauw-witte trams toen Terrills gezicht verstarde. Hij bleef staan en er leek een rilling door zijn lichaam te gaan. Hij richtte zich in zijn volle lengte op en snakte naar adem... een schorre kuch...
Simon bleef naast hem staan. 'Wat is er aan de hand, Terrill? Voel je je niet goed?'
Maar Terrill zei niets en sloeg met wijd opengesperde ogen met zijn vuist op zijn borst.
Simon pakte hem van opzij vast en hield hem overeind. Hij voelde aan als een dood gewicht. Meteen drukte Simon twee vingers tegen de halsslagader van de bankier.
Hij voelde geen hartslag. Terrill was dood. Binnen een paar seconden, zonder waarschuwing, zonder aanwijzing dat hij zich ziek, zwak of misselijk voelde. Terrill Leaming had gewoon een keer gekucht en met een klap op zijn borst de pijp aan Maarten gegeven.
Simon begon onmiddellijk de meute om hen heen grondig op te ne-

men. Zijn ogen gleden over de volwassenen en de kinderen, de toeristen en de plaatselijke bevolking die allemaal aan het winkelen waren of op weg schenen te zijn naar hun werk, tot zijn blik op de rug viel van een man in een conservatief donker pak. Hij maakte een degelijke indruk zoals hij wegliep. Geen haast. Een vastberaden pas. Zonder omkijken.
Maar wat Simons aandacht had getrokken, was de zwarte wandelstok met een zilveren greep die de man in zijn rechterhand voor zich uit droeg. Terwijl Simon naar hem stond te kijken liet hij de stok door zijn vingers glijden tot de punt op de grond terechtkwam. Vanaf dat moment begon hij de stok op de juiste manier te gebruiken en liet de punt ritmisch op het trottoir tikken terwijl hij in de maat verderliep.
Simon liet het lijk vallen en zette de achtervolging in. Achter hem hoorde hij iemand naar adem snakken, gevolgd door een uitroep in het Duits.
'Wat is er aan de hand?'
'Is hij gewond?' riep iemand anders, ook in het Duits.
Het geschreeuw hield aan, nu ook in andere talen. De kreten weergalmden over de hele Platz.
'Hou hem tegen!' schreeuwde iemand in het kielzog van de wegrennende Simon.
Maar de verwarring was te groot... Er waren te veel mensen, te veel trams en te veel angst in de handen die Simon tegen probeerden te houden om te voorkomen dat hij er in volle vaart vandoor ging.
De man met de stok, die eigenlijk net als de rest van de mensen meteen had moeten reageren op die eerste kreet, maakte een tweede fout. Hij keek om. Zodra hij zag dat hij achtervolgd werd, zette hij het op een lopen.
De spitse toren van de Fraumünster Kirch rees voor hen op, scherp afgetekend tegen de blauwe Alpenlucht. Simon draafde mee met het drukke verkeer in de richting van de Münsterbrücke over de Limmat. Auto's begonnen boos te claxonneren toen de moordenaar plotseling tussen de voertuigen door begon te rennen, af en toe zijn hand met een klap op een spatbord terecht liet komen en als een topvoetballer alle obstakels wist te ontwijken.
Simon probeerde hem te volgen, maar een stel fietsers zat hem in de weg. Hij had al een achterstand opgelopen toen de moordenaar de overkant van de straat bereikte. Simon rende zo snel als hij kon achter hem aan en gaf ook bij wijze van waarschuwing voor de chauffeurs af en toe een klap op een spatbord terwijl hij zich duikend, springend en slingerend een weg baande. Aan de overkant wrong hij zich

langs de voetgangers en viel bijna over een laag stenen muurtje toen hij een smal, middeleeuws straatje in rende en zwetend in noordelijke richting verder holde.
De beroepskracht had een prima conditie en liep soepel verder, met lange passen. Maar Simon was ook een goede hardloper. Hij begon hem in te halen, met longen die als een gigantische blaasbalg de lucht opzogen en weer uitstootten. Hij liep achter hem aan toen de man verdween in een wirwar van smalle steegjes met aan weerszijden stenen huizen die er eeuwenoud uitzagen. De man holde een hoek om, maar toen Simon zijn voorbeeld volgde, was hij nergens meer te zien. Hij stond op een kruispunt van vier steegjes. Hijgend nam Simon de omgeving op. Een kat lag op de drempel van een openstaande deur aan haar poot te likken. Naast de kat zat een oude man een stenen pijp te roken, met zijn voeten op het met kinderkopjes geplaveide wegdek. Simon liep haastig naar hem toe, trok zijn portefeuille te voorschijn en liet hem wat euro's zien. De ernstige man lachte niet. Hij stak langzaam een vinger uit en wees naar een van de steegjes die in een bocht liep.
Simon wierp hem het geld toe en draafde verder. Toen hij de bocht omkwam, zag hij eindelijk de moordenaar weer, dit keer als een klein figuurtje dat in de verte door een pittoresk straatje vol huizen met uitstekende erkers rende. Het liep steil omhoog en zijn snelheid nam af. Maar Simon begreep ineens waar de man naartoe wilde... de Lindenhof. Dat beviel hem helemaal niet.
Toen hij boven aan de heuvel was, keek de moordenaar opnieuw om en trok van verbazing zijn wenkbrauwen tot boven zijn zonnebril op. Daarna fronste hij. Met hernieuwde energie rende hij verder tot hij over de top was en verdween.
Nu had Simon eindelijk zijn gezicht gezien. Smal, gladgeschoren, met ingevallen wangen en halflang donkerbruin haar, het geheel gedomineerd door een militair ogende zonnebril.
Zijn spieren protesteerden toen Simon de heuvel op rende en ook steeds langzamer ging lopen tot hij de top bereikte. Hij bleef hijgend staan en keek om zich heen. Het met bomen bezaaide, groene park strekte zich voor hem uit, maar hij zag de moordenaar nergens. Er stond slechts één rijtje huizen langs de Lindenhof, waar je zo'n schitterend uitzicht had over de stad dat het park bijzonder populair was bij wandelaars en verliefde paartjes. Het was ook het oudste deel van Zürich, waar vroeger een Romeinse legerplaats had gestaan.
Het was een gewone werkdag, dus er waren niet veel mensen. Achter een fontein speelden twee bejaarde vrouwen een spelletje schaak op een reusachtig bord dat op de grond was gelegd. Ze stonden met

de handen op de heupen te piekeren en omlaag te kijken, waarbij ze van de ene kant naar de andere schuifelden zonder ook maar een greintje aandacht voor hun omgeving. De koningen, de koninginnen en de torens kwamen allemaal boven de knieën van de vrouwen uit. Simon wilde hun net vragen of ze iets gezien hadden, toen hij zelf beweging zag. Aan de overkant van de open ruimte stond een groepje lindenbomen, waartussen de schaduwen vrij spel hadden. Een donkere figuur sloop er stil tussendoor en leek zelf meer op een schaduw dan op een persoon die zich slim verstopte in het bosje. Toen hij het snerpende geluid van politiesirenes hoorde, kwam Simon weer in beweging en rende zo snel als hij kon verder.

Maar toen Simon bij de bomen aankwam, was de man verdwenen. Tegelijkertijd werd het geluid van de sirenes sterker en kwam in de richting van het park. Honderden mensen op de Paradeplatz zouden Simon hebben gezien. Onder normale omstandigheden zou hij uit eigen beweging naar de politie zijn gegaan om zich te identificeren, zodat ze het zelf konden uitzoeken met Whitehall. Maar dit keer niet. Hij wist niet eens zeker of Terrill vermoord was. Als dat wel het geval was, had de manier waarop hij was gedood voor zover hij had kunnen zien geen bloed of kneuzingen achtergelaten. Het zou wel een bepaald gif zijn geweest, dat hem was toegediend met behulp van de greep van de wandelstok, waar een soort injectienaald in verborgen zat. Een oud trucje uit het vak.

Daar kwam nog bij dat Simon eigenlijk in Florence zou moeten zijn, of in ieder geval onderweg naar die stad.

Hijgend en vol ergernis haalde hij zijn vingers door zijn haar en vloekte hardop. Hij liep langs de rand van de lange helling en zag de wirwar van paden die allemaal met elkaar in verbinding leken te staan en kronkelend terugliepen naar de stad. Er waren veel te veel paden waaruit je kon kiezen en hij kon niemand de weg vragen. Simon maakte een schatting van de plek waar de politieauto's waarschijnlijk zouden opduiken en maakte zich via de helling uit de voeten.

12

Parijs, Frankrijk

Liz liep met haar schoudertas en een doosje in haar hand haastig door de ziekenhuisgang en controleerde de kamernummers. Het was woensdag, een warme julimiddag, en er hing een lome sfeer in het

Hôpital Américain. De patiënten deden een dutje terwijl de verplegende staf rustig de kaarten bijhield en de medicijnen sorteerde die voor het avondeten ingenomen moesten worden. Liz was hier al vaker bij vrienden op bezoek geweest. Het ziekenhuis, dat bekendstond vanwege de Engelssprekende staf en de prima geneeskundige hulp, had vrijwel iedereen behandeld, van de hertog van Windsor tot de stiefmoeder van Osama bin Laden en van verwarde toeristen tot armlastige studenten, waarvan het merendeel banden met de Verenigde Staten had.
Er was maar één persoon die uit de toon viel: een man die een eindje verder naast een openstaande deur de *Paris Match* zat te lezen. Uit zijn achteloze houding en de steelse blikken die hij op alle langslopende personen wierp, was duidelijk op te maken dat hij door Langley was gestuurd.
Toen ze bijna bij hem was, stond hij op, stak zijn hand uit en zei luid genoeg om ervoor te zorgen dat iedereen binnen gehoorsafstand hem kon verstaan: 'Hallo, mevrouw Walker. Ik ben Chuck Draper. Asher heeft het al een paar keer over u gehad. Ik ben blij dat u zich weer iets beter voelt.' Hij was een jaar of vijftig, van een normale lengte en met grauw bruine haren en blauwe ogen die precies dezelfde kleur hadden als zijn colbertje. Dat zou wel opzet zijn. Hij maakte de indruk van een man die graag wil dat alles volgens de regels verloopt en die dus ook duidelijk teleurgesteld is dat de wereld zich daar niet aan wenst te houden. Maar hij kende zijn rol en hij had zitten wachten op 'Sarah Walker'.
'Bedankt dat u zo goed op mijn man past.'
Ze keken elkaar even aan, als om te bevestigen dat ze een toneelspelletje opvoerden. Vanaf haar tijd op de Farm, waar de meeste rekruten van Langley bij het begin van hun opleiding naartoe gingen, had Liz al heel wat rollen gespeeld, maar het merendeel daarvan waren fictieve personen geweest, die om politieke redenen in het leven waren geroepen. Soms waren het ook bestaande mensen geweest van wie ze even de identiteit had geleend, zoals Mac dat had gedaan met hulpsheriff Harry Caine. Maar nu moest ze net doen alsof ze Sarah was, die haar na aan het hart lag en aan wie ze heel veel te danken had.
Liz zette al die gedachten uit haar hoofd en liep de privékamer binnen. Ze was Sarah Walker.

Asher Flores zweefde op het randje van bewustzijn. In zijn wazige brein dook een herinnering op: *Sarah was verdwenen*. Hij vloekte vermoeid. *Jezus*. Hij probeerde met een ruk rechtop te gaan zitten.

Maar in plaats daarvan zakte hij gedesoriënteerd terug in de kussens. Een stem zei: 'De Dodgers hebben vandaag gewonnen.'
Het was Liz. Hij deed zijn ogen open en nam haar beeltenis gretig in zich op, hoewel hij zich een tikje uit het lood geslagen voelde omdat zij en Sarah zo ontzettend veel op elkaar leken. Haar stem was ook sprekend die van Sarah. Hij kwam tot de conclusie dat hij daarvan wakker was geworden. Heel even had hij bijna gedacht dat Sarah weer terug was. Maar het gezicht van Liz was net een paar millimeter langer en haar voorhoofd was breder. Er waren geen twee mensen die volkomen gelijk waren, zelfs niet zogenaamde eeneiige tweelingen of mensen die met opzet plastische chirurgie hadden ondergaan om zoveel mogelijk op elkaar te lijken. Desondanks was hij een van de weinige mensen die hen met één oogopslag uit elkaar kon houden.
'Is het spel weer op de wagen?' mompelde hij. 'Dan ziet het leven er een stuk beter uit.' Wat een gelul. Het leven zou pas weer mooi worden als Sarah in veiligheid was.
Ze glimlachte. Hij keek toe hoe ze de doos neerzette. Ze had dezelfde grote, donkere ogen, dezelfde gulle mond, dezelfde geprononceerde jukbeenderen en nu had ze zelfs hetzelfde korte haar. *God, hij wou dat ze echt Sarah was.*
'Ik heb een radio voor je meegebracht,' zei ze. 'En de *Herald Tribune.*'
Hij knikte, maar nam niet de moeite de krant aan te pakken.
Ze legde hem op het tafeltje naast zijn bed en maakte daarna de doos open. Ze zette een kleine Philips-radio naast de krant en stak de stekker in het stopcontact. 'Vind je het een leuk cadeautje?' vroeg ze. 'Ik dacht dat je wel een beetje genoeg zou krijgen van de tv.'
Ze keek hem met samengeknepen ogen aan en Asher fronste even voordat hij haar een subtiel knikje gaf. Hij begreep wat ze bedoelde. Ondanks de voorzorgsmaatregelen van de CIA bestond de kans dat de kamer afgeluisterd werd. Het ziekenhuis stond per slot van rekening in Frankrijk en de Fransen brachten zelfs afluisterapparatuur en verborgen camera's aan in de business class van Air France, in de hoop dat ze op die manier brokstukken van nieuwtjes zouden opvangen die ze weer konden gebruiken in het nooit aflatende spel van politieke, militaire en economische spionage.
Asher pakte zijn rol op. 'Wil je hem meteen voor me aanzetten? Zoek maar een leuk station op.'
Binnen de kortste keren denderde onherkenbare rockmuziek door de kamer. De enige voorwaarde was, dat de muziek luid genoeg was om hun gesprek te overstemmen.

Er was een zachte trek op haar gezicht gekomen, alweer net als bij Sarah. Ze sprak net luid genoeg om boven de muziek uit te komen. 'Hoe voel je je, Asher?'
'Dat valt best mee. De morfine helpt. Je vergaat nog steeds van de pijn, maar het maakt niets meer uit. Hebben ze al een aanwijzing?'
'Ik wou dat het waar was. Ze doen hun uiterste best om haar te vinden. Een man die Angus McIntosh heet, is mijn projectleider. Ken je hem?' Toen hij even zijn hoofd schudde, vervolgde ze: 'Mac houdt me op de hoogte. Hoe erg is de wond?'
'De kogel is dwars door me heen gegaan. Hij is wel afgeketst op een rib, maar er zijn geen belangrijke dingen geraakt.'
'Leuk geprobeerd. Ik had al gehoord dat ook je lever en je darmen beschadigd zijn. Je bent geopereerd, gek. Ze moesten je helemaal aan elkaar naaien. Ik zal je een goeie raad geven: behandel je inwendige organen met respect.'
Ze trok een stoel bij, ging zitten en zette haar schoudertas op de grond. Daarna boog ze zich voorover en leunde met haar ellebogen op het bed. Op die manier zat ze nog geen dertig centimeter van hem af. Ze hoopte dat ze zo de kans kleiner maakte dat ze afgeluisterd zouden worden.
'Chuck heeft de kamer doorzocht op afluisterapparatuur.' Hij snoof verlangend haar parfum op. *Sarah.*
'Doe maar net alsof ik paranoïde ben. Hebben de ontvoerders al gebeld?'
'Ze zeiden dat ze op de vierde dag contact zouden opnemen. Het is gewoon psychologische oorlogvoering, zodat wij ons gaan zitten afvragen wat ze allemaal uitspoken. Zo wrijven ze ons onder de neus dat Sarahs leven gevaar loopt. Onwetendheid verhoogt de druk.' Het was een klassieke opzet die al eerder was gebruikt en die vaker gebruikt zou worden omdat hij werkte.
Ze knikte. 'Je ziet er eigenlijk best goed uit.'
'Dat komt omdat ik me ook zo voel. Wat is er precies aan de hand? Je hebt die "het is gewoon een stelletje koeienkoppen"-uitdrukking op je gezicht. Sarah kan precies zo kijken.'
Ze bestudeerde zijn gezicht en hij staarde ernstig terug. Hij kon goed met haar opschieten en andersom was dat ook het geval. Ze waren echte vrienden en op hun onderlinge vertrouwen kon je bouwen. Maar dat waren dingen waar je eigenlijk niet over hoefde te praten.
'Je zult er wel kapot van zijn,' zei ze tegen hem.
'Het doet me pijn om je aan te kijken, als je snapt wat ik bedoel. Maar ik ben blij dat je er bent.'
'Het spijt me. Daar was ik al bang voor.'

'Niets aan te doen.' Zijn blik was vast. 'Laten we maar aan het werk gaan. Jij mag beginnen.'
Liz vertelde hem over de aanslagen die in Santa Barbara op haar waren gepleegd, de diefstal van haar onderzoek naar huurmoordenaars, hoe Langley haar leven had bepaald middels de Aylesworth Foundation en hoe de overvallen hier en in Santa Barbara waren versneld door de publiciteit over het programma over de huurmoordenaars waarvoor ze momenteel research deed.
Asher luisterde zwijgend toe. Af en toe voelde hij zelfs haat ten opzichte van Langley. Hij hoopte maar dat die verdomde dossiers echt bestonden en dat ze waardevol genoeg zouden zijn om al die ellende die Liz had doorstaan te rechtvaardigen. 'Waar heb je je pistool, Liz? Op je rug of in je oksel? Of op je been?'
Ze keek hem even aan. 'Je weet best dat ik geen pistool wil dragen.'
'Maar dat moet je wel. Zonder pistool maken ze gehakt van je.'
Ze glimlachte tegen zijn vierkante gezicht met de ruige zwarte wenkbrauwen en het dikke, krullende zwarte haar dat onhandelbaar leek zoals het daar op het witte kussen lag. Zijn huid had normaal gesproken een gouden tint. Haar blik dwaalde over de buizen en de draden die hem verbonden met de apparaten die met verlichte wijzerplaten in alle kleuren van de regenboog overal om hem heen stonden te tikken en te knipperen terwijl ze allerlei intieme informatie doorgaven aan wie het maar wilde zien.
'Je moet je nodig scheren,' zei ze.
Hij wreef over zijn kin. 'Probeer maar niet me af te leiden door over mijn baard te beginnen. Dat verandert niets aan het feit dat jij het moet opnemen tegen mensen die bereid zijn hun wapens te gebruiken om jou tegen te houden en dat jij hulpeloos bent en daar niets tegen in kunt brengen.'
'Waren Ghandi en Martin Luther King ook hulpeloos?'
'Nee, maar zij stonden aan het hoofd van grote organisaties die met lijdelijk verzet campagne voerden tegen regeringen en de meerderheid van de bevolking en één zielig pistooltje zou geen verschil maken. Zij hadden te maken met massale groeperingen, maar jij bent gewoon een eenling die het op moet nemen tegen mensen met pistolen die je koste wat kost tegen willen houden.'
'Er moet iemand zijn die "zo is het genoeg" zegt en bereid is risico's te nemen.'
'Als je het op de lange termijn bekijkt, zul je best gelijk hebben. Maar we hebben het nu over de korte termijn en zonder wapen kun jij je werk niet doen. In dit geval heeft het geen enkele zin. We proberen niet een belangrijke waarheid aan het licht te brengen. Je doet alleen

je best om Sarah te redden. Als je dood bent, schiet Sarah noch Langley daar iets mee op. Je stelt je leven in de waagschaal en dat van Sarah ook. En als ik jou kwijtraak, zal ik daar zwaar de pest over in hebben.'
'Ik zal er eens over nadenken. Maar nu hebben we genoeg over mij gepraat. Je hebt pijn en je wilt vast wel weer een dutje doen. Ik wil je nog maar één ding vertellen. Het gaat om Mac. Hij heeft tegen mij gelogen, of Langley heeft hem bedrogen. Daarom moeten we ervoor zorgen dat niemand onze gesprekken kan afluisteren. Je moet meteen de radio aanzetten als wij met elkaar praten, goed?' Ze beschreef de inconsistentie tussen het moment waarop haar tv-serie was afgelast en de rol die Langley daar volgens Mac in had gespeeld.
'Als Langley iets van plan is, komt de aap vanzelf uit de mouw. Ze vinden het niet leuk om mensen te verliezen, dus ik denk dat Mac zich gewoon vergist heeft. Ik heb lang genoeg voor Langley gewerkt om te weten dat ze doorgaans verdomd goed in de weer zijn, anders zouden de meesten van ons het niet zo lang uithouden. Vertel me eens iets over dat onderzoek dat uit je kantoor is gestolen. Stond daar ook iets bruikbaars in over het archief van je vader?'
Ze schudde haar hoofd en begon zich een beetje aan de rockmuziek te ergeren. 'Nee, natuurlijk niet. Maar ik heb er wel over na zitten denken. Weet je nog wanneer Grey Mellencamp die fatale hartaanval had? Dat was hooguit een paar uur nadat hij mij had ondervraagd. Destijds leek dat wel erg toevallig... dus ik heb er een onderzoek naar ingesteld. Het bleek dat hij al lang een hartkwaal had en de lijkschouwing toonde aan dat er geen boze opzet in het spel was geweest. En wie zou er verder nog iets van dat archief hebben geweten?'
'Je moeder.'
'Precies. Nadat Mellencamp was overleden heb ik ook een onderzoek ingesteld naar haar dood.'
'Wanneer is ze ook alweer gestorven?'
'Ongeveer zes maanden voordat ik Mellencamp ontmoette. Natuurlijk kwam oom Mark toen ook om het leven. Hij had de pech dat hij net bij mam op bezoek was.'
'Ik kan me nog herinneren dat er een explosie was. Wat was de oorzaak?'
'Een lekkende gasleiding. Een week eerder waren daar ook al problemen mee geweest. Mam vertelde me dat ze een gasfitter had laten komen om het lek te repareren. Dus toen ik begon rond te snuffelen heb ik het hele archief van het gasbedrijf gecontroleerd, net als het rapport van de brandweer en de resultaten van de lijkschouwingen

op mam en oom Mark. Er was geen enkele aanwijzing te vinden dat het geen ongeluk was geweest en beide lichamen waren afdoende geïdentificeerd.' Ze wendde haar blik af omdat ze haar moeder nog steeds miste.
Ze hielden allebei hun mond, gekweld door nare gedachten.
'Langley heeft meer hulpmiddelen ter beschikking om Sarah te vinden dan jij,' zei Asher bedachtzaam. 'Maar jij weet van de hoed en de rand als het om je ouders en je familie gaat.'
'Dus volgens jou moet ik op zoek gaan naar het archief. Mac zei dat Langley dat ook wilde. Is die telefoon van jou een directe buitenlijn?'
Op het tafeltje naast het bed waar ze de radio op had gezet, stond een simpele, zwarte telefoon. Toen hij haar vraag bevestigend beantwoordde, vertelde ze hem dat ze een mobiele telefoon van Mac had gekregen. Ze wisselden nummers uit.
'Bel me als je iets hoort,' zei ze. 'Ik zal hetzelfde doen. Tot we precies weten wat er aan de hand is, kunnen we alleen elkaar vertrouwen.'
Een flauw glimlachje speelde om zijn lippen en hij wierp een verlangende blik in de richting van de badkamer. 'Zodra ik in staat ben om zelfstandig naar de plee te gaan, kunnen ze hier naar me fluiten,' bezwoer hij.
'Geweldig. Dan kun je de boel mooi in het honderd laten lopen, zodat we jou ook nog eens zullen moeten redden. Doe me een lol en blijf gewoon hier.'
Asher probeerde te lachen.
'Wordt de pijn erger?' vroeg ze.
'Nee, hoor. Ik ben alleen moe. En geïrriteerd. Kennelijk ben ik niet zo goed als ik dacht.'
'Dat kan iedereen je nazeggen.'
'Maar ik had het moeten weten. Ik had het meteen door moeten hebben toen dat busje stopte.'
'Als je last krijgt van helderziendheid, geef dan een gil. Dan zorg ik dat je in mijn tv-programma komt.' Ze gaf hem een klopje op zijn arm.
'Maak nou maar dat je als de bliksem wegkomt, Liz. Zorg dat je dat archief vindt. Zorg dat je haar vindt. Breng haar weer bij me.' Zijn hese stem brak. 'Alsjeblieft.'
Ze drukte een kus op zijn voorhoofd. Het was nat bezweet. 'Zorg jij nu maar voor jezelf, dan zorg ik wel voor Sarah.'
Het was een belangrijke belofte, waarmee ze het noodlot leek te tarten, maar ze kon er niet onderuit. Asher moest gerustgesteld worden en ze wilde hem verschrikkelijk graag belonen voor wat hij jaren ge-

leden samen met Sarah voor haar had gedaan toen ze zich met haar moeder had overgegeven.

Voor de deur van de kamer nam ze afscheid van Ashers CIA-bewaker, Chuck Draper, die beleefd knikte. Ze bleef even bij de verpleegsterspost staan om het nummer van haar mobiele telefoon achter te laten en vroeg in het Frans of ze haar onmiddellijk wilden bellen als er verandering optrad in de toestand van haar man.

Liz sprak veel beter Frans dan Sarah en als ze dat wilde, kon ze meteen overschakelen op een Brits accent. Maar ze was dan ook in Engeland opgegroeid. Ze sprak ook Spaans, Italiaans en Duits, ze was een goede actrice en ze had een analytische geest en een zucht naar avontuur. Al die kwaliteiten had ze aangewend voor haar duistere werk voor de Company en ze had ze opnieuw aangesproken voor haar academische werk. Nu hoopte ze dat die oude vaardigheden en gaven toereikend zouden zijn voor de taak die ze op zich had genomen.

Terwijl ze vanuit het ziekenhuis de middaghitte in stapte, dacht Liz na over wat ze zou gaan doen. L'Hôpital Américain lag in het hartje van het lommerrijke Neuilly, een van de chicste voorsteden van Parijs, aan de Boulevard Victor Hugo, op een minuut of tien lopen van de Arc de Triomphe. Toen ze Mac een meter of drie verderop zag, ging ze langzamer lopen. Hij gaf haar een nauwelijks merkbaar knikje van zijn plek op een bank in de schaduw van een hoge plataan. Op die manier maakte hij haar duidelijk dat hij in de buurt zou zijn als ze hem nodig had.

Nonchalant bestudeerde ze de tuin van het ziekenhuis en keek de straat af. Ze zag allerlei mensen die op weg waren naar het ziekenhuis of er net vandaan kwamen: oudere echtparen, jonge ouders met kinderen, mannen in nette pakken en vrijetijdskleding, vrouwen met boodschappentassen en kinderen op de arm.

Ze liep naar de stoeprand en bleef staan. Toen ze haar hand opstak om een taxi aan te houden, hoorde ze vlak achter zich iemand kreunen. Ze draaide zich met een ruk om en zag hoe een kleine, pezige man die languit op het trottoir lag, omrolde en Macs benen onder zijn lijf vandaan schopte.

Mac vloekte toen hij zijn evenwicht verloor en viel, terwijl Liz zich op de man die de trap had uitgedeeld wilde werpen.

Maar de man draaide zich om en sprong op voordat ze hem te pakken had. Toen hij hard wegliep, smeet Liz haar schoudertas naar hem. Zijn voet haakte in de band.

Hij wankelde opzij en kwam met een harde klap op zijn linkerknie

terecht. Er klonk een dof, krakend geluid toen de knie in aanraking kwam met het beton. Zijn ogen puilden uit van pijn en angst.
Terwijl Mac overeind krabbelde en Liz naar hem toe liep, verbeet de man de pijn, sprong op en maakte zich half rennend, half hinkend uit de voeten, waarbij hij de verbijsterde voetgangers ruw opzij duwde.
Mac ging met grote passen achter hem aan. Liz pakte haar tas op en sloot de rij. De vluchteling keek vol paniek om. Hij was gewond en Mac haalde hem zienderogen in. Hij had geen schijn van kans om te ontsnappen. Zijn opgestoken armen molenwiekten om zijn hoofd toen hij zich in het verkeer stortte. Remmen piepten en claxons blèrden toen hij zich tussen de auto's door in veiligheid probeerde te brengen.
Mac bleef fronsend op de stoeprand staan, terwijl de vent volhardde in zijn zelfmoordpoging door de andere weghelft op te hollen, waar een zwarte Citroën niet meer op tijd kon stoppen. Het gepiep van de banden en de misselijkmakende doffe dreun van de aanrijding sneden door de zomerlucht. Auto's zwenkten opzij en slipten bij hun pogingen de plek te vermijden waar de man op de grond lag, maar hij werd nog twee keer overreden voordat het verkeer schokkend tot stilstand kwam.
Mac en Liz stonden ver van elkaar op de stoep en keken zwijgend naar het chaotische tafereel. Mensen sprongen uit auto's en kwamen van weerskanten de weg op rennen om hulp te bieden. Al gauw dook er een man op uit de menigte die zich op de straat had verzameld. Hij keek Mac over de stilstaande auto's aan en schudde zijn hoofd, kennelijk om Mac duidelijk te maken dat de overvaller dood was.
Toen het jankende geluid van de sirenes van een paar politieauto's en een ambulance dichterbij kwam, verdween de stille in de menigte.
Mac liep haastig naar Liz toe. 'We kunnen beter maken dat we weg komen. Op eigen gelegenheid.'
'Wat is er gebeurd? Wie was dat?'
Bij wijze van antwoord opende Mac zijn hand. Op zijn vlakke hand lag een sigarettenaansteker. Hij liet het klepje openspringen, maar in plaats van een vlammetje verscheen er een miniatuur injectienaald. 'Dit had hij in zijn hand. Hij stond op het punt je iets in te spuiten. Waarschijnlijk vergif. Ik zal dit ding door het lab laten analyseren.'
Haar hart bonsde. 'Mijn god. Hoe wist je dat?'
'Ik wist niets, tenminste niet zeker. Maar hij hield je in de gaten, terwijl hij net deed alsof dat niet zo was. Toen je stilstond om een taxi aan te houden, liep hij naar je toe. Op dat moment ben ik tussen-

beide gekomen. Het had ook niets kunnen zijn, maar na Santa Barbara wenste ik geen enkel risico te nemen.'
Ze voelde het klamme zweet over haar rug lopen. 'Dank je wel. Heel hartelijk bedankt.'
'Graag gedaan. Dat was mooi werk met je tas. Als hij zijn knie niet had bezeerd, was hij misschien ontvlucht en had hij het nog een keer kunnen proberen.'
'Ik had hem liever willen ondervragen.'
'Ik ook.' Hij keek op en draaide zich om in de richting van de ambulance. De sirene jankte terwijl de auto zich door het stilstaande verkeer wurmde. De politie zou niet veel langer op zich laten wachten.
'We kunnen maar beter uit elkaar gaan en ons uit de voeten maken.' Hij liep weg.
Pas op dat moment zag ze de vrouw die haar al eerder was opgevallen. Toen Liz het ziekenhuis uitkwam, had de vrouw met een plastic boodschappentas van de Galeries Lafayettes in de hand bij de deur gestaan, alsof ze op iemand wachtte. Ze was nog steeds alleen, maar ze had het wachten kennelijk opgegeven. Ze had een Romeinse neus met een klein bobbeltje in het midden en een dun laagje poeder zorgde ervoor dat ze een egale teint had. Haar lipstick was zachtrood van kleur, bijna bruin. Ze zag eruit als een typische vrouw uit de middenklasse, van haar onopgesmukte korte haar tot de overhemdblouse die ze in haar goedkope broek droeg. Hoewel vrijwel iedereen in hemdsmouwen of zomerjurkjes liep, droeg zij in de warme zon ook nog een loshangend lichtgewicht jasje.
Ze viel Liz alleen op omdat ze iets met Mac scheen te hebben. Misschien was ze ook een van zijn spionnen. De vrouw wierp hem een blik toe en liep weg, tussen de stilstaande auto's door. Ze was lichtvoetig en behendig, ondanks haar grote gewicht. Ze was duidelijk getraind. Liz bestudeerde haar aandachtig tot ze verdween in de meute die nog steeds op de plek van het ongeluk stond te gapen. Er zat meer dan kleren onder het onzomerse jasje.
Liz hield een taxi aan, ging op de achterbank zitten en zei tegen de chauffeur dat hij weg moest rijden.
'Waar naartoe, madame?' vroeg hij in het Frans.
Ze zorgde ervoor dat haar stem effen klonk. 'Rij maar gewoon weg.'
De afspraak was eigenlijk dat ze naar Hotel Valhalla zou gaan om de kamer van Sarah en Asher te doorzoeken. In plaats daarvan tolde de ene na de andere gedachte door haar hoofd, terwijl ze zich probeerde voor te stellen hoe groot de macht was van de persoon die het archief in handen had. Om te beginnen had hij – of zij – iemand

naar Santa Barbara gestuurd met de opdracht haar te vermoorden. Maar het probleem was dat diezelfde persoon er ook voor had gezorgd dat ze in Parijs door een andere overvaller werd opgewacht. Alleen Langley wist dat ze onderweg was naar Parijs. Alleen Langley wist hoe laat ze zou aankomen en dat ze rechtstreeks naar het Amerikaanse ziekenhuis zou gaan om op bezoek te gaan bij Asher. De koude rillingen liepen haar plotseling over de rug. Iemand anders – ook al was het de persoon die het archief had – had er nooit achter kunnen komen dat ze hier was, als er niet ergens bij Langley een lek zat, een verrader.

13

Telefoongesprek met Brussel, België

'Waar hadden Flores en Sansborough het over? Waarom begin je nu te lachen?'

'Ze bracht een radio voor hem mee en zette het geluid zo hard, dat ik niets meer kon verstaan. Of ze het nu weet of niet, ze begint zich alweer behoorlijk professioneel te gedragen.'

'Och, het zal ook wel niet veel uitmaken waar ze het over hadden. Als Flores iets wist, had hij ons dat allang verteld. En hetzelfde geldt voor haar.'

'Je slaat de spijker op de kop, Kronos. In ieder geval is dat niet de reden waarom ik verslag uitbreng. Er hebben zich nieuwe ontwikkelingen voorgedaan. Er is opnieuw een aanslag op Sansborough gepleegd...'

'Wat?'

'... toen ze het ziekenhuis uitkwam. Mac stond haar voor het gebouw met zijn mensen op te wachten. Een van hen kreeg de man in de gaten en gaf Mac een seintje. Er volgde een worsteling en Mac werkte hem tegen de grond. Hij bleek een sigarettenaansteker met een verborgen injectienaald in zijn hand te hebben. Mac stuurt het ding naar het lab. Met een beetje mazzel en afhankelijk van het aantal en het soort proeven dat ze moeten nemen, weten we morgen wat hij haar wilde inspuiten.'

'En die moordenaar?'

'Dood. Hij viel en bezeerde zijn knie toen Sansborough hem over haar tas liet struikelen. Bij zijn poging om te ontsnappen, sprong hij tussen het verkeer en kwam om het leven toen hij werd aangereden.

Een van Macs spionnen heeft het lichaam gefouilleerd, maar hij had alleen contant geld bij zich.'
'Verdomme nog aan toe! Ik wou dat jullie de kans hadden gehad die klootzak aan de tand te voelen. Aan wie heb je dit nog meer verteld?'
'Aan niemand. Ik neem alleen bevelen van jou aan.'
'Weet je waarom ik dat vraag?'
'Ja, natuurlijk. Eerst in Santa Barbara. En nu hier. Hij wist waar hij haar kon vinden. Zij wisten waar ze was. Dat is vertrouwelijke informatie. In het gunstigste geval hebben we een lek.'
'En in het ergste geval zitten we met een chanteur opgescheept. Wel verdraaid, dat had ik meteen door moeten hebben! Zorg dat die eenheid van Mac geïsoleerd wordt. Deze informatie mag niet bekend worden tot jij en ik een onderzoek hebben ingesteld. Je mag het voorval aan niemand doorgeven. Laat die verdomde chanteur zich maar afvragen wat er aan de hand is. We zullen er wel voor zorgen dat hij zichzelf verraadt.'

Parijs, Frankrijk

In een schaduwrijk steegje in Les Halles stond een gele taxi geparkeerd. De motor liep stationair en het witte bordje op het dak was niet verlicht, waaruit bleek dat de taxi geen passagiers opnam. De raampjes waren dicht en de portieren zaten op slot. De chauffeur leunde achterover in de luchtstroom uit de airconditioning. Hij had zijn pet tot over zijn zonnebril getrokken, alsof hij even lag te dutten. Het was per slot van rekening erg warm en van werken werd je erg moe.
Maar deze werkende man was niet vermoeid en hij sliep evenmin. Hij zette zijn mobiele telefoon uit en stopte het toestel in zijn zak terwijl hij oplettend om zich heen bleef kijken. Nadat hij de taxi had geparkeerd, had hij de spiegels zo ingesteld dat hij geen dode hoeken had. Hij was begin zestig, een gespierde man met een rustig, onaangedaan gezicht. Hij had geen opvallende kenmerken, hoewel hij onder zijn pet volkomen kaal was.
Hij heette César Duchesne en achter zijn rug werd hij *Le Boiteux* genoemd, de Hinkepoot. Maar niemand durfde hem dat in zijn gezicht te zeggen.
Toen een tweede gele taxi het steegje binnenreed en een eindje achter hem stilstond, pakte Duchesne een oude metgezel op, zijn 9mm Walther. Die was onnaspeurbaar en hetzelfde gold voor hem. Hij stapte uit, sloeg zijn armen over elkaar en stopte het wapen ertussen. Hij liep opvallend mank, met zijn rechtervoet naar binnen gedraaid.
'Kom op, Guignot,' riep hij zacht in het Frans. 'Ik heb geen zin om

tijd te verspillen.' De hitte van Parijs omstrengelde hem als de armen van een ongewenste vrouw.
De tweede man, Guignot, stapte ook uit en keek nerveus om zich heen in de beschaduwde steeg. Hij liep haastig naar Duchesne toe.
'Bonjour, monsieur.'
'Breng maar verslag uit.'
Guignot deed zijn best om professioneel over te komen. 'Ik liep haar mis op het vliegveld. Ze stond al zo snel in de rij dat ze in de wagen voor mij terechtkwam. Ik kon niet weg uit de rij, want de politie stond vlak in de buurt.' Hij hield abrupt zijn mond toen hij het wapen zag dat Duchesne in zijn armen hield. Hij week achteruit. 'Dat is toch niet voor mij, monsieur Duchesne?' Zijn stem klonk ademloos en zijn smerige vingers plukten aan de voorkant van zijn spijkeroverhemd. *'Non, non.* Trevale zei dat u een harde vent was, maar wel een man van eer.' Hij keek om naar zijn wagen.
Duchesne wist dat de vent het risico overwoog om ervandoor te gaan. 'Eer moet soms duur worden betaald.' Hij keek hem door zijn zonnebril strak aan. Duchesne had in de loop der jaren geleerd dat hij al zijn nieuwe werknemers ervan moest doordringen dat ze hun werk serieus moesten nemen. 'Kan ik me jou veroorloven, Guignot?' Hij bewoog zijn hand en ineens was de Walther op het hart van de Fransman gericht. 'En geldt dat ook voor je vrouw en kinderen?'
Guignot deed een stapje achteruit, zijn gezicht verstard van schrik. *'Oui. Absolument.* Op het graf van mijn moeder!'
'Waar is die vrouw nu?'
Guignot veegde met bevende vingers het zweet van zijn bovenlip. 'In haar hotel. Dat is het goede nieuws. Er is een verschrikkelijk ongeluk gebeurd voor l'Hôpital Américain. Wat een opstopping! Maar ik hield haar goed in de gaten en ik was als eerste bij haar toen ze haar hand opstak. Bij het hotel zei ze tegen de portier dat ze Sarah Walker was. Ze logeert in het Hotel Valhalla, in de buurt van de rue de Buci, precies zoals u had gezegd.'
Duchesne keek strak naar zijn nieuwe medewerker, die met neergeslagen ogen van zijn ene op zijn andere voet stond te wiebelen. *'Bon,'* merkte hij ten slotte op. 'Ik zal tegen Trevale zeggen dat je bevalt en dat ik van jou gebruik zal blijven maken, net als van de anderen.' Hij stopte zijn hand in zijn borstzakje en gaf de man een dikke rol euro's. 'Dit zal je helpen je schuld aan hem af te lossen.'
Guignot lachte zo breed dat al zijn bruine tanden zichtbaar werden. Met een routineuze polsbeweging maakte hij de rol open, spreidde de bankbiljetten en liet het puntje van zijn pink erover glijden terwijl zijn lippen geluidloos het bedrag optelden.

Duchesne vertelde hem waar hun volgende ontmoeting plaats zou vinden. 'Je weet wat je opdracht is, hè?'
Guignot was alweer onderweg naar zijn taxi. '*Oui*. Dan zal ik opnieuw een volledig verslag voor u hebben.'

Het Hotel Valhalla was een bescheiden, maar comfortabel hotelletje in het Quartier Latin dat kon bogen op een tweede verdieping met van erkers voorziene ramen die uitkeken over het kruispunt van twee met kinderkopjes geplaveide straten. Vlakbij was een eeuwenoude markt, die ervoor zorgde dat de lucht bezwangerd was met de geur van boerenkaas en vers gebakken brood. Aan de tafeltjes op de caféterrassen zaten mensen van hun *vin ordinaire* te nippen en te kijken naar de passerende stroom van vrouwen in zwierende rokken en mannen in polohemden.
Aanvankelijk had Liz geen zin gehad om door te gaan met het plan dat Langley voor haar had uitgestippeld. Iedere keer als ze aan de moordenaar voor het ziekenhuis dacht, groeide haar overtuiging dat Langley besmet was. Zou de vrouw die ze daar had gezien de Judas zijn? Of was het Mac? Misschien had iemand de piloot omgekocht om haar vluchtgegevens door te seinen en had de moordenaar haar spoor op De Gaulle opgepikt. Maar het kon net zo goed een van de hoger geplaatste personen in Langley zijn, of een van Macs andere spionnen of medewerkers, iemand tegen wie hij geen enkele argwaan koesterde.
Waar het uiteindelijk op neerkwam, was dat ze Mac niet langer kon vertrouwen. Het zou best kunnen dat hij niet de informant was, maar in dat geval was het iemand in zijn buurt.
Ze besloot uiteindelijk om het spel toch verder te spelen en het hotel binnen te gaan. Misschien vond ze in de kamer een of andere aanwijzing en ze wilde de mol niet afschrikken door argwaan te tonen. Bij de receptie bleken er geen boodschappen te zijn voor Sarah of Asher. Liz kreeg Sarahs sleutel van de receptionist en liep naar de lift. De kamer was op de derde verdieping. Ze liep behoedzaam naar binnen, maar alles leek onaangeroerd te zijn, alsof Sarah en Asher net een ommetje waren gaan maken. Ze zag dat haar koffer op het grote bed lag... daar had Mac voor gezorgd. Een kleine kamer, een groot bed. Echt Frans.
Toen ze om zich heen keek, voelde ze zich een indringer... Ze was hier niet op haar plaats, midden in de liefdesrelatie van iemand anders. Heel even stond ze zichzelf toe om over haar verhouding met Kirk te piekeren, over zijn verraad en de intieme dingen die hij aan Themis had doorgegeven. Wat was ze toch verdomd stom geweest.

Daarna zette ze die gedachten van zich af. De problemen waarmee ze nu te maken had, waren een kwestie van leven of dood.
Ze doorzocht de kamer grondig, van de laptop op de tafel tot de kleren in de kast, precies zoals Mac haar had gevraagd, maar ze zag niets dat ook maar enig verband leek te houden met de ontvoering van Sarah en het neerschieten van Asher. Gerustgesteld maakte ze haar eigen koffer open. Helemaal bovenop lag de Sig Sauer die Mac haar in het vliegtuig al in de maag had willen splitsen. Ze glimlachte omdat daaruit bleek – al was het geen onomstotelijk bewijs – dat hij niet de mol was. Anders zou hij niet zoveel moeite hebben gedaan om haar een wapen te bezorgen. Maar ondanks de argumenten van zowel Mac als Asher was ze toch niet van plan het bij zich te dragen.
Ze keek opnieuw de kamer rond. Dit keer viel haar blik op de wandkachel en ze stopte het pistool achter de metalen voorplaat. De stad was één grote stoomketel en niemand zou op het idee komen de kachel aan te zetten.
Daarna vermande ze zich, maakte Sarahs tas open en zag dat zowel haar rijbewijs als haar paspoort erin zat. Ze maakte de draagband langer, zodat ze de tas over haar schouder kon dragen, wat altijd veel praktischer was. Ze had geen zin om haar eigen tas met de opvallende scheur van de messteek te gebruiken. Vervolgens controleerde ze de rest van de inhoud en vond een pen, een potlood, een make-uptasje, een kam en een portefeuille. Ze keek de portefeuille na voordat ze alles weer in de tas stopte, samen met haar eigen lipstick en portefeuille.
Met de mobiele telefoon die ze van Mac had gekregen in de hand liep Liz naar het raam, ging met haar rug plat tegen de muur staan zodat ze niet meteen gezien kon worden en keek vanaf de derde verdieping naar beneden. Het raam keek uit op één kant van het drukke kruispunt. Ze zag geen spoor van Mac. Maar ze wist toch dat hij ergens in de buurt was en haar in de gaten hield. Het was een vreemd gevoel om beschermd te worden. Dat was al heel lang niet meer gebeurd. En toch kon ze hem niet volledig vertrouwen.
Ze keek aandachtig naar de voetgangers, de mensen die op de terrasjes zaten, de twee vrouwen op een bankje naast de bushalte, de mensen die bij het kruispunt stonden te wachten tot het licht op rood zou springen... En daarna dwaalde haar blik terug naar de bank, want daar zat de vrouw van het ziekenhuis weer, met haar plastic tas van de Galeries Lafayette aan haar voeten. Ze zag er stevig en onopvallend uit, een keurige mevrouw met haar roodbruine lipstick. Het zag ernaar uit dat Mac een goede agent aan haar had.

Ten slotte toetste Liz een nummer in op haar mobiele telefoon. Het was hoog tijd om Kirk tot de orde te roepen en hem alles te ontfutselen wat hij wist over Themis en de reden waarom zij in de gaten moest worden gehouden. Ze had sterk de indruk dat er meer aan de hand was dan wat Mac haar had verteld. Bovendien wist Kirk misschien iets dat haar op het spoor van de mol zou brengen. Het was inmiddels na zessen in Parijs, wat inhield dat het in Californië negen uur in de ochtend was geweest. Op woensdagochtenden gaf Kirk geen college.

Toen ze zijn antwoordapparaat kreeg, verbrak ze de verbinding en belde zijn kantoor. Daar kreeg ze weer het antwoordapparaat en ze hing opnieuw op. Ze stond even na te denken. Rector Quentin was ook een mogelijkheid. Ze toetste zijn nummer in.

Zijn secretaresse nam met bevende stem op en klonk bijna hysterisch. 'Hij is... hij is dóód, professor Sansborough. Ik kan het niet geloven. Vermóórd! Er is ingebroken en de inbreker heeft zowel hem als mevrouw Quentin doodgeschoten. Ze had heel veel prachtige juwelen, weet u, en die vuile smeerlap heeft alles meegenomen. Maar waarom moest hij hen ook vermóórden?'

Liz had het gevoel dat haar maag zich omdraaide. 'Vermoord? Mijn god, Chelsea. Kun je me vertellen wat...'

Chelseas stem klonk aarzelend. 'U hebt... zeker ook het nieuws over Kirk nog niet gehoord, hè?'

Ze snakte naar adem. 'Kirk?'

'Ik bedoel maar, jullie waren zo goed met elkaar bevriend, dus misschien...'

Liz vermande zich. 'Vertel het maar.'

'Het was een auto-ongeluk. U weet toch dat hij die mooie Mustang had? Hij bleek erin te zitten toen ze de auto vonden aan de voet van een klif in de buurt van Summerland. Hij was echt dol op die auto, hè? Nu is het zijn doodskist geworden. Afschuwelijk, hè? Mensen die ook op dat feestje waren, hebben gezegd dat hij tegen het eind behoorlijk aan het drinken was geslagen, zoals hij wel vaker deed. Volgens mij keek niemand ervan op dat hij zich ten slotte heeft doodgereden. Maar op dezelfde avond dat de rector en mevrouw Quentin zijn beroofd en vermoord? Dat maakt het allemaal nog een stuk erger. Het is hier een behoorlijke puinhoop. Bent u al gauw terug? Kirks zuster komt vanaf Hawaï overvliegen. O, het is allemaal echt afschúwelijk.'

Liz sloot haar ogen. Halverwege de klaagzang van Chelsea was ze al opgehouden met luisteren. Kirk en de rector waren allebei dood. En Dolores Quentin ook. Zij was onschuldig geweest, maar ze had zich op de verkeerde tijd op de verkeerde plaats bevonden. Maar de beide mannen hadden voor Langley gewerkt. Ze twijfelde er geen moment aan dat ze allebei uit de weg waren geruimd. Het smerige karwei was vast opgeknapt door de mensen die van plan waren geweest haar ook te laten vermoorden.

'Professor Sansborough? Bent u er nog? Is alles goed met u?'

Liz schraapte haar keel. 'Ik ben niet flauwgevallen en ik heb ook geen hartaanval gehad, maar ik ben ontzettend geschrokken. Het klinkt allemaal zo onwaarschijnlijk. Weet de politie zeker dat het om een ongeluk en een uit de hand gelopen inbraak ging?'

'Hoezo?' Chelseas stem klonk ineens bijna gretig. 'U denkt toch niet...'

'Ik weet niet wat ik moet denken. Alle drie op dezelfde avond?' Ze hadden zich voorgedaan als haar vrienden en collega's, terwijl ze haar tegelijkertijd bespioneerd hadden en allerlei bijzonderheden van haar leven hadden doorgegeven. Maar tegelijkertijd hadden ze geleefd, geademd, gelachen en verdriet gehad, en het waren net zo goed mensen geweest als zij.

'Het is echt... ongelooflijk, hè? Misschien...'

Liz besefte dat ze met vuur speelde. Chelsea was gemakkelijk te beïnvloeden en het zat er dik in dat de sterfgevallen het gevolg waren van een misdrijf en een verkeerd soort opwinding in plaats van wat haar was overkomen. Het was geen goed idee om het kantoor van de sheriff op te jutten een grondiger onderzoek in te stellen.

Nu nog niet, tenminste. 'Ik denk dat je nooit zult kunnen verklaren waarom het noodlot toeslaat,' zei Liz op vriendelijke toon. 'Die dingen gebeuren gewoon, hè? Op het ogenblik voel ik me verdoofd en een beetje verward. Hoe is het met jou?'

'O, precies zo,' zei Chelsea somber. 'Ik heb hetzelfde gevoel.'

'Ik zal proberen op tijd terug te zijn voor de begrafenissen. Wil je me alsjeblieft laten weten wanneer die plaats zullen vinden? Ik zal je een nummer geven waar je me kunt bereiken. Laat een boodschap achter als ik niet opneem.' Ze herhaalde haar nieuwe nummer. 'Vertel Kirks zuster en de familie van de rector maar dat ik erg met ze meeleef.'

'Dat zal ik doen, professor Sansborough. Hartelijk bedankt.'

Liz zette de telefoon uit, leunde achterover tegen de muur en deed haar ogen dicht. Een golf van angst sloeg door haar heen. Haar huid leek in brand te staan. Iemand had willen voorkomen dat zij de twee mannen uit zou horen. Kirk en de rector hadden de ultieme prijs moeten betalen voor wat ze wisten en iemand had niet gewild dat ze dat aan haar zouden doorgeven. Maar ze zou zich niet laten tegenhouden door het feit dat ze vermoord waren.

Vastberaden als nooit tevoren zette ze Santa Barbara uit haar hoofd en piekerde over wat ze het eerst zou moeten doen. Haar moeder was degene die het nauwst betrokken was bij het archief. Maar als ze Liz er niets over had verteld, dan zat het er dik in dat ze ook niets had gezegd tegen andere mensen... Behalve dan misschien een van haar broers. Ja, misschien had ze erover gepraat met Mark Childs, die samen met Melanie om het leven was gekomen. Ze kon zich niet voorstellen dat Melanie het archief tijdens haar leven aan iemand anders zou hebben afgestaan. Maar na haar dood...

Het was best mogelijk dat iemand anders het toen in handen had gekregen. Mark had in Londen gewoond en voor zover Liz wist, woonde zijn ex-vrouw daar nog steeds. Liz belde inlichtingen en vroeg naar het telefoonnummer van Patricia ('Tish') Warren Childs. Dat bleek niet te bestaan. Verwonderd vroeg ze of de telefoniste nog een keer wilde kijken, maar de uitkomst bleef hetzelfde.

Ze scheurde zichzelf los van de wand, liep naar Sarahs laptop en ging via internet op zoek. Ook dat leverde geen telefoonnummer op, maar wel een adres in het Londense East End. Een slechte buurt. Had het leven Tish Childs zo slecht behandeld?

Daar zou ze snel genoeg achter komen, maar ze moest eerst een vermomming zien te vinden, zodat ze het hotel uit kon glippen zonder dat Mac of die vrouw het in de gaten hadden. In haar koffer vond ze een wijd bruin broekpak dat Mac voor haar had ingepakt. Het was een miskoop geweest en ze had er altijd een hekel aan gehad omdat het niet goed zat. Nu was het precies wat ze nodig had, want het maakte haar kleiner en dikker. Ze trok het aan, samen met een paar molières van Sarah. Daarna verwijderde ze haar make-up en zette Sarahs grote, ronde computerbril op, waar gewone glazen in zaten die alleen getint waren om het scherpe licht van het computerscherm te dimmen. Tussen de spullen van Asher vond ze een baret, waaronder ze haar korte haren verborg.

Voor de spiegel liet ze haar schouders zakken en drukte haar heupen naar achteren. Met de bril, de baret en haar vierkante lichaamsvormen zag ze eruit als verlegen tutje, dat totaal geen respect afdwong. Zou dat wel genoeg zijn?

Er was maar één manier om daar achter te komen. Ze pakte Sarahs schoudertas op, stopte de mobiele telefoon erin en ging ervandoor, terwijl ze zich geestelijk voorbereidde op haar nieuwe rol.

Vanuit de lobby glipte ze het aangrenzende restaurant in, dat er stil en uitgestorven bij lag. Het was te laat voor de lunch en te vroeg voor het diner. Het bloed bonsde in haar oren toen ze vastberaden door de keuken liep en door het ronde raam in de deur naar het steegje naar buiten keek.

Wat ze daar zag, beviel haar helemaal niet. Een stevig gebouwde man liep met vuilnisbakken te slepen. Hij blaakte niet bepaald van werklust. Ze bestudeerde hem aandachtig. Hij was gewoon lui of hij stond voor iemand op de uitkijk... de Sûreté, de CIA, de ontvoerders... de moordenaars?
Ze wilde niet via de voordeur vertrekken, want dan zou de vrouw op de bank haar meteen in de gaten hebben. Onder het hotel was een garage en op die manier zou ze ook naar buiten kunnen. Maar als hier al iemand op de uitkijk stond, dan zou dat daar ook het geval zijn en ze zag niet in wat ze ermee opschoot als ze het onvermijdelijke probeerde uit te stellen.
Haar vermomming was goed genoeg, of niet.
Ze vermande zich, trok haar kaak in om haar gezicht smaller te maken, nam haar tuttenhouding aan en trok de deur voorzichtig open. Als een schichtig muisje glipte ze naar buiten. Vanuit haar ooghoeken zag ze dat de man stil bleef staan en haar aanstaarde.
Ze had het gevoel dat haar nekharen overeind gingen staan terwijl ze ieder moment verwachtte dat hij iets zou roepen, achter haar aan zou komen of haar neer zou schieten... Maar toen hoorde ze een schrapend geluid achter zich. Ze keek om. Hij versleepte weer een vuilnisbak over de met kinderkopjes geplaveide binnenplaats en gunde haar geen blik meer waard. De vermomming was geslaagd. Ze juichte inwendig en haar zelfvertrouwen groeide. Dit was een mooie manier om haar oude vaardigheden weer op te pakken.
Toen ze de steeg uitkwam, liep ze weg van het kruispunt, langs een muur vol aanplakbiljetten. Ze bleef niet staan, maar een van de posters wekte haar belangstelling. Het was de aankondiging van een serie optredens van het Cirque des Astres – het rondreizende Franse circus dat ze jaren geleden samen met haar ouders als dekmantel had gebruikt. Ze dreigde overspoeld te worden door een stortvloed van herinneringen, maar ze slaagde erin die te onderdrukken toen ze een taxi zag en er snel naartoe liep.
'De Gaulle, s'il vous plaît,' zei ze tegen de chauffeur.
Terwijl ze instapte, keek ze behoedzaam achterom. De vrouw of Mac waren in geen velden of wegen te bekennen. Maar ze voelde zich nog steeds niet op haar gemak. Ze ging schuin in een hoek zitten toen de taxi zich tussen het drukke verkeer voegde en lette goed op of ze gevolgd werd.

14

Gesprek met Brussel, België
'Met Hyperion.'
'Zo vroeg al? Is er iets aan de hand? Waar ben je?'
'Onderweg naar mijn château. Ik heb een afspraak met iemand die ons allebei tot voordeel zou kunnen strekken, Kronos.'
'Je klinkt overtuigend.'
'Natuurlijk. Het lijkt erop dat ik je binnenkort zal kunnen vertellen wie de chanteur is.'
'Aha! Ik ben een en al oor! Wie dan?'
'Nog niet, Kronos. Maar als alles verloopt zoals ik verwacht, zul je de naam snel te horen krijgen. Op één voorwaarde.'
'En die luidt?'
'Absolute geheimhouding. Niemand mag weten dat ik de bron ben. Kun je daarmee akkoord gaan?'
'Heel interessant. Word je gechanteerd, Hyperion?'
'Dat heeft er niets mee te maken.'
'Is die chanteur een gemeenschappelijke kennis van ons?'
'Ik wil er geen woord over zeggen. Zijn we het eens? Kronos? Ben je daar nog?'
'Ja, natuurlijk zijn we het eens. Ik wacht met kloppend hart op je telefoontje. Maar wees voorzichtig, Hyperion. De man met het archief is een moordenaar. Enfin, dat hoef ik jou niet te vertellen, hè?'

Londen, Engeland
Het Londense East End was nooit een welvarende buurt geweest, maar de kwalijke gevolgen van de globalisering had er duidelijk sporen achtergelaten. De economische reorganisatie die overal ter wereld de middenklasse uitdunde, was hier duidelijk zichtbaar in de vorm van aftandse gebouwen en geblindeerde winkelruiten. Liz liep haastig langs vijf winkels op rij die allemaal dichtgetimmerd waren. Vlakbij stonden mannen en vrouwen met een biertje in de hand op de stoep voor pubs en rookten hun sigaretten tot het filter op. Auto's reden met een gezapig vaartje door de straten en mensen met vermoeide gezichten sjokten naar huis.
Liz had gedurende de hele reis het gevoel gehad dat iemand haar in de gaten hield, hoewel ze niemand had kunnen vinden die haar achtervolgde. In een damestoilet op Heathrow had ze haar uiterlijk veranderd, zodat ze er nu iets anders uitzag dan de vrouw die uit Parijs was vertrokken. Ze droeg nog steeds de broek van het bruine pak,

maar ze had de baret, het jasje en Sarahs bril in haar schoudertas gestopt. Ze had haar haar gekamd en mascara en donkerrode lipstick op gedaan. In haar mouwloze bloesje en met haar normale houding zou Tish haar meteen herkennen, ook al hadden ze elkaar in geen jaren gezien. Maar als dat nodig mocht zijn, kon ze meteen haar vermomming weer oppakken.

Ze hield de schemerige straat tersluiks in het oog, terwijl ze op zoek was naar het flatgebouw waar Tish Childs woonde. Na de volgende dwarsstraat had ze het gevonden. De voordeur bevond zich in een steegje. Nadat ze nog één keer om zich heen had gekeken, liep ze de trap op en klopte aan. Vanuit de groentewinkel op de begane grond steeg de geur van rottende groente en fruit op.

Tish opende de deur op een kier en er verscheen een blij verraste trek op haar gezicht. Ze was een vermoeid uitziende vrouw van achter in de vijftig, met een jolige rode sjaal om haar hals en zorgvuldig opgemaakte ogen.

'Goh, kom maar gauw binnen, Liz. Blijf niet op de drempel staan. Heb je zin in een kopje thee? De ketel staat al op, dus het is zo klaar. Hoe heb je me gevonden, meid?'

Ze droeg een versleten kamerjas en slippers. Nadat ze de jas glad had gestreken, draaide ze zich om en liep haar kamer weer in, een tikje voorzichtig maar met een trotse houding die Liz zich nog goed kon herinneren. Het bed stond in een hoek en de zithoek bevond zich daar recht tegenover. Daartussenin stond een keukenblokje. Er was geen telefoon. Die zou wel te duur zijn.

Liz stapte naar binnen en trok de deur dicht. 'Ik heb je adres via internet gevonden. Hoe gaat het met je, tante Tish?'

'O, hemeltjelief. Het internet? Dat is een wereld die ik nooit zal leren kennen. Maar hou alsjeblieft op met die "tante"-onzin. Dat maakt dat ik me walgelijk oud voel. En trouwens, eigenlijk ben ik je tante niet meer.'

'Natuurlijk wel. Eens een tante, altijd een tante.'

'Dat is heel lief van je, kind. Vind je het erg om daar te gaan zitten? Die is in ieder geval schoon.'

De bank die ze aanwees, was hobbelig en versleten maar schoon. Liz ging zitten en keek toe hoe Tish het vuur onder een fluitketel hoger draaide. De stralen van de ondergaande zon vielen door het enige raam naar binnen. Het was inmiddels kil geworden in de kamer en de enige warmte kwam van het gasstel, waar een grote koffiekan, zonder bodem of deksel en met gaten in de zijkanten op een brandende pit stond. Het was geen efficiënt verwarmingstoestel, maar de energiekosten in Groot-Brittannië waren astronomisch gestegen.

Liz praatte over andere dingen terwijl het water aan de kook kwam en Tish thee zette.
'Het is maar orange pekoe,' zei Tish tegen haar. 'Gelukkig vind ik die juist lekker.'
Liz vermoedde dat het de enige thee was die ze in huis had, niets bijzonders en goedkoop. 'Daar ben ik echt dol op,' stelde ze Tish gerust. 'Kan ik je ergens mee helpen?'
'Doe niet zo mal, meid. Ik red me best.'
Tish bedekte de pot met een gehaakte theemuts, die ze vervolgens samen met een kannetje melk en twee theekopjes op een dienblad zette. Daarna liep ze met het dienblad naar een houten salontafel met een bewerkte rand. Ze bewoog zich moeizaam en leek over iedere stap na te denken. Met een kaarsrechte rug liet ze zich in een versleten oorfauteuil zakken en boog voorover om het blad op de tafel te zetten. Tegen de rug van haar stoel hing een elektrisch kussentje.
Ten slotte zei Liz: 'Vergeef me alsjeblieft als ik bemoeizuchtig lijk... maar heb je bij je scheiding van Mark geen alimentatie of een andere financiële regeling toegewezen gekregen?'
Tish bulderde het uit. Ze leunde achterover tegen het kussentje en poetste de tranen van het lachen uit haar ogen. 'O, dat is een goeie, zeg. Mark had nooit een cent te makken, lieve schat. Waarom denk je dat we nooit kinderen hebben gekregen? Ik had al een kind dat ik groot moest brengen. Hij!' Ze drukte met haar linkerhand op een schakelaar. 'Een elektrisch kussentje voor mijn krakkemikkige rug. Wil jij de thee inschenken, lieve meid?'
'Met genoegen.'
De theemuts was ooit elegant geweest, met de hand gehaakt en vol kleine kwastjes en ruches, maar hij zag er inmiddels haveloos uit. Liz deed een scheutje melk in de kopjes en schonk daarna de thee in met behulp van een theezeefje. De thee was slap, om de kosten van verse thee te drukken, maar de kopjes waren van echt porselein en versierd met subtiele gele rozen, een klassiek patroon dat ze in geen jaren had gezien.
Liz pakte haar kopje op. 'Mam heeft me nooit dat soort dingen over oom Mark verteld. Ik bedoel, hij was erg charmant. En knap. Ik heb me nooit gerealiseerd...'
De lachbui van Tish was afgezwakt tot een begrijpende glimlach. Ze hield haar kopje met twee handen vast, alsof ze zich eraan warmde. 'Natuurlijk was hij dat. Een aantrekkelijke schooier. En hij werkte er hard aan om het zo te houden, hoor. Dat was trouwens het enige waar hij hard aan werkte. Ik was nog maar een jong grietje en ik viel er als een blok voor. O, meestal hadden we geld genoeg, dat moet ik

toegeven, en ik had net zo'n gat in mijn hand als hij. Als ik er nu aan terugdenk, mag onze lieve heer weten waar het vandaan kwam en waar het aan op ging. Hij wilde me nooit iets vertellen en na een paar jaar wilde ik het niet eens meer weten. Daarom ben ik maar weer gaan werken, gewoon om er zeker van te zijn dat ik genoeg geld zou hebben voor eten en een dak boven mijn hoofd.' Ze haalde haar schouders op met een achteloos gebaar, dat Liz van Mark herkende. Haar stem werd zachter. 'Maar nu kan ik niet meer werken. Ik heb een vorm van gewrichtsontsteking in mijn ruggengraat. Dat was lelijk pech hebben.'

'Wat naar voor je. Ik had geen flauw idee dat je problemen met je gezondheid had. Eigenlijk zou de familie je moeten helpen.' Ze bleef Tish strak aankijken. Ze moest een vreselijke tijd achter de rug hebben. Liz zou haar neef, Sir Michael – Mick – die inmiddels de titel had geërfd, bellen om ervoor te zorgen dat Tish hulp kreeg. 'Was er dan niemand die besefte hoe Mark werkelijk was? Ik bedoel maar, dan had oom Robert vast wel geholpen. Ik weet zeker dat mam dat ook zou hebben gedaan.'

'Robbie ook. Per slot van rekening was Mark zijn kleine broertje. Robbie probeerde hem baantjes te bezorgen, maar daar zat Mark niet op te wachten. Hij was op geld uit, anders niet. Contant geld om de grote meneer uit te hangen. En Robbie heeft hem dat jarenlang toegestopt, tot hij er genoeg van kreeg en dat kan ik hem niet kwalijk nemen. Hij zei tegen Mark dat hij eindelijk maar eens volwassen moest worden en daarmee kwam er een eind aan wat ik altijd Robbies spijtoptantencenten noemde. Ik veronderstel dat niemand echt begreep hoe erg het was, zelfs Melanie niet. Per slot van rekening was Robert een prima politicus die wist wanneer hij zijn mond moest houden en Mark keek wel uit om er met iemand over te praten.' Haar stem kreeg een bittere klank.

'Wat bedoel je precies met de "spijtoptantencenten" van Sir Robert?' vroeg Liz.

Tish nam een slokje thee en zweeg even. 'Ik hield van Mark, Liz. Maar na verloop van tijd was het voor hem steeds moeilijker te verteren dat Robbie de titel en het geld had geërfd. Zo gaat dat nu eenmaal en zo is dat altijd gegaan en Melanie en Blake konden daar begrip voor opbrengen. Zij legden zich erbij neer en leidden hun eigen leven, zoals dochters en jongere zoons al duizend jaar hebben gedaan. Maar in diezelfde duizend jaar waren er ook heel wat die zich daar niet bij wensten neer te leggen en Mark was daar één van. Hij kon het idee nooit van zich afzetten dat hij in feite voorbestemd was om deel uit te maken van de landadel, zonder de noodzaak om te werken voor zijn geld – als een gewone arbeider, om zijn woorden te gebruiken. Vandaar dat hij dronk, smerige drugs gebruikte, gokte en de charmeur uithing, alsof hij altijd achttien zou blijven en alle rijkdommen ter wereld zou erven.' Ze kneep haar lippen op elkaar. 'Daarentegen schaamde Robbie zich volgens mij, omdat hij alles had gekregen en de rest van de familie vrijwel niets. Vandaar dat hij Mark onderhield, maar daar schoot die arme Mark niets mee op. Uiteindelijk hield ik het niet meer bij hem uit.'

'Wat een intens triest verhaal, Tish.'

'Ja,' knikte ze. 'Dat is het ook. Voor Mark en voor mij.' Ze leek even te piekeren, misschien omdat ze terugdacht aan betere tijden. Daarna klaarde ze weer op. 'Nou, laten we daar maar over ophouden. Een mens moet toch verder, hè? Wil je nog een kopje thee, lieverd?'

'Graag. Ik vergeet weleens hoe lekker Engelse thee is.'

Liz schonk eerst een vers kopje thee in voor Tish en daarna voor zichzelf. Ze zette de theemuts weer op de pot. 'Ik weet dat jullie al gescheiden waren toen Mark om het leven kwam, maar heb je voor die tijd toevallig nog gehoord waarom hij mijn moeder in Amerika wilde opzoeken?'

Daar leek Tish echt van op te kijken. Ze fronste en roerde in haar thee. 'Dat is vreemd. Dat je dat vraagt, bedoel ik.'

'Hoezo, Tish?'

'Nou, iemand anders heeft me dat ook gevraagd. Dat kan ik me nog goed herinneren, omdat het zo'n chique vent was die zich eigenlijk een beetje leek te schamen omdat hij zo nieuwsgierig was. En terecht. Kun je je dat voorstellen? Een volkomen vreemde die zijn neus in jouw familiezaken steekt? Ik bedoel maar, Mark en ik waren weliswaar gescheiden, maar ik had nog steeds geen zin om met Jan en alleman over de zaken van de familie Childs te praten. Het idee alleen al.'

'Was hij niet van de politie?'

'Politie? Nee hoor, geen sprake van. Dat zou iets heel anders zijn geweest, hoewel hij dan toch een verdomd goeie reden zou moeten hebben en zich ook fatsoenlijk had moeten legitimeren en zo.'

'Dus je hebt niets tegen die figuur gezegd?'

'Ik dacht het niet!' Ze glimlachte een beetje sluw. 'Nou ja, bijna niets. Ik heb tegen hem gezegd dat Mark en ik het er natuurlijk wel over hadden gehad. Hij had maar één zuster en het werd hoog tijd dat hij eindelijk eens een keer bij haar op bezoek ging, ook al woonde ze in een ander land en moest je een klein vermogen neertellen voor een vliegticket. Natuurlijk heeft hij me nog meer gevraagd, maar dat was mijn antwoord en daar kon hij het mee doen.'

'Wanneer is dat precies gebeurd, Tish? De juiste datum is heel belangrijk.'
Tish zat even na te denken. 'Ik denk ongeveer vijf jaar geleden. Ja, een maand of vijf, zes nadat Mark en die arme moeder van je om het leven kwamen en vlak na die arme Robbie. Dat was echt een vreselijke tijd voor de familie.'
Bijna op hetzelfde moment dat Langley haar weer had opgeroepen om nogmaals ondervraagd te worden, ditmaal over het archief van haar vader. 'Dus oom Mark heeft wel met je over zijn reis gepraat?'
'Toevallig wel, ja. Hij belde me altijd op als hij een slok op had en sentimenteel werd. Maar die dag kwam hij ineens zonder aankondiging hier opdraven. En volslagen nuchter. Hij was schoon, netjes geschoren en hij zag er echt op zijn paasbest uit. Hij vond dat we het maar opnieuw moesten proberen. Hij had zijn streken afgeleerd, zei hij. Binnenkort zou hij al zijn schulden afbetalen en dan zouden we weer bij elkaar kunnen komen.' Haar ogen waren vochtig. 'Hij smeekte gewoon. Hij zei dat je moeder hem zou helpen en dat alles dan helemaal in orde zou komen.'
Liz zette haar kopje neer en boog zich voorover. 'Zou mam hem helpen? Hoe dan?'
'Dat heb ik hem ook gevraagd. Ik kan me nog goed herinneren dat zijn ogen glansden. Hij was echt opgewonden en vol goede hoop. Hij zei dat hij er nog niets over mocht zeggen, maar dat hij een afspraak met Melanie had gemaakt waardoor hij schatrijk zou worden. Het had iets te maken met "Great Waters". Volgens hem was alles al min of meer in kannen en kruiken.'
'Maar verder heeft hij je niets verteld? Ook niet wat mam ermee te maken had?'
Tish staarde in haar kopje. 'Nee, maar hij heeft alles wat hij had aan mij nagelaten, ook al was dat niet veel. Nadat hij en Melanie om het leven waren gekomen, heb ik zijn papieren nagekeken en toen vond ik het dossier. Het waren alleen maar aantekeningen en ik snapte er geen bal van. Ik heb altijd gedacht dat Great Waters een of ander duur vakantieoord was. Maar zelfs als Melanie hem geld had beloofd, dan kon dat volgens mij nooit genoeg zijn geweest om zo'n heel oord op te kopen.'
Dus er was een dossier. Liz onderdrukte haar opwinding. 'Wat heb je daarmee gedaan?'
'O, dat zit nog steeds tussen zijn spullen. Ik kon het niet over mijn hart verkrijgen om die weg te gooien. Alles is in Fulham opgeslagen. Bij Lawrence Storage. Wil jij die dingen graag zien? Dat is lief van je, meid. Misschien vind je wel iets dat je graag zou willen hebben.

Een of ander klein aandenken, je weet wel. Ik vind het zo erg dat er niemand meer is die aan Mark denkt. Ik zal je het adres en de sleutel geven.'

Twee uur later was het nachtleven in East End volkomen op gang gekomen. Lantaarns wierpen lichtcirkels op de smerige straten, waar de druglords in glanzende Jaguars en Bentleys doorheen werden gereden. Meisjes, jongens en vrouwen stonden in uiterst luchtige, strakke kleren op de hoeken van de straten, in de hoop dat ze hun enige bevrediging zouden kunnen schenken. Er was vrijwel niemand die aandacht had voor een stille figuur in een zwarte overal, die in een steegje de deur opentrok die toegang gaf tot de kamers boven de groentezaak. Zodra hij binnen was, trok hij een bivakmuts over zijn gezicht en liep geluidloos en zonder haast de trap op. Hij klopte op de deur van Tish Childs. Op hetzelfde moment dat hij hoorde hoe de grendel werd weggeschoven, ramde hij de deur met zijn schouder open.
'Waar is ze?'
Hij duwde Tish Childs de kamer weer in en deed de deur achter zich op slot. De donkere make-up rond haar ogen gaf haar het uiterlijk van een angstig wasbeertje.
'Ik weet niet waar je het over hebt.'
Haar stem klonk zacht en vreemd beheerst, niet half zo bang als de indringer had verwacht. Hij kwam tot de conclusie dat ze in de loop der jaren al vaker door vakkundige mensen was ondervraagd en dat ze eerst wilde zien hoe serieus hij was. Hij trok de gestolen Walther en duwde die onder haar neus. Ze was meteen bij de les. Haar ogen veranderden in doffe zwarte kooltjes, maar ze bleven hard.
'Liz Sansborough,' zei hij. 'Waar is ze gebleven?'
Er verscheen even een opstandige trek op haar gezicht. 'Liz is hier helemaal niet geweest,' zei ze triomfantelijk.
Hij liet een kil lachje horen. Natuurlijk bood ze weerstand. Daar was hij al op voorbereid geweest vanaf het moment dat hij die vonk van weerspannigheid zag en de triomf in haar stem hoorde. En het deed hem genoegen. Hij gaf haar een pak slaag, tot ze uiteindelijk jammerend en onder het bloed vertelde wat hij wilde weten. Het had niet veel tijd gekost. Bij vrouwen was dat zelden het geval. Bij gewone mannen overigens ook, en het merendeel was gewoon.
Toen hij klaar was, schroefde hij een geluiddemper op de Walther en doodde haar met twee schoten: een in de buik en de ander in het hart. Hij haalde de hele kamer overhoop, liet wat sporen van cocaïne naast haar lichaam achter en holde de trap af. In de steeg gooide hij de Walther in een vuilcontainer.

Zijn mensen hadden het wapen helemaal vanuit Santa Barbara opgestuurd, waar ze het uit het handschoenenkastje van Sansboroughs auto hadden gestolen. Het lijk en Sansboroughs pistool zouden gevonden worden zodra hij de politie via een anonieme telefonische tip op de hoogte had gebracht.

Het opslagbedrijf Lawrence Lockup & Storage, in een straat ten zuiden van Brompton Road in Fulham, was een groot complex met ruimtes en kluizen die per maand of per jaar gehuurd konden worden. Op de doorgaande wegen die er vlak langs liepen, was het nog een drukte van belang omdat een groot aantal Londenaars na een afspraakje of theaterbezoek nog terug moest naar hun huizen in de buitenwijken, maar in deze straat vol pakhuizen en kleine bedrijfjes was het rustig en donker. Tussen de ver uit elkaar staande lantaarnpalen hingen donkere, ondoordringbare schaduwen. Simon Childs reed langzaam in zijn huurauto door de straat en zag dat er in het bedrijfskantoor nergens licht brandde. Het was een apart pand, met daarachter een rij naast elkaar staande gebouwtjes, de opslagruimtes.

Hij zette de auto langs de weg en stapte uit. In de verte zag hij lichtmasten met felle schijnwerpers en hij hoorde het geschreeuw van jonge mensen die bezig waren met hun voetbaltraining. De nacht rook naar stof en afkoelend asfalt.

Toen Simon in Londen was aangekomen, had hij een afspraak gemaakt met de vaste advocaat van de familie Childs en was tot de ontdekking gekomen dat hij de nalatenschap van oom Mark aan Tish Childs had geregeld. Veel was het niet geweest, een paar pond en wat bezittingen in een huurkamer. Hij vertelde Simon dat Tish een kluis had gehuurd waar ze alles naartoe had laten sturen en waar ze kennelijk nog regelmatig langsging. De advocaat was het daar duidelijk niet mee eens. Waarom moest ze het kleine beetje geld dat ze had uitgeven aan zinloze dingen die alleen sentimentele waarde hadden? Maar Simon kon dat juist wel appreciëren.

Het hek was dicht, het bedrijf was gesloten. Niet zo vreemd, gezien het late uur. Hij bestudeerde het met gaas bespannen hek dat eromheen stond. Het was ongeveer een meter tachtig hoog en hier en daar voorzien van veiligheidscamera's. Dat betekende dat er ergens binnen een kamer van de bewakingsdienst was met monitoren en, met een beetje mazzel, een kerel die dit werk al zo lang had gedaan dat hij zich suf verveelde en nauwelijks aandacht schonk aan de schermen waar toch nooit iets op te zien was.

Met een snelle beweging sprong Simon omhoog, pakte de bovenkant

van het hek vast, hees zich erover en sprong aan de binnenkant naar beneden. Hij rende meteen naar het kantoorpand en drukte zijn rug tegen de muur, waar hij buiten bereik was van de camera's. Alles bleef rustig op de betonnen binnenplaats en er gingen geen extra lampen aan. Na tien minuten liep hij op zijn gemak naar de achterkant, langs een pick-up met de naam van het bedrijf op de zijkant.
Tish Childs had G-3 gehuurd. G bleek de zesde rij gebouwtjes na de A te zijn en '3' was de derde kluis. De deur was voorzien van een bordje met G-3, maar het hangslot was kapot en hing los. Om de deur was nergens licht te zien.
Simon trok zijn pistool, rukte de deur open en sprong naar binnen. Voordat hij tijd had om zijn evenwicht te hervinden en zich af te vragen of zijn voorzorgsmaatregel wel noodzakelijk was geweest, werd die vraag al beantwoord: hij kreeg een enorme dreun tegen zijn hoofd en zijn pistool viel uit zijn hand.

15

Simon viel languit tegen een stel kartonnen dozen aan. Omdat ze topzwaar waren, kwamen er twee boven op hem terecht. Zijn hoofd bonsde nog van de trap die hij had gekregen en zijn schouder en borst, die de dozen hadden opgevangen, deden pijn. Toen hij ze van zich af duwde, werd hij verblind door het felle schijnsel van een zaklantaarn.
'Wie ben jij? Wat moet je hier?'
Het was een vrouwenstem die hem vaag bekend voorkwam. 'Ik ben de neef van Mark Childs,' zei hij verontwaardigd. 'Simon Childs. En wie ben jij, verdomme?'
Simon? Verduiveld, wat spookte *híj* hier nou uit? Liz keek hem strak aan, maar ze herkende hem nauwelijks. De laatste keer dat ze elkaar ontmoet hadden, was hij een tiener geweest. In het kille licht van haar zaklantaarn zag ze dat de magere knul een volwassen man was geworden... nog steeds slungelachtig, nog steeds met bruin haar. Zijn gezicht was voller geworden en vrij vierkant, met sterke kaken en zo'n mooie kin waar de meeste mensen wel op vielen. Wat haar het best aan hem beviel, was zijn neus... Die was misvormd, waarschijnlijk omdat hij daar tijdens een knokpartij een dreun op had gehad, en daar maakte ze uit op dat hij misschien toch niet zoveel veranderd was. Hij had een bruin sportcolbertje aan, een overhemd

zonder stropdas en een blauwe trainingsbroek waarvan het koordje strak om zijn gespierde middel was geknoopt.
Ze deed haar zaklantaarn uit en knipte de tl-buis die aan het plafond hing aan. 'Sta op, Simon,' zei ze abrupt.
'Liz?'
Hij was al overeind gekomen en staarde haar met grote ogen aan. Ze stond voor hem met haar handen in haar zij, in de ene zijn Beretta en in de andere de zaklantaarn. Vroeger was hij verschrikkelijk verliefd op haar geweest en hij nam alles gretig in zich op: de hoge jukbeenderen, de brede schouders, de grote borsten en de lange benen. Ze was niet zo mooi als in zijn herinnering, maar veel intrigerender. Of zouden dat gewoon de naweeën zijn van die door testosteron gevoede fantasieën van lang geleden? De romantische ideeën van een hitsige jongen?
'Mijn god, dat is eeuwen geleden,' zei hij.
Liz wist niets van deze volwassen man. Wat ze wél wist, was dat hij voor MI6 werkte en dat Mac nadrukkelijk had gezegd dat Langley alleen de Sûreté had ingeschakeld en niet de Britten. Dus wat spookte Simon hier uit? Hij zou zich vast wel herinneren dat zij, Liz, voor de CIA had gewerkt. Tot ze wist waarom MI6 plotseling belangstelling had voor de eigendommen van Mark moest ze maar niet te veel prijsgeven.
'Warm, maar niet in de roos,' jokte ze. 'Ik ben je nichtje niet. Ik ben Sarah Walker.'
Hij keek haar nog strakker aan. 'Ben jij Sárah?'
'Dacht je dat je eraf was gekomen met een simpele trap tegen je hoofd als ik Liz was geweest?'
'Ze hadden me verteld dat jullie sprekend op elkaar leken.' Hij bleef haar nog even aankijken en klopte toen zijn colbert en zijn broek af. Zijn hoofd bonsde nog steeds op de plek waar ze hem had geraakt. 'Je zult wel gelijk hebben. Met die zware Langley-opleiding in haar broekzak had ze me vast een pistool tegen de keel gedrukt tot ik met de juiste antwoorden op de proppen kwam.' Maar wat had Sarah hier te zoeken? Tussen neus en lippen door vroeg hij: 'Ben je nog steeds getrouwd met... hoe heette die vent ook alweer? O ja, Asher Flores. Die man van de CIA.'
'Probeer me niet in de luren te leggen, Simon. Je hebt mijn vraag niet beantwoord. Wat moet je hier?' Als jongen was hij snel ter been geweest, met een snelle babbel die hem ook snel in de problemen had gebracht.
Hij trok zijn wenkbrauwen op. Ze leek niet alleen op Liz, ze gedroeg zich ook net als de Liz die hij zich herinnerde. 'Die vraag kan ik net

zo goed stellen, hè?' Hij keek nadrukkelijk naar de rommelige verzameling oude schilderijen, dozen en stapels souvenirs. Een bankmap vol dossiers was opengeslagen. Hij knikte ernaar. 'Zoek je iets speciaals?'
'Nee,' zei ze droog. 'Ik ben de brave petemoei, op zoek naar muizen en kalebassen. Zullen we het sportief oplossen, Simon? Het lijkt me logisch dat Mark Childs de reden is waarom we hier allebei zijn. Ik vroeg het als eerste, dus als jij het goede voorbeeld geeft en eerlijk antwoord geeft, zal ik hetzelfde doen.'
Hij keek Sarah aandachtig aan. In de nasleep van dat CIA-gedonder uit 1996 had hij een discreet onderzoek ingesteld, omdat hij de indruk had gekregen dat Liz er ook iets mee te maken had. Het een leidde tot het ander, een wederzijdse gunst, een contact, nog een contact, een kast die stiekem open was gelaten, een computercode die gekraakt was... en hij had zich een aardig beeld kunnen vormen van wat zich precies had afgespeeld toen Liz en Sarah hadden geprobeerd om politiek asiel te krijgen voor de Carnivoor – de vader van Liz. Oom Hal zoals hij later tot zijn verbijstering zou ontdekken.
Maar wat nu telde, was dat Sarah tot het laatst toe bij de Carnivoor was gebleven. Het was best mogelijk dat zij iets zinnigs over dat archief had te melden.
'Hoe kan ik daar nee tegen zeggen?' zei hij. 'Misschien kunnen we elkaar helpen. Laten we maar eens beginnen met mijn pistool.' Hij stak zijn hand uit.
Ze keek hem aarzelend in de ogen. Ze waren net zo blauw als ze zich herinnerde, maar wat bedachtzamer. Zijn gezicht stond somber. Ze pakte het wapen bij de loop en stak hem de kolf toe.
'Bedankt.' Hij stopte het in de holster. 'Kort samengevat ben ik op zoek naar een verband tussen Mark en onze gezamenlijke oom, de Carnivoor.'
Ze slaagde erin haar verbazing te onderdrukken. 'Waarom zou MI6 in vredesnaam geïnteresseerd zijn in de Carnivoor? Hij is allang dood.'
'Dit heeft niets met MI6 te maken.'
'Heb je ontslag genomen of ben je gedeserteerd?'
'Dat doet er niet toe. Dit is een privékwestie en ik zou het op prijs stellen als jij het ook als zodanig zou willen beschouwen.'
Dat was Simon ten voeten uit... altijd in de problemen. Maar het leek erop dat hij geheimhouding net zo belangrijk vond als zij. Ze legde het deksel weer op de doos met dossiers die ze net had doorzocht en ging erop zitten.
'Akkoord,' zei ze. 'Vertel me maar wat er is gebeurd.'

‘Gisteravond was ik voor mijn werk in Bratislava... en nee, ik ga je niet vertellen wat ik daar deed.’ Hij ging op een andere doos zitten. ‘Laat in de avond heeft iemand me een briefje toegespeeld. Daarin stond dat ik naar de dom moest, waar een man me opwachtte. Ik heb zijn gezicht niet gezien. Hij beweerde dat een chanteur mijn vader tot zelfmoord had gedreven.’

‘En is dat ook zo?’

Hij dacht terug aan de bekentenis van Terrill. ‘Als ik afga op wat ik daarna te weten ben gekomen, ja.’

‘Arme Sir Robert.’ Ze had hem altijd graag gemogen. Hij was een van die degelijke Britten die zich altijd aan hun woord hielden, terwijl hij tegelijkertijd iets joligs had, alsof hij zichzelf stiekem als een soort ouderwetse piraat beschouwde, die in naam van de Kroon vermogens aan dubloenen bij elkaar stal. De verhalen over zijn buitenechtelijke relaties waren nooit bevestigd en ze was al lang geleden tot de slotsom gekomen dat het geruchten waren die nergens op sloegen.

Simon vertelde hoe zijn vader de Carnivoor in de arm had genomen om de Miller Street Killer uit de weg te ruimen. ‘Een paar decennia later probeerde iemand pa daarmee te chanteren.’ Simon beschreef zijn trip naar Zürich, waar Terrill Leaming had onthuld dat hij eveneens gebruik had gemaakt van de diensten van de Carnivoor en dat hij daarmee gechanteerd werd.

Liz zei niets. Dus daarom werd het archief zo fanatiek afgeschermd door de persoon die het in zijn bezit had... het werd gebruikt om chantage te plegen. Ze herinnerde zich Terrill Leaming als een van oom Roberts studievrienden en ze kende de naam van Claude de Darmond ook. Op de lijst met namen van de raad van bestuur van de Aylesworth Foundation had ook een De Darmond gestaan: *Alexandre* de Darmond. De twee waren broers van elkaar. Ze behoorden tot een grote bankiersfamilie, een dynastie in de trant van de Rothschilds.

‘Volgens Terrill was pa ervan overtuigd dat de chanteur werkte aan de hand van het archief van de Carnivoor,’ ging Simon verder. ‘Terrill dacht dat ook, vooral omdat hij een dreigende e-mail had gehad, met als aanhangsel iets dat eruitzag als een dossier van de klus die de Carnivoor voor de bank had opgeknapt.’

‘Wat wilde de chanteur van hen?’

‘Hij wilde dat pa voor een bepaalde handelsovereenkomst zou stemmen. En hij eiste dat Terrill de schuld op zich nam voor baron de Darmond.’

‘Interessant dat hij niet om geld vroeg. In plaats daarvan wilde hij

van de één een politieke gunst en bij de ander ging het om het oplossen van een misdaad.'
'Zo zie ik het ook. Hij schijnt goed in zijn slappe was te zitten, want hij heeft genoeg geld om beroepsmoordenaars in dienst te nemen. Hoe dan ook, mijn doel is simpel. Ik wil de klootzak die pa ertoe dreef zelfmoord te plegen. En de snelste manier om hem te vinden is via het archief.'
'Waarom verspil je je tijd dan hier? Ga met baron De Darmond praten.'
'Geen kans. Hij is onderweg van Zürich naar zijn landgoed ten noorden van Parijs. En het heeft geen zin om met mijn duimen te gaan zitten draaien tot hij landt. Dus volg ik een andere aanwijzing die Terrill me heeft gegeven.' Hij herhaalde Terrills bewering dat Sir Robert vermoedde dat een van Melanies broers het archief had gestolen. 'Aangezien oom Blake bij dat helikopterongeluk in Bosnië om het leven is gekomen bleef alleen oom Mark over.'
'Dus je wilt erachter zien te komen of Mark het archief had en als dat inderdaad zo was, wil je weten waar het na zijn dood is gebleven.'
'Precies.' Hij bleef een raar gevoel houden als hij naar haar keek. Die donkere ogen, dat opvallende gezicht. Ze had zelfs net zo'n melodieuze stem als Liz. 'Nu is het jouw beurt.'
Kon ze hem vertrouwen? Mac had erop gestaan dat ze met niemand over het archief zou praten en ook aan niemand zou vertellen dat de vrouw van een CIA-agent was ontvoerd. Tegelijkertijd was het archief misschien nodig om Sarah te redden. Ze verstijfde van angst bij het idee dat Sarah iets zou overkomen, maar ze slaagde erin dat gevoel snel te onderdrukken. Simon was al op de hoogte van het archief van de Carnivoor, dus moest ze alleen de ontvoering voor hem geheimhouden.
'Daarom ben ik hier ook... vanwege het archief van de Carnivoor,' zei ze tegen hem. 'Ik heb jou niet gevraagd wat je in Bratislava uitspookte, dus nu moet je mij ook niet vragen waarom ik dat nodig heb.'
Hij aarzelde. 'Dat lijkt me redelijk.'
Ze beschreef haar bezoek aan Tish Childs. 'Volgens Tish had de laatste "grote klapper" van Mark iets met Melanie te maken en met een of ander vakantieoord dat Great Waters heette. Ze zei dat hij er een dossier van had aangelegd, dus daar ben ik naar op zoek geweest. Deze heb ik al gehad.' Ze klopte op de doos waarop ze zat en wees nog vijf andere aan. 'Wat zou je ervan zeggen als we eens samen gingen zoeken?'

'Ik zat al te wachten tot je dat zou vragen.'
Er stonden minstens twintig dozen met papieren tussen de rotzooi. Hij stond op en maakte de doos waarop hij had gezeten open. Die zat vol stoffige archiefmappen. Hij liet zijn vingers langs de tabbladen glijden en las alles zorgvuldig door, op zoek naar verwijzingen naar vakantie- of kuuroorden, met name Great Waters. Vlak naast hem maakte Liz de volgende doos open. Ze doorzocht de inhoud en nam ook even de tijd om bepaalde mappen in te zien. Ze waren ongeveer tegelijk klaar en liepen naar andere dozen.
'Ondanks het feit dat hij zo'n mislukkeling was,' zei ze peinzend, 'ziet de administratie van Mark er toch verrassend netjes uit. Het rare is dat de datum op sommige van die mappen zelfs tot in de jaren zeventig teruggaat, ook al zit er niets in. Ze zijn nog zo goed als nieuw. Het is net alsof hij al etiketjes begon te plakken als hij alleen nog maar hoop koesterde dat zo'n project zou slagen. En als het niet van de grond kwam, gooide hij toch die map niet weg. Dat past in ieder geval perfect bij de beschrijving die Tish van hem gaf: een dromer zonder gevoel voor realiteit.'
'Ik krijg precies dezelfde indruk. Dat geeft mij de hoop dat hij dingen heeft bewaard waar wij iets aan hebben.' Terwijl hij doorwerkte, schoot hem iets te binnen. 'Als we het toch over het doorzoeken van archieven hebben, was het jou al opgevallen dat de FBI hun afluisterprogramma van moordenaars "Carnivoor" hebben genoemd?'
'Dat heb ik gelezen. Waarschijnlijk is het puur toeval.'
'Ik vroeg me onwillekeurig toch af of het misschien een pluimpje voor die beste oom Hal was.'
Ze lachte. 'Dat zou best kunnen. Waarom bel je niet een van je vriendjes bij het Bureau op om dat te vragen?'
'Ja, hoor. Dat zal ik doen.'
'Ja, vast.'
Ze grinnikten even tegen elkaar en zochten weer verder. Een uur kroop voorbij. Het begon behoorlijk muf te worden in de kluis. Liz kreeg pijn in haar rug van de verkrampte houding.
Het tweede uur was al een aardig eindje gevorderd toen Simon plotseling riep: 'Great Waters!' Hij plukte een archiefmap uit zijn doos. 'Hebbes!'
Een tel later stond ze al naast hem en ging op haar hurken zitten toen hij de map opensloeg. Haar vermoeidheid was verdwenen. In de map zaten gelinieerde velletjes uit aantekenboekjes, getypte vellen en zelfs een servetje, stuk voor stuk met een tijd en een datum en af en toe de naam van een plaats waar kennelijk een ontmoeting had plaatsgevonden.

Ze keken de aantekeningen snel door, maar er stond niets over het project zelf.
'Ze liggen in ieder geval op chronologische volgorde,' zei ze teleurgesteld.
Hij pakte het laatste papiertje op.

> Maak afspraak met Great Waters om volgende week donderdag de spullen af te leveren.
> Betaling 1 mil. pond.

Ze pakte het papiertje op. Er stond geen datum en geen handtekening op. 'Wat voor "spullen" zou hij bedoelen?' vroeg ze zich af. 'Het archief van de Carnivoor? Dat zou voor de juiste persoon best een miljoen pond waard kunnen zijn.'
Hij wendde zijn blik af en tuurde peinzend in de verte. '"Maak afspraak met Great Waters."' Hij schudde zijn hoofd. 'Maak afspraak *in* Great Waters?'
'En dat brengt ons terug bij de vraag wat Great Waters in vredesnaam is. Waar ligt dat? Ik heb er nog nooit van gehoord, jij?'
Hij schudde zijn hoofd. Ze bleven naar het papiertje kijken.
Ze fronste en liet haar gedachten de vrije loop. 'Misschien bedoelde hij echt een afspraak met Great Waters. Misschien is het een persoon, of een dier, of een personage in een toneelstuk, of een schuilnaam...'
'Dat is het!' Simon stond op, pakte zijn mobiele telefoon en begon een nummer in te toetsen.
'Wie bel je?'
Hij legde zijn vinger op zijn mond en begon in de telefoon te praten. 'Ha, Barry, ouwe jongen...'
Voordat hij verder kon gaan, gromde de stem aan de andere kant van de lijn: 'Wat bezielt je, Simon? Je baas zit te wachten tot ze je edele delen in haar aquarium kan smijten!'
Simon keek verrast op. 'Mag ik weten wat er aan de hand is?'
'Waarom ben je niet in Florence, zoals verdomme je opdracht is? In ieder geval wordt er níet van je verwacht dat je het hoofdkantoor belt. Waar zit je in vredesnaam?'
Ada's onderduikadres. Verdorie. Dat was hij helemaal vergeten. 'O, dat is alleen maar een misverstand. Ik ben aan het werk en ik moet iets weten.'
'Mis. Volgens mij moet je als de bliksem Ada bellen om je te verontschuldigen, ook al heb je nog zo'n slappe smoes.'
'Sorry, Barry. Het was niet mijn bedoeling om iemand dwars te zit-

ten. Ik ga vanavond nog naar Florence,' jokte hij. 'Maar voordat ik vertrek, moet ik nog even iets afmaken. Zit er in jouw databank of in die van Scotland Yard een gangster die Great Waters heet?'
Zonder iets te zeggen zette Barry Blackstein Simon in de wacht.
Liz stond op en keek hem vragend aan.
'Hij heeft me in de wacht gezet,' legde Simon uit. Verdomme, op de een of andere manier gaf ze hem het gevoel dat hij weer negen jaar was. 'Wat is er?'
'Je zit weer in de problemen, hè,' zei ze. Het was een conclusie, geen vraag.
'Ik zie dat je inderdaad een journalist bent,' zei hij. 'Je nieuwsgierigheid verraadt je.'
'Net als het feit dat ik de juiste conclusies trek. Je zou eigenlijk in Florence moeten zitten. Ga je daar vanavond echt naartoe? Als puntje bij paaltje komt, ben je nauwelijks veranderd, Simon.'
'Ik heb geen zin om een tijdje op vakantie te gaan in Florence. Ik vind het vrij belangrijk om erachter te komen of iemand mijn vader werkelijk tot zelfmoord heeft gedreven.'
Daar kon ze niets tegen inbrengen. Ze knikte onwillig. 'Je hebt gelijk. Sorry.'
Hij stak zijn hand op en fluisterde: 'Je excuses zijn aanvaard. Wacht even.'
Barry zat alweer tegen Simon te praten: 'Great Waters is de bijnaam van een Londense onderwereldfiguur die Gregory Waterson heette. Dat heb ik rechtstreeks van de afdeling georganiseerde misdaad van Scotland Yard. Waterson is in juni 1997 vermoord.'
Simon keek Liz even aan en zei tegen Barry: 'Dus Great Waters was een misdadiger. Dat dacht ik al uit de naam op te maken. Vermoord? In juni 1997?'
Liz verstarde. In dezelfde maand van datzelfde jaar hadden haar moeder en Mark de dood gevonden.
'Hij was eigenaar van een gokclub en hield zich ook bezig met prostitutie, illegale weddenschappen, afpersing en wat hij verder nog kon aanpakken,' vervolgde Barry. 'Hij had niet veel te vertellen, maar hij was wel ambitieus. Zijn afzetgebied werd overgenomen door Donny Mester. Het gerucht gaat dat Mester hem daarvoor heeft vermoord, zodat zijn eigen territorium verdubbelde. Wat ik nu graag wil weten, is wat jij als infiltrant met die wetenschap aan moet.'
'Je slaat de spijker op de kop,' zei Simon volkomen oprecht. 'Daar probeer ik nu juist achter te komen.'
'Wat heb jij daarginds nou met bendeoorlogen hier te maken? O nee. Simon, nee. Je zit toch niet in Londen, hè? Ada krijgt een hartaan-

val. Het is juist de bedoeling dat je je gedeisd houdt en overal met je handen afblijft. Ik zal dit moeten rapporteren...'
Simon zuchtte. 'Hou nou op, Barry. Ik mag dan af en toe een tikje warrig overkomen, maar ik ben niet helemaal geschift. Natuurlijk zit ik mijlenver van Engeland. De Britse eilanden hebben niets te vrezen. Binnenkort kun je je zorgen gaan maken over wat ik in Italië uitvreet. Maar eerst wil mijn contactpersoon weten wat zich precies tussen Donny Mester en Great Waters heeft afgespeeld. En dan zal hij mij vertellen wat ik moet weten om mijn werk te kunnen doen. Heeft Mester een rivaal? Dan kan ik die vent naar hem toesturen.'
Er klonk een zucht van ergernis. 'Oké, ik denk dat die contactpersoon van jou maar eens met Jimmy Unak moet gaan praten. Die was de beste maatjes met Great Waters. Maar toen Donny Mester het bewind overnam, was Jimmy verstandig genoeg om Mester trouw te zweren. Nu gaat het gerucht dat Mester het idee heeft dat Jimmy plannen maakt voor een staatsgreep. Tegelijkertijd wordt er ook gezegd dat Mester aan het konkelen is om Jimmy om zeep te laten brengen voordat het zover is. De gewone gang van zaken in de onderbuik van de stad.' Hij gaf het adres door van de club van de gangster, voegde er nog wat bijzonderheden aan toe en maakte een eind aan het gesprek met de waarschuwing: 'Ga nou maar als de bliksem naar Florence!'
Zodra Simon zijn mobiele telefoon had uitgezet, zei Liz: 'De gasexplosie die Melanie en Mark het leven kostte, was in juni 1997.'
'Dat dacht ik al. Wat een vervelende toestand.' Hij vertelde haar wat hij van Barry had gehoord. 'Volgens mij moesten we maar eens bij Jimmy Unak langsgaan.'
'Mijn idee. Kom op.' Ze liep naar de deur. 'Zou je het licht uit willen doen?' Ze drukte haar oor tegen de deur en luisterde.
Simon deed het licht uit en ging achter haar staan. Haar haar rook lekker. Ze glipte naar buiten. Hij liep achter haar aan en deed de deur dicht terwijl zij naar het kantoorpand rende. Vol waardering draafde hij achter haar aan. Ze sloop naar de linkerkant van het gebouw.
Hij keek om zich heen of hij een conciërge of een bewaker zag en ging naast haar staan. 'Hoe ben je binnengekomen?' vroeg hij fluisterend.
'Over het hek aan de voorkant. En jij?'
'Ook.'
Terwijl ze er haastig naartoe liepen, controleerde hij het bedrijfsterrein en maakte zich zorgen over dit open stuk, waar ze duidelijk zichtbaar zouden zijn voor de bewakingscamera's. Zodra ze bij het hek

waren, drukte hij op de knop van het elektrische slot, die vanaf de buitenkant niet bereikbaar was geweest.
Terwijl het hoge hek krakend naar binnen opengleed, keek Liz om naar het kantoorgebouw en zag een silhouet bewegen over het gesloten rolgordijn.
'Schiet op!' fluisterde ze.
Simon trok aan het hek, maar het bood weerstand en bleef in hetzelfde trage tempo opengaan. Op de dakrand van het kantoorpand flitsten zoeklichten aan die op de betonnen oprit waren gericht, waardoor ze ineens midden in het felle licht stonden. Simon vloekte.
Liz glipte zijwaarts door de opening, maar stapte bijna onmiddellijk weer terug en duwde het hek dicht.
Haar stem klonk gespannen. 'We hebben bezoek. Van top tot teen in het zwart. Hij stapte net uit een zwarte SUV, zonder dat de binnenverlichting aanging. Ik kreeg de indruk dat hij een pistool met geluiddemper in zijn hand heeft.'
'Heeft hij je gezien?'
'Natuurlijk niet. En ja, ik heb het nummer opgenomen. Niemand is mij hierheen gevolgd. Er was een vrouw in Parijs die me waarschijnlijk wel in de gaten moest houden, maar die heb ik daar afgeschud. Hij moet jou gevolgd hebben.'
'Ik zou niet weten hoe. Laten we maar gauw zorgen dat we van hem afkomen.'
Toen ze wegrenden bij het hek dook er een bewaker op uit het kantoor, die schreeuwde: 'Maak dat je wegkomt! Ik heb de politie gebeld!' Hij droeg een donkergrijs overhemd met een broek in dezelfde kleur en de naam van het opslagbedrijf stond op zijn schouders en op de voorkant van zijn platte uniformpet. Hij was ongewapend, met een hangbuik en een vastbesloten gezicht. Zelfs op kinderen van onder de twaalf zou hij nauwelijks indruk maken.
'Als jij me rugdekking geeft,' fluisterde Simon, 'dan zal ik proberen of ik dat uniform te pakken kan krijgen.'
Hij trok zijn pistool en rende recht op de man af, die een angstig keelgeluidje maakte en zich omdraaide. Maar Simon had hem al te pakken en duwde hem onder bedreiging met het pistool naar binnen.
Liz rende langs hen heen door een gang met aan weerszijden deuren die toegang gaven tot een aantal kantoren. Aan het eind stond een deur open, waardoor licht naar buiten viel. Het was het kantoor van de bewakingsdienst, met een wand vol monitoren. Ze liet zich in de stoel voor het bedieningspaneel vallen, bestudeerde het even en vond al snel de knoppen waarmee de camera's bij de hoofdingang bediend werden. Ze drukte op alle knoppen met het opschrift WISSEN.

Toen ze weer te voorschijn kwam, had Simon de bewaker een blinddoek omgedaan. De man zat in zijn hemd en was vastgebonden op de draaistoel van een van de secretaresses. Simon had zijn pet op en knoopte net het veel te grote overhemd dicht over het zijne. Simon had de sleutels van de bewaker in zijn ene hand en pakte met de andere zijn colbertje op.

Hij liep haastig naar de zijdeur. 'Deze kant op.' Hij keek niet of ze wel achter hem aan kwam, maar trok de deur open. Als hij zich goed herinnerde... ja, daar stond de pick-up van het bedrijf.

Ze begreep meteen wat hij van plan was en rende door het donker achter hem aan. Ze moesten ervandoor, voordat de indringer over het hek was geklommen. 'Ik ga vast opendoen.' Ze holde weg.

Simon ging snel achter het stuur zitten, zette de motor aan, trapte het gaspedaal in, keerde de truck en reed naar de voorkant.

Liz gaf weer een klap op knop van het elektrische hek en stapte naar links om meteen in de truck te kunnen springen. Ze hoorde geen geluid aan de andere kant van het hek, het geraas van de pick-upmotor overstemde alles wat er buiten gebeurde. Zodra Simon afremde, klom ze naast hem in de cabine en liet zich op de grond vallen.

'Goed zo.' Hij bleef strak voor zich uit kijken. 'Het hek staat inmiddels wijd open, dus we kunnen vertrekken.' Terwijl hij rustig naar buiten reed, maakte hij dankzij het overhemd en de pet van de bewaker een officiële indruk. 'Aan welke kant staat die SUV?'

'Rechts,' zei ze vanaf de vloer.

Hij sloeg linksaf.

'Zie je hem?' vroeg ze.

Hij keek in zijn spiegels en begon te grinniken, een lome grijns die zijn gezicht breed maakte en zijn gladde wangen omhoogduwde naar zijn ogen. Hij zag er ineens heel jong en zorgeloos uit, precies zoals vroeger vaak het geval was geweest.

'Wat is er zo leuk?'

'Die vent is net via het hek naar binnen geglipt en hij ziet er knap gluiperig uit. Hij heeft een bivakmuts op. Waarschijnlijk geeft hij zichzelf nu een klopje op de schouder omdat hij snel genoeg reageerde om niet over het hek te hoeven klimmen. We rijden een rondje en daarna pikken we mijn huurauto op. Hij heeft het druk genoeg om ons niet voor de voeten te lopen.'

'Voorlopig nog wel,' zei Liz en ging op de passagiersstoel zitten.

16

Het was allang middernacht geweest en in de straten van het levendige Londense uitgaansdistrict Soho hing een lawaaierige kermissfeer. Sigarettenrook en muziek dreven door de openstaande deuren van pubs en clubs naar buiten, terwijl de jongelui dronken, dansten, rookten en snoven. Groepjes meisjes zaten rond tafeltjes op caféterrasjes te kletsen en naar de jongens te gluren. De zomernacht werd fel verlicht door straatlantaarns en neonreclames en de trottoirs waren zoals gewoonlijk overvol.

De radio in Simons auto leuterde over de bijeenkomst van de G8-leiders, die de volgende week naar Glasgow kwamen voor topoverleg en fotosessies die de hele wereld over zouden gaan. Terwijl hij samen met Liz langzaam door de straten reed, op zoek naar een parkeerplaats, begon de nieuwslezer aan een nieuw onderwerp.

Liz zette de radio harder toen ze de naam Tish Childs opving. '... met dodelijke schotwonden aangetroffen in haar flat in East End,' zei de omroeper. 'Naast haar werden sporen van cocaïne gevonden. Ze bleek voor haar dood zwaar mishandeld te zijn.'

'O, mijn god, *Tish!*' Ze boog zich voorover om beter te kunnen luisteren.

'... en in een vuilcontainer in de steeg onder haar flat werd een van een geluidsdemper voorziene Walther aangetroffen. Momenteel worden proeven gedaan om te bepalen of dit inderdaad het moordwapen is. Een van de getuigen vertelde dat mevrouw Childs vanavond bezoek heeft gehad van een lange vrouw met kort, roodbruin haar. Een andere getuige beschreef een verdacht uitziende man in een zwarte overal, die zijn pet zo laag over zijn voorhoofd had getrokken dat zijn gezicht niet te onderscheiden was...'

'Verdomme!' zei Simon met opeengeklemde kaken. 'Ze heeft al zo'n rottijd met Mark gehad en dan gebeurt dit.'

Liz voelde haar hart bonzen. 'Afschuwelijk.' Nu had de persoon die het archief had ook Tish vermoord. Precies zoals hij twee keer in Santa Barbara en één keer op de stoep van het ziekenhuis in Parijs had geprobeerd haar te vermoorden. Ze keek naar de drukke straat en heel even had ze het gevoel dat achter elke autoruit een beroepsmoordenaar verscholen zat. Arme Tish. Ze had echt een veel beter leven verdiend.

'Houdt dat volgens jou allemaal verband met het archief van de Carnivoor?'

'Wat dacht jij dan?' Ze bestudeerde het drukke verkeer alsof dat het antwoord op al haar vragen kon geven. 'De eerste getuige had het

over mij, maar de tweede beschreef de gewapende man die na ons bij het opslagbedrijf aankwam. En dat betekent dat hij niet achter jou of mij aanzat. In plaats daarvan heeft hij Tish afgerost tot ze hem vertelde waar ik naartoe was gegaan. Het monster!'
'Dus hij ging naar Tish omdat hij op zoek was naar jou. Hoe kon hij weten dat je daar naartoe ging?'
'Ik wou dat ik het wist.' Haar mond was droog. Hoewel ze instinctief had gevoeld dat ze achtervolgd werd, had ze niemand gezien. Kennelijk was ze niet zo goed als ze dacht.
'Vertel me alles nou maar,' drong hij aan. 'Misschien kan ik het wel beredeneren.'
Ze wierp hem een scherpe blik toe. 'En ben jij dan bereid om me te vertellen wat je in Bratislava uitspookte?'
'Dat mag ik niet.'
'En ik mag jou ook niet meer vertellen.'
Ze keken elkaar aan. Toen hij zijn blik afwendde, zei hij: 'En nu zit de politie ook nog achter je aan. We kunnen er maar beter van uitgaan dat de beschrijving die ze van jou hebben veel gedetailleerder is dan de nieuwslezer kon doorgeven in de korte tijd die hij voor het onderwerp had.'
Liz zei niets meer en dacht aan Sarah. Ze vroeg zich af waar ze zou zijn en probeerde niet te piekeren over hoe het met haar ging, wat ze met haar gedaan hadden en hoe bang ze zou zijn. Tegelijkertijd deed ze haar best om de mensen die al vermoord waren uit haar hoofd te zetten. Niemand schoot er iets mee op als zij daarover zat te tobben. Ze waren allemaal slachtoffers, zelfs zij. Maar dit slachtoffer was geen katje om zonder handschoenen aan te pakken.
Simon vond een parkeerplaats in een smalle straat, zette de motor uit, pakte een zwarte sporttas van de achterbank en viste er een stapeltje legitimatiebewijzen uit waarvan hij er één uitzocht.
'Zitten daar ook echte legitimatiebewijzen bij?' vroeg ze.
'Ik hoop van niet.'
'Zijn ze van jou privé of van MI6?'
'Half om half.' Hij pakte zijn mobiele telefoon en toetste een nummer in. 'Mag ik Michele Warneck? Dat klopt. U spreekt met Simon Childs.' Terwijl hij zat te wachten, trommelde hij met zijn vingers op het stuur. 'Michele? Ja, in eigen persoon. Het bekende recept. Dat klopt. En bedankt.' Hij zette de telefoon uit.
'Waar ging dat over?'
'Een voorzorgsmaatregel. Maar het lijkt me beter dat ik de geheimen van Whitehall niet prijsgeef. Laten we maar eens gaan kijken of Jimmy Unak iets zinnigs te vertellen heeft.'

Jimmy Unaks hoofdkwartier was een nachtclub die de *Velvet Menagerie* heette. De neonreclame was voor Soho-begrippen klein en smaakvol. De portier had de bouw van een zwaargewicht worstelaar en droeg een duur, zwartzijden colbert. Twee gouden staafjes doorboorden zijn neusschot en zijn haar hing in één lange vlecht op zijn rug. Uit de manier waarop hij zijn schouders bewoog, maakte Liz op dat hij onder zijn oksel een pistool in een holster droeg.
Simon duwde hem zijn valse legitimatie onder de neus en de portier liet een vervaarlijk gegrom horen, dat kennelijk inhield dat ze naar binnen mochten. In de club zorgden ouderwetse discoballen voor duizelingwekkende kleurflitsen op de enorme dansvloer, waar paartjes rondzwierden op de oorverdovende klanken van Split Lip. Op het spandoek dat aan het plafond hing, werd de band gepresenteerd als de hotste groep van het Londense clubcircuit. En hoewel het allang na middernacht was, kon de lucht van zweet en alcohol het enthousiasme van de bezoekers niet drukken.
'Laat dit maar aan mij over,' zei Liz.
Voordat hij kon tegensputteren, worstelde ze zich al door de meute naar de bar en kromde haar wijsvinger. De barkeeper kwam met een optimistische blik in de ogen naar haar toe en bereikte haar op hetzelfde moment dat Simon naast haar opdook. Hij wierp een korte blik op Simon, maar keek haar meteen weer aan. Ze schonk hem haar liefste glimlach en informeerde boven de herrie uit waar ze meneer Unak kon vinden. Hij wees naar een met houtsnijwerk versierde deur, die bewaakt werd door een onopvallende man in smoking.
Toen hij wegliep om een echte klant te helpen, zag Liz de bobbel op zijn rug, onder de band van zijn witte schort. Ze draaide zich om en zag dat Simon met een verbeten trek om zijn mond naar hem stond te kijken. Hij had het pistool ook gezien. Ze liepen om de dansvloer heen, op weg naar de kwieke bewaker voor Jimmy Unaks deur. Die zou ook wel gewapend zijn.
Ze bracht haar mond bij Simons oor. 'Als je naar Jimmy Unaks kantoor gaat, word je vast gefouilleerd.' Hij droeg nog steeds zijn Beretta.
'Dat denk ik niet.'
'Ik schiet er niet veel mee op als je in het ziekenhuis belandt of het hoekje omgaat.'
'Vertrouw me nou maar. Alles is geregeld.'
'Je maakt me nerveus, Simon. Dit is geen spelletje.'
Hij zuchtte. 'Dat zegt mijn baas ook altijd. Geloof me nou maar, ik weet precies wat ik doe.'

'Ik kan dit ook wel in mijn eentje af, hoor.'
'Nee, dat kun je helemaal niet, Sarah. Als je een beetje mazzel hebt, kom je ongeschonden uit de strijd, maar je zou niets uit hem krijgen. Hou je nou maar koest en laat mij m'n gang gaan. Ik ben hier kind aan huis. Dat zou Liz allang begrepen hebben.'
Ze fronste. Hij kon z'n gang gaan, maar ze zou hem scherp in het oog houden.
Bij Unaks deur duwde Simon de onberispelijk geklede wachtpost zijn legitimatie onder de neus. 'Inspecteur Scott Anderson. Ik wil met Jimmy Unak praten.'
De man pakte Simons pols vast en bestudeerde de legitimatie. Hij trok één wenkbrauw op. 'Manchester? U bent een eind van huis, hè, inspecteur?'
'Goeie genade, je kunt lezen! Nou, komt er nog wat van?' Simon rukte zijn pols los en wierp hem een boze blik toe.
De gangster keek hem aan met de uitdrukkingsloze ogen van een haai, drukte zijn kin omlaag en zei iets in een microfoontje dat op zijn revers zat. In een van zijn oren zat een oordopje.
Even later flikkerden de ogen. De wachtpost opende de deur, raakte met zijn wijsvinger en duim zijn voorhoofd aan alsof hij nederig tegen zijn pet tikte en deelde met een zachte, spottende stem mee: 'Tweede deur links, m'neer.'
Liz voelde de adrenaline door haar aderen bruisen bij de toon die de man aansloeg. Maar ze moest toegeven dat Simon zich meesterlijk beheerste. Het leek alsof er een kluis achter hen dichtviel, toen de deur met een stevige *boink* werd dichtgetrokken en de muziek en alle andere herrie verdwenen alsof er een leiding was doorgesneden. Alles was kennelijk op een super-de-luxe manier geluiddicht gemaakt en Liz veronderstelde dat de deur en de gang ook wel kogelvrij zouden zijn. Ze werden opgewacht door een nieuwe bewaker, ditmaal een regelrechte spierbundel. Hij liep voor hen uit door de goed verlichte gang, klopte aan en deed Unaks deur open.
Jimmy Unak stond achter een breed bureau dat niet had misstaan in het kantoor van de president-directeur van een of andere multinational. Kleine, smaakvol omlijste impressionistische schilderijen die zomaar echt konden zijn, hingen op de notenhouten lambrisering. Unak was een enorme dikzak, maar zijn elegante smoking zat zo perfect dat hij alleen maar een tikje te zwaar leek. Hij pakte zijn afstandsbediening op om een politiek discussieprogramma van de BBC uit te zetten, liet zich rustig in een enorme bureaustoel zakken en gebaarde dat Liz en Simon de mooie leren stoelen voor zijn bureau konden nemen.

Terwijl ze gingen zitten, stelde de gespierde lijfwacht zich bij de deur op. Achter Unak zat een andere man op een gewone, rechte stoel, die schuin achterover tegen de wand leunde.
Unak keek boos. 'Uit Manchester, hè? Wat wil de politie van Manchester van mij, inspecteur... hoe heette je ook alweer?'
Liz zag dat Unaks gezicht strak en argwanend stond. Misschien vanwege de informatie die MI6 had doorgegeven... dat Unaks concurrent, Donny Mester, hem uit de weg wilde laten ruimen.
'Anderson,' zei Simon vriendelijk, maar op een toon alsof hij het tegen een kind had. 'Inspecteur Scott Anderson.'
Unak knikte even. De bewaker bij de deur liep de kamer uit. Die ging vast Scotland Yard bellen, om te informeren of de inspecteur uit Manchester hen, zoals hij verplicht was, wel van zijn komst op de hoogte had gesteld. Nu begreep Liz ook waarom Simon Michele Warneck had gebeld. Warneck zou hem bij Scotland Yard de hand boven het hoofd houden.
'Ik heb nooit namen kunnen onthouden.' Unak lachte. Het was een kil lachje, maar niet geheel vrij van zenuwen. 'Goed, wat heb je hier te zoeken, inspecteur? Ik ben in geen jaren in het noorden geweest.'
'We moeten eens even praten over een nieuwtje dat ons recentelijk ter ore is gekomen,' zei Simon, terwijl hij zijn benen over elkaar sloeg en op zijn gemak achterover leunde. Maar hij bleef Unak strak aankijken. 'Het zou misschien verstandiger zijn als we dat onder vier ogen konden doen.' Hij gunde de lijfwacht op zijn stoel tegen de muur geen blik waard.
Jimmy Unak ook niet. In plaats daarvan keek hij Liz met een stijf glimlachje aan. 'Wie is deze dame, inspecteur?'
'Rechercheur Phyllis Roam,' zei ze tegen hem. Ze zorgde dat haar stem effen en kil klonk.
Unak stak zijn waardering voor haar vrouwelijke uiterlijk niet onder stoelen of banken. 'Misschien moet ik wat vaker naar Lancashire komen, schat.'
Liz trok haar neus op, helemaal in haar rol van de minachtende politierechercheur uit het ruige noorden.
Unak pakte een briefopener op en begon zijn nagels schoon te maken. 'Er is niets wat mijn ouwe maatje Packy niet mag horen, inspecteur.' Hij wees naar de lijfwacht, die kennelijk Packy heette. 'Goed dan, waar gaat dat "nieuwtje" over waar ik volgens jou wel over zou willen praten?'
'Je voormalige vriend, wijlen Gregory Waterson, en je concurrent, Donny Mester.'
Het nijdige trekje verscheen weer op zijn gezicht. 'Ik hou er niet van

om over het verleden te praten. Gedane zaken nemen geen keer. Je schiet er niets mee op om daarover te gaan zitten kletsen.'
'Jammer genoeg willen wíj daar wel over praten, Jimmy, en dus kom je er niet onder uit.'
Unaks ogen schoten vuur en toen hij ging staan, leek het alsof de *Titanic* omhoogrees op een enorme golf. 'Tenzij jullie een arrestatiebevel op zak hebben, Anderson, denk je toch niet dat het me ook maar een bal interesseert wat jij wilt?'
'Inspectéúr Anderson,' snauwde Simon, nog steeds met dat verwaande toontje in zijn stem. Hij bleef rustig in zijn stoel zitten. 'En het interesseert je wel degelijk. We kunnen je namelijk een exacte beschrijving geven van de kerel die hierheen is gestuurd om jou om zeep te helpen.'
De gezichtsuitdrukking van de gangster veranderde niet, hoewel de boze blik in zijn ogen heel even plaats maakte voor angst. 'En wie mag dat dan wel zijn?'
'Laten we het eerst maar eens hebben over wat wij van jou willen. Je zou het een ruil kunnen noemen.'
'Een ruil? Wat voor ruil, verdomme?'
'Een deal noemen ze dat in Amerika. Quid pro quo. Je weet toch wel wat dat betekent, hè? Zo'n belangrijke vent als jij.'
Liz verstarde. Tot op dat moment had Simon het goed gedaan, maar nu begon ze zich zorgen te maken. De machtigste psychologische drijfveer voor het gebruik van geweld was een gevoel van schaamte, van vernedering, het idee dat je beledigd, gekleineerd of afgewezen werd. Al die dingen konden aanleiding geven tot de ultieme provocatie: de andere persoon was inferieur, geen knip voor de neus waard, een onbetekenende figuur.
Simon zat Unak opzettelijk uit te dagen. En het minste of geringste kon de gangster die geen problemen wenste met het machtige Scotland Yard veranderen in een venijnige en opvliegende man, waarschijnlijk met een minderwaardigheidscomplex, die volkomen irrationeel kon reageren ook al was dat tegen zijn eigen belang in. Het gevaar was voelbaar.
Unaks gezicht werd rood. 'Ik weet om de donder wel wat dat betekent, klabak, en die verrekte ruil van jou kan me gestolen worden!'
Packy, de lijfwacht, liet de twee voorste poten van zijn stoel met een klap op de grond terechtkomen en stak zijn rechterhand in het colbert van zijn smoking. Liz ging even verzitten, klaar om weg te duiken. Alleen Simon bleef onaangedaan, zoals je kon verwachten van een inspecteur van politie.

'Een ruil,' herhaalde Simon. 'Ik dacht namelijk dat je wel zou willen weten wie als jouw beul moet fungeren.'
Unak knipperde met zijn ogen. Hij zwaaide even afwerend met zijn grote hand naar Packy en de spanning brak. 'Hoe heet die vent? Dan maak ik die klootzak zelf koud!' Hij concentreerde zich op het belangrijkste... zijn leven.
Simon schudde even rustig met zijn hoofd, alsof hij de grote man berispte. Liz dwong zichzelf om rustig te blijven ademen en haar gezicht strak te houden. Engeland was anders dan de Verenigde Staten, een heel andere wereld. De balans tussen de politie en de misdaad helde hier meer over naar het gezag. Simon had in zijn eentje de goeie en de kwaaie smeris gespeeld en de gangster zo kwaad gemaakt dat hij bijna iets had gedaan waar hij spijt van zou krijgen en hem daarna een ruil aangeboden die opluchting bracht in plaats van als dreigement over te komen.
'Ik had het over een ruil, weet je nog wel?' vroeg Simon. 'Daarvoor moet je alleen een paar vragen over Mark Childs beantwoorden.'
Toen hij die naam hoorde, begon Jimmy Unak bijna te lachen. Hij knipte met zijn vingers tegen zijn zwijgende lijfwacht. 'Laat ons vijf minuten alleen, Packy.'
Zonder iets te zeggen liep Packy geluidloos naar de deur, die als een soort gefluister zacht achter hem dichtviel.
De gangster leunde weer achterover in zijn stoel, duidelijk opgelucht. 'Wat wou je over Childs weten?'
'We hebben gehoord dat Donny Mester Gregory Waterson heeft vermoord,' zei Simon. 'Wat ons interesseert is dat iedereen schijnt te denken dat de reden was dat hij Watersons afzetgebied over wilde nemen. Maar volgens ons was er veel meer aan de hand en wij denken dat Mark Childs daarbij betrokken was.'
Jimmy Unaks grote hoofd knikte even. 'Daar zouden jullie weleens gelijk in kunnen hebben. Geef me nou maar de naam van die klootzak die van plan is mij koud te maken, dan zal ik jullie alles vertellen over die stomme Mark Childs. Met het grootste genoegen.'
'Ik weet niet hoe hij heet, maar ik kan je een beschrijving geven, de plaats waar hij het laatst is gezien, zijn kenteken en nog een paar bijzonderheden over zijn SUV die ongetwijfeld gestolen zal zijn.'
Een fractie van een seconde voordat Simon de man met het pistool begon te beschrijven die Tish had vermoord en haar was gevolgd naar het opslagbedrijf in Fulham begreep Liz pas wat hij van plan was. Jimmy Unak schreef alles wat Simon hem vertelde in keurige blokletters op een stukje papier. Daarna leunde hij achterover en trakteerde hen op een bijna vaderlijke blik.

'Goed,' kwam Unak ter zake. 'Wat er gebeurd is, was dat Greg opdracht gaf om Childs een kopje kleiner te maken, omdat hij een Zipdisc had die op zijn minst een miljoen pond zou opbrengen. Dat was heel wat meer dan de hele verdomde handel van Greg waard was.'
Liz voelde haar hart bonzen. Het archief van de Carnivoor stond op een Zipdisc! En dat klopte ook met het briefje van Mark dat ze in de kluis hadden gevonden: *Betaling één miljoen pond.*
'En dat gebeurde in de Verenigde Staten?' vroeg Simon.
'Ja, dat heb ik toch gezegd.'
'Heeft Waterson ook Childs zuster, Melanie Sansborough, om het leven gebracht?' vroeg Liz.
Unak keek haar even aan en haalde zijn schouders op. 'Hij moest wel. Ze had hem gezien.'
Ze onderdrukte haar boosheid met moeite. Haar moeder. Die klootzak had haar moeder vermoord!
Simon was alweer aan het woord. 'Vertel me dan maar eens hoe hij dat precies heeft aangepakt, Jimmy.' Uit die opmerking viel op te maken dat hij dat allang wist en dat het verstandig zou zijn als Jimmy zich aan de waarheid hield.
'Hij heeft een gasleiding opgeblazen en ervoor gezorgd dat het een ongeluk leek.'
'En toen heeft hij die disc te pakken gekregen?'
'Hij beweerde van wel. Maar toen heeft die klootzak van een Mester hem daarvoor vermoord en die heeft het hele zaakje mooi zelf doorverkocht.' Hij vloekte luid.
Liz had moeite om haar emoties in bedwang te houden. Haar moeder had die disc in haar bezit gehad en op de een of andere manier was Mark daar achter gekomen. Ze herinnerde zich weer wat Tish had gezegd: *Mark zei dat zijn zuster hem nu zou helpen en dat alles helemaal in orde zou komen.* Voor de zoveelste keer was bij Mark de wens de vader van de gedachte geweest. Liz kon zich goed voorstellen dat Melanie en haar broer heftig ruzie hadden gekregen. Melanie had de disc nooit willen afstaan, terwijl een wanhopige Mark tot alles bereid was om haar van gedachten te doen veranderen... Misschien had hij zelfs zijn nieuwe vriend, Great Waters, wel meegebracht om haar te 'overtuigen'.
En Great Waters had haar vermoord. Melanie, met haar fijnbesneden gezichtje, haar brede glimlach en het akelige verleden waar ze mee wilde breken, had uiteindelijk toch haar leven verloren. Niet tijdens het gevaarlijke werk van een internationale huurmoordenaar, maar op haar veilige onderduikadres in Virginia, het nieuwe huis waar haar geliefde jongere broer op bezoek was gekomen.

Liz voelde haar adem versnellen terwijl ze haar best moest doen om haar gezicht strak te houden.
'Weet je ook wat er op die disc stond?' vroeg Simon verder. 'Wie heeft hem gekocht?'
'Ik weet niet wie de poen opgehoest heeft, maar Greg zei dat er alleen een stel dossiers met namen en datums opstond, dat soort dingen. Hij moest een hacker inhuren om erop in te kunnen breken. Volgens Greg was het ding geen knip voor de neus waard.' De gangster boog zich naar een intercom op zijn bureau en brulde: 'Packy, kom maar weer binnen.' Hij keek hen aan. 'Jullie kunnen nou maar beter maken dat je wegkomt, hè? Ik moet op zoek naar een zwarte SUV en een moordenaar en daar willen jullie vast niets mee te maken hebben.'
Simon stond op. 'Bedankt voor het plezierige bezoek, maar het lijkt me beter dat je ons die eer niet aandoet. In het noorden zal het je vast niet zo goed vergaan.'
Met die laatste waarschuwing om zijn gezicht niet in Manchester te laten zien vertrokken ze op hetzelfde moment dat de lijfwacht weer naar binnen kwam. Simon was zo diep in gedachten verzonken dat hij langs hem heen liep alsof hij onzichtbaar was. Terwijl ze om de lawaaierige, drukke dansvloer liepen, voelde Liz gewoon dat ze na werden gekeken.
Buiten propte Simon zijn handen diep in zijn broekzakken terwijl ze haastig over het trottoir liepen. Hij keek omhoog naar de sterren.
'Nu weten we het zeker,' zei hij somber.
Ze knikte. Haar stem klonk breekbaar. 'Het archief bestaat echt. En ze hebben de moeder van Liz vermoord om het in handen te krijgen.'
Naast elkaar liepen ze zwijgend verder, door de herrie en de opwinding van de levendige wereldstad die om hen heen bruiste. Liz voelde zich niet op haar gemak. Ze bleef om zich heen kijken en gunde haar ogen geen moment rust.

17

Telefoongesprek vanuit Brussel, België
'Heeft Sansborough het archief al gevonden?'
'Nog niet, Kronos.'
'Is er weer een aanslag op haar gepleegd?'
'In zekere zin wel.'

'Vertel me maar precies wat er is gebeurd.'

'Eerst ging ze op bezoek bij een vrouw, een zekere Tish Childs.'

'Die kan ik me nog wel herinneren... dat is de ex-vrouw van Mark Childs. We hebben vijf jaar geleden geprobeerd om inlichtingen uit haar los te peuteren, toen dat gedonder met dat archief begon. Ze wist nergens van. Heeft Sansborough meer succes gehad?'

'Ja. Sansborough kreeg de tip dat ze bij een opslagbedrijf in Fulham moest zijn. Daar kwam Simon Childs ook ineens opdagen. Hij is haar neef, maar dat weet je waarschijnlijk wel.'

'Hij is ook van MI6! En dat verdomde MI6 mag het archief niet in handen krijgen!'

'Hij beweert dat het om een privékwestie gaat. Iets persoonlijks, omdat de chanteur zijn vader tot zelfmoord heeft gedreven. Bij dat opslagbedrijf vonden ze een aanwijzing die hen bij een nachtclub in Soho bracht. Daar zijn ze te weten gekomen dat een Londense gangster het archief van Melanie Childs en haar broer heeft gestolen en hen heeft vermoord. Vervolgens heeft de gangster het archief voor één miljoen pond doorverkocht aan een onbekende persoon. Aangezien de prijs zo hoog was en de betaling geen problemen opleverde, kunnen we er volgens mij van uitgaan dat de koper een vermogend man is en het archief voor zijn eigen doeleinden wilde aanwenden.'

'De eerste chantagepogingen vonden al snel daarna plaats. Waarom zijn wij daar toen niet achter gekomen? Ik heb zelf jouw voorganger naar Tish Childs gestuurd.'

'Ze zei dat er iemand bij haar was geweest die vragen over Mark had gesteld. Maar ze vertelde Sansborough dat ze onder geen beding met vreemden over familiezaken wenste te spreken. Ze had genoeg meegemaakt om in dat opzicht voet bij stuk te houden.'

'Hoezo "ze had genoeg meegemaakt"?'

'Ze is dood. Vermoord. Waarschijnlijk binnen twee uur nadat jij een telefonische vergadering had belegd om iedereen op de hoogte te brengen van wat Sansborough uitspookte.'

'Dus de chanteur heeft een beroepsmoordenaar naar haar huis in East End gestuurd om Sansborough op te vangen?'

'Ja, Kronos. Het adres dat Sansborough haar taxichauffeur opgaf, heb ik zelf aan jou doorgegeven. De moordenaar heeft Mark Childs' ex-vrouw in elkaar geslagen om erachter te komen waar Sansborough naartoe was gegaan, en daarna heeft hij haar vermoord.'

'Dus de valstrik heeft gewerkt. Godverdomme nog aan toe! Het is een van mijn eigen mensen!'

Londen, Engeland

In de kleine uurtjes vlak voor zonsopgang reed Simon haastig weg bij de *Velvet Menagerie*. Samen met Liz lette hij goed op of ze door de politie werden gevolgd toen hij in zuidoostelijke richting reed, op weg naar Waterloo Station. Het was de bedoeling dat ze allebei terug zouden gaan naar Parijs, waar Simon een onderzoek zou instellen naar baron de Darmond.

'En jij?' vroeg hij. 'Wat ben jij van plan?'

'Ik ga naar mijn hotel om de toestand te overdenken,' zei Liz tegen hem.

Dat was niet helemaal waar. Haar mobiele telefoon was niet overgegaan en Mac had ook geen boodschappen ingesproken, dus de toestand rond Sarah en Asher was onveranderd en hij had ook nog geen uitslag van de proeven met de inhoud van de injectienaald.

'Ik wil wel graag weten wat jij van de baron te weten komt,' zei ze.

'Mij best, als het tenminste over het archief van de Carnivoor gaat. Als jij bereid bent om me met gelijke munt terug te betalen.'

'Afgesproken.'

Nadat ze elkaar hun mobiele nummers hadden gegeven, belde ze vast naar het station om plaatsen te reserveren in de Eurostar. De eerste mogelijkheid was de trein van tien over halfacht 's morgens, die om dertien minuten voor twaalf op het Gare du Nord aankwam.

Ze stopte haar mobiele telefoon weer weg. 'Denk je dat de mensen van Unak de moordenaar van Tish zullen vinden?'

'Op zijn eigen grondgebied? Reken maar.'

Ze dacht na over de 'ruil' die Simon met de gangster had gesloten. Het gaf haar vreemd genoeg een onbehaaglijk gevoel, een tikje dubieus. De moordenaar had Tish Childs mishandeld en vermoord en was vervolgens naar het opslagbedrijf gereden, ongetwijfeld met de bedoeling haar ook om het leven te brengen. Maar nu was diezelfde moordenaar zo goed als dood en dat betekende dat ze van die kant niets meer te vrezen had. Simon had een slimme valstrik gezet, maar dat veranderde niets aan het feit dat hij eigenlijk voor eigen rechter had gespeeld.

Ze dacht na over Simon, die de omgeving onder het rijden door goed in de gaten hield. Van opzij gezien had hij een uitstekende kin en een volle, gespannen mond. Hij zag er stram en boos uit en op de een of andere manier leek hij lang niet meer zo jong en onervaren. Hij had het karwei in de nachtclub prima aangepakt. Maar toch kon ze het idee niet van zich afzetten dat hij te onstuimig was, wat inhield dat hij niet alleen een gevaar was voor zichzelf, maar ook voor haar en Sarah. Ze vroeg zich af of ze zich te veel liet beïnvloeden

door haar herinneringen aan zijn jeugdige roekeloosheid.
'We zijn er.' Zijn stem klonk opgelucht.
Ze keek omhoog naar het beroemde Waterloo Station, dat als een spookverschijning omhoogrees naar de sterren, terwijl hij om het gebouw reed, op weg naar de ingang van de garage onder de internationale terminal. Het ondergrondse gebouw leek op een sarcofaag: een sombere bak van gewapend beton die niet alleen als dak voor de ondergrondse diende, maar ook als fundering voor het spoorwegstation boven hun hoofd.
Simon zocht een afgelegen plekje op en zette de motor af. Ze keken op hun horloges. Ze hadden nog iets meer dan vier uur voordat hun trein naar Parijs zou vertrekken.
'Niemand kent deze auto, hè?' vroeg ze.
'Dat klopt,' beaamde hij. Aan de kringen onder zijn ogen was te zien hoe moe hij was. 'Voorlopig zijn we veilig. Wil jij eerst slapen of eerst de wacht houden?'
'Ga jij maar slapen. Ik ben nog te opgefokt.' Ze bestudeerde de stille auto's en probeerde door de schaduwen te turen.
Hij knikte, liet de rugleuning van zijn stoel zakken, zocht de juiste houding voor zijn schouders en lag binnen een paar seconden te snurken. Zij bleef naar de garage kijken toen ergens een automotor aansloeg, terwijl ze aan het drukke internationale station boven haar hoofd dacht en piekerde over wat ze moest doen als de politie of andere huurmoordenaars haar stonden op te wachten.

In de onderwereld werd hij de Monnik genoemd en hij werkte altijd alleen. Hij had een betrouwbare reputatie in de duistere kringen waar dat soort dingen belangrijk waren. Terwijl hij voor het opslagbedrijf in zijn gestolen terreinwagen zat, bracht hij via zijn mobiele telefoon verslag uit aan de zelfbewuste mannenstem die hem via via in de arm had genomen.
De ijzeren zelfbeheersing van de Monnik was onaangetast, ook al was hij woedend. Hij had gefaald en dat was de schuld van zijn opdrachtgever. 'De Walther kwam te laat op Heathrow aan om haar in de flat te onderscheppen. Toen ik daar aankwam, lag dat mens van Childs behoorlijk dwars. Dat kostte me nog meer tijd.'
'Ben je teruggevallen op het reserveplan?' De stem was een schor gefluister, kennelijk omdat er gebruik werd gemaakt van een of ander vervormingsmechanisme, maar dat deed geen afbreuk aan de autoritaire toon.
'Ja, natuurlijk. Ik heb Tish Childs vermoord en de cocaïne en het wapen achtergelaten.'

'Dan zal de politie haar wel onder druk zetten. Ik zal uitzoeken waar ze nu is. Als ze nog steeds in Londen zit, neem ik contact met je op om de klus af te maken. Je geld kun je bij het postkantoor ophalen.'

Ik zit niet op een gunst van jou te wachten. Vol ergernis startte de Monnik de SUV en zette de wagen in de versnelling terwijl hij overwoog ergens een biertje en een broodje ham te gaan pakken. Maar hij was nog niet eens bij het eerste kruispunt, toen hij voor zich een vrachtwagen zag die dwars over de verlaten straat stond. Hij remde af. De meeste mensen zouden de twee mannen die zich in de schaduw ervan verscholen hielden niet eens hebben gezien, maar voor de Monnik was alles zo klaar als een klontje. Rechts van hem zag hij een zijstraat die hij zo in kon rijden. Veel te voor de hand liggend. Het was een hinderlaag.

De Monnik voelde een rilling van opwinding. Dit begon er meer op te lijken. Hij trapte op de rem, gooide de SUV in de achteruit, zette zijn voet weer op het gaspedaal en gaf een ruk aan het stuur. Terwijl de wagen gehoorzaam slipte, reed hij het trottoir op, greep zijn Mauser en stak vol opwinding zijn hand uit om zijn portier open te gooien.

De kogel die het linker voorraampje verbrijzelde, was afkomstig uit een pistool met een geluiddemper. Gedurende een onderdeel van een seconde hoorde hij een geluid als van een zweepslag. Daarna niets meer. De kogel ploegde zich door zijn hersenen, vloog door zijn oor weer naar buiten en spatte door het raampje aan de kant van het stuur. Hij viel uit de auto en was al dood voordat zijn hoofd de betonnen tegels raakte.

De uitsmijter liep om de SUV heen. Zijn lange haar hing in een vlecht op zijn rug en in zijn neusschot zat een piercing met twee gouden staafjes. Hij zag eruit als een zwaargewicht worstelaar en viel in zijn zwartzijden colbertje zo uit de toon, dat hij iedere voorbijganger was opgevallen, ook al had hij niet net een moord gepleegd. Maar alleen zijn eigen mannen hadden hem gezien en zijn slachtoffer was dood. Hij stopte zijn pistool weer in de holster. Over een paar minuten zou hij weer voor de deur van de *Velvet Menagerie* staan.

Liz sliep onrustig. Toen ze wakker werd, voelden haar ledematen zwaar aan en ze wist heel even niet meer waar ze was. Ze deed haar ogen niet open. In plaats daarvan luisterde ze naar de stilte in de ondergrondse parkeergarage, snoof de vage geur van benzine op en werd zich bewust van de stevige autostoel die haar gewicht droeg.

Ten slotte gluurde ze door de spleetjes van haar ogen. Simon zat naar haar te kijken. Ze bewoog zich niet en deed net alsof ze nog sliep.

Zijn blauwe ogen waren donker van intensiteit. Hij had zijn armen over elkaar geslagen en in zijn rechterhand was zijn Beretta te zien. De linker had hij onder zijn elleboog gestopt. Hij wendde zijn blik af om de donkere garage weer af te speuren.
Zijn soepele bewegingen en zijn vlotte, aantrekkelijke uiterlijk getuigden allemaal van een ongekunsteldheid die haar beviel. Hij beschouwde het leven kennelijk als een groot avontuur en dat was aanstekelijk. Waar hij ook was, overal keken vrouwen hem na. Niet alleen omdat hij knap was op een ongebruikelijke manier, maar vanwege zijn uitstraling. Zijn zelfbewuste houding had iets roofdierachtigs. Hij was het soort man dat nooit moeite zou hebben om een vrouw te vinden.
Aanvankelijk vond ze het vreemd en ook wel grappig dat hij naar haar had zitten kijken terwijl ze sliep. Maar nu hij opnieuw zijn aandacht op haar vestigde, voelde ze zich toch een beetje onbehaaglijk onder die felle blik.
Ze deed haar ogen open en knipperde, alsof ze net wakker werd. 'Problemen gehad?'
Hij wendde zijn blik af. 'Helemaal niet. De bewakingsdienst is twee keer langsgekomen, maar ze hebben niet de moeite genomen om in dit hoekje te kijken. Hoe voel je je?'
'Een stuk beter. Het zal zo langzamerhand wel tijd zijn om onze kaartjes op te halen.' Ze vroeg zich af wat hen boven te wachten stond.
'Bijna. Word je in Parijs door iemand afgehaald?' Zijn gezicht stond bezorgd.
Je bent Sarah, prentte ze zichzelf in. *Je moet denken als Sarah.* Ze werd opnieuw getroffen door de onbetrouwbaarheid die haar werk kenmerkte en hoe gemakkelijk iemand de gewoonte weer oppakte om de waarheid te verbergen en zich naar alle leugens te schikken.
'Asher had me willen ophalen,' zei ze met een tedere glimlach alsof ze aan hem dacht, 'maar hij werkt aan een opdracht. Dat geeft niets. Ik hou van die stad en ik moet toch werken.'
'Verwacht je nog meer moeilijkheden?'
'Zoals de moordenaar van Tish Childs? Absoluut niet.'
Hij leek haar niet te geloven. 'Heb je een wapen bij je?'
'Nee, en dat wil ik zo houden.'
Hij strekte zijn armen en liet haar zijn linkerhand zien, die een klein pistool met een korte loop vasthield, een zeldzaam voorkomend kaliber.22. 'Dat moet je wel doen. Als we ervan uitgaan dat iemand die vent in de arm heeft genomen, zal diezelfde persoon het vast nog wel een keer proberen. Je mag mijn reservepistool hebben.'
'Dat is heel lief van je, Simon. Echt waar. Maar nee, ik wil niet met

een pistool rondlopen. Daar heb ik een paar jaar geleden een eind aan gemaakt. En daar blijf ik bij.'
'Ook als je daarmee je eigen leven of dat van anderen kan redden?'
'Geweld is niet de enige manier om problemen op te lossen. Daar hou ik me mee bezig.' Ze begon over iets anders. 'Wat ga jij doen als je op dat landgoed van de baron bent geweest?'
Hij dacht even na en nam toen kennelijk een besluit. 'Dat hangt af van wat ik te weten kom.' Hij trok zijn broekspijp op en stopte het pistool in een holster op zijn scheenbeen.
'Áls je iets te weten komt.' Spionage was een kunst, maar ook bijzonder arbeidsintensief en ze had het gevoel dat hij iets achterhield. 'Simon, waarom sturen ze je naar Florence?'
Zijn mond verstrakte en kreeg een behoedzaam trekje. 'Italië is een verkapte vakantie.' Hij grinnikte haar ondeugend toe. 'Min of meer gedwongen.'
Liz lachte terug en liet niet merken dat ze hem ineens doorhad. Dit was zijn truc. Simon gebruikte jongensachtigheid, onstuimigheid en zelfs een vleugje arrogantie om de mensen het idee te geven dat hij een lichtgewicht was. Hij was veel onverzettelijker en hij had ook veel meer diepgang dan hij in feite wilde tonen.
'Dan stel ik voor dat je Parijs vergeet en naar Italië gaat,' zei ze tegen hem. 'Als MI6 niet op de hoogte is van het bestaan van het archief van de Carnivoor en wij krijgen hen dankzij jouw bemoeienis op onze nek, dan zou alles weleens in het honderd kunnen lopen. Niet alleen voor jou, maar ook voor mij. Misschien komen we er dan nooit achter wie de chanteur is en waar het archief zich bevindt.'
'Laat mijn baas maar aan mij over,' zei hij luchtig. Hij vroeg zich bezorgd af of ze de moeilijkheden die ze had wel aan zou kunnen.
'Dat is nou precies waar ik me zorgen over maak. Die verdomde, quasi-jolige eigenwijsheid. Daardoor blijf ik me maar afvragen of je wel weet waar je mee bezig bent. Ben je betrouwbaar? Of ga je plotseling uit pure eigendunk je weg om een of andere misstand uit je jeugd recht te zetten?'
Er verscheen een boze blik op zijn gezicht. 'Wacht even. Jij bent van ons tweeën de amateur. Als je niet met me samen wilt werken, prima. Ik weet toch niet of ik nog wel iets aan je heb. Maar als dat volgens jou wel het geval is, dan wil ik graag contact met je blijven houden.' En haar opnieuw te hulp schieten als dat nodig mocht zijn.
Ze dacht even na. Zijn manier om weg te komen bij dat opslagbedrijf was heel creatief geweest en hij was er ook in geslaagd om Jimmy Unak naar zijn pijpen te laten dansen. Hij had een slimme manier gevonden om de gemaskerde moordenaar uit de weg te ruimen.

Als puntje bij paaltje kwam, had ze geen enkele reden om aan hem te twijfelen. En als ze later van gedachten veranderde, hoefde ze hem niet te vertellen wat ze te weten was gekomen.
'Ik doe mee,' besloot ze. 'Maar dan moeten we wel een manier afspreken waarop we elkaar een boodschap kunnen doorgeven, als dat telefonisch niet gaat. Er is een restaurant in een zijstraat van de Champs-Elysées, de rue de Bassano. Het heet Chez Paul en het is vlak bij de Arc de Triomphe. Aan de overkant van de straat is een parkeergarage en daar staat een telefooncel.'
'Ik ken de buurt wel, maar ik kan me die telefooncel niet herinneren.'
'Die vind je vanzelf. Dat is een prima plek om boodschappen achter te laten. Er was een jonge vrouw, een dichteres, die daar altijd briefjes achterliet die ze schreef aan een oudere man die ze iedere dag bij Chez Paul zag zitten ontbijten. Zij was arm en te verlegen om hem aan te spreken, dus stopte ze anonieme boodschappen tussen de telefoon en de muur, hoewel ze geen moment verwachtte dat hij die ooit onder ogen zou krijgen. Maar ondertussen was de man haar ook aardig gaan vinden. Op een dag besloot hij bij de telefooncel te blijven wachten tot ze naar buiten zou komen. Toen zag hij dat ze in plaats van te bellen een briefje achterliet. Dat verontrustte hem nogal. Dus in plaats van haar aan te spreken, liep hij weg. Maar later is hij teruggegaan om dat briefje op te halen. Hij vond er een stuk of tien.'
'Was hij een spion?'
Ze schudde haar hoofd. 'Eindredacteur bij een uitgeverij. Toen hij de briefjes achter elkaar legde, drong het tot hem door dat ze onderdeel vormden van een lang, verhalend gedicht, opgedragen aan een onbereikbare minnaar. Het heette "In het Verkeerde Hart" en...'
'"We zitten samen in een glas waarin elk luchtbelletje een traan vormt",' citeerde hij. 'Nu herinner ik me dat verhaal weer. Ze werden verliefd op elkaar, zij heeft dat gedicht afgemaakt en hij heeft het uitgegeven.'
'Ja, dat klopt. Maar goed, de mensen die daar in de buurt wonen, laten daar tegenwoordig ook briefjes voor elkaar achter. Dat schijnt geluk te brengen. Je weet hoe de Fransen denken over een onbeantwoorde liefde.'
'Ik vind het een prima idee. Dan kunnen we die andere mensen als dekmantel gebruiken.' Hij legde zijn Beretta op zijn schoot, rekte zich uit en gaapte. 'Je hebt een tijdje op mijn schouder liggen slapen.'
'En je vond het niet leuk om als kussen te fungeren?'
Hij grinnikte. 'Om eerlijk te zijn beviel het me prima.'

Hij kon er nog steeds niet over uit dat ze zo sprekend op Liz leek. Het was een raar idee dat er gewoon niets klopte van alles wat zijn geheugen en zijn gevoelens hem ingaven. Ondanks zijn vermoeidheid had hij nog steeds dat rusteloze gevoel dat hij nog zo goed kende uit zijn jeugd, het gevolg van de hormonen die zijn leven hadden bepaald en die nog steeds een belangrijke rol speelden. Maar dat was niet het enige. Liz was een onaantastbare godin geweest, ouder en doordrongen van de wijsheid van een seksueel actieve vrouw. Ontzettend begeerlijk en volslagen onbereikbaar.

Hij moest ineens denken aan die klootzak met wie ze getrouwd was. Garrett nog iets. CIA. In de familie ging het gerucht dat ze bij de Company in dienst was getreden om vaker bij hem te kunnen zijn. Maar toen werd Garrett naar het Midden-Oosten gestuurd, waar hij door een stel terroristen was ontvoerd en vermoord. Het laatste wat Simon had gehoord, was dat Liz in Californië woonde en college gaf aan een universiteit.

Hij schraapte zijn keel. 'Ik moet je iets bekennen.'

'Ik weet niet of dat op dit moment wel zo'n goed idee is,' zei Liz ontwijkend. Ze had het onbehaaglijke gevoel dat ze wist wat er zou komen.

Simon vloekte binnensmonds. *Wat haalde hij zich in zijn hoofd?* Een gevoel van schuld welde in hem op. Ze was Liz helemaal niet. Ze was Sarah Walker en hij wist nauwelijks meer van haar dan hij in haar dossier had gelezen.

Maar goed, hij had de eerste stap gezet. 'Misschien niet, maar als ik een beetje vreemde indruk op je heb gemaakt, komt dat omdat je zoveel op Liz lijkt. Dat wou ik je alleen maar vertellen. Het spijt me.'

'Je hoeft je niet te verontschuldigen.'

'Nee, het spijt me echt. Want zie je... om eerlijk te zijn... nou ja, ik kan maar beter zeggen waar het op staat. Ik was ontzettend verliefd op Liz toen ik nog een jochie was. Nu lach je me echt uit. Je denkt vast dat het complete onzin was, vanwege het leeftijdsverschil en zo, maar ik aanbad haar. Ja, echt waar. In de tijd dat ze op Cambridge zat, liep ik altijd stiekem overal achter haar aan als ze in de vakantie kwam logeren. En dan trouwt ze met die ongelooflijke klootzak... Hoe heette hij ook alweer, Garrett of zo?'

'Garríck. Garrick Richmond. Vond jij dat een klootzak?'

'Jij niet dan?'

'Ik heb hem nooit ontmoet. Maar ik geloof dat ik veilig kan stellen dat Liz uiteindelijk ook tot de conclusie kwam dat hij een belabberde echtgenoot was.'

'Je bent al net zo tactvol als zij.'

'Had jij het idee dat Liz tactvol was? Goeie genade, wat een vergissing.' Het was vreemd om in de derde persoon over jezelf te praten. 'Jij was toch degene die een paar uur geleden beweerde dat Liz je meteen een pistool op de keel zou hebben gezet? Sinds wanneer is dat "tactvol"? Goed, je hebt je bekentenis gedaan, maar eigenlijk zou je dat aan Liz moeten vertellen, niet aan mij.' Niet op haar gemak keek ze opnieuw de garage rond en wierp een blik op haar horloge. 'Tijd om op te stappen.' Ze maakte haar schoudertas open en pakte er Sarahs bril, Ashers baret en haar eigen bruine jasje uit.

Toen ze zich verkleedde, keek Simon kritisch toe. 'Is dát je vermomming?'

'Het is meer dan voldoende.'

Hij waagde dat te betwijfelen, maar hij kon haar toch niet tegenhouden. 'Daar komen we snel genoeg achter.'

'Ik ga eerst,' zei ze tegen hem. 'We moeten allebei onze eigen kaartjes ophalen.'

'Daar ben ik het mee eens. En in de trein kunnen we ook maar beter niet bij elkaar gaan zitten.'

'Dat lijkt me een goed idee.'

Liz stapte uit de auto. Hoog aan de muren zorgden lampen voor enig licht in de betonnen duisternis. Ze trok het lelijke jasje recht en liep naar de roltrap, waarbij ze onderweg haar houding aanpaste. De wetenschap dat haar moeder was vermoord, drukte zwaar op haar schouders. Ondanks het feit dat haar moeder haar clandestiene leven vaarwel had gezegd, was het toch de oorzaak van haar dood geweest. Misschien kon je nooit aan dat soort dingen ontsnappen.

Simon liep achter haar aan en keek verrast toe. Het was net alsof Sarah in elkaar zakte en kleiner werd. Ze leek zachter, bijna verslagen, hoewel ze dat kennelijk nog niet accepteerde. Hij had haar het liefst een complimentje gegeven en haar verteld dat hij grote bewondering had voor wat ze klaarspeelde, maar ze liep steeds verder voor hem uit, scharrelend als een bedeesd muisje. Tegen de tijd dat ze de internationale terminal bereikt hadden, zag hij nog maar weinig overeenkomst met de echte Sarah Walker. En dat was maar goed ook, niet alleen vanwege de politie. Als er al één moordenaar op haar af was gestuurd, zouden er ongetwijfeld meer volgen.

De hal was een enorme open ruimte, die weergalmde van het geluid van stemmen, voetstappen, koffers op wieltjes en aankondigingen. Liz dacht niet meer aan Simon en zijn vermoedens, want toen ze naar het loket liep, doken er ineens twee gehelmde bobby's op. Haar hart begon te bonzen. Ze was het liefst weggerend, maar daarmee zou ze waarschijnlijk juist hun aandacht trekken.

Ze dwong zichzelf rustig te blijven ademen terwijl de ogen van de beide mannen door de hal dwaalden. Vrijwel tegelijkertijd bleven ze op haar rusten. Ze kroop nog dieper in elkaar en bleef onhandig doorlopen, turend door Sarahs bril alsof ze hopeloos bijziend was. Ondertussen bleef ze de politiemannen stiekem vanuit haar ooghoeken in de gaten houden.
Helemaal links van haar liet Simon bij een van de loketten zijn MI6-legitimatie zien en werd naar binnen geroepen waar hij een vergunning zou krijgen om zijn Beretta aan boord van de Eurostar te mogen dragen. Dat kon binnen een paar seconden voor elkaar zijn, of het zou heel lang duren als ze besloten alles via de officiële weg te doen.
Toen zij naar een ander loket liep, gingen de politieagenten een andere kant op en vervolgden hun patrouille.
'Gare du Nord, alstublieft.' Ze gaf de naam op die ze bij de reservering van het kaartje had gebruikt: Sarah Walker.
'Uw paspoort, mevrouw.' De kaartverkoper had grijs haar en zag er indrukwekkend uit in zijn geperste uniform. Hij keek haar over de rand van zijn leesbril aan. Zijn voorhoofd en wangen waren gerimpeld van ouderdom.
'Ja, meneer,' zei ze zacht, zonder uit haar rol van bedeesd muisje te vallen. Ze gaf hem Sarahs paspoort.
Terwijl hij zich erover boog en erin begon te bladeren, zag ze een geüniformeerd personeelslid een deur uitkomen en de lange, met gaas bespannen kooi binnengaan waar de kaartverkopers zaten. Hij liep achter alle verkopers langs en legde bij iedereen een pamflet op tafel. Liz wierp een scherpe blik op het papier dat naast de elleboog van haar verkoper lag. Haar hart stond stil. Vanuit haar gezichtspunt lag het pamflet ondersteboven, maar ze kon zien dat het iets officieels was... afkomstig van Scotland Yard.
Haar mond werd droog toen ze de woorden *Patricia Warren Childs, moord* en *East End* zag. De tekening leek op haar, de potentiële moordenares, maar het was geen volmaakte gelijkenis en ze zag er heel anders uit, dankzij haar bril, haar baret en haar timide manier van doen. Maar als de kaartverkoper de gelijkenis tussen de tekening en de pasfoto zou zien, zou dat een te groot toeval zijn om het bij een achteloze vergelijking te laten. Als hij de bobby's riep en ze haar tas zouden doorzoeken, zouden ze twee paspoorten vinden, met twee verschillende namen maar met ogenschijnlijk dezelfde foto. Dat zou alleen al reden genoeg zijn om haar te arresteren en als ze in de gevangenis belandde, zou ze geen schijn van kans meer hebben om het archief van de Carnivoor te vinden en Sarah te redden.

De kaartverkoper hield op met bladeren en zat haar foto te bestuderen.
Ze moest snel iets doen, voordat hij naar het pamflet keek, en ze bestudeerde zijn grijze haar en zijn gerimpelde gezicht. Hij was op z'n minst zestig. En dat bracht haar op een idee... Het was heel natuurlijk om je zorgen te maken over je gezondheid, vooral als je ouder begon te worden.
Toen hij van de foto naar haar keek en weer naar de foto, stak ze haar hand in haar schoudertas.
'Hier hebt u mijn Californische rijbewijs,' zei ze verontschuldigend en sloeg Sarahs portefeuille open om op die manier te bevestigen dat ze inderdaad de vrouw op de pasfoto was. 'Deze foto en de pasfoto zijn genomen voordat mijn gezichtsvermogen zo verslechterde.' Ze boog zich voorover, tikte tegen de grote bril die ze droeg en fluisterde: 'Ik zie dat u ook een bril draagt. Ik hoop dat er met uw ogen niets ernstigs mis is.'
Zonder na te denken duwde hij zijn stalen brilletje hoger op zijn neus.
'Maar u lijkt helemaal niet op deze foto's,' zei hij beschuldigend.
'Ik wou dat het nog wel zo was.' Ze keek wazig om zich heen. 'Ik had u willen vragen welke kant ik op moest om bij de trein te komen. Ik ben nog niet blind, dus ik hoef nog niet met een stok te lopen, maar ik heb moeite met het lezen van borden. Dus ik zal blij zijn als u me een eindje op weg kunt helpen.'
Ze keek hem met onderdrukte nervositeit aan. Zijn strenge gezicht stond al iets milder. Nu moest ze doordrukken, ook al liep ze het risico dat hij niet meewerkte en om assistentie zou vragen.
'Ik zal mijn rijbewijs moeten inleveren als ik weer thuis ben,' zei ze tegen hem. 'Ik kan echt niet meer genoeg zien om te kunnen rijden. Volgens mijn psychiater heeft mijn zelfvertrouwen een flinke deuk gekregen door het feit dat ik langzaam maar zeker blind word. Vroeger was ik echt knap, vindt u ook niet?'
Ze glimlachte dapper.
Zijn gezicht vertrok. 'Ja, heel knap.'
Goddank waren er nog vriendelijke mensen. 'Zou u me nu alstublieft willen wijzen waar ik naartoe moet?'
Dat gaf de doorslag. Hij wees en begon te praten. Ze pakte haar paspoort en rijbewijs weer op en bedankte hem. Simon zat vlakbij op een bankje en deed net alsof hij verdiept was in *The Times*. Hij keek even op en knikte bijna onmerkbaar. Hij was duidelijk op zijn hoede. Ze ging haastig op weg naar het perron. Hij stond op, stopte de opgevouwen krant onder zijn arm en liep achter haar aan.

18

Parijs, Frankrijk

Tijdens de lange reis vanaf Londen zorgden Liz en Simon ervoor dat ze bij elkaar in de buurt zaten, zodat ze om de beurt de wacht konden houden en slapen. Toen ze in Parijs aankwamen, huurde hij een auto en zij nam een taxi.

Zodra ze op de achterbank zat, toetste ze het nummer van Mac in, maar ze kreeg geen gehoor. Ze liet een boodschap achter waarin ze vroeg of hij haar wilde bellen en begon na te denken over Asher. Ze hoopte dat hij zich al wat beter zou voelen en goed nieuws had over Sarah. Ze wilde hem alles vertellen over Londen, over de moord op Tish, over Simon en over MI6. Hij moest ook weten dat ze erachter waren gekomen dat Melanie en Mark vermoord waren en dat het archief uiteindelijk verkocht was. Natuurlijk kon ze al die dingen niet aan Mac vertellen, want dan liep ze het risico dat alle inlichtingen rechtstreeks werden doorgegeven aan de moordenaars die haar achtervolgden.

Toen ze uiteindelijk bij het ziekenhuis aankwam, was het vroeg in de middag. De verplegende staf was bezig met het uitdelen van medicijnen en de vervoersdienst bracht patiënten in rolstoelen en bedden naar de diverse behandelkamers. In de hal hing een lucht van vermoeidheid en lysol. Ze liep haastig naar de deur van Ashers kamer en fronste. De stoel in de gang was verdwenen en er was geen spoor te bekennen van een bewaker... van de CIA of van een andere instelling. De deur stond open en ze wierp haastig een blik naar binnen.

De man die in het bed lag te slapen was bijna kaal, in de buurt van de zeventig en voorzien van een meervoudige onderkin. Geen enkele gelijkenis met Asher.

Ze liep haastig terug naar de verpleegstersbalie. 'Waar is Asher Flores gebleven?'

'Ach, ja, mevrouw Flores.' Het was dezelfde verpleegkundige die ze gisteren had gesproken. 'Hebben ze u niet op de hoogte gebracht?'

'Waarvan? Wat is er met Asher gebeurd?'

De verpleegkundige keek haar met grote ogen aan. 'Hij is ontslagen. Wist u dat niet?'

'Ik ben de stad uit geweest.'

Waarom zou Langley Asher weghalen van een plek waar hij veilig was en de juiste behandeling kreeg? Misschien was het wel goed nieuws. Misschien had Langley Sarah gevonden, haar met Asher her-

enigd en werden ze nu samen veilig en onder medisch toezicht naar huis gevlogen.
Maar als dat zo was, zou Mac haar hebben gebeld. 'Waar hebben ze hem naartoe gebracht?'
'Dat hebben ze ons niet verteld, madame. Dat gaat ons ook eigenlijk niets aan. Zodra meneer het ziekenhuis verlaten had, was hij onder de hoede van de Amerikaanse arts.'
'Was er een Amerikaanse arts bij hem? En wie was dat dan?'
'Een man die de bewaker meebracht. Het spijt me, dat had ik u meteen moeten vertellen. Ik weet zeker dat monsieur in uitstekende handen is.'
Liz liep met grote stappen weg en piekerde zich suf. Zelfs als Sarah in veiligheid was, moest Liz haar zoektocht naar de chanteur en het archief voortzetten, maar dan zou de druk van de ketel zijn. Maar ze moest echt Mac bellen om erachter te komen wat dit allemaal te betekenen had. Het verkeer denderde voorbij terwijl ze stond te luisteren hoe Macs mobiele telefoon eindeloos overging. Ze hadden afgesproken dat ze contact met elkaar zouden houden. Waar zat hij?
Ten slotte hield ze een taxi aan en stapte in. 'Hotel Valhalla. Via de kortste route, *s'il vous plaît.*' Ze keek in de achteruitkijkspiegel waarin ze gedeeltelijk het gezicht van de taxichauffeur kon zien. 'Hebt u me vandaag ook bij het Gare du Nord opgepikt?'
Hij droeg een zonnebril en een pet en op zijn smalle gezicht stond de verbazing te lezen. *'Oui, mademoiselle.* Ik was blij dat u meteen weer het ziekenhuis uitkwam. Anders had ik op zoek moeten gaan naar een andere passagier.'
Op de heenweg had hij de flair en de bijzondere kennis getoond die het kenmerk zijn van de beste Parijse taxichauffeurs. 'Mooi,' zei ze. 'Ik moet nu heel snel naar mijn hotel toe.'
'U weet toch dat het hier 's middags vrij druk is.'
'Twintig euro als u het binnen een halfuur klaarspeelt.'
'Ah, wat een uitdaging!'
Hij trapte het gaspedaal in, stoof langs een van de Renault Twingo's waar het in de stad van wemelde en voegde centimeters voor de voorbumper van het wagentje weer in. Ze leunde achterover terwijl hij zijn taxi door het verkeer zwiepte en op zijn claxon drukte om aan te geven dat hij haast had. Op de boulevards en in de straten van deze stad waren taxi's heer en meester. Je zag ze overal waar je keek rijden, voordringen en weven, terwijl de rechthoekige lichtbakken als baguettes boven de daken van andere auto's uitstaken.
Ze probeerde opnieuw Mac te bellen. Opnieuw kreeg ze geen gehoor.
De tijd leek stil te staan toen ze met niets ziende ogen uit het raam-

pje keek. Ten slotte stopte de taxi met een ruk voor haar hotel. Ze gaf de chauffeur de beloofde fooi en liep met grote passen naar de receptie. Maar daar lag ook geen boodschap op haar te wachten.
Ze nam de lift naar boven, waarbij ze het langzame ding zwijgend vervloekte, en rende naar Sarahs kamer. Ze maakte de deur open, liep voorzichtig naar binnen en keek om zich heen. Alles stond op de plaats. De kamer en de badkamer waren leeg.
Ze deed de grendel op de deur, drukte zich weer tegen de muur naast de erker die uitkeek over het kruispunt en gluurde naar beneden. Daar was ze, de spion van Mac, de gespierde vrouw met het haar dat stijf stond van de lak en de roodbruine lipstick. De vrouw die gisteren op de stoep van het ziekenhuis een blik met Mac had gewisseld. Ze zat weer op de bank bij de bushalte, maar nu droeg ze een zonnebril en het was net alsof ze strak naar het raam van Liz zat te turen. Op de een of andere manier was ze vandaag anders en dat bezorgde Liz een onbehaaglijk gevoel. Er was iets gebeurd. Maar wat?
Mac was nergens te bekennen. Liz zuchtte, draaide zich om en keek de kamer weer in. Op dat moment zag ze ineens de stukjes plastic die om Sarahs laptop lagen. Verbaasd trok ze het apparaat open. En bleef stokstijf staan. Het binnenwerk was volledig vernield: het scherm lag aan flarden en het toetsenbord was kapotgeslagen. Wie...
Ze keek opnieuw de kamer rond, maar ze zag nog steeds niets ongewoons. De koffers stonden op dezelfde plek waar ze die had achtergelaten en het bed was keurig opgemaakt. En onbeslapen, uiteraard. Maar toch was er ingebroken en iemand had Sarahs computer vernield. Vandalisme? Nee. Een waarschuwing dat ze hier niet veilig was.
Dat moest ze meteen aan Mac vertellen, maar hij nam opnieuw zijn mobiele telefoon niet op. Ze schudde haar hoofd, zo bezorgd dat ze er benauwd van werd. Maar goed, ze moest in ieder geval zorgen dat ze er anders uit kwam te zien. Ze controleerde nog een keer of de grendel op de deur zat, trok haar kleren uit en stapte haastig onder de douche.
Terwijl het warme water over haar heen plensde, begon alles wat er de laatste twee dagen was gebeurd weer door haar hoofd te spelen. Was dat echt allemaal veroorzaakt door het archief van haar vader? Na de ontvoering van Sarah en de gebeurtenissen in Londen moest ze daar wel van uitgaan. In gedachten zag ze Sarahs gezicht voor zich en heel even vreesde ze opnieuw het ergste.
Ze droogde zich af en probeerde zich voor te stellen waar Mac uithing. Ze had eigenlijk helemaal geen zin om weer rechtstreeks con-

tact op te nemen met de CIA, of zelfs met de vrouw beneden op het bankje bij de bushalte, maar misschien zou dat toch noodzakelijk zijn als ze wilde weten waar Mac was. Ze trok een zwarte broek aan en een antracietgrijs gebreid topje uit de la met Sarahs kleren... donkere kleding was altijd verstandiger, want minder opvallend. Bovendien gaf zij daar net als Sarah de voorkeur aan.
Ze trok de kast open om een paar andere schoenen te pakken. Na een moment van aarzeling, waarin ze haar ogen niet kon geloven en haar hersens dienst weigerden, drong de werkelijkheid tot haar door en ze schreewde. Meteen daarna sloeg ze haar hand voor haar mond. Ze begon te kokhalzen. Ze had wel eerder vermoorde mensen gezien, maar dit was op de een of andere manier erger. Zo onverwacht. Een regelrechte schok. Ze dwong zichzelf om weer te kijken.
Macs grote lichaam zat op de vloer van de kast, achterovergeleund tegen de muur, bijna alsof hij zat te luieren. Zijn kleren waren rechtgetrokken, zijn haar was keurig gekamd en zijn benen waren over elkaar geslagen. Maar een injectiespuit bungelde slap uit de zijkant van zijn hals. De naald was zo diep in het vlees gestoken dat er niets meer van te zien was. Zijn ogen waren wijd open, maar levenloos.
Ze was nog niet helemaal terug in het harnas. Nog niet immuun voor wreedheid. Niet koel, niet nonchalant, niet onpersoonlijk. Voor haar was dit niet gewoon onderdeel van het werk en van haar opdracht. Een grote dosis ervaring en een gedegen opleiding maakten de schok niet kleiner, maar ze hielpen wel om beheerster te kunnen reageren. Bij de Farm leerde je dat iedereen een schok kon krijgen. Alleen haar kreet had haar verraden.
Ze knielde naast hem neer, sloot zijn ogen en luisterde naar zijn borst. Een lege ruimte. Ze kon het niet geloven. *Niet Mac.* Ze ging op haar hurken zitten en probeerde haar hart zover te krijgen dat het ophield met bonzen, zodat ze hem recht in zijn koude, marmeren gezicht kon kijken om zich voor de geest te halen hoe het eruit had gezien toen het vol leven was geweest terwijl de vermoeide ervaring er vanaf droop. Hij was een prof. Hij kon op zichzelf passen. Hij was zo goed dat hij de opdracht had gekregen om haar te beschermen.
Nee, dat klopte niet. Iets anders dat je bij de Farm leerde, was dat geen enkele agent zo goed was, dat hij of zij niet iedere minuut gevaar liep. Iedere seconde.
Met brandende ogen week ze achteruit en ging op het bed zitten. Ondanks haar argwaan, ondanks het feit dat hij haar een rad voor ogen had gedraaid, had ze Mac aardig gevonden. Een golf van verdriet welde in haar op. Daarna sprong ze op en rende naar het raam. Ze moest de vrouw waarschuwen. Maar op het moment dat ze naar be-

neden keek, ging haar mobiele telefoon over. Misschien was het Simon. Ze greep haar tas op, pakte haar telefoon en liep terug naar het raam.
'Kom naar me toe.' Het was een vrouwenstem, met een Frans accent.
Liz was stomverbaasd. 'Wat?'
'Kom naar me toe, dan laten we Sarah Walker vrij. Neem de lift naar beneden en loop door de voordeur het hotel uit. Daar vang ik je op. Er zal een busje aan komen rijden... dezelfde zwarte bus die haar heeft opgepikt. Je wilt toch dat ze vrij komt, hè?'
Liz kreeg het gevoel dat haar keel werd dichtgeknepen, maar ze zorgde ervoor dat haar stem hard klonk. 'Gelul. Ik heb geen enkele reden om aan te nemen dat jullie haar hebben of, als dat inderdaad zo is, ook echt van plan zijn haar te laten gaan.'
Ze vestigde haar aandacht op het kruispunt, op de vrouw die haar laatste levende schakel met Mac was. De vrouw had een mobiele telefoon aan haar oor. Ze was inmiddels opgestaan en keek nog steeds omhoog naar het raam van Liz. En Liz had nog steeds het gevoel dat haar eerder had bekropen, namelijk dat er iets was gebeurd, maar nu had het alles met haar te maken.
Terwijl Liz bleef staren, sprak de stem opnieuw door de telefoon en de lippen van de vrouw beneden vormden dezelfde woorden: 'Tish Childs, Angus McIntosh. De volgende is misschien wel Sarah Walker. Het kan toch geen kwaad om met elkaar te praten? Kom naar beneden. Je wilt haar graag zien, hè?'
Liz hield even haar mond om van de schok te bekomen. De blik die de vrouw bij het ziekenhuis op Mac had geworpen, was dus niet bedoeld om hem erop te attenderen dat zij in de buurt was, zijn spion. Liz had spionnen verwacht en de verkeerde conclusie getrokken.
'Jij hebt hem vermoord!' zei Liz beschuldigend.
'Hij had niet jouw welzijn of dat van je nichtje op het oog.'
Nog meer gelul! 'Dat hij nu dood is, wil nog niet zeggen dat zij nog leeft... of dat jullie haar hebben. Wie ben je? Waar ben je echt op uit?'
De stem klonk sussend. 'Ik wil het leven van je nichtje redden. Ik geef je een uur om erover na te denken. Maar niet meer dan een uur. Ik weet dat je van haar houdt...'
Liz zette abrupt de telefoon uit en ging links van het raam staan om haar in de gaten te houden. Met een strakke, boze trek op haar gezicht klapte de vrouw haar mobiele telefoon dicht. Er was geen enkel bewijs dat zij of haar mensen Sarah ontvoerd hadden. Hoe het ook zij, alles wat Liz wist, duidde erop dat ontvoerders deel uitmaakten van de groep die uit was op het archief en Sarah in han-

den had. Dat gold niet voor deze vrouw. Zij werkte voor de chanteur.
Woedend liep Liz weg bij het raam, schoot haar schoenen aan en pakte de Sig Sauer die nog steeds achter de metalen kast van de gevelkachel verstopt zat. Ze controleerde of het pistool geladen was en liep met grote stappen naar de deur. Daar bleef ze staan.
Wat haalde ze zich in haar hoofd? Ze wierp een boze blik op het pistool dat ze in de hand had. En ineens wist ze het. Ze begreep alles. Dit was precies wat die vrouw wilde. De vrouw daagde haar gewoon uit. Als Liz zich niet gewillig aan haar overgaf, zou ze proberen haar zover te krijgen dat ze woedend en zonder na te denken in de aanval ging, want dat zou hetzelfde resultaat hebben.
De vrouw had haar een uur de tijd gegeven. Meer niet.
Liz hoefde nergens rekening mee te houden, behalve met Sarah en het archief van de Carnivoor. Ze maakte deel uit van een CIA-ploeg die de opdracht had haar te redden, het archief van de Carnivoor in handen te krijgen en de chanteur een halt toe te roepen. Zij had alleen contact met die groep via Mac en hij was dood. Ze moest een nieuwe contactpersoon hebben. En de snelste manier om dat voor elkaar te krijgen was over het hoofd van de plaatselijke projectleider direct contact op te nemen met Langley.
Ze legde het pistool op het bureau en gebruikte de beveiligde mobiele telefoon die ze van Mac had gekregen om een nummer in te toetsen dat ze jaren geleden uit haar hoofd had geleerd, hoewel ze niet had verwacht dat ze er ooit gebruik van zou moeten maken. Het was een directe lijn voor de verschoppelingen van wie zij er één was.
'Je spreekt met Rode Jade,' zei ze tegen de stem die de telefoon beantwoordde. Ze dreunde haar codenummer op en het werd stil.
Ze drukte de mobiele telefoon tegen haar oor terwijl ze naar de kast liep, nog één blik op die arme Mac wierp en de deur sloot. Ze ging op de bureaustoel zitten en staarde naar haar kromme vinger. Ze kon zich nog vaag herinneren hoeveel pijn het had gedaan op het moment dat ze viel en de vinger brak en de zeurende pijn die het genezingsproces had veroorzaakt. Om de een of andere reden moest ze ineens aan Simon denken en ze glimlachte flauw. Ze kon zich nog vaag herinneren dat hij een schattig joch was geweest. Maar zijn kindertijd leek eeuwen geleden. Die van haar zelfs nog langer.
Ten slotte hoorde ze gekraak op de lijn en haar oude Company-portier, met wie ze in geen jaren had gesproken, zei: 'Rode Jade?'
'Ja.'
'Hoe luidt je echte naam?'
'Liz Sansborough, Frank. Ga nou in vredesnaam niet moeilijk doen.'

Nadat ze voor de laatste keer verslag had uitgebracht, had ze Frank Edmunds toegewezen gekregen. Portiers waren speciale contactpersonen voor agenten die ontslag hadden genomen, zich min of meer hadden teruggetrokken, of op een andere manier tijdelijk op non-actief stonden.
'Verrek, Sansborough, het is jaren geleden. Wat had je dan verwacht?'
'Laten we het daar maar niet over hebben, Frank. Ik heb slecht nieuws voor jullie. Mac – Angus McIntyre – is vermoord.'
'Angus wie?'
Ze herhaalde de naam.
'Is hij één van ons?'
'Natuurlijk is hij één van jullie, verdomme! Waarom zou ik jullie anders bellen?'
'Oké, oké. Hij is niet een van mijn contacten, dus laat me dat even natrekken.'
Hij zette haar in de wacht. De stilte was oorverdovend en ze moest de neiging onderdrukken om weer te gaan schreeuwen. Tegen Langley. Tegen de hele wereld.
Toen hij weer aan de lijn kwam, klonk zijn toon voorzichtig. 'Weet je dat zeker? MacIntosh, Angus?'
'Ja, natuurlijk weet ik dat zeker. Hoezo? Is er iets aan de hand?'
'Nou, in zoverre dat de laatste keer dat we iemand die zo heette op het dienstrooster hadden staan in 1963 was. Dat betekent dat hij nu negentig jaar is. Is dat jouw man?'
Ze was verbijsterd. 'Je stelt me gewoon op de proef, hè? Vertel eens, heeft die opdracht van Mac de code Topgeheim, zodat alleen direct betrokkenen ingevoerd zijn? Want als dat zo is, ben ik er ook bij betrokken en als iemand ingevoerd moet worden, ben ik het wel.'
'Er is helemaal geen opdracht. De afgelopen veertig jaar heeft niemand die Angus McIntyre heet voor ons gewerkt, in welke functie ook. Het is ook geen dekmantel, althans niet volgens de databank. Wat is er aan de hand, Sansborough?'
Wat er aan de hand was? Ze stond in een Parijse hotelkamer met Macs lijk in de kast en een onbekende moordenares die beneden op straat stond te wachten, terwijl zij haar best deed iets zinnigs te bedenken dat ze via een mobiele telefoon die niet van haar was door kon geven aan een man met wie ze in geen jaren had gesproken en die ze nooit in levenden lijve had ontmoet.
'Sansborough?' vroeg hij. 'Wat spook je uit? Ben je aan het freelancen?'
'Nee,' zei ze langzaam. 'Ik ben niet aan het freelancen.'
Het bleef even stil. 'Oké, Liz. Dan heb je hulp nodig. Waarschijnlijk

heb je last van flashbacks. Dat gebeurt wel vaker. Ik wil dat je hiernaartoe komt en...'
Ze viel hem in de rede. 'Ik wil dat je twee dingen voor me nakijkt, Frank. Ten eerste heb ik een tweede keer verslag uitgebracht in februari 1998, op een onderduikadres in Virginia. Grey Mellencamp heeft me toen hoogst persoonlijk ondervraagd. Kun jij het verslag daarvan in handen krijgen, want ik zou daar graag een kopie van willen hebben of op z'n minst met iemand willen praten die de tekst van die ondervraging voor zijn neus heeft. En ten tweede, wie is de persoon bij Langley die ervoor heeft gezorgd dat ik de leerstoel kreeg toegewezen die door de Aylesworth Foundation is gesubsidieerd?'
'Die laatste vraag kan ik zelf wel beantwoorden. Ik ben zelf een van degenen bij wie je verslag hebt uitgebracht, de eerste keer althans, en ik had nog nooit van die stichting gehoord tot jij die benoeming kreeg. Als we onze handen van jullie aftrekken, dan doen we dat ook.'
Ze voelde zich stijf en koud, alsof iemand haar in een bak ijskoud water had ondergedompeld. 'Dus volgens jullie was ik als medewerker volkomen gecompromitteerd en niet langer te gebruiken?'
'Wij hebben het liever over iemand die weer gezond en wel naar de burgermaatschappij terug wordt gestuurd. Je hebt geen flauw idee met hoeveel ex-agenten we dat niet kunnen doen. Natuurlijk heb ik wel af en toe gecontroleerd hoe het met je ging, vandaar dat ik weet dat je een leerstoel in Californië toegewezen kreeg. Als daar binnen de Company iets vreemds mee aan de hand was geweest, een soort beloning achteraf of zo, dan was ik daar zeker achter gekomen. Nee, je deed het prima. We waren allemaal blij voor je, Sansborough.'
'Het prima doen' was een code, die inhield dat je geen dingen deed waardoor Langley in de problemen kon komen. Maar zij wist wel beter. De stichting moest met Langley samengewerkt hebben, ook al wist Frank daar niets van. De mensen van de stichting wisten heel goed hoe ze hun sporen moesten verbergen.
'Bedankt voor de inlichtingen, Frank. Wil je nu alsjeblieft kijken of je het verslag van dat verhoor door Mellencamp kunt vinden?'
Hij zette haar weer in de wacht. En toen hij opnieuw aan de lijn kwam, klonk zijn stem niet alleen voorzichtig, maar zelfs een tikje argwanend. 'Liz, er is geen dossier van een tweede verhoor en zeker niet met Grey Mellencamp. Verrek, hij was destijds al minister van Binnenlandse Zaken, dus ik kan me niet voorstellen dat hij de moeite heeft genomen om iemand een verhoor af te nemen. En ook niet dat wij hem dat zouden hebben toegestaan, trouwens.'
'Geen dossier?' Waar had hij het over? 'Ze hebben me meegenomen

naar een onderduikadres in Virginia. Een enorm landgoed, midden in de bossen...'
Frank viel haar in de rede. 'Dat is nooit gebeurd. Dat deel van je dossier werd afgesloten toen je terugkwam en was ondervraagd. Als we je nog een tweede keer onderhanden hadden genomen, dan had er een aantekening van moeten zijn, zelfs als het alleen toegankelijk was voor direct betrokkenen.'
Ze huiverde onwillekeurig. En toen: 'Wie is Themis?'
'Themis? Waar heb je het over? Die naam heb ik nog nooit gehoord.' Zijn stem klonk nu vol wantrouwen. 'Je hebt écht last van flashbacks. Je zit te hallucineren. Ik kan maar beter hulp naar je toe sturen. Waar zit je?'
'Waar zit Asher Flores? En Sarah Walker?'
'Wacht even.' Hij gaf haar gewoon haar zin. 'Kijk eens aan, Flores heeft verlof en zit met zijn vrouw in Parijs. Lieve hemel nog aan toe, ze zijn gewoon op vakántie. Luister, Liz, blijf gewoon waar je bent. Dit klinkt behoorlijk ernstig. We zullen er wel achter komen waar je zit en zorgen dat je hulp krijgt. Goed...'
Hij wist niet dat Sarah was ontvoerd of dat Asher was neergeschoten. *Hij wist het echt niet.*
Als hij niet wist dat ze in Parijs zat...
En niets afwist van Mellencamp...
En niet wist wie Mac of Themis was... of dat Asher gewond in een ziekenhuis had gelegen, bewaakt door een CIA-man, en inmiddels was weggehaald, god mocht weten waarheen...
Dan wist hij nergens van... en Langley evenmin.
Bevend verbrak ze de verbinding. Vanaf het moment van haar ontmoeting met Grey Mellencamp, jaren geleden, was alles buiten de CIA om gegaan. De CIA had helemaal niet geprobeerd haar naar hun pijpen te laten dansen. En de CIA noch de Sûreté was op zoek naar Sarah. De CIA had net zomin de zorg voor Asher op zich genomen als voor haar.
Asher was er ook ingetrapt. Was Sarah wel echt ontvoerd? Ja, dat kon niet anders. Dat bleek uit de verwondingen die Asher had opgelopen. Het gevaar was nog even groot. Nee, groter.
Ze wist niet meer wie ze kon vertrouwen en tot wie ze zich moest wenden. Het klamme zweet brak haar uit. Ze maakte nog steeds deel uit van een wereld waarin iemand anders aan de touwtjes trok en bepaalde wat ze moest doen. Maar het was een anonieme persoon of groepering die over enorm veel macht beschikte.

Deel Twee

Geld stinkt niet
ROMEINS SPREEKWOORD

19

Telefonische vergadering vanuit Parijs, Frankrijk
'Hoe bedoel je, je hebt niets gehoord, Kronos?'
'Geduldig nou maar, Themis. Ik bedoelde gewoon dat er geen belangrijk nieuws is. Is iedereen aan de lijn?'
'Met Atlas. Ik heb ook zitten wachten tot er rapport werd uitgebracht.'
'Waarom duurt het allemaal zo lang? Met Prometheus.'
'Met Oceanus. Hebben we dat archief nu al?'
'Heren, alstublieft. Is Hyperion ook aan de lijn?'
'Ja, natuurlijk.'
'Mooi zo. Sansborough is weer in Parijs. Ze heeft ontdekt dat Flores uit het ziekenhuis is verdwenen en dat heeft haar kennelijk uit haar evenwicht gebracht. De laatste keer dat ik met Duchesne heb gesproken, was ze met een taxi op weg naar haar hotel. Zodra hij iets voor ons heeft, zal ik jullie dat laten weten. Het belangrijkste is dat de druk op haar en op de chanteur toeneemt. Dat moeten jullie niet vergeten. En ook niet dat we nog nooit een mislukte onderneming hebben gehad. Gezien ons gezamenlijke verlangen om het archief in ons bezit te krijgen en onze bereidwilligheid om alles te doen wat daarvoor nodig is, heb ik het volste vertrouwen dat ook deze zaak een volledig succes zal worden. Dat is alleen maar een kwestie van tijd.'

Boos en vastbesloten viel Sarah Walker weer op haar kampeerbed en ging met de enkels gekruist op haar rug liggen. Ze stak haar handen, die in een gekromde houding vast leken te zitten, omhoog en dwong haar spieren zich te ontspannen. Met een scheut van pijn kwam haar bloedsomloop weer op gang en ze strekte haar vingers. Ze zuchtte en legde haar pijnlijke handen naast zich op het bed.
De kamer was droog en stoffig en vol spinnenwebben, alsof de ruimte jarenlang dicht had gezeten en was vergeten. Sarah staarde omhoog naar het plafond. Er zat een lange barst in die als de Seine over het stucwerk kronkelde. Op de plek waar de barst de muur bereikte, veranderde hij in een delta van diepe stromen, waar kakkerlak-

ken in en uit kropen als pelikanen die duikvluchten uitvoerden. Ze bekeek het tafereel met een vreemd soort nieuwsgierigheid en bewonderde de glanzende schilden, terwijl ze zich tegelijkertijd afvroeg welke ziektekiemen ze bij zich zouden dragen. Wat een rare gedachte. Het zoveelste bewijs dat het hoog tijd werd dat ze hier weg kwam.
Sarah sprong op en liep met grote passen over het linoleum. Ze schudde haar handen om er zo snel mogelijk gevoel in te krijgen, zodat ze weer aan de slag kon. Ze had hier nu twee dagen gezeten. Dat wist ze omdat ze nog steeds haar horloge droeg. Maar ze had geen flauw idee waar 'hier' was. De twee ramen waren niet alleen met een plaat triplex bedekt, maar haar ontvoerders droegen ook altijd een nylonkous over hun hoofd en deden nooit hun mond open. Vanaf het moment dat ze Asher hadden neergeschoten en haar in dat busje hadden gesmeten om haar te ontvoeren, waren ze de stille vijand geweest... onzichtbaar, onbekend en desoriënterend. Ze hadden haar in een lift naar boven gebracht, naar deze kamer. Maar omdat ze geblinddoekt was geweest, had ze niet eens de verdiepingen kunnen tellen.
Toen ze bij de muur was, draaide ze zich met een ruk om en hervatte haar nerveuze gedrentel. Ze vreesde het ergste voor Asher. Hij kon best dood zijn. Ze onderdrukte de neiging om te gaan gillen. Opnieuw schoot het laatste beeld dat ze van hem had door haar hoofd: als een lappenpop op de grond in de stromende regen. En al dat bloed. Veel te veel!
Ze hunkerde van verlangen om hem te zien. Hem vast te houden. Te weten dat hij nog leefde. Dat was de belangrijkste reden dat ze hier weg moest zien te komen. Om hem te zoeken.
Met moeite bracht Sarah de wilskracht op om hem uit haar hoofd te zetten. Ze moest helder kunnen denken. Op de Ranch hadden ze haar de grondregels geleerd van overleven in gevangenschap.
Probeer vanaf het moment dat ze je gevangennemen een manier te vinden om te ontsnappen.
Pak elk voorwerp dat je in handen kunt krijgen en verstop het. Als je met succes aan je bewakers wilt ontsnappen en wilt vluchten, kan dat van de gewoonste dingen afhangen.
Laat nooit merken dat je bang bent.
Vergeet niet dat er altijd hoop is.
Blijf je verstand gebruiken, zodat je niet verlamd raakt door angst, eenzaamheid en wanhoop.
De eerste taak die ze zichzelf oplegde, was het doorzoeken van de kamer op afluisterapparatuur en verborgen camera's. Toen ze die niet vond, inspecteerde ze het enige meubelstuk: haar kampeerbed. Aan

het spoor op het zeil te zien was dat hier pas onlangs naartoe gesleept. Ze zag niets ongewoons. Hetzelfde gold voor de wastafel en het toilet.
Terwijl ze haar vingers spande en ontspande, liep ze langs een berg fietsbanden, een leeg olievat, een kist met oude kleren, lege kratten met de opdruk CHINA, omslagen van luciferboekjes, lege sigarettendoosjes waar iemand platte stapeltjes van had gemaakt en een stapel groene plastic tuinpotten en -schotels. Ze kon al die dingen opdreunen, omdat ze alles grondig had nagekeken. Aan de rommel en de sporen in het stof te zien hadden haar bewakers alles gecontroleerd voordat ze haar hier hadden opgesloten. Maar ze hadden één belangrijk ding over het hoofd gezien.
Terug bij het bed pakte ze een werkhemd op en trok de mouwen ter bescherming over haar handen. Heel voorzichtig pakte ze haar schat op, die ze op de grond had laten vallen: een apparaatje om doornen te verwijderen. Het was maar een nietig dingetje. Ze had het samen met een paar vergeten pakken rozenmest gevonden tussen twee tuinschotels, die klem hadden gezeten.
Ze keek omhoog naar het raam. Een plaat triplex was met spijkers op de sponningen bevestigd, waardoor er geen licht kon binnendringen en ontsnappen onmogelijk was. Ze had rond drie van de spijkers aan de rechterkant het hout weggehakt en was bovenaan begonnen, waar de kans het kleinst was dat de bewakers het zouden zien. Ze had op haar bed moeten staan om dat voor elkaar te krijgen. Nu was ze bezig met de rechteronderhoek, op schouderhoogte. Sarah luisterde. Iedere keer als ze geluid hoorde, holde ze naar de deur om haar bewakers op te vangen. Ze hadden de gewoonte om naar binnen te stappen, even door hun kousenmaskers de kamer rond te kijken en een blad met eten achter te laten... of weg te halen. Tot dusver had niemand de moeite genomen om zover naar binnen te lopen dat ze de gaten die ze in het triplex had gemaakt konden zien. Per slot van rekening was ze niet echt gevaarlijk, ze was maar een gewone journaliste.
Toen ze niemand hoorde aankomen pakte ze de stripper in één hand, die ze met haar andere hand ondersteunde, en prikte de punt in het hout. En ze bleef verbeten doorhakken, met een vertrokken gezicht: punt in het hout, punt uit het hout. Stukjes hout en splinters vlogen in het rond. Om de paar minuten stopte ze even om de houtresten tegen de muur te vegen.

Chantilly, Frankrijk
Het Château de Darmond lag uitgestrekt over golvende groene heu-

vels vlak bij het schilderachtige dorpje Chantilly, ongeveer veertig kilometer ten noorden van Parijs. Simon reed er rustig naartoe in zijn gehuurde Peugeot. De torentjes en de door bogen overspannen galerijen van het imposante kasteel rezen boven een hoge muur uit. Boven die muur waren haast onzichtbare draden gespannen, die waarschijnlijk onder spanning zouden staan of voorzien waren van bewegingsmelders.
Toen hij in de buurt van de hoofdingang kwam, zwaaiden de met houtsnijwerk versierde hekken open en een Rolls-Royce met chauffeur zoefde naar buiten... een prachtige oude Silver Cloud. Op de achterbank zat de barones. Ze leek precies op de foto die hij van het internet had gehaald, met grijs haar en een strak gezicht. De portier nam zijn pet af. De barones knikte. Noblesse oblige.
Simon reed door, om het kasteel heen, en kwam al snel bij een houten keet naast een ander hek met een bordje waarop stond dat het de leveranciersingang was. Hij zag bewakers die langs de omheining patrouilleerden. Het huis werd goed bewaakt en het zou hem moeite kosten zich bij klaarlichte dag toegang te verschaffen. Hij moest een andere manier vinden om binnen te komen.
Hij keerde snel terug naar de hoofdweg en reed verder naar Chantilly, waar de Rolls van de barones naast een rij pittoreske winkeltjes stond. Hij hing een camera om zijn nek en wandelde ernaartoe, waarbij hij in iedere etalage keek en foto's maakte van de bloemen die ervoor stonden. Toen hij uiteindelijk de barones in de patisserie zag staan, stapte hij nonchalant naar binnen en bewonderde de collectie pastelkleurige schuimgebakjes die in de glazen vitrine stond.
'U laat ze wel meteen bij het château bezorgen?' zei de barones in het Frans tegen de vrouw achter de toonbank.
'Natuurlijk, madame.' De vrouw had glimmende, roze wangen. 'Met genoegen.'
Dat leek er meer op. Terug op straat controleerde Simon zijn mobiele telefoon. Geen boodschappen. Hij zette het toestel uit en pakte een paar dingen uit zijn sporttas, terwijl hij ondertussen goed op zijn omgeving lette. Hij borg de tas op in zijn kofferbak en voelde het bloed in zijn oren kloppen toen hij achteloos de oprit van de bakkerij in liep. Toen hij niemand zag, holde hij het pad af en verstopte zich achter een vuilcontainer. Op hetzelfde moment stapte de chauffeur van de bakkerswagen door de achterdeur naar buiten, met een grote stapel gebakdozen in haar handen. Het was een tenger, knap meisje van een jaar of achttien, dat de dozen op schappen achter in het busje zette en ze vastmaakte met elastieken banden.
Toen ze de deuren dichtsloeg en terugliep naar de keuken stoof Si-

mon naar de auto toe, opende een van de achterdeuren op een kier en sprong naar binnen. Hij trok de deur rustig dicht, ging op zijn hurken naast de dozen zitten en spande zijn spieren. Met een beetje geluk zou het busje hem op het landgoed brengen. Hoe hij daar dan weer vandaan moest komen, zou hij wel zien als het zover was. Als je als agent wilde slagen, moest je inventief zijn.
Ten slotte hoorde hij haar voetstappen terugkomen. Omdat ze de deuren van het busje al dicht had gedaan, nam hij aan dat ze meteen achter het stuur zou gaan zitten. In plaats daarvan liep ze weer naar de achterkant toe. Als ze de deuren opentrok, zouden ze bijna neus aan neus staan. Ze liep met een lichte tred, die toch goed hoorbaar was op het asfalt, en bleef bij de achterdeuren staan.
Binnensmonds vloekend kroop hij haastig over de rugleuningen en liet zich op de passagiersstoel vallen, waarbij hij zijn schouder tegen het dashboard stootte. Op hetzelfde moment trok het meisje de achterdeur weer open. Het geluid van schuivend karton. Een elastieken koord dat op zijn plaats werd gebracht. De deur viel weer dicht en met een zucht klauterde hij weer naar achteren.
Voordat hij goed en wel zat en zijn schouder begon te masseren, sprong ze al achter het stuur, startte de motor en reed met een vaartje weg. Ze rookte Gauloises en gaf voor iedere bocht gas, waardoor het busje gevaarlijk overhelde. Terwijl de smerige rook naar achteren wolkte, schakelde ze in een hogere versnelling en reed over een stel hobbels, waardoor Simon niet alleen voor zijn longen vreesde, maar ook voor zijn tanden. Hij hield zich met twee handen vast aan een deurgreep en zette zich met zijn voeten schrap tegen de zijkant van de bus. Geen wonder dat ze die gebakdozen vast had gezet.
Ten slotte kwam ze abrupt tot stilstand bij de leveranciersingang van het Château de Darmond, babbelde even met de bewaker en reed rustig en onschuldig het landgoed op. Voordat ze stopte, hoorde hij grind onder de banden knarsen. Zodra zij uit de auto was gesprongen, glipte hij weer naar de cabine.
'Monique! Wat leuk om je te zien!' Een mannenstem die in het Frans zijn waardering niet onder stoelen of banken stak.
Toen ze antwoord gaf, hees Simon zich iets op, gluurde door de voorruit en zag dat de man een koksmuts droeg. Het zou niet lang duren voordat ze ging uitladen en dan moest Simon weg zijn. Hij gleed over de stoelen naar de andere kant, deed voorzichtig het portier open, liet zich op de grond vallen en drukte het portier weer dicht. Gebukt keek hij naar hun voeten, die nu zijn kant op wezen. Uiteindelijk draaiden ze zich weer om naar de keuken en hij ging er als een haas

vandoor en dook achter de struiken die langs de lange keukenmuur stonden.
Hij nam snel zijn omgeving op. Het witte busje stond bij de keukendeur. De geur van vlees dat gebakken werd, dreef door een open raam naar buiten. Binnen was een vrouw met een koksmuts op aan het werk. Het terrein voor de keuken was gedeeltelijk een binnenplaats die overging in een met grind bestrooid parkeerterrein dat vanaf de voor- en de achterkant van het kasteel verborgen werd door de rond lopende keukenvleugel en een borsthoge muur. Er stonden veel meer oude dan nieuwe auto's, dus dit zou wel de parkeerplaats voor het personeel zijn.
Hij keek nog één keer rond, dook weg achter de struiken en kroop langs de muur naar de voorkant van het château. Toen er ineens drie tuinlieden met snoeischaren uit een bospaadje opdoken, schoot hij snel achter een steunpilaar. Heel even had hij het idee dat hij nog iemand tussen de bomen zag. Misschien een van de wachtposten.
Ten slotte verdwenen de tuinlieden en hij liep snel verder, vlak langs het château tot hij om de volgende pilaar kon gluren. Dat was het moment waarop hij ineens op rozen kwam te zitten en zijn door rook verstikte longen en pijnlijke schouder vergeten waren. Op nog geen zes meter afstand zaten twee keurig in het pak gestoken mannen op een afgelegen binnenplaatsje als een stel oosterse potentaten te lunchen aan een met linnen gedekte tafel onder een gestreepte parasol, die hen, het zilver en het kristal beschutte alsof er een tropische zon aan de hemel stond te branden.
Simon herkende het lange, gerimpelde gezicht van baron Claude de Darmond, die op de stoel aan de andere kant van de tafel zat. Prachtig. Het feit dat de baron bezig was, bood hem een niet te missen kans. Ergens binnen in het château moest de baron een kantoor hebben en dat wilde Simon doorzoeken. Maar hij bleef toch nog een paar minuten wachten, in de hoop dat de andere man zich om zou draaien. Misschien zou hij hem dan ook herkennen. Maar het stel bleef gewoon doorpraten, verwikkeld in een of andere heftige discussie.
Simon gaf de moed op en liep terug. Voorzichtig trok hij een zijdeur open en stapte in een hal waarvan de muren bedekt waren met antieke wandtapijten, portretten en miniatuurschilderijen. Er hing een ingetogen sfeer. Hij zweette en de adrenaline bruiste door zijn aderen terwijl hij haastig in de richting van de keuken liep, langs een washok en een inleggerij. Het kostte hem geen moeite om de zitkamer van het personeel te vinden, waar hij meteen zag wat hij zocht: het uniform van een lakei, dat ongeveer van zijn maat leek.

Het paste goed genoeg om niet op te vallen. Hij griste een zilveren dienblad van de stapel naast de deur, zette het op zijn vingertoppen, veegde het zweet van zijn voorhoofd en ging op verkenning.
De formele zitkamers stonden vol antieke meubels met de diepe glans die alleen door eeuwen boenen verkregen werd. Leeuwenhuiden, hertengeweien en schilderijen die de jacht verheerlijkten sierden de eetzaal op. Terwijl hij doorliep en achter iedere deur en in elke nis keek, hoorde hij zachte voetstappen naderen. Hij dook een kast in die naar bleekwater en citroenwas rook.
Toen de voetstappen voorbij waren, ging hij verder met zijn speurtocht die hem uiteindelijk naar boven voerde.
Daar vond hij het kantoor van de baron, dat groot genoeg was voor de *Queen Mary* en uitkeek op de tuinen aan de voorkant. Een Louis XIV-bureau en een bijpassend dressoir stonden achter in de kamer, vlak voor een stel openslaande deuren. Links was een manshoge open haard, omringd door smaakvol opgestelde grote stoelen. Hij kon zien dat dit het persoonlijke heiligdom van de baron was, omdat een van de muren volledig was bedekt met foto's van hem met diverse belangrijke pesonen uit de afgelopen decennia: iedereen van Henry Kissinger tot Maria Callas, van Arnold Schwarzenegger tot voormalig eerste minister John Majors en van beide heren George Bush tot terughoudende hoge bonzen van multinationals.
Voor het verzamelen van inlichtingen was klein vaak het best. Simon had een miniatuur digitale camera bij zich, die eruitzag als een Engelse shilling. Daarmee kon je tegelijkertijd verschillende opnamen maken en hij gebruikte het toestelletje om de muur met de fotosessies van de baron vast te leggen. Daarna liep hij haastig naar het antieke bureau, waar een stapel bruine mappen op de baron lag te wachten.
Hij had geen tijd om alles door te lezen. Dus sloeg Simon de eerste map open en ging aan de slag. Hij fotografeerde elk vel en was net bij de laatste map aangekomen toen hij buiten in de gang stemmen hoorde. Haastig maakte hij nog een foto van de laatste drie pagina's, stopte met zijn linkerhand de 'shilling' weer in zijn zak en legde met zijn andere hand de mappen weer op een stapel. Daarna liep hij achteruit naar de openslaande deuren.
Toen de deurknop werd omgedraaid, dook hij het balkon op, duwde de deuren dicht en drukte zich plat tegen de muur ernaast, waar hij ingespannen bleef staan luisteren.
'Dit heeft al veel te lang geduurd!' Simon herkende de stem van een internetinterview. Het was de bankier-baron, die de boze opmerking in het Frans had gemaakt.

'Die reactie is erg overdreven, Hyperion.' De tweede stem was kalm en klonk bijna ongeïnteresseerd.
Simon herkende hem niet. Het Frans was goed, maar niet dat van een geboren Fransman. En wat had dat 'Hyperion' te betekenen? Was dat een codenaam? De baron was niet oud genoeg om in het verzet te hebben gezeten. Was hij vroeger agent van het Deuxième Bureau geweest? Of van de SDECE?
'Gebruik maken van lacunes in de wet om geld te verdienen, is één ding,' verklaarde de baron met stemverheffing. 'Maar moord is iets heel anders. Eerst die vrouw in Londen en nu weer de man hier in Parijs... dat is veel te dichtbij! Die smeerlap Terrill Leaming was een ander geval, natuurlijk. Maar nu begrijp ik pas hoe stom het was dat ik me door jou heb laten overhalen om hieraan mee te werken. Hoeveel mensen moeten nog sterven? *Er moet een eind aan komen.* Ik zal je het geld geven, maar alleen in ruil voor het archief van de Carnivoor. Dat is mijn prijs. Het complete archief, anders krijg je geen cent meer van mijn bank en dan zal ik je in Dreftbury tegenwerken. Als het nodig is, zal ik zelfs de Spiraal vertellen dat het om jou gaat.'
Simon werd overmand door een kille woede toen hij dat hoorde. De andere man was de persoon naar wie hij op zoek was. Hij was de chanteur, het monster dat Sir Robert tot zelfmoord had gedreven.
Ineens riep de stem van de baron vol afschuw uit: *'Mon Dieu!* Wat...'
Opgewonden en woedend schuifelde Simon naar de ruiten in de openslaande deuren. Hij moest het gezicht van die smeerlap zien. *Wie was hij?*
Er klonk een schot uit een pistool met geluiddemper. *Plop.*
Simon kreeg een adrenalinestoot. Hij rukte zijn Beretta te voorschijn, drukte zijn schouder omlaag en stortte zich door de openslaande deur naar binnen op hetzelfde moment dat de deur naar de hal dichtviel. Achter hem klonk een ruisend geluid. Hij draaide zich met een ruk om en zag hoe de bankier slap als een dode rat op de grond zakte. De rugleuning van zijn hoge bureaustoel zat vol bloedspatten en hersenweefsel. Simon holde de kamer door en de deur uit, achter de moordenaar aan.

20

Parijs, Frankrijk

Opnieuw ging Sarah de triplexplaat met de doornstripper te lijf. Ze had inmiddels nog drie spijkers uit het hout gehaald, waardoor de plaat zo los kwam te zitten dat hij iedere keer bonkte als ze hem aanraakte. Wie zou ooit hebben gedacht dat zoiets simpels als een bonkende plaat triplex zoveel bevrediging zou schenken? Ze stond net in zichzelf te lachen, toen ze een geluid in de gang hoorde. Haar hart kromp samen en ze wachtte even, met de stripper vlak boven haar rechterschouder, klaar om opnieuw toe te slaan.

Het geluid leek op rollende wielen. Dat was nieuw. Ze liet haar werktuig meteen weer op de plastic schotel vallen waar ze het gevonden had, drukte er een stapel schotels op, gooide het overhemd weer in de kist met oude kleren en trok haar bed onder het raam om de stukjes triplex, de splinters en het stof te verbergen.

Ze holde naar de deur en veegde met verkrampte handen haar kleren en haar gezicht af. Toen de deur openzwaaide, stapte een man met de gebruikelijke nylonkous op zijn hoofd haastig naar binnen en ging aan de kant staan terwijl hij zijn uzi op haar richtte. Achter hem duwden twee andere bewakers een brancard naar haar toe, samen met een standaard op wieltjes waaraan een infuus bungelde. Haar hart begon te bonzen. Ze bleef er strak naar kijken, onzeker... maar met groeiende hoop...

Ze probeerde haar opwinding te onderdrukken toen ze naar de brancard liep en een van de mannen de capuchon van de patiënt wegtrok. Haar hart sprong op van blijdschap en ze stoof naar hem toe. Asher! Zijn ogen waren dicht en zijn gezicht was slap, maar het was Asher. Hij leefde! Zijn zwarte wenkbrauwen en zijn stugge zwarte haar staken scherp af tegen het witte ziekenhuissloop. De paar grijze haartjes aan zijn slapen maakten dat hij er ontzettend kwetsbaar uitzag.

'Wat hebben jullie met hem gedaan!' viel ze woedend uit. 'Waarom ligt hij niet in een ziekenhuis? Waarom...'

Maar ze stonden alweer op het punt te vertrekken. Een van hen legde een papieren zak op de brancard. De deur ging dicht. Het slot klikte.

'Asher, lieveling.' Ze kuste zijn voorhoofd. 'Asher!'

Hij reageerde niet. Een traan biggelde over haar wang. Ze poetste hem boos weg. Hij leefde, dat was het enige dat telde.

Ze controleerde het infuus en schepte weer wat moed... het was alleen maar een zoutoplossing, die ervoor moest zorgen dat hij niet uitdroogde. De temperatuur van zijn huid voelde normaal aan. In de papieren zak zaten twee flesjes met pillen, met Franse etiketjes, zonder de naam van een dokter of een apotheek. Een bevatte antibiotica, het tweede pijnstillers. Verder zaten er ook verbandmiddelen in de zak, om zijn wond te verzorgen – typische ziekenhuisspullen die in geen enkele apotheek te koop waren. Ze trok de dekens en zijn ziekenhuishemd weg en controleerde het verband om zijn borst. Het was schoon, geen spoor te zien van bloedvlekken of wondvocht. En de huid eromheen was ook niet vurig en rood, wat op een infectie zou duiden.

Opgelucht duwde ze de brancard naar haar bed en ging zitten. Hij bewoog toen ze zijn wang streelde. 'Asher, lieveling, kun je me horen?' Ze veegde de stugge krullen van zijn voorhoofd. Toen zijn oogleden trilden, drukte ze een kus op zijn oor en fluisterde: 'Ik ben het, Sarah. Je bent weer bij me. Het is vreselijk dat ze jou ook te pakken hebben, maar ik ben zo blij dat je nog leeft.'

Zijn stem klonk ijl, bijna dromerig. 'Hallo, schattebout.'

Ze week achteruit. 'Asher! Ben je al die tijd wakker geweest?'

'Nee, ik kom net bij.' Hij keek haar diep in de ogen. 'Ik moest alleen wachten tot ik er zeker van was dat ze niet terug zouden komen. Die hondenlullen hebben me in het ziekenhuis verdoofd, zodat ze me stiekem mee konden nemen.'

Ze kreeg een brok in haar keel. 'Asher...'

'Kom eens hier,' zei hij hees. 'Ik kan niet geloven dat je het echt bent. Ik heb je zo gemist. Ik was zo bang als de pest toen je ontvoerd werd.'

Ze boog zich voorover om zijn wang te kussen, maar hij draaide zijn hoofd om en ving haar lippen met de zijne op. Wat een lief en geruststellend kusje had moeten worden, werd een explosieve liefkozing, uitdagend en vol overlevingsdrang. Zijn mond was hard en onweerstaanbaar. De vlammen sloegen haar uit. Hij legde zijn arm om haar heen en trok haar naar zich toe. Ze vlijde zich tegen hem aan. Toen hij haar losliet, stond ze te trillen op haar benen. Zijn donkere gezicht straalde van liefde.

'Je weet me altijd weer te verrassen.' Ze lachte hem toe. De holle pijn die zich de afgelopen twee dagen in haar hart had genesteld verdween. 'Vertel me eens precies wat je mankeert. Een borstwond is niet iets om lichtvaardig over te doen.'

'De kogel is dwars door me heengegaan. Nou ja, hij heeft ook een rib geraakt en nog een paar dingen. Maar ze hebben alle botsplinters eruit gevist en me weer dichtgenaaid. Ik heb de hechtingen zelf gezien. Keurig gedaan.' Hij keek om zich heen. 'Volgens de artsen zou ik over een paar dagen uit het ziekenhuis mogen, maar ik waag het te betwijfelen dat ze dit bedoelden. Laten we nu maar over iets belangrijkers praten... over jou.' Met een gefronst voorhoofd keek hij haar aandachtig aan. 'Is alles in orde met je?'

'Ik word hier knettergek, maar verder gaat het prima met me. Kijk me niet zo aan, Asher. Ik jok echt niet. Ik voel me uitstekend, zeker nu ik weet dat jij ook weer aan de beterende hand bent.'

'Alles komt weer helemaal voor mekaar,' zei hij beslist. 'Nu we bij elkaar zijn.'

'Ze hebben geen schijn van kans, wie die lui ook mogen zijn.'

'Weet je dat dan niet?' vroeg hij.

'Het enige wat ik weet, is dat ze er goed voor hebben gezorgd dat ik hen niet zal kunnen identificeren. Daardoor heb ik het idee dat ze van plan zijn om me levend en wel te laten gaan. Maar goed, ik wil me toch niet helemaal op hun welwillendheid verlaten. En jij?'

'Ik zou de drie kerels die me om de beurt in het ziekenhuis bewaakten wel kunnen herkennen, maar je hebt gelijk... verder niemand. Maar ik heb ook slecht nieuws...' Hij beschreef de list waar Liz en hij allebei ingetrapt waren. 'CIA, ammehoela! Liz en ik waren niet meer dan marionetten. De kerels in het ziekenhuis hadden zoveel vakkennis en ze waren zo goed op de hoogte van ons vakjargon en onze methoden, dat ik er geen moment aan twijfelde dat ze van Langley waren. En natuurlijk heb ik nooit opgebeld om te controleren of ze wel echt waren.'

'En hoe zit het met dat archief? Heeft oom Hal echt alles bijgehouden?'

'Door al dat gedonder moet ik daar wel van uitgaan. Liz zegt dat er in Santa Barbara twee aanslagen op haar zijn gepleegd, waarschijnlijk door degene die het archief in zijn bezit heeft. Het probleem is dat ik haar maar één keer gesproken heb, dus ik weet niet wat ze daarna nog heeft ontdekt. Wat mij dwarszit, is dat zij misschien nog steeds denkt dat ze voor Langley werkt.'

'O, lieve hemel.'

Ze keken elkaar aan, niet wetend wat de toekomst hen of Liz zou brengen.

'We moeten hier weg zien te komen.'

'Daar ben ik al druk mee bezig,' zei ze tegen hem.

'O ja? Laat maar eens horen.'

Chantilly, Frankrijk

In het Château de Darmond bleef Simon in de gang voor het kantoor van de baron even staan. Hij luisterde ingespannen terwijl ergens om de hoek een deur dichtsloeg en het geluid door de lege gang

weergalmde. Waar was die smeerlap gebleven? Ziedend van woede rende hij door de gang om alle deuren open te doen. Hij had pas vier kamers gecontroleerd toen hij de stemmen van een man en een vrouw hoorde, die op weg waren naar boven. Bedienden die gewoon aan het werk waren, omdat de geluiddemper ervoor had gezorgd dat het schot in de rest van het grote château niet te horen was. Er waren nog drie andere deuren in deze vleugel.
Hij holde weer verder, deed de volgende twee deuren open om een blik naar binnen te werpen, maar zag alleen lege kamers. Het laatste vertrek was ook leeg en leek op het kantoor van een secretaresse. Maar door de openslaande deuren aan de andere kant van de kamer ving hij een glimp op van een man die haastig het bos uit kwam lopen op dezelfde plek waar Simon al eerder iets had zien bewegen. Simon stoof naar de deuren en keek naar beneden. Hij herkende hem onmiddellijk. Het was de moordenaar met de wandelstok die Terrill Leaming had gedood. Hij droeg opnieuw een duur driedelig kostuum, alleen de wandelstok ontbrak. Nu had hij iets in zijn hand dat op glanzend metaal leek. Een mes?
Simon had eigenlijk nog wat langer willen kijken, om te zien waarom hij op weg was naar de zijkant van het kasteel, maar de stemmen van de twee mensen op de trap kwamen steeds dichterbij. Hij schoot de kamer uit, holde de hoek om en liep naar een andere trap. Hij moest proberen ongezien van het landgoed weg te komen.
Zodra hij op de begane grond was, hoorde hij iemand aankomen. Met bonzend hart streek hij zijn haar glad, trok zijn uniform recht, sloeg zijn ogen neer en liep verder. Het eerste wat hij zag, waren de schoenen van de persoon die hem tegemoet kwam: goedkope mannenschoenen, glanzend gepoetst. Een goed getrainde, keurig uitziende bediende. Simon keek op, knikte even opgelucht tegen een collega-lakei en liep door, hoewel op datzelfde moment boven ontzette kreten klonken. Er werd om hulp geroepen voor de baron. De stemmen werden luider, paniek sloeg toe. Help, *le baron* was neergeschoten.
Al gauw dromden geschrokken bedienden samen in de smalle gang en vroegen zich hardop af wat er aan de hand was terwijl ze naar de trap holden die Simon juist had vermeden. Hij probeerde zich door de meute te wringen, maar zeker een minuut lang versperden ze hem de weg omdat ze allemaal de tegenovergestelde richting kozen die hij wilde nemen. Hoe hij ook duwde en worstelde, hij werd meegesleept in de richting van de trap. Uiteindelijk gaf hij het op en bood geen tegenstand meer. Hij week uit naar de zijkant, waar hij tegen een muur ging staan en zichzelf tegen de lambrisering drukte terwijl de

horde naar boven holde. De vrees stond op hun gezicht te lezen... vrees voor verandering, angst om hun baan te verliezen.
Binnen een paar seconden was de ergste drukte voorbij. Hij liep met gebogen hoofd verder, terwijl hij ineens het beeld van het personeelsparkeerterrein voor zich zag. Toen hij op een idee kwam, bleef hij voor de zitkamer van het personeel staan en luisterde. Hij vermoedde dat iedereen met twee gezonde benen inmiddels wel boven was, om te horen wat er met de baron was gebeurd. De zitkamer was vast uitgestorven.
Toen hij de deur opentrok, zag hij dat hij gelijk had. Hij doorzocht de kastjes met burgerkleding en voelde in alle broekzakken, tot hij een bos autosleutels vond waar een afstandsbediening aan hing.
Hij pakte zijn eigen kleren uit een van de andere kastjes, rolde ze stijf op tot een bundeltje dat hij onder zijn arm kon houden en rende de gang weer in waardoor hij het château binnen was gekomen. Hijgend keek hij naar buiten. Er was geen wachtpost te zien. Met een beetje geluk waren zij ook het huis binnengehold. De moord op de baron gaf hem het voordeel dat hij nodig had.
Hij trok zijn uniform recht en liep over het geplaveide pad naar de met grind bestrooide personeelsparkeerplaats alsof hij iets heel dringends te doen had. Dit was zijn kans en die moest hij aangrijpen, want een tweede zou hij waarschijnlijk niet krijgen. Toen hij dichterbij kwam, drukte hij op de afstandsbediening die hij had gepikt. De lichten van een beige Renault flitsten aan en uit. Opgelucht keek hij om zich heen. Toen hij gerustgesteld was, rende hij naar de auto, sprong erin en startte de motor. Terwijl hij haastig naar de leveranciersingang reed, bereidde hij zich geestelijk voor op het volgende toneelspel dat hij zou moeten opvoeren. Dit was een van die gelegenheden waarbij hij absoluut geloofwaardig moest overkomen: hij was een lakei die in meerdere opzichten dringende bezigheden had. Toen hij zich daarop concentreerde, verscheen er een bezorgde uitdrukking op zijn gezicht. Zijn kin kwam omhoog, zijn ogen sperden zich open. Hij trok zijn das los, liet zijn raampje zakken en remde af toen hij in de buurt van de leveranciersingang kwam.
De bewaker stapte fronsend zijn hokje uit. 'Wat moet jij in de auto van Monsieur Pietro?' informeerde hij in het Frans.
Verdwaasd keek Simon omhoog door zijn raampje en antwoordde automatisch in het Frans: 'Het is een drama. Een vréselijk drama. Iemand heeft de baron neergeschoten! En nu staat mijn vrouw ook nog op het punt om te bevallen van onze zoon. Ik wist niet meer wat ik moest doen, mijn god, ik was totaal overstuur. Maar toen gooide Monsieur Pietro me heel vriendelijk zijn autosleutels toe en zei: "Ga

maar gauw". Had je het nog niet gehoord van de baron?'
Het gezicht van de man werd asgrauw. *'Merde alors, non!'* De telefoon in zijn wachthokje ging over en hij sprong naar binnen om de hoorn op te grissen. 'Dood? Is hij dood? Vermóórd? Weet je dat zeker?' Van schrik drukte hij zijn pet vaster op zijn hoofd.
Simon stapte half uit de Renault, drukte op de claxon en gebaarde zenuwachtig naar het hek. De wachtpost had net de bevestiging gekregen dat de helft van Simons verhaal klopte en met een beetje geluk zou hij de rest nu ook geloven.
De wachtpost keek verrast op, alsof hij Simon helemaal was vergeten. Hij knikte, drukte op een knop op zijn schakelpaneel en pakte de draad van zijn gesprek weer op.
Het grote hek zwaaide moeiteloos naar binnen open. Simon trapte het gaspedaal in en stoof de weg op. De plaatselijke gendarmerie was waarschijnlijk al onderweg en hij moest ervoor zorgen dat hij zo ver mogelijk uit de buurt van het château kwam, voordat Monsieur Pietro – wie dat ook mocht wezen – zijn auto miste, of voordat de bewaker bij het hek zich echt zou gaan afvragen wie die vreemde was die beweerde dat hij op het punt stond vader te worden.
Maar hij hield zich aan de maximumsnelheid, want het laatste wat hij nu kon gebruiken was dat hij op een of andere manier de aandacht trok. Terwijl de auto snel doorreed, drong het eindelijk tot hem door dat hij bijna had ontdekt wie het monster was dat zijn vader de dood in had gedreven. Een razende woede welde in hem op. Hij kon bijna geen lucht meer krijgen en zijn handen klemden zich om het stuur. Die smeerlap... die chanteur... had zijn vader eigenlijk zo goed als vermoord.
Bomen schoten in een waas voorbij en het wegdek strekte zich als een grijze slang voor hem uit. Het kostte hem de grootste moeite om zijn woede te onderdrukken, maar hij prentte zichzelf in dat hij er vast nog wel een keer in zou slagen om bij de man in de buurt te komen. Per slot van rekening was hem dat nu ook gelukt.
Terwijl de minuten voorbij tikten, begon hij wat kalmer te worden en langzaam maar zeker was hij weer in staat om zijn verstand te gebruiken. Hij was een heleboel te weten gekomen. Hij wist nog niet wat het allemaal inhield, maar na verloop van tijd, als hij genoeg informatie had verzameld, zou hij het raadsel van de identiteit van de moordenaar wel op kunnen lossen.
Hij haalde diep adem en luisterde naar het bonzen van zijn hart. Daarna concentreerde hij zich op wat hem vervolgens te doen stond: hij moest de foto's zo snel mogelijk laten afdrukken. De chanteur had een of andere overeenkomst met de baron en de dossiers die op

het bureau hadden gelegen bevatten kennelijk de zaken die de baron op dit moment bezighielden. Waarschijnlijk zou hij daar ook informatie over die overeenkomst in kunnen vinden. Simon kende een vrouw in Parijs die hij genoeg vertrouwde om haar te vragen de miniatuurfoto's af te drukken, zonder dat hij bang hoefde te zijn dat ze haar mond voorbijpraatte.

Omdat hij zo gespannen was als een veer lette hij nauwelijks op de chique zwarte Citroën die hem passeerde, een vierdeurswagen die kennelijk ook op weg was naar Chantilly. Hij knipperde met zijn ogen om zijn gedachten te ordenen. Een politieauto met jankende sirene scheurde hem tegemoet... op weg naar het château.

Zodra de auto uit het zicht was, gaf Simon plankgas en stoof langs de bomen en de boerderijen. Hij remde pas af toen hij aan de rand van het dorp was. Daar maakte alles een normale indruk. Winkelende toeristen en inwoners. Rustig rondtoerende auto's.

Hij stopte achter zijn gehuurde Peugeot, stapte uit en liep eromheen. Hij controleerde de sloten en de banden en keek ondertussen onopvallend om zich heen of hij iemand zag die hem in de gaten hield. Dat was niet het geval en hij zag ook niets dat zijn argwaan wekte. Hij voelde door de stof van zijn broek of de miniatuurcamera van MI6 nog in zijn zak zat. Ja, dat was inderdaad zo. Gerustgesteld liet hij de sleutels van de Renault die hij had 'geleend' op de vloer van de auto achter en liep terug naar zijn sportwagen.

Maar op hetzelfde moment dat hij het portier opentrok, kwam er een fietser met grote snelheid langsrijden. Zijn stuur kwam in aanraking met Simons portier en binnen een seconde schoof de fiets onderuit. De berijder vloog eraf en kwam kreunend en vloekend op de grond terecht, waar hij doorgleed tot hij met zijn schouder onder Simons voorbumper lag. Hij bewoog nauwelijks, maar hief alleen onder de auto zijn arm op alsof hij een klap wilde afweren.

Simon gooide de deur weer dicht en liep haastig naar hem toe. *'Ça va?'* Alles in orde?

De jongen kroop te voorschijn en schudde verdwaasd zijn hoofd. *'Imbécile!'* Hij droeg een wielrennershelm en zijn blonde haar piekte eronderuit, nat van het zweet. Hij wierp hem een boze blik toe en vervolgde in het Frans: 'Het was uw schuld! U had beter uit moeten kijken! U bent niet de enige weggebruiker!'

'Het spijt me.' Simon probeerde hem overeind te helpen. 'Maar u reed op het trottoir.'

De jongeman weerde Simon af, krabbelde overeind en liep wankelend naar zijn fiets. Na een paar stappen had hij zijn evenwicht hervonden, maar dat deed niets af aan zijn boosheid.

Hij trok de fiets overeind. 'Moet je die lak zien!'
Simon bestudeerde de onbetekenende krasjes. De fiets was een goedkoop model, met vijf versnellingen, maar die knaap was er kennelijk erg dol op, of hij probeerde hem op te lichten. Er kwamen mensen om hen heen staan en Simon kon zich geen verder uitstel meer veroorloven. Hij moest zo snel mogelijk weg uit de buurt van de gestolen auto, voordat iemand, met name de politie, ernaar op zoek ging. En hij moest trouwens ook naar Parijs om de foto's af te laten drukken.
Hij pakte zijn portefeuille en zei op verzoenende toon: 'Hoor eens, ik weet dat geld niet alles verzoet. Het is echt een mooie fiets. Ik zal je genoeg geven om hem te laten repareren en misschien over te laten spuiten.'
'Zo gemakkelijk kom je er niet vanaf.' Maar de boosheid in de stem van de jongeman ebde weg, toen hij zag dat Simon een stapeltje euro's te voorschijn haalde.
Simon pakte drie briefjes van vijftig en keek even kritisch naar de ogen van de knaap die op het geld gericht waren. Hij zag de hebzuchtige blik waaruit je meestal kon opmaken dat het bedrag hoog genoeg was.
Hij trok het geld terug. 'Misschien had ik je geen geld moeten aanbieden,' zei hij effen. 'Ik heb je beledigd.' Hij maakte aanstalten om de bankbiljetten weer in zijn portefeuille te stoppen.
'*Non, non.* Misschien was het ook wel een beetje mijn schuld. Ik had niet op het trottoir moeten rijden...' De fietser griste de euro's uit zijn hand.
Simon glimlachte. 'Dat is heel aardig van je.'
De fietser stopte het geld in zijn zak en ging ervandoor. Terwijl het groepje mensen zich mompelend en hoofdschuddend verspreidde, stapte Simon in de Peugeot en reed weg. Binnen de kortste keren zat hij op de snelweg en reed met een vaartje terug naar Parijs, op weg naar de antwoorden die hij daar vast en zeker zou vinden.

De fietser, die Etienne heette, peddelde de straat uit en reed met een omweg terug naar de steeg waar de man in het driedelige maatkostuum naast zijn dure zwarte Citroën stond te wachten. De motor draaide stationair en de uitlaatgassen bleven in het oude straatje hangen.
Etienne sprong van zijn fiets. 'Hebt u het gezien?' vroeg hij met zijn gebruikelijke vertoon van lef. Hij beschouwde zichzelf als een groot acteur. Hij had in twee theatertjes buiten Parijs gestaan. Op een dag zou hij groter zijn dan Jean-Paul Belmondo of Gérard Depardieu en

zelfs Tom Cruise. Dat klusje van vandaag zou hem het meeste geld opleveren dat hij tot nog toe met zijn talent had verdiend. Hij was ook een kruimeldief en een gangster, maar die bezigheden zou hij binnenkort kunnen staken.
'Ik heb het gezien,' bevestigde Gino Malko, die zich afvroeg wie de chauffeur van de Peugeot zou zijn.
Malko was de man al eerder – letterlijk – tegen het lijf gelopen in Zürich, in het gezelschap van Terrill Leaming. Iets meer dan een uur geleden had hij hem opnieuw gezien, op een van de balkons van het château van de baron, en vervolgens was hij er getuige van geweest dat de man op de parkeerplaats voor het personeel in een Renault stapte. Dat was allemaal iets te toevallig naar de zin van Gino Malko, maar hij kon daar niet met de man afrekenen. Malko moest eerst de onderbutler uit de weg ruimen en er vervolgens voor zorgen dat zijn baas snel het landgoed zou kunnen verlaten, wat een enorme omkoopsom had gekost. Toen ze ten slotte in het kielzog van de gestolen Renault naar het dorp waren gereden, had hij via zijn mobiele telefoon geregeld dat de fietser op hem zou staan te wachten. Daarna was hij in zijn Citroën langs de Renault gereden, zodat hij eerder in het dorp zou zijn om het doelwit aan te wijzen.
Malko liep langs Etienne naar het begin van de steeg om de drukke straat en de voetgangers die her en der op de troittoirs liepen zorgvuldig te bestuderen.
'Waarom wilde je eigenlijk dat ik een magneet onder zijn auto stopte?' vroeg Etienne nieuwsgierig. 'Die zal toch niet ontploffen, hè?'
Malko gaf geen antwoord. Toen hij zag dat niemand de jongeman was gevolgd, draaide hij zich snel om, liep recht op hem af en ramde de hiel van zijn hand onder de kin van de nietsvermoedende tiener. Het hoofd sloeg achterover. De wervelkolom kraakte. De jongen viel achterover tegen zijn fiets. Voordat een van de twee op de kinderkopjes terechtkwam, had Malko zijn stiletto al in de hand. Het was hetzelfde wapen waarmee hij nog geen uur geleden de onderbutler had vermoord, de enige die toestemming had gehad van de baron om de lunch op te dienen en getuige te zijn van zijn ontmoeting met Malko's baas.
Malko liet de punt van de stiletto over het lycrashirt van de bewusteloze jongeman glijden, tot hij het juiste plekje onder zijn ribbenkast had gevonden. Daarna stootte hij het lemmet met een soepele beweging waaruit ervaring bleek omhoog in het hart. Er was nauwelijks bloed te zien, tot hij de stiletto terugtrok en het uit de wond spoot. Maar Malko's hand was allang weg. Er kwam geen druppeltje op hem terecht.

Hij veegde het mes schoon aan het shirt van de jongen, stopte het terug in de schede op zijn onderarm en sleepte eerst het lijk, dat vrijwel niets woog, en daarna de fiets aan de kant. Hij pakte de euro's die de jongen van de vreemdeling had gekregen. De omstanders zouden zich die transactie ongetwijfeld herinneren en dan zou worden aangenomen dat roof het motief van de moord was.
Hij keek nog één keer om zich heen. Gerustgesteld stapte hij in de stationair lopende Citroën. De auto gleed naar de tegenoverliggende uitgang van de steeg, met getinte ramen die in het zonlicht op zwarte gaten leken. Niemand kon zijn baas zien. Niemand kon hem zien.

21

Parijs, Frankrijk
Liz stond midden in haar hotelkamer, met de mobiele telefoon die ze van Mac had gekregen in haar hand geklemd. Ze was zo boos dat ze naar adem snakte, maar haar geest was plotseling kristalhelder. Ze wierp een blik op haar horloge. Ze moest snel handelen. De vrouw had haar een uur gegeven en daar waren nog maar veertig minuten van over. In gedachten zette ze alles wat ze te weten was gekomen nog eens op een rijtje.
Vanaf de dag dat haar 'tweede ondervraging' erop zat, was haar leven zo geloofwaardig geweest dat ze het idee had gekregen dat alleen de CIA dat voor elkaar had kunnen krijgen. Terwijl ze verontrust naar de gesloten kastdeur bleef kijken, werd ze kwaad over het feit dat ze zo simpel in de smoesjes van Mac was getrapt... Het enige dat haar argwaan had gewekt was het feit dat hij zich had vergist over het tijdstip waarop was besloten haar serie stop te zetten.
Waar het op neerkwam, was dat haar producer geen enkele reden had om daarover te liegen. De omroep moest het besluit de avond ervoor hebben genomen, precies zoals Shay had gezegd. Maar om zijn toneelstukje geloofwaardiger te maken, had Mac gelogen en gezegd dat Langley daarvoor had gezorgd. *We willen dat niets ons belemmert bij onze zoektocht naar Sarah.* Zijn bazen waren bang dat ze het archief ergens zou opduikelen zonder dat zij daar zeggenschap over hadden. Het was maar een kleine oneffenheid in het script. Een grotere smet op het blazoen was hun mol, oftewel de verrader... iemand binnen hun groepering die informatie doorspeelde aan de chanteur.

Het script. Ze bleef strak naar de mobiele telefoon staren die ze in haar hand had. Het script, het toneelspel, de façade was afhankelijk van de mate waarin haar tegenstanders konden bepalen wat zij deed. Zouden ze dan alleen vertrouwd hebben op Mac, die haar moest schaduwen? Geen denken aan. Ze draaide de telefoon om, maakte het vakje voor de batterijen open en haar adem stokte.

Ze had goed geraden, maar het kwam toch nog als een schok: twee kleine apparaatjes ter grootte van een overhemdsknoopje. Het ene was een GPS-zendertje, het andere een microfoontje.

Ze stond er met grote ogen naar te kijken. De omvang van de implicaties die hun aanwezigheid inhield, stuitte haar tegen de borst. De ontvoerders hadden haar op de voet gevolgd en ze hadden al haar gesprekken afgeluisterd... met Mac, met de hotelreceptionisten, met Tish en Simon en Jimmy Unak, met de kaartjesverkoper op Waterloo Station, met de taxichauffeurs en...

Ze wisten precies wat ze had gezegd. Ze hadden alles gehoord. Alles. Wat iedereen haar had verteld. Als er geluid aan te pas kwam, had iemand het gehoord, het opgenomen of allebei. Het minste kuchje, het schrapen van een keel, het geluid van een stoel die achteruit werd geschoven, het zachte gesnurk van Simon, het doortrekken van een toilet... Ze snakte naar adem en ze had het gevoel dat ze misbruikt was.

Maar waarom keek ze daar zo van op? Omdat ze haar al jarenlang in de gaten hadden gehouden, wisten ze zeker dat ze op zoek zou gaan naar dat archief als Sarahs leven op het spel stond. Dus hadden ze niet alleen die ontvoering in scène gezet, maar ook het opsporings- en het afluisterapparaatje aangebracht, om niets aan het toeval over te laten. Dat verklaarde de moord op Tish: Liz had het adres van Tish opgegeven aan haar Londense taxichauffeur. Degene die het afluisterapparaatje in de gaten had gehouden had dat gehoord en het doorgegeven aan de mol zelf of aan een groep waarvan de mol deel uitmaakte.

Ze stond even na te denken. Daarna was er kennelijk geen informatie meer doorgegeven. Anders was die oppasser haar gewoon rechtstreeks gevolgd naar het opslagbedrijf. En als hij haar daar was misgelopen, had hij haar in de nachtclub van Jimmy Unak kunnen vinden.

Ze drentelde heen en weer door de kamer, piekerend over de reden waarom haar achtervolger een halt was toegeroepen. En toen begreep ze het ineens: de ontvoerders waren er kennelijk achter gekomen dat er een mol in hun midden zat. De mol was dood, op een zijspoor gezet of ze gaven geen informatie meer door.

Ze draaide zich om en begon weer te ijsberen. Waar ze zich nu vooral zorgen over maakte, was of de ontvoerders iets wisten waarvan anderen schade konden ondervinden...
Die arme Tish konden ze niets meer aandoen en Jimmy Unak was niet meer van belang. Maar Simon was er ook nog. Degene die het afluisterapparaat in de gaten hield, wist dat Simon van plan was om een bezoek te brengen aan de baron de Darmond en dat er verband bestond tussen de baron, de Carnivoor en het archief. Dat zou heel slecht nieuws kunnen zijn voor Simon.
Ze liep haastig naar de badkamer, zette de douche aan en liet de mobiele telefoon op de rand van het bad liggen. In de slaapkamer gebruikte ze de normale hoteltelefoon om te bellen.
'Neem op, Simon. Neem op!' Maar dat deed hij niet. Zodra de piep klonk, zei ze dringend: 'Simon, met Sarah. Wees voorzichtig. De mensen voor wie die moordenaar in Londen werkte, weten waarschijnlijk dat je van plan bent om vandaag een bezoek aan de baron te brengen. Ik hoef je niet te vertellen hoe gevaarlijk ze zijn. Ik wou dat ik meer wist, maar dat is niet zo. Ik neem zo gauw mogelijk weer contact met je op.'
Ze verbrak de verbinding, liep met grote passen naar de badkamer en greep de mobiele telefoon op. Ze stond net op het punt om het toestel woedend tegen de muur te smijten, maar ze hield zich in. En glimlachte. Het was een kil, flauw lachje. Ze liep naar het raam en gluurde om het hoekje. De vrouwelijke beroepskracht zat nog steeds op de bank, met haar handtas keurig op haar schoot. Ze leek doodgewoon, zoals ze daar zat te wachten tot Liz kwam opdagen of tot het uur om was.
De vrouw was de sleutel: zij werkte voor de chanteur.
Terwijl zich langzaam maar zeker een plan in haar hoofd ontvouwde, trok Liz de kastdeur open. Ze keek neer op Mac en wenste hem zwijgend en boos vaarwel, voordat ze een zwart jasje met een ritssluiting van een kleerhanger griste. Zodra Macs lijk was ontdekt, kon ze hier met geen mogelijkheid terugkomen.
Ze pakte haar eigen tas, haalde er alle geld en creditcards uit en greep toen Ashers baret en Sarahs bril. Waar had ze Sarahs schoudertas neergezet? Op het bureau... naast de Sig Sauer. Terwijl ze alles erin propte, bleef haar blik voortdurend naar het pistool dwalen, een 9mm in perfecte conditie. Ze herinnerde zich hoe de kolf in haar hand aanvoelde. Vanaf de plek waar het lag, leek het haar als een lang vergeten liefde toe te lonken.
Ze raakte het niet aan, maar ze werd verscheurd door emoties. Ze sloot haar ogen en dacht terug aan een studie over soldaten op het

slagveld. Slechts vijftien procent van de Amerikaanse soldaten in de Tweede Wereldoorlog had hun wapen afgevuurd. Het merendeel was te bang geweest om de trekker over te halen, omdat mensen nu eenmaal een automatische veiligheidspal hebben die voorkomt dat ze hun eigen soortgenoten uitroeien.
Die wens om géén mensen te vermoorden was een groot probleem voor het leger. Vandaar dat hun psychologen – mensen zoals zij – een trainingsprogramma, dat in feite gewoon neerkwam op gedragscorrectie, hadden samengesteld om soldaten te produceren die konden schieten en doden zonder daar echt over na te denken. Tijdens de oorlog in Vietnam was het percentage gestegen tot een verbijsterende negentig procent, zes maal zo hoog.
Ze dacht terug aan Wenen. Het was 1991, tegen het vallen van de avond, in een buurt met kleine winkels en grappige lantaarnpalen. De horlogemaker met wie ze een afspraak had, was een waardevolle medewerker van de CIA, ook al was hij een bescheiden man die eigenlijk voor iedereen bang was. De winkel van Andreas Bittermann stond bekend als een adres waar je de armzalige horloges die in de Sovjet-Unie werden gemaakt kon laten repareren. Natuurlijk kochten communistische ambtenaren die in Wenen werden gestationeerd prompt westerse horloges en klokken, maar aangezien ze na verloop van tijd weer naar huis zouden moeten, waar de carrière – om nog maar te zwijgen van het leven – van een ambitieuze *apparatchik* gevaar kon lopen door een te grote mate van ‘verwestering’, stuurden ze ook hun klokjes uit het oosten naar Andreas, voor onderhoud en een schoonmaakbeurt.
Andreas, die in het geheim vloeiend Russisch sprak, luisterde naar het gebabbel van de vrouwen, de vriendinnetjes en de kinderen en gaf aan zijn contactman nuttige informatie door over promoties en degradaties, het komen en gaan en de ambities en zwakheden van sovjetautoriteiten. Dat had Langley een schat aan informatiemateriaal opgeleverd. Liz had hem twee keer ontmoet en was gecharmeerd van zijn Duits met een Frans accent en zijn ouderwetse bakkebaarden.
Maar in 1991 was de Berlijnse Muur inmiddels met de grond gelijkgemaakt en de ene na de andere sovjetstaat scheidde zich af om onafhankelijk te worden. Toch bleef het Politburo in naam aan de macht. Het probeerde wanhopig de laatste teugels in handen te houden en reageerde vaak theatraal, in een poging indruk te maken door het uit de weg ruimen van ‘problemen’. Andreas was bang, hij had hun laten weten dat zijn anti-communistische activiteiten de aandacht hadden getrokken van het Politburo.

Toen ze naar zijn winkel toeliep, liet ze haar rechterhand voor alle zekerheid in de grote zak van haar regenjas glijden, waarin ze haar Walther had gestopt. De geluiddemper zat er niet op, want dan zou het wapen te lang zijn geweest om in de zak te passen. Ze droeg een hoofddoekje en platte schoenen, een doodgewone Hausfrau die nog gauw even voor het eten een boodschap ging doen.
Maar toen ze bij de glazen deur kwam en haar hand op de deurknop legde, zag ze dat Andreas al dood was. Koudgemaakt. Ze voelde hoe haar keel werd dichtgeknepen en iets binnen in haar borst begon te trillen... half van angst en half van opwinding. Zijn lichaam lag als een dood vogeltje voorovergezakt op de toonbank. Op de plek waar de kogel was uitgetreden, was zijn nek één bloedende massa.
Terwijl ze naar hem stond te staren, week de moordenaar achteruit naar de plek waar zij stond en stopte zijn van een geluiddemper voorziene pistool onder een van die gore overjassen die alle communistische beroepskrachten destijds schenen te dragen.
Ineens zag de moordenaar haar in de spiegel die tegenover hem hing. En zij zag dat hij haar zag. Ze bleven elkaar even strak aankijken. Natuurlijk had ze inmiddels allang haar pistool in haar hand.
Hij rukte zijn wapen weer te voorschijn en draaide zich snel om. Zijn eerste kogel vloog dwars door de glazen deur en floot over haar linkerschouder. Ze kon nog net op tijd wegduiken. De glasscherven veroorzaakten scheurtjes in haar regenjas, maar misten haar gezicht.
Ze keek op. Zijn vinger kromde zich alweer om de haan en hij had de loop recht op haar gericht, vol vertrouwen omdat ze zo'n futloze indruk maakte.
Ze vuurde. Haar kogel boorde zich midden in zijn borst. Het lawaai van haar ongedempte schot leek in het smalle, door winkels omzoomde straatje op een vulkaanuitbarsting. Zijn zelfvertrouwen kwam hem duur te staan. De kogel uit zijn pistool, dat wel een geluiddemper had, raakte niets. Voetgangers gilden en zochten dekking. Hij wankelde achteruit, kwam tegen de grote spiegel terecht en gleed langs de muur omlaag, met een stomverbaasde uitdrukking op zijn stervende gezicht.
Ze stopte haar pistool weer in de zak van haar regenjas en maakte zich haastig uit de voeten. Ze was volkomen overstuur. Het was de eerste keer dat ze iemand had doodgeschoten. Ze had ook weg kunnen lopen toen ze zag dat Andreas dood was. Dan zou zijn moordenaar haar nooit hebben gezien en zij had het voorval aan haar projectleider kunnen melden en om instructies kunnen vragen. Maar ze was gebleven. Was dat omdat ze zich verantwoordelijk had gevoeld voor Andreas, een vriendelijke, dappere man?

Nu was hij dood en hetzelfde gold voor zijn moordenaar. Mensen die in termen van 'oog om oog' dachten, zouden dat waarschijnlijk een eerlijke uitkomst vinden. Maar dat gold niet voor haar. Het probleem was dat ze het leuk had gevonden om het tegen hem op te nemen en had genoten van het feit dat hij haar onderschatte. Ze was stomverbaasd geweest dat ze had staan trillen van opwinding. Ze wist allang dat ze graag won, maar dit was iets heel anders. Ze had het rare gevoel dat er iets in haar binnenste een nieuw leven was begonnen.

Natuurlijk had ze, gezien de aard van haar opdrachten en het geweld waarmee ze geconfronteerd werd, meer mensen gedood. Pas later, toen ze erachter kwam wat haar ouders werkelijk voor de kost deden, was ze zich gaan afvragen in hoeverre ze op hen leek.

Ze was heel lang op zoek geweest naar een reden voor de dingen die ze had gedaan. Op de een of andere manier was patriottisme geen verklaring geweest, want net als bij de dood van de horlogemaker had ze de misdaad ook bij haar meerderen kunnen melden. Dat ze voor haar plezier mensen doodde, klopte ook niet, want het was bepaald geen 'plezier' geweest, eerder een blinde drang om door te gaan, fouten recht te zetten en het werk af te maken.

Later werd ze af en toe misselijk als ze eraan terugdacht. Ze had geen begrip voor zichzelf kunnen opbrengen, ze had zichzelf nauwelijks herkend, maar dat zou wel komen omdat ze precies zo was geweest als die soldaten in Vietnam – psychologisch geprogrammeerd om de trekker over te halen, zonder echt na te denken over goed en kwaad, of over het feit dat de persoon die de kogel incasseerde ook een mens was.

Misschien was dat iets wat ze van haar ouders had geërfd. Misschien had het iets met maatschappelijke omstandigheden te maken. Of met Langley. Maar ze werd overspoeld door schuldgevoelens.

Tegenwoordig nam het geweld hand over hand toe. Jeugdmisdaad groeide zowel in Groot-Brittannië als op het continent de pan uit: in Frankrijk, Duitsland, Rusland en zelfs in het bezadigde Zweden, waar de gemiddelde leeftijd van mannelijke criminelen van twintig naar vijftien jaar was gezakt. In de Verenigde Staten waren de zogenaamde schoolmoorden schering en inslag. Overal ter wereld vonden de mensen de dood bij guerrillaoorlogen, terwijl terroristen afwisselend patriotten of moordenaars werden genoemd, afhankelijk van iemands politieke overtuiging. De gebeurtenissen van de elfde september, Afghanistan, Irak. Haar academische brein zat boordevol met dat soort statistieken, anekdotes, constateringen en theorieën.

In de hotelkamer haalde ze even diep adem en staarde naar de Sig

Sauer die daar zo uitnodigend op de ladekast lag. Als de mensheid zich niet aan bepaalde elementaire morele principes hield, zou chaos het resultaat zijn. Een wereld zonder ethische normen was geen plaats om in te leven. Vrede vond zijn oorsprong in het brein. Zonder de geestelijke verheffing van het individu kon niets worden bereikt en een gewelddadig brein was geen voedingsbodem voor vrede. Dit soort gedachten waren voor haar bijna een vorm van religie. Vastberaden verstopte ze het pistool weer op dezelfde plaats, stopte de mobiele telefoon in haar schoudertas en liep haastig de kamer uit. Ze moest een manier vinden om stiekem naar buiten te glippen en weer terug te lopen naar het hotel, zodat ze de vrouw in de gaten kon houden. Ze wierp een blik op haar horloge. Ze had nog maar twintig minuten over en ze had geen vermomming.

In de lift drukte ze op het knopje voor de kelder. Toen de deuren opengleden, stapte ze in een halfduistere parkeergarage waar de zilte lucht van de zee hing. Tegen de achtermuur, naast de dienstlift, stond een kleine koelwagen en de chauffeur was bezig met het uitladen van verse vis in een koelbox. Hij sloeg de deur van de vrachtwagen dicht en liep met de koelbox de lift in, waarschijnlijk om die in de keuken van het hotel af te leveren.

Ze moest ineens denken aan iets wat haar vader een keer tegen haar had gezegd. *Maak gebruik van wat je hebt. Stommelingen gaan met hun handen in het haar zitten. Een genie pakt wat hij nodig heeft.* Toen de liftdeur dichtgleed, bestudeerde ze de vrachtauto. Plotseling kwam ze op een idee. Had de man de moeite genomen de wagen op slot te doen? Per slot van rekening was dit een bewaakte garage en hij verwachtte waarschijnlijk dat hij meteen terug zou komen. Ze keek om zich heen. Niemand te zien. Ze liep met grote passen naar de auto, schoof de zijdeur open en tuurde in de koelruimte.

Die stond vol opeengestapelde kisten met vis. Met een grimmig lachje stopte ze de mobiele telefoon in een van de bakken, waarbij de vis klam en ruw aanvoelde tegen haar hand. *Laat die smeerlappen nu maar proberen haar op te sporen.* Ze pakte een doek die aan een haakje hing, veegde haar handen schoon en sloot de deur. Toen de visboer terugkwam, stond ze leunend tegen de motorkap over haar enkel te wrijven.

'*O, pardon!*' Ze hinkte weg, in de hoop dat ze hem zover zou krijgen dat hij haar hielp.

Hij was klein en rond, met bloedvlekken op zijn witte schort en een vrolijk, bruin verweerd gezicht. 'Is alles goed met u, *mademoiselle?*' vroeg hij in het Frans. 'Hebt u zich bezeerd?'

'Er is niets aan de hand. Of ja, eigenlijk wel. Het gaat om mijn vriend,

ziet u. We kregen ruzie en... en...' Ze haalde hulpeloos haar schouders op en maakte een gebaar. 'Hij heeft me hier laten staan. Toen ik achter hem aan holde, heb ik mijn enkel verzwikt. Over een paar minuutjes zal het wel weer beter gaan. Ik leunde alleen even tegen uw auto om uit te rusten. U hoeft zich echt geen zorgen te maken.'
Hij knikte begrijpend. 'Ach, ja. De liefde. Je weet nooit wanneer het tij zal keren. Zelfs nu nog, op mijn leeftijd... Nou ja, dat hoeft u helemaal niet te weten. Jammer dat ik niets voor u kan doen.' Hij haalde zijn schouders op. 'De liefde!'
'Nou ja, er is wel iets, als het tenminste niet te veel moeite is. Mijn oom heeft hier vlakbij een schoenwinkel. Zou u het heel erg vinden om me daar naartoe te rijden? Ik weet wel dat zo'n belangrijk man als u weinig tijd heeft, maar misschien zou het toch niet te veel moeite zijn?' Ze begon weer te hinken, verloor bijna haar evenwicht en glimlachte hem lief toe.
'Nou ja... Vlakbij zei u toch? Natuurlijk, dat is een kleine moeite. Ik wil u met alle genoegen van dienst zijn.'
'Wat lief van u. Echt ontzettend lief. Heel hartelijk bedankt.'
Toen hij zijn motor startte, begon Edith Piaf op zijn cd-speler te zingen en ze luisterden allebei naar een wijs, maar treurig liedje over *l'amour* terwijl hij omhoogreed naar de straat. Dit was het punt waarop ze het grootste gevaar liep ontdekt te worden. Niemand mocht haar zien.
Ze zuchtte, kreunde en bukte zich om weer over haar enkel te wrijven.
'Doet het pijn, mademoiselle?' vroeg hij bezorgd.
'Een beetje.' Ze wreef enthousiast door en bleef uit het zicht.
Terwijl hij zijn stuur naar rechts draaide, begon ze tot tien te tellen. Toen ze ten slotte weer rechtop ging zitten, waren ze op veilige afstand van het hotel. Ze liet hem nog twee straten verder rijden en hij zette haar af voor de winkel waar ze de vorige keer dat ze in Parijs was een paar schoenen had gekocht.
Ze liep hinkend naar binnen. Toen zijn vrachtauto was verdwenen, holde ze naar buiten en gebruikte een telefooncel om het hotel een anonieme tip te geven dat er een dode man in kamer 405 lag. Daarna nam ze even de tijd om een paar dingen te kopen waarmee ze zich kon vermommen en liep toen haastig terug naar het hotel, piekerend over de moordenares.

22

De Parijse politie liep Hotel Valhalla in en uit en zette dranghekken neer, terwijl de pers met camera's, microfoons en opschrijfboekjes achter hen aandraafde. Voetgangers bleven in de hete zon staan om met grote ogen toe te kijken. Liz had inmiddels een zonnebril op en een zwarte strohoed, die goed bij haar donkere broek en jasje paste, en hield zich schuil in een portiek naast alweer een aanplakbiljet van het Cirque des Astres. Ze kwam tot de conclusie dat de poster haar geluk bracht. Van hieruit kon ze niet alleen het hotel, maar ook de moordenares in het oog houden.
Met grimmige voldoening zag Liz dat het nietszeggende masker van de vrouw aan diggelen lag. De woede straalde van haar af, van het smalle streepje dat haar lippen vormden tot de wegwerpgebaren die ze maakte tijdens een hele serie telefoontjes die kennelijk bedoeld waren om bevelen uit te delen. Haar zonnebril bleef onafgebroken op de heisa rond het hotel gericht. Ten slotte hield ze even op. Ze beheerste zich en toetste opnieuw een nummer in. Dit was een langer en bedachtzamer gesprek en toen ze de verbinding verbrak, leek ze gekalmeerd, alsof er een besluit was genomen dat in haar straatje paste.
En daarna gebeurde precies wat Liz had geprobeerd te bewerkstelligen. De vrouw stapte op, nog steeds met haar boodschappentassen in de hand. Liz glipte de straat in en liep achter haar aan, terwijl een man die in de buurt van de dranghekken had rondgehangen haar plaats op het bankje overnam om het hotel in het oog te houden. Toen Liz haar door de kronkelende, verwarrende straten begon te schaduwen kwam de vrouw keer op keer teruglopen. Ze wandelde winkels binnen en ging door een zijdeur weer naar buiten. Af en toe rende ze bijna om vervolgens weer een heel stuk te gaan slenteren. Het was duidelijk dat ze probeerde uit te vissen of ze door iemand werd gevolgd. En ze was heel goed.
Liz hield afstand en begon dan zelf ineens ook sneller te lopen, zonder dat ze de indruk wekte dat ze haast had. Ze deed de strohoed af en zette Ashers baret op. Daarna deed ze haar jasje uit en trok de baret van haar hoofd. Een tijdje later zette ze de strohoed weer op. Automatisch en instinctief stak alles wat ze in het verleden had geleerd de kop weer op en dreef haar voort.
Voor het merendeel was het een onzichtbare dans temidden van de plaatselijke bevolking en niemand scheen aandacht voor haar te hebben, behalve een taxichauffeur die achter Liz aan reed, op zoek naar

een passagier. Het lampje boven op zijn taxi brandde. Ze keek argwanend naar zijn gezicht, omdat ze al eerder twee keer door dezelfde chauffeur was opgepikt. Maar deze man herkende ze niet. Toch gebaarde ze dat hij door moest rijden en ze keek hem na tot hij na het kruispunt stopte om een ouder echtpaar op te pikken. Op hetzelfde moment sloeg de vrouw weer een andere straat in. Liz liep achter haar aan en zette de taxichauffeur uit haar hoofd.

César Duchesne hinkte onder de al brandende straatlantaarns naar zijn onderduikadres ten noorden van de Eiffeltoren. Hij droeg nog steeds zijn taxipet en daaronder de kleine oordopjes. Zijn cd-speler hing aan zijn riem. De lange, vochtige schaduwen van de vooravond verduisterden het trottoir. Zijn opmerkzame ogen keken voortdurend rond en gleden over het verkeer, de mensen, steegjes en geparkeerde auto's. Hij verwachtte niet dat iemand zou proberen hem tegen te houden en zeker niet dat hij herkend zou worden, maar je kon niet weten. Als je een leven lang vol clandestiene activiteiten achter de rug had, was je er inmiddels wel van doordrongen dat je niet op mensen moest vertrouwen en ook niet op je geluk.

Hij spoelde de cd door tot hij op de plek was die hij nog een keer wilde afluisteren. Als hoofd veiligheidsdienst van de Spiraal had Duchesne niet alleen de leiding over de operatie, maar hij was ook de enige die het afluisterapparaat in de mobiele telefoon van Liz Sansborough in de gaten hield. Hij probeerde nog steeds de stem van de vrouw te identificeren. Ze sprak Engels, maar met een Frans accent.

'Kom naar me toe.'

'Wat?' Dat was absoluut Liz.

'Kom naar me toe, dan laten we Sarah Walker vrij. Neem de lift naar beneden en loop door de voordeur het hotel uit. Daar vang ik je op. Er zal een busje aan komen rijden... dezelfde zwarte bus die haar heeft opgepikt. Je wilt toch dat ze vrij komt, hè?'

Hij vloekte vol walging. Hij herkende de stem niet en geen van zijn mensen kon hem vertellen hoe ze eruitzag. Hij luisterde verder.

'Tish Childs, Angus McIntosh. De volgende is misschien wel Sarah Walker. Het kan toch geen kwaad om met elkaar te praten? Kom naar beneden. Je wilt haar graag zien, hè?'

'Jij hebt hem vermoord!'

Duchesne stopte de opname. Dit beviel hem helemaal niet. Heel even leek zijn verleden weer zo dichtbij, dat het een naadloos onderdeel van hem vormde. Het was de metalige geur van bloed, een vleugje van een duur parfum. Het was ook een gevoel van verlies dat sterker was dan de herinnering aan liefde. De hebzucht van die chanterende smeerlap had Duchesnes vrouw het leven gekost en Duchesne aanvankelijk als een wrak achtergelaten, voordat hij zich weer in de onderbuik van de maatschappij had gestort. Nu was zijn leven gevuld met woede en met herwonnen vaardigheden, die hij opnieuw aan had moeten scherpen.

Een leven zoals hij nu al vier decennia had geleid bezorgde je een zesde zintuig voor de toekomst. Het leek weliswaar of de operatie volkomen uit de hand liep, maar dat was pure noodzaak. Hoe moest hij anders die schoft met het archief voor het blok zetten? Maar de risico's die daaraan verbonden waren, werden steeds groter en tot zijn eigen verbazing bekroop hem af en toe een gevoel dat hem verraste. Hij maakte zich zorgen. Tot zijn vrouw de dood vond, had hij gedacht dat hij daar niet meer toe in staat was.

Hij liep slepend met zijn rechterbeen de trap in het oude appartementsgebouw op. Op de eerste overloop bleef hij even staan en luisterde of hij de kinderen boven hoorde. Een van hen, een jongetje van een jaar of zes, was helemaal gefascineerd door het feit dat hij kreupel liep. Jean-Luc wilde vriendschap met hem sluiten. Maar Duchesne had geen vrienden, en zeker niet onder kwetsbare kinderen. Vandaar dat hij even stilstond om er zeker van te zijn dat Jean-Luc hem niet opwachtte.

Toen hij alleen het geluid van de tv-toestellen achter de twee deuren op de overloop hoorde, liep hij verder naar de volgende verdieping, waar hij het gloeidraadje boven aan zijn deur controleerde. Het zat er nog steeds, onzichtbaar, al kon je het wel voelen. Niemand had ingebroken. Hij maakte de deur open, stapte naar binnen en wachtte tot zijn ogen aan het duister gewend waren. Hij snoof, maar hij rook niemand. Gerustgesteld deed hij de deur op slot en schoof de grendel ervoor.

Hij liep naar de koelkast om een blikje tomatensap te pakken. Terwijl hij dat opdronk, pakte hij zijn speciale mobiele telefoon en toetste het nummer van Kronos in. Toen Kronos antwoordde, ging Duchesne vermoeid zitten.

Telefoongesprek met Brussel, België

Ik heb nieuwe inlichtingen, Kronos. Mijn mensen hebben Atlas, Oceanus, Prometheus en Themis nagetrokken. Ze zaten vanmiddag, toen baron de Darmond vermoord is, allemaal in Parijs.'

'In Parijs? Maar hij is in Chantilly vermoord. Dus...'

'Zo simpel is het niet. We konden niemand vinden die gezien had dat ze het centrum van Parijs verlieten, maar dat wil niet zeggen dat een

of meer van hen dat niet hebben gedaan. Ze hadden stuk voor stuk een auto, een bus of de metro kunnen nemen. Vergeet niet dat volgens het politierapport de ontmoeting tussen de baron en zijn moordenaar zelfs voor het personeel geheim was gehouden.
'Dus je wilt zeggen dat ieder lid van de Spiraal hem vermoord kan hebben?'
'Stuk voor stuk. Met inbegrip van jou. Want jij was ook in Parijs. Maar goed, dat was ik ook.'

Parijs, Frankrijk
De prooi die Liz achtervolgde liep het metrostation St. Michel in en nam een trein naar het noorden. Bij Réamur-Sebastopol stapte de vrouw uit en gebruikte een vroege maaltijd op een caféterras. Ze scheen geen haast te hebben en zich nergens druk over te maken, maar haar ogen kenden geen moment rust en hielden alles en iedereen in de gaten.
Liz dwong zichzelf om ook iets te eten en volgde haar opnieuw in lijn drie in oostelijke richting, waar de vrouw uitstapte bij het station Gambetta in het voornamelijk door arbeiders bewoonde twintigste arrondissement. Toen Liz in de schemering naar buiten stapte, nog steeds in het kielzog van de vrouw, stonden een stuk of tien mensen tussen hen in, die haar een goede bescherming boden. Terwijl de populieren heen en weer zwiepten in de wind, de duisternis langzaam maar zeker inviel en een veelvoud van Afrikaanse talen voor een exotisch tintje zorgde, liep Liz achter de vrouw aan naar de verste buitenwijken van Belleville en vroeg zich af wat ze daar te zoeken had.

Met een fel gebaar deelde Sarah nog een laatste stoot uit met de doornstripper. Haar handen waren gevoelloze klauwen en haar armen en schouders deden pijn, maar vergeleken bij de laatste twee dagen was ze een stuk opgeknapt. Ze tuurde omhoog naar de plaat triplex. Ze was erin geslaagd om aan drie kanten het hout om de spijkers weg te hakken: links, rechts en aan de onderkant. Zodra ze weer gevoel in haar handen had, zou ze de plaat optillen om te zien waar het raam op uitkwam. Ze had haar hoop gevestigd op een brandtrap of een iets lager gelegen dak, maar zelfs een mooie stevige boom was al goed.
Ze hoorde een geluid en draaide zich om. 'Asher! Nee...'
Hij zat rechtop op de brancard. 'Ik zei toch dat ik weer in orde ben. Ik liep alweer rond in mijn kamer in het ziekenhuis, voordat die schooiers besloten me te kapen. Maar ik ben nog wel langzaam. Waardig. Je hebt altijd gewild dat ik waardig zou zijn.'

'Niet waar. Je trilt.'
'Alleen maar omdat ik naar jou kijk. Ik heb je nooit kunnen weerstaan.'
'Asher,' zei ze waarschuwend.
Hij grinnikte.
Ze zuchtte. 'O, goed. Je mag me helpen.'
Zoals voorspeld bewoog hij zich in een bezadigd tempo. Licht hijgend kwam hij naast haar staan en keek haar hoopvol aan. 'Ik wens een lift die ons hiervandaan kan brengen.'
'Je wenst maar een eind weg. Ik heb het gevoel alsof we de *Queen Elizabeth* moeten dopen.'
'Dat is in ieder geval beter dan de *Titanic*. Hoewel ik er zeker van ben dat de champagne van prima kwaliteit was.'
Ze keken elkaar even vol optimisme aan en tilden samen het triplex een paar centimeter op, tot de plaat bleef steken, vastgehouden door de spijkers die nog aan de bovenkant zaten.
'Vooruit met de geit,' zei ze, terwijl ze haar rug onder het triplex schoof. 'Dit kan ik wel in mijn eentje. Kijk jij maar naar buiten en vertel me wat je door het raam kunt zien.'
Aan zijn strakke mond was te zien dat hij pijn had. Hij knikte zonder iets te zeggen, deed een stap achteruit en ging op haar bed zitten. 'Van hieruit heb ik een prima uitzicht. Alsof ik op de eerste rij zit.'
Ze knikte, ging in een spreidstand staan en gebruikte haar hele lichaam om de plaat op te tillen. Het triplex kwam omhoog. Spijkers snerpten vol protest. Het hout sneed in haar rug. Splinters en stof dwarrelden op haar neer.
'Wat is er te zien?' vroeg ze.
'Sterren. Het is nacht. De sterren staan aan de hemel.'
Dat beviel haar helemaal niet. Nu de spijkers losser zaten, kon ze het triplex ver genoeg optillen om eronder te kruipen. Ze keek omlaag en onderdrukte een kreet. Ze zaten op de zesde verdieping, boven een straat vol voorbijschietende autodaken en koplampen. Het trottoir leek op de bodem van een donkere put te liggen. Er was geen lift, geen brandtrap, geen lager gelegen dak, geen hoge boom en zelfs geen touw. Ze bevonden zich zes verdiepingen boven een geheide doodsmak.

23

Simon liep met lange, boze stappen terug naar zijn auto. Te veel doden, te veel onverklaarbare gebeurtenissen en nu maakte hij zich ook nog eens zorgen over Sarah. Dit was de chronische spanning van het eindeloze, meedogenloze wachten waartoe echte spionnen veroordeeld waren. Het was hun lot om alleen op een donkere brug of in een of andere godverlaten straat te moeten wachten op een voordeeltje. Om alleen in een lege kamer te moeten wachten op een koerier met instructies of nieuwe geloofsbrieven of een vluchtroute uit een vreemde stad.

Direct na zijn terugkeer in Parijs was Simon rechtstreeks naar de fotozaak van een collega gereden – Jacqueline Pahnke, voormalig lid van de Franse inlichtingendienst – en had zijn miniatuur MI6-camera bij haar achtergelaten. Toen hij haastig terugliep naar zijn auto, had hij zijn mobiele telefoon geïnspecteerd en maar één boodschap aangetroffen, een verontrustend bericht van Sarah: *De mensen voor wie die beroepskracht in Londen werkte, weten waarschijnlijk dat je van plan bent om vandaag een bezoek aan de baron te brengen. Ik hoef je niet te vertellen hoe gevaarlijk ze zijn...* Maar hij had in het château niets gezien dat erop wees dat iemand daar was gewaarschuwd dat hij eraan kwam, of dat de moord op de baron ook maar iets te maken had met zijn aanwezigheid daar.

Meteen daarna volgde weer iets verontrustends: hij had het nummer van Sarahs mobiele telefoon gebeld en een man had opgenomen.

'Ja?' De man had een Amerikaans accent.

Simon trok zijn wenkbrauwen op. 'Wie ben jij?'

'Een vriend. Met wie spreek ik?'

'Zeg maar tegen Sarah dat het Simon is.'

'Wacht even.' Er klonk een luidruchtig gekletter toen de telefoon neergelegd werd. Daarna kwam de stem weer terug: 'Ze is bezig. Ze zegt dat ze je wel terug zal bellen. Geef me je nummer maar.'

Dat was de druppel die de emmer deed overlopen. Simon vloekte en drukte de telefoon uit. Sarah kende zijn nummer al, dus dat betekende dat een vreemde haar mobiele telefoon had. Hij sprong in zijn auto en reed snel naar haar hotel, dat door een legertje gendarmes was afgezet. Hij had zijn MI6-legitimatie moeten gebruiken om hen zover te krijgen dat ze hem vertelden dat een vermoorde toerist was aangetroffen in een kamer die op naam stond van een Amerikaans echtpaar: Asher Flores en Sarah Walker.

Maar Sarah had gezegd dat Asher niet in de stad was. Wat was er

verdomme aan de hand? En nu moest Simon zich door het drukke verkeer richting noorden worstelen. Hij trok zich niets aan van de blèrende claxons en de schreeuwende automobilisten en ging op zoek naar de telefooncel die Sarah beschreven had, op het kruispunt van de rue de Bassano en de Champs-Elysées. Zoals ze had voorspeld waren er een stuk of tien boodschappen achtergelaten. Maar het probleem was dat er niet één van haar bij zat.
Misschien was Sarah ergens opgehouden. Misschien... Hij schudde zijn hoofd. *Gelul.* Haar mobiele telefoon was in handen van een vreemde. Er lag een dode toerist in haar kamer. En Asher was in Parijs, of hij was er althans geweest.
Er was absoluut iets gebeurd en alles was in het honderd gelopen.
Hij kocht een *International Herald Tribune* en ging op het terras van Chez Paul aan een tafeltje zitten, waar hij een oogje op de telefooncel kon houden. Hij dwong zichzelf om een hapje te eten, terwijl hij ieder gezicht en lichaam dat langskwam nauwgezet bestudeerde. Toen hij zijn eten op had, sloeg hij de krant open. De bijeenkomst van de G-8 domineerde het nieuws. Te saai voor woorden. Hij bladerde de krant door, waarbij hij om de paar minuten opkeek, las alles en onthield niets, tot zijn oog plotseling, ergens achterin, op een berichtje van twee alinea's over de dood van Viera Jozef viel.
Een golf van verdriet welde in hem op. Dit keer stond er geen foto bij en het was eigenlijk niet meer dan herkauwd nieuws, waarin de plaatselijke politie Jan en alleman de schuld gaf, plus een paar hartverscheurende opmerkingen van haar broer. Hij kreeg het er benauwd van. Het leven was niet alleen één groot raadsel, maar ook veel te vluchtig.
Zijn gedachten dwaalden even af toen hem plotseling een beeld uit zijn jeugd door het hoofd flitste. Zijn moeder hield zijn hand beschermend vast, terwijl Sir Robert in zijn driedelige kostuum naast hen stond en een paraplu boven hun hoofd hield, terwijl de regen in pijpenstelen omlaag gutste. Toen had hij zich veilig gevoeld. Maar als puntje bij paaltje kwam, was een dergelijk gevoel van geborgenheid waarschijnlijk alleen mogelijk voor een kind.
Hij bladerde de krant verder door en zag met een schok de politiefoto van Sarah bij een kort stukje over de moord op Tish Childs in Londen. Maar het onderschrift van de foto luidde *Elizabeth Sansborough* en in het artikel stond, dat volgens de politie een pistool dat in een naburig steegje was gevonden op naam stond van Elizabeth Sansborough, Santa Barbara, Californië.
Simon fronste. Een foto van Liz en het pistool van Liz. Maar toch kon hij niet geloven dat Liz iets te maken had met de moord op Tish,

dus bleef er maar één logisch antwoord over: de echte moordenaar moest het pistool opzettelijk achtergelaten hebben. Maar als Sarah werkelijk in haar eentje en om privéredenen op zoek was naar het archief van de Carnivoor, zoals ze hem had verteld, waarom zou de moordenaar dan proberen Liz voor de moord op te laten draaien?
Hij leunde piekerend achterover en de conclusie die hij bereikte, beviel hem totaal niet. Als de Franse of de Engelse smerissen haar te pakken kregen, zou het niet uitmaken hoe ze heette, althans niet in het begin. De politiefoto leek echt sprekend op haar. Ze was ten tijde van de moord in Londen geweest. En de chanteur had zulke goede contacten, dat ze helemaal een eenvoudig doelwit zou zijn als ze gearresteerd werd.
Simon kreeg het benauwd en zijn mond werd droog. Er was een vakkundig complot gesmeed om Sarah uit de weg te ruimen.
Toen zijn mobiele telefoon overging, sloeg er een golf van opluchting door hem heen. Hij klapte het toestel haastig open. 'Sarah?'
Maar het was Jacqueline Pahnke met de mededeling dat zijn foto's klaar waren. 'Je bent me ontrouw,' zei ze beschuldigend. 'Wie is die Sarah? Ik smijt haar in de Seine!'
Simon schakelde haastig over naar zijn houding van gepatenteerde losbol. 'Hoe kun je dat nou van me denken, Jackie? Sarah is gewoon de codenaam van een kale accountant van middelbare leeftijd. Zijn de foto's goed geworden?'
'*Mais oui*. Maar ze zien er ontzettend saai uit, *chéri*. Waar heb je die in vredesnaam voor nodig?'
'Daar hoef jij je mooie hoofdje niet over te breken.' Simon zette zich schrap. Hij had meegemaakt dat ze een man voor minder een oor van zijn hoofd had gerukt.
In plaats daarvan hoorde hij gegrinnik. 'Wat ben je toch een malloot, Simon.'
'*Je suis desolé*... Je hebt me door,' zei hij met gespeelde wanhoop. Hij glimlachte naar de telefoon en zorgde ervoor dat die glimlach in zijn stem doorklonk. 'Ik kom er onmiddellijk aan.' Hij klapte zijn telefoon dicht en er verscheen meteen weer een grimmige trek op zijn gezicht.
Hij wierp nog een laatste blik op de telefooncel en stapte haastig op. Zijn Peugeot stond drie straten verder. Zoals altijd liep hij er waakzaam naar toe, om zich heen kijkend of hij misschien geschaduwd werd. Gerustgesteld controleerde hij de sloten en de banden. Ten slotte schoof hij achter het stuur, startte de motor en reed de straat uit. Hij wilde eigenlijk helemaal niet weg, maar de foto's konden hem misschien vertellen wie de baron had vermoord en daaruit kon hij

dan wellicht weer opmaken wie de moordenaar was die het archief van de Carnivoor in zijn bezit had. Als Sarah echt in moeilijkheden zat, kon hij haar misschien op die manier vinden. Met een beetje geluk zou hij binnen een uur weten wie de chanteur was.
Terwijl hij door de twinkelende Parijse avond reed, vroeg hij zich weer af wat de naam Hyperion te betekenen had. Zo had de moordenaar de baron genoemd. Dat moest hij niet vergeten. Die naam klonk veelbetekenend, alsof het op de een of andere manier een aanwijzing vormde voor de identiteit van de chanteur.

In zijn zwarte Citroën volgde Gino Malko de Peugeot door de nachtelijke straten van Parijs. Hij zorgde ervoor dat hij op minstens vijfhonderd meter afstand bleef, zodat hij zeker wist dat hij niet opgemerkt zou worden. De fietser in Chantilly had geen magneet maar een miniatuur GPS-verklikker onder de Peugeot geplakt en Malko had zelf net zo'n tweede apparaatje onder de achterbumper verborgen, zodat hij daar eventueel op kon terugvallen.
Af en toe wierp hij een blik op het scherm van zijn laptop, die zowel de huidige route van de sportwagen toonde als elke plek waar hij was geweest sinds het vertrek uit Chantilly. De elektronische kaart was niet alleen accuraat tot op een halve meter, dankzij een signaal dat doorgestuurd werd door een van de GPS-satellieten die om de aarde draaiden, maar bevatte ook een lijst van adressen en straatnamen, plus de tijd die de auto op elke plaats had gestaan.
Dat beviel Gino Malko uitstekend. Hij had waardering voor technologie en wetenschap en het profijt dat een man met zijn beroep daarvan kon hebben. Onder het rijden overwoog hij dat dit in feite tekenend voor hem was: hij keek altijd vooruit, in flagrante tegenstelling tot de manier waarop hij in het vochtig-warme Jacksonville in Florida was opgegroeid. Daar had zijn Russische grootvader van zonsopgang tot zonsondergang op de scheepswerven geploeterd, als hij tenminste zo gelukkig was om werk te hebben. Hij was degene die de familienaam, Malkovich, had ingekort tot Malko.
Gino had genegenheid gekoesterd voor de oude man, die over een dosis optimisme beschikte die niet alleen een aanslag had gepleegd op zijn eigen beurs, maar ook op het geduld van zijn familie. Ieder jaar kocht zijn grootvader in januari een nieuwe Cadillac, met geld dat hij tegen woekerrente had geleend, en de auto werd met dezelfde regelmaat van de klok in maart weer in beslag genomen. Toen de uitbuiters genoeg kregen van zijn charme en zijn beloften ruimden ze hem uit de weg. Daardoor leerde Gino dat optimisme dodelijk kon zijn.

Inmiddels had zijn Italiaanse moeder een bierfles kapotgeslagen op het hoofd van haar dronken echtgenoot – Gino's vader – en hem en zijn twee zusters meegenomen naar Miami, waar zij als 'hostess' werkte in een van de clubs in Little Havana. Van haar leerde hij dat je met hard, vernederend werk geen droge boterham verdiende. Toen hij een jaar of twaalf was, stroopte hij de straten af temidden van de junks, de hoeren en de immigranten. Hij haatte de vuiligheid en de honger, maar iedere keer als hij stiekem de benen nam naar Miami Beach, waar de rijken zich vermaakten en zich door de rest van de wereld lieten bedienen, verdwenen zijn problemen als sneeuw voor de zon. Met bonzend hart keek hij toe, want daar werd hem overvloed in een adembenemende, onophoudelijke tentoonstelling voorgeschoteld.

Omdat hij geen optimist was, had Malko ook geen lef. Toch hunkerde hij naar de wereld van de extreem rijken. In feite wilde hij die zelfs beschermen. De rijken hadden eigenschappen die hij nooit zou bezitten. Dus nam hij een baan aan als simpele, zware jongen voor een gangster, die niet alleen mooie vrouwen en dure huizen kocht, maar ook advocaten en politici. Maar de eerste keer dat Malko op pad werd gestuurd om met iemand te 'praten' werd hij iets te enthousiast en hielp de vent om zeep. Het was een vergissing, maar het leverde hem een promotie op. Daarna werd hij officieel gebruikt om mensen te intimideren.

Toen de gangster in de gevangenis belandde, verkaste Malko eerst naar Memphis, vervolgens naar Atlanta en uiteindelijk naar Chicago. Ondertussen leerde hij zich te gedragen en te kleden en pikte en passant nog een paar woordjes Frans op – hij sprak al Spaans en Russisch. In Chicago ging hij voor zichzelf werken en kwam automatisch terecht in de onderwereld, waar mond-tot-mondreclame de enige vorm van adverteren was. Zijn mond-tot-mondreclame was bijzonder indrukwekkend. Voor de klussen die hij moest opknappen reisde hij heel Amerika rond, van kust tot kust, en hij verdiende meer geld dan hij vroeger in Jacksonville ooit had durven dromen. Af en toe dacht hij nog weleens aan zijn grootvader en aan wat de uitbuiters met hem hadden gedaan. Hij had medelijden met de oude man, maar inmiddels begreep hij wel waarom hij had moeten sterven.

Terwijl Malko stilstond voor een rood stoplicht controleerde hij de elektronische kaart. Het achtervolgen van de Peugeot was kinderspel. Maar de chauffeur was een ander verhaal. Iedere keer als de man ergens parkeerde, ging hij te voet verder. Tegen de tijd dat Malko arriveerde, was hij verdwenen. De man was goed getraind, dat had

Malko de eerste keer al begrepen, toen hij Malko helemaal tot boven op de Lindenhof had achtervolgd.
Malko moest weten wie hij was. Hij had een digitale foto van hem gemaakt voor Hotel Valhalla en die per e-mail opgestuurd naar de privé- en overheidsdatabanken, waartoe hij dankzij zijn opdrachtgever ongelimiteerd toegang had. Maar dat had niets opgeleverd. Hij had zijn vingerafdrukken van het portier van de Peugeot gehaald, met hetzelfde resultaat. Hij had via e-mail een kopie opgevraagd en ontvangen van de huurovereenkomst van de Peugeot, maar de huurder had contant betaald en het rijbewijs bleek vals te zijn.
Normaal gesproken hield Malko wel van een uitdaging. Maar vandaag niet. Niet alleen had hij geen flauw idee wie zijn prooi was, hij wist ook absoluut niet wat hij wilde. En dat was veel erger.

De zaak van Jacqueline Pahnke was gevestigd in het populaire Marais-district van Parijs, vlak bij de elegante Place des Vosges, waar uit baksteen opgetrokken zeventiende-eeuwse gebouwen elegant omhoogrezen rond het met bomen bezaaide plein. Het was een warme, zwoele avond. Toen Simon langs een kapperswinkel kwam, stapte een van de kappers naar buiten met een bak zeepsop en een doek. Hij droeg de traditionele lange schort en knikte even bij wijze van groet voor hij het glas in zijn gevel begon schoon te maken om de zaak voor de volgende dag op orde te hebben.
Simon knikte terug en begon sneller te lopen toen hij Jackies winkel in het oog kreeg, twee huizen verder. Door de spiegelruit, waarachter de gebruikelijke artikelen van een fotozaak uitgestald lagen – camera's, flitsers, statieven – kon je het verlichte interieur zien. Toen Simon de deur van de smalle, oude winkel opendeed, rinkelde er een belletje dat zijn komst aankondigde.
Jackie kwam van achteren aanrennen, alsof hij de belangrijkste klant ter wereld was. Ze liep al tegen de vijftig, maar ze bruiste van energie. Haar korte blonde haar omlijstte een ovaalvormig gezicht. Ze had haar leesbril op haar hoofd.
'Wacht maar tot je ziet wat ik voor jou heb!' riep ze in het Engels toen Simon haar een hand gaf.
'Qu'est-ce que c'est?'
'Spreek Engels. Dat is beter voor mijn talen. Op een dag zal ik die barbaarse taal van jou vloeiend leren spreken. Kom.' Ze wenkte hem en liep voor hem uit naar achteren, dwars door de rommel waaruit je kon opmaken dat de zaak door een kunstenaar werd geleid. Ze drukte foto's af en verkocht de gebruikelijke camera's en bijpassende artikelen, maar ze had haar hart verpand aan haar eigen fotogra-

fie. Dat was duidelijk te zien aan de dramatische zwart-witlandschappen en karakterstudies die hoog aan de wanden hingen... haar eigen showroom.
Een deur in de achterwand gaf toegang tot haar werkruimte. Het was een simpel vertrek, met kasten en werkbanken vol voorraden. In een van de hoeken waren lijnen gespannen waaraan films en afdrukken hingen te drogen. De flauwe geur van chemicaliën hing in de lucht.
'Deze zijn van jou.' Ze schoof een stapel afdrukken naar het midden van een werktafel. Het merendeel was 20x25 cm, maar er zaten ook drie van 40x50 cm bij. 'Ga maar gauw zitten. Al die getallen. Dit zijn de enige die interessant zijn.' Ze pakte de grote afdrukken op, die elk een deel van de fotowand in het kantoor van De Darmond bevatten. Hij stond zelf op elke foto. 'Ik heb ze heel groot afgedrukt, zodat je de gezichten goed kunt zien. Wie is die man? Hij vindt zichzelf heel belangrijk, hè? Ken ik hem ergens van?'
'Je zult hem weleens in de krant of op tv hebben gezien. Claude de Darmond.'
Ze stond even na te denken. 'Ach ja, natuurlijk. Nu zie ik het ook. Hij is die bekende bankier. Die man die polo speelt en naar alle belangrijke paardenrennen gaat. Baron de Darmon, *oui?*' Er was een tijd geweest dat ze voor de Franse inlichtingendienst werkte. Ze hadden elkaar leren kennen toen zij aan haar laatste opdracht bezig was en hij aan zijn eerste. Ze hield haar hoofd schuin. 'Dus je hebt het op de grote baron voorzien?' Ze fronste. 'O, nee. Hij is vandaag gestorven. Vermoord! Dat heb ik op tv gezien!'
'Ja, dat heb ik ook gehoord.' Simon ging aan het bureau zitten, om meteen aan het werk te gaan. 'Ik heb die muur gewoon voor de grap gefotografeerd, maar ik waag het te betwijfelen of er tussen al die beroemdheden iets zit waar ik iets aan heb. En waarschijnlijk geldt hetzelfde hiervoor.' Hij tikte op de stapel andere foto's en hoopte stiekem dat hij zich vergiste.
Ze keek hem schuin aan. 'Ik geloof je echt voor geen meter, Simon. Anders zou je nooit al die moeite hebben gedaan. Ik zal je niet vragen waar je die foto's gemaakt hebt.'
Hij grinnikte. 'Soms sla ik er maar een slag na, weet je nog wel? Ik heb niet altijd een reden voor de dingen die ik doe. Vraag het maar aan mijn baas.'
'Volgens mij ben je weer stout geweest. Zakenpapieren en verzoeken om leningen. Bah!'
'Merci, Jackie.'
In de winkel rinkelde het belletje weer. 'Getallen.' Ze snoof en draai-

de zich om in de richting van het geluid. 'Ik laat je alleen met je ellende. Ciao.'
Toen de deur achter haar dichtviel, legde Simon de foto's van de muur opzij en bladerde door de andere afdrukken. Er stonden uittreksels van contracten op, taxatierapporten, verzekeringspapieren, winst- en verliesrekeningen, overzichten van leningen en investeringen, enzovoort enzovoort. Een suffe eindeloze herhaling van gegevens waar alleen een accountant plezier aan zou beleven.
Maar Simon bleef hardnekkig doorwerken omdat de woorden van de baron door zijn hoofd speelden: dat hij zijn moordenaar geen geld meer zou lenen voor zijn 'project', tenzij hij in ruil daarvoor het archief van de Carnivoor zou krijgen. Zodra Simon alles had gesorteerd, pakte hij een aantekenblokje, haalde zijn pen te voorschijn en begon aantekeningen te maken.

24

Terwijl de duisternis hen omarmde, volgde Liz de vrouw door een stadsjungle waarin iedere vierkante centimeter volgepropt was met gebouwen, zo dicht op elkaar dat ze de indruk maakten van gevangenen die op hun executie wachtten. Alle gevels waren tot op een meter of vijf boven de lawaaierige straten bedekt met schreeuwerige graffiti en aanplakbiljetten... de hoogte die iemand nog net kon bereiken als hij of zij op een ladder stond of bij een vriend op de schouders. Er waren nauwelijks voetgangers te zien.
Liz zag dat de vrouw inhield bij een smerig gebouw van door de tijd aangevreten stenen. De glazen toegangsdeur was dichtgespijkerd. Erboven hing een verweerd bordje met de tekst EISNER-MOULTON. Het pand maakte een verlaten indruk. Liz herinnerde zich dat ze had gelezen dat het bedrijf in financiële moeilijkheden zat. Hoewel het een van de grootste multinationals ter wereld was, werden over de hele linie van het bedrijf panden gesloten en verkocht.
Toen de vrouw onder het bord bleef staan, kwam een gesloten bestelwagen zonder bedrijfsnaam langzaam naast haar tot stilstand en de motor werd al uitgezet voordat de wielen stopten. Het was een oude Volvo, zoals er honderdduizenden – miljoenen – rondreden op de Europese snelwegen. De achterdeuren zwaaiden open en acht mannen sprongen op straat. Ze waren gekleed in spijkerbroek en overhemd en het enige opvallende aan het stel was dat ze gewapend wa-

ren met zware geweren. Ze gingen om de vrouw heen staan toen ze bevelen begon uit te delen.
Een van hen had een bandenlichter in de hand. Hij rukte de planken van de hoofdingang, sloeg de ruit kapot, stak zijn hand naar binnen en maakte de deur open. Behalve de chauffeur troepte iedereen naar binnen. De voorbijgangers op de trottoirs of in de auto's die voorbijzoefden, deden net alsof ze niets zagen. Misdaad was gewoon een manier van leven in dit verlopen deel van Belleville.
Toen ergens binnen gedempte schoten klonken, schoof de metalen deur van de garage omhoog en de chauffeur reed de bestelwagen naar binnen. Op het moment dat de deur weer dichtviel, schoot Liz de uitdrukking 'de vijanden van mijn vijand zijn mijn vrienden' door het hoofd. Misschien ging 'vrienden' net een tikje te ver, maar het was de moeite waard om poolshoogte te gaan nemen. Ze keek naar links en naar rechts, schoof haar schoudertas op haar rug en schoot tussen het verkeer door naar de kapotte toegangsdeur van het gebouw.

Sarah beschreef hun probleem. 'Het goede nieuws is dat de ruit van het raam recht onder het onze kapot is. Dus als we een manier kunnen bedenken om een touw te maken, kunnen we ons laten zakken en daar naar binnen gaan. Dat zullen de bewakers nooit verwachten. Dan hebben we een kans om weg te glippen.' Ze keek hem nadenkend aan. 'Maar voel jij je daar al goed genoeg voor? Ben je al sterk genoeg? Want als dat niet het geval is, dan blijven we hier gewoon samen zitten en...'
Asher viel haar in de rede. 'Pijn is gewoon pijn. Volslagen onbelangrijk als je het alternatief in overweging neemt.' Hij keek om zich heen. 'Ligt hier nergens een touw?'
'Nee. Ik heb echt alles doorzocht.'
'Verdomme. Oké, dan moeten we iets anders zoeken. Improviseren.' Zijn blik dwaalde naar de hoop oude kleren. 'Zitten er lakens bij, of rollen canvas? Een tuinslang? Ik zie een boel tuinspullen. Hoe zit het met plastic zeilen? Of misschien een lange ketting, in de trant van een ankerketting?'
Terwijl ze haar hoofd schudde, hield hij plotseling zijn mond en staarde naar de stapel fietsbanden. Sarah volgde zijn blik. Het waren dunne, soepele banden, het soort dat op een racefiets werd gebruikt.
'Een keten van banden!' zei Sarah. 'Die kunnen we met schuifknopen aan elkaar vastmaken.' Maar toen ze naar de stapel toe liep, bleef ze plotseling staan. 'Luister!'
Er verscheen een boze trek op Ashers gezicht. 'Geweervuur!'
'Er komt iemand aan. Ga liggen. Gauw!'

Ze drukte de plaat triplex weer tegen het raam en duwde haastig de brancard naar hem toe. Op het moment dat hij ging liggen, vloog de deur open en twee gewapende mannen met nylonkousen op hun hoofd stoven naar binnen, terwijl een derde in de hal bleef staan en zijn uzi soepel van links naar rechts liet zwaaien alsof hij moeilijkheden verwachtte. Ze had nog nooit gezien dat ze zich verdedigend opstelden. Ze hadden alles altijd volkomen in de hand gehad.
Een van de mannen pakte haar bij haar arm en drukte een pistool tegen haar hoofd. De ander duwde Ashers brancard naar de deur. De spanning was bijna te snijden. Ze trapte hard op de voet van haar bewaker, rukte haar arm los en holde achter Asher aan. Ze pakte zijn hand. Zijn mond trilde van frustratie en hij was rood van woede.
'Gedraag jezelf,' fluisterde ze. 'Misschien proberen ze ons te redden.'
Ze keek hem diep in zijn ogen en zijn verbeten gezicht toonde dat hij haar had begrepen. Dit was niet de tijd of de plaats om verzet te plegen, niet in zijn toestand en zonder wapens om zich te verdedigen.
De bewakers liepen snel met hen door de hal. Aan weerskanten waren gesloten deuren. De verf bladderde van de muren. Voor hen stond een vrachtlift te wachten, waarvan de deuren als haaienkaken open en dicht gingen. De mannen duwden hen naar binnen en drukten op de knop die hem omlaag zou brengen.

Het zweet stroomde van César Duchesne af terwijl hij met de regelmaat van de klok het vijfentwintig kilo zware gewicht omhoog en omlaag bracht om zijn borstspieren te trainen. Hij zat op een kruk en keek uit over de skyline van Parijs, die zich als de tanden van een zaag uitstrekte tot aan de Eiffeltoren, die als een surrealistische kerstboom zilverglanzend in het duister omhoogrees.
De gordijnen ritselden in de luchtstroom van de airconditioning, die zijn zwetende lichaam verkoeling bracht terwijl zijn brein de informatie waarover hij beschikte en de dingen die hij nog te weten moest komen tegen elkaar afwoog. Hij had nog steeds niet aan Kronos gemeld dat Mac uit de weg was geruimd en dat Sansborough de benen had genomen. Maar goed, hij had toch lang niet alles doorgegeven. Het was duidelijk dat de operatie niet zo soepel verliep als was verwacht. Voordat hij opnieuw contact opnam met Kronos wilde hij goed nieuws hebben als tegenwicht voor het slechte. Hij had geen zin om zijn baan op het spel te zetten.
Desondanks haastte hij zich niet toen zijn mobiele telefoon rinkelde. Hij maakte zijn oefening af, legde het gewicht op de grond en hinkte naar zijn nachtkastje. '*Oui?*'

Het was Trevale. Duchesne herkende de nasale stem meteen toen hij in het Frans riep: 'We zijn Sansborough kwijtgeraakt!'
César Duchesne had het in bedwang houden van zijn emoties tot een kunst verheven, maar dit was zelfs hem te veel. Hij vloekte en liet zijn krachtige hand over zijn kaalgeschoren hoofd glijden. Toen Sansborough uit Londen terugkwam, had Duchesne een uit drie man bestaande surveillanceploeg opdracht gegeven om haar bij het Gare du Nord op te wachten. De ploeg bestond uit verschillende mensen die perfect in het stadsbeeld pasten: een taxichauffeur, een chauffeur van een bestelwagen en een studente te voet. Natuurlijk was er ook nog de GPS-verklikker in Sansboroughs mobiele telefoon. Dus toen die hun aandacht vestigde op een vrachtwagen die de ondergrondse parkeergarage van het hotel uitreed, waren ze daar achteraan gereden, tot ze beseften dat ze er helemaal niet in zat. Ze hadden onmiddellijk rechtsomkeert gemaakt naar het hotel, maar ze kregen haar pas weer in het oog toen ze te voorschijn kwam om een of andere vrouw van middelbare leeftijd te schaduwen.
'Waar is Guignot haar kwijtgeraakt?' wilde Duchesne weten.
'In Belleville.'
Niet in Belleville! 'Wat is er gebeurd?'
'Renée slaagde erin om in de metro bij haar in de buurt te blijven en daarna nam Guignot het van haar over bij het station Gambetta, waar Sansborough uitstapte.' Trevale zuchtte. 'Hij kreeg een lekke band.'
'Een lekke band? Hoe kan dat nou?'
'Je hebt niet alles in de hand. Hij reed over een spijker en dat betekende het einde van de band.'
'Hoe zit het met de vrouw die ze schaduwde? Wie is dat?'
'We hebben het vage idee dat we haar al eerder hebben gezien. Gisteren, ook voor het hotel. Ze zat op een bank.' Op verontschuldigende toon werd er haastig aan toegevoegd: 'Je weet toch hoe druk dat kruispunt is.'
'Dus ze hield het hotel in de gaten? En jullie hebben haar over het hoofd gezien!' Het werd steeds erger. Dit was misschien wel de vrouw van wie Sansborough dacht dat ze Mac vermoord had. 'Heeft Guignot gezegd of Sansborough die vrouw nog steeds schaduwde?'
'Ja, dat wel. En toen begaf zijn band het.'
Duchesne kwam in actie. 'Stuur iedereen naar Belleville, maar zeg tegen Guignot dat hij zich op de achtergrond houdt, anders herkent ze hem natuurlijk. We moeten uitvissen wat ze te weten komt.' Terwijl hij zijn jas en zijn pet pakte, bleef hij bevelen uitdelen, gaf een adres door en verbrak de verbinding. Toen hij de deur uitrende, toetste hij

opnieuw een nummer in en blafte in het Frans: 'De kans bestaat dat jullie gevaarlijk bezoek krijgen.'
'Je bent te laat! Ze zijn er al!'

Liz glipte door de deur van het pakhuis naar binnen, stapte over de glasscherven en schuifelde in het donker naar rechts. Het gebouw rook naar schimmel en benzine. Er hingen maar twee tl-buizen aan het plafond om de enorme ruimte op de begane grond te verlichten, waardoor het grootste gedeelte in schaduwen was gehuld. Ze hurkte neer aan de rand van wat vroeger waarschijnlijk de receptie was geweest, maar de scheidingswanden waren gesloopt. Erachter bevond zich een laadvloer en een lift.
Er was niemand te zien en het schieten was opgehouden. Ergens boven haar roffelden schoenzolen over het beton. Ze liep voorzichtig verder, vlak langs de muur. Op hetzelfde moment zag ze het zwarte busje staan, aan de andere kant van de gesloten bestelwagen, niet ver van de lift. Bij de ontvoering was gebruik gemaakt van een zwarte bus en dit verlaten pakhuis leek een goede plaats om een gevangene te verbergen. Maar hier in deze open ruimte was nergens een plek om iemand te verstoppen. Als Sarah hier was, zat ze ergens boven.
Achter Liz stond een deur in een van de zijmuren open. Ze liep er snel naartoe. Zoals ze had gehoopt, kwam ze in een trappenhuis terecht. Ver boven haar hoofd zag ze het vage schijnsel van een lamp. Ze sloot de deur achter zich, holde blindelings naar de trap en brak bijna haar nek.
Ze was over iets zachts gestruikeld, dat meegaf. Ze bukte zich om beter te kunnen zien en wachtte tot haar ogen aan het duister gewend waren. Meteen daarna deinsde ze achteruit. Het was een mensenbeen. Ze haalde even diep adem. Het been zat nog steeds vast aan een lijk. Vlak bij de hand van de dode man lag een uzi. Hij had een nylonkous over zijn hoofd en zijn witte overhemd glom van het bloed dat uit verse open wonden was gestroomd. Hij had ook kogelwonden in zijn linkerbeen. Maar in tegenstelling tot het schot door zijn borst, dat van recht voor hem was gekomen, waren zijn benen van opzij beschoten. Misschien had hij zich met een ruk omgedraaid om weg te hollen, anders was hij door meer dan één schutter onder vuur genomen.
Ze legde haar vinger op zijn halsslagader. Geen hartslag. Ze trok het kousenmasker van zijn hoofd en bleef even verbaasd staan kijken. Het was de man die zich Chuck Draper had genoemd en die bij Asher in het ziekenhuis de wacht had gehouden. Ze vloekte binnensmonds. Als Draper hier was, zat het er dik in dat Sarah en Asher hier

ook waren. Ze moest zich haasten. Maar terwijl ze naar boven rende, hoorde ze weer geweerschoten. Van bovenaf ketsten de kogels naar beneden en namen happen uit de stenen muren. De veldslag ging weer verder en nu begreep ze ook hoe Chuck Draper aan zijn eind was gekomen... door verdwaalde kogels.
Met bonzend hart draaide ze zich om, holde de trap weer af en liep het trappenhuis uit.
Ze ging in de buurt van de laadvloer op haar hurken zitten en keek toe hoe twee mannen de schuine helling naast de lift af kwamen hollen. Ze waren gewapend met M-16's. De vrouw en de derde man, die vlak achter hen aan kwamen, hadden allebei automatische pistolen van Franse makelij. Terwijl het kwartet voor de lift bij elkaar kwam, glipten twee gemaskerde figuren langs de achtermuur van de grote open ruimte en verdwenen in het duister.

Terwijl de schietpartij onverminderd doorging, daalde de grote lift met Sarah en Asher naar beneden. Op elke verdieping tuurden de drie mannen behoedzaam door de metalen hekken, met hun automatische pistolen in de aanslag. Kogels gierden langs. Schaduwen holden heen en weer. De spanning was bijna te snijden.
'Zou het de politie kunnen zijn?' vroeg Sarah.
Niemand gaf antwoord. Plotseling stopte de lift. Door de onverwachte schok vielen ze allemaal op de grond. De man die het dichtst bij het bedieningspaneel had gestaan, sprong weer op en gaf een klap op de startknop, terwijl Asher weer op de brancard probeerde te klimmen. De beide andere mannen hesen Sarah overeind. Toen er geen beweging in de lift kwam, drukte de eerste op de knop die hen weer naar boven moest brengen. Er gebeurde nog steeds niets. Met zijn duim hield hij de knop ingedrukt. Niets. Ze zaten hulpeloos vast tussen de tweede en de derde verdieping. De mannen begonnen wanhopig heen en weer te lopen en naar boven en naar beneden te kijken, op zoek naar de vijand of misschien naar een manier om te ontsnappen.
'Er zijn twee mogelijkheden. De lift is kapot of ze hebben ons vastgezet,' zei Sarah tegen hen.
'Klim uit deze doodskist,' drong Asher aan. 'Breng jezelf in veiligheid.'
Maar de man bij het bedieningspaneel zei: 'We kunnen het die arme stakkers beter vertellen.'
'Hou je mond, verdomme!' zei de man in het midden.
De eerste man deed net alsof hij niets had gehoord. Hij keek Sarah door zijn masker aan. 'Dit is niet volgens plan. De lui die ons inge-

huurd hebben, zeiden dat we jullie verborgen moesten houden, maar dat jullie niets mocht overkomen. Wij weten niet wie die verrekte lui daarbuiten zijn, maar ik durf te wedden dat het geen smerissen zijn. Jullie kunnen maar beter bij ons blijven. Wij zijn jullie enige hoop. Ze hebben het waarschijnlijk op jullie voorzien.'
Sarahs hoofd tolde. Ze moesten verborgen gehouden worden, zonder dat hun iets zou overkomen? Wat was dat voor ontvoering? De lift begon op een misselijkmakende manier te zwabberen en vervolgde zijn weg naar beneden. Als de aanvallers niet van de politie waren, wie waren ze dan? Waarom hadden ze het op Asher en haar voorzien?
'Blijf bij ons,' fluisterde de man. 'Dan blijven jullie vast langer leven.'

Liz zat in elkaar gedoken op de grond en hield zowel nieuwsgierig als argwanend haar adem in toen de liftkooi in zicht kwam. Het eerste wat ze zag, waren drie mannen met nylonkousen over hun hoofd die op hun hurken zakten, hun uzi's door het stalen hek staken en begonnen te schieten.
Vrijwel tegelijkertijd opende het kwartet dat stond te wachten ook het vuur.
Terwijl de schoten door de lucht denderden, voelde Liz haar maag van angst samenkrimpen. Achter in de lift lag iets dat op een brancard leek op de kant en vormde een soort metalen wand. Ervoor lagen witte lakens en dekens in een slonzige hoop op de grond, terwijl ze erachter een stugge zwarte haardos op zag duiken. *Asher!* Met een zucht van opluchting staarde ze gretig naar zijn scherpe gezicht met de felle zwarte ogen en de woedende blik. Daarna dook hij weer omlaag alsof iemand hem met een ruk naar beneden had getrokken. Sarah? Sarah was er vast ook bij!
Op datzelfde moment viel een van de mannen in de lift met een kreet op zijn zij. Hij greep naar zijn bloedende bovenbeen. Nog voordat hij op de grond belandde, drong een andere kogel in zijn hoofd, dat uit elkaar leek te spatten. Tegelijkertijd sloeg een van zijn kameraden voorover omdat een kogel zijn keel aan flarden had gereten. De laatste man had eigenlijk geen schijn van kans omdat hij het alleen tegen vier gewapende tegenstanders op moest nemen. Toch liet hij zich achter zijn dode vrienden plat op de grond vallen, zocht steun voor zijn pistool en bleef schieten.
Wanhopig sprong Liz op en rende naar de bestelwagen, met de bedoeling die te stelen. Ze zou wel een manier vinden om de chauffeur uit te schakelen. En dan kon ze die verdomde aanvallers rammen.
Achter zich hoorde ze het geroffel van voetstappen die de trap af

kwamen. Ze keek om en zag twee mannen, van wie er één een schot loste. Ze zag de kogel niet eens aankomen, maar die ging dwars door haar arm. Door de klap draaide ze om haar as. Ze viel op de grond toen de schutters langs haar heen renden.

'Liz! Liz!' schreeuwde Sarah. 'Asher, ik zie Liz! Liz!'

Duizelig van de pijn probeerde Liz op te staan om bij Sarah te komen. Ze zag dat Asher op de brancard de bestelwagen werd ingereden. Hij was vastgebonden en lag te schreeuwen. Twee mannen hadden Sarah onder de armen vastgepakt en droegen haar naar de auto. Ze schreeuwde en vloekte en probeerde hen te schoppen.

In paniek kroop Liz naar de plek waar Chuck Draper lag. Terwijl ze zijn lichaam en de vloer eromheen aftastte, hoorde ze de motor van de bestelwagen aanslaan. De uzi was verdwenen. Kennelijk was het wapen door de mannen die haar hadden neergeschoten opgepakt en meegenomen. Het bloed gutste uit haar arm toen ze zichzelf overeind hees en wankelend terugliep naar de laadvloer.

Ze hadden de lampen aan het plafond uitgeschoten, waardoor ze bijna geen hand voor ogen zag. Met piepende banden schoot de bestelwagen door de open deur naar buiten, waar de koplampen aanflitsten. Ze schreeuwde en dwong haar voeten om sneller te lopen, achter de rode achterlichten aan. Ze strompelde het trottoir op. De kentekenplaat van de bestelwagen was zo smerig dat ze het nummer niet kon lezen.

Ze probeerde nog sneller te lopen... om de auto in te halen... en zich vast te klampen aan het idee dat ze hen toch nog zou kunnen redden. Ze trilde van woede. Een woede die haar verblindde, die vanbinnen aan haar vrat en die er samen met haar angst om Sarah en Asher voor zorgde dat ze haar pijn vergat. Als ze een pistool bij zich had gehad, had ze de vier aanvallers samen met de noodlottig omgekomen mannen op de vloer van de lift in een kruisvuur kunnen vangen. Daarna had ze nog wel een manier moeten verzinnen om van hen af te komen, maar ze wist zeker dat ze wel op een idee zou zijn gekomen. Ze was ervan overtuigd dat ze Sarah en Asher had kunnen redden.

Ze had niemand anders meer van wie ze hield en nu waren zij ook verdwenen. Wat maakte het eigenlijk uit hoe ze over zichzelf dacht? Theorieën waren zinloos als levens aan zijden draadjes hingen. Ze was gewoon overmoedig geweest, niet volgepropt met utopische idealen, maar met zelfgenoegzaamheid. Toen alles verloren leek, had ze zich als een beest gedragen en – in de wetenschap dat er geen andere manier was om hen te helpen – het lichaam van een dode man afgetast op zoek naar zijn wapen.

Grimmig en met brandende ogen draaide ze zich om en liep haastig terug naar het pakhuis. Daar lagen nog meer lijken. Met nog meer wapens.

25

In het lege, verlaten pakhuis van Eisner-Moulton, vol slachtoffers van geweld, hing een haast onaardse kilte toen Liz door de openstaande deur weer naar binnen glipte. Het trottoir achter haar was uitgestorven. Er waren niet veel mensen die het wegduiken voor rondvliegende kogels als een leuke sport beschouwden. Ze bleef even staan om haar zaklantaarn uit haar tas op te diepen. In de felle lichtstraal zag ze drie lijken in de lift liggen en een vierde op de schuine helling ernaast. Ze controleerde ze snel, maar ze zag geen wapens.

Met haar vrije hand om haar pijnlijke arm liep ze terug naar de laadvloer. De banden van het busje waren lek geschoten, maar er stond een eerstehulpkist in. Ze viel neer op de drempel van de bus en nam een paar aspirines in. Ineens begon ze heftig te trillen en te klappertanden... een vertraagde reactie op het feit dat ze geraakt was. Maar na een laatste, heftige rilling kwam ze toch weer tot rust en slaagde erin haar jasje en truitje uit te trekken.

Ze bekeek de wond. De kogel was dwars door het vlezige deel van haar linkerarm gegaan. Er was veel bloed aan te pas gekomen, maar ze zou er geen blijvende schade aan overhouden. Ze maakte de wond schoon, deed er een verband om en stopte het doosje aspirines in haar zak. Daarna bleef ze nog even zitten tot het gevoel van misselijkheid verdwenen was. Met de schaar uit de eerstehulpkist knipte ze de mouwen uit haar truitje en trok het weer aan. Er lag een blauw lichtgewicht mannencolbert op de rechtervoorstoel. Mooi. Haar eigen jasje had een kogelgat in de mouw en dat zou een beetje al te opvallend zijn.

Ze trok het colbertje aan en keek nog een keer rond door het duistere pakhuis waarin de lijken als afgedankt speelgoed rondslingerden. Vroeger had haar vader een keer tegen haar gezegd: *Je vijanden zijn meestal net zo bang voor jou als jij voor hen, maar ze denken vaak stiekem dat ze toch beter en slimmer zijn. Dat is hun zwakke punt.* Hij begreep de aard van de mensen en maakte er gebruik van. Maar waarom zou hij een archief hebben bijgehouden? Je kon veel van hem zeggen, maar dom was hij niet geweest. Was het overmoed

geweest? Een morbide verlangen om nog eens terug te denken aan alle moorden die hij had gepleegd? Daar had ze nooit iets van gemerkt.
Misschien was het een gevolg van zijn neiging om alles te ordenen en af te ronden zoals het hoorde. Hij was altijd heel zorgvuldig geweest en had zijn klussen altijd tot in de kleinste bijzonderheden voorbereid. Misschien betekende het dat hij bereid was geweest om zich te verantwoorden en terecht te staan, om de geschiedenis in te gaan met een poging te bewijzen dat de mensen die hij om het leven had gebracht in ieder geval in moreel opzicht misdadigers waren geweest. Of was dat alleen maar een idee waaraan zij zich vastklampte omdat ze zijn dochter was? Uiteindelijk maakten zijn beweegredenen niets uit. Het resultaat bleef hetzelfde: hij had tijdens zijn leven veel mensen ellende en de dood bezorgd en nu had hij vanuit zijn graf voor een nieuwe golf van kommer en kwel gezorgd.
Ze huiverde en piekerde. Het nieuws over de veldslag van vanavond zou de gendarmes uiteindelijk ter ore komen. Zo ging het altijd en ze moest voorkomen dat ze hier nog zou zitten als ze arriveerden. Klam van het zweet doorzocht ze snel de rest van het busje, op zoek naar wapens, mobiele telefoons of aanwijzingen voor de identiteit van de chanteur. Ze vond de gebruikelijke rotzooi van junkvoer, sigaretten en M&M's, maar geen kentekenbewijs. Er was niets dat haar op het spoor kon zetten van de eigenaar of de persoon die het busje had gehuurd.
De aspirine begon te werken. Ze voelde zich nog steeds afschuwelijk, maar de pijn was draaglijk geworden.
Ze sprong uit de bus en fouilleerde de lijken. Iedereen had een identiteitsbewijs bij zich, maar die waren allemaal zo nieuw dat ze ervan uitging dat ze vals waren. Geen wapens of geld. Geen mobiele telefoons. Ze liep haastig de helling op, in de hoop dat ze boven meer succes zou hebben.
Toen ze de begane grond achter zich liet, zag ze weer iets bewegen bij de achtermuur, waar ze eerder op de avond al twee figuren had zien verdwijnen. Ze deed onmiddellijk haar zaklantaarn uit en in het vage licht dat van buiten kwam, kon ze nog net zien dat een man haastig een deur uit hinkte. Hij trok licht met zijn rechtervoet. Ze kon zich herinneren dat ze op weg hiernaartoe langs een steegje was gekomen, waar die deur waarschijnlijk op uitkwam. De gestalte droeg een soort pet. Ze zag geen wapen en ze hoorde de deur niet dichtgaan.
Liz onderdrukte een rilling en liep verder naar boven nadat ze de zaklantaarn weer had aangeknipt. Op elke verdieping stelde ze een on-

derzoek in. Helemaal boven lagen nog twee lijken in de gang. Opnieuw zonder mobiele telefoons of wapens. Dus er waren zes mannen geweest die Sarah en Asher hadden bewaakt en negen mannen die hen overvallen hadden.

Ze hief haar hoofd op en luisterde. Ergens in de verte jankte een sirene. Terwijl ze haar arm ondersteunde, holde ze haastig naar beneden. Ze had geluk. De politie was langer weggebleven dan ze had verwacht. Daar stond tegenover dat dit een van de slechtste buurten van Parijs was en misschien had het even geduurd voordat de gendarmes gewaarschuwd waren. Of ze hadden niet veel trek gehad om snel te reageren.

Terwijl ze de inktzwarte laadvloer op liep, zag ze weer beweging en deed opnieuw haar zaklantaarn uit. Een gestalte glipte door de garagedeur naar binnen. Politie? Een van de schutters die terugkwam? Misschien was het de kreupele man die was weggelopen.

Met bonzend hart ging Liz op haar hurken zitten en maakte zich klein toen de gestalte – een man van in de twintig – langs de muur schuifelde en bleef staan. Hij had tijd nodig om zijn ogen aan het donker te laten wennen, maar dat gold niet voor haar. Hij was blank. Een lelijk, opgezwollen litteken liep van zijn oor naar zijn keel.

Het kostte haar moeite om rustig te blijven. De politiesirene kwam steeds dichterbij en ze kon nog steeds niet zo helder denken als ze graag zou willen. En het feit dat ze zich zo stom voelde, maakte haar ook doodsbenauwd.

De indringer tilde luisterend zijn hoofd op. Een mes glinsterde in zijn hand toen hij floot. Drie andere mannen glipten naar binnen en verspreidden zich alsof ze dit al vaker hadden gedaan. Ze waren gekomen om de lijken te beroven, wapens te zoeken en puin te ruimen. Ze zaten niet achter haar aan, maar dat zou hun niet beletten om haar uit angst en hebzucht aan stukken te scheuren.

Onder dekking van het geluid van hun voetstappen sloop ze door het duister in de richting van de deur naar de steeg. Ze was halverwege toen haar schoen in het donker tegen iets aanschopte. Het rolde kletterend weg. Ze verstarde. Het bloed bonsde in haar oren.

De jongeren stonden over de lijken gebukt, maar keken met een ruk op en tuurden door het duister.

Ze had het gevoel dat haar nekharen overeind stonden en zette het op een lopen.

Ze reageerden als een roedel wolven en renden achter haar aan. Struikelend over nog meer rommel bereikte ze de deur, die op een kier stond. Vandaar dat ze niet had gehoord dat hij dicht werd gedaan. Ze glipte erdoor, keek links en rechts de straat in en zag vuilnisbak-

ken en nog meer rommel. Plus een donkergroen jasje dat op de grond lag, ongeveer drie meter verder, op weg naar de dichtstbijzijnde zijstraat. Dat had iemand waarschijnlijk laten vallen. Misschien zat er een wapen of een mobiele telefoon in.
Ze holde alsof de duivel haar op de hielen zat en hield alleen even in om het jasje op te rapen. Daarna stoof ze weer verder, achtervolgd door gevloek en getier in ordinair Frans. Ze drukte het jasje stijf tegen zich aan. Er zat iets vierkants in een van de zakken en ze haalde het te voorschijn. Een mobiele telefoon! En nog iets anders: een verfrommeld briefje. Ze stopte het haastig terug in de zak.
De lucht was vochtig en Liz was nat van het zweet toen ze tussen een geparkeerde taxi en een oude Audi door naar de overkant van de straat rende, langs openstaande kroegdeuren en groepjes mensen die buiten stonden te drinken en te roken en haar met grote ogen aankeken. Ze klemde het jasje vast alsof haar leven ervan afhing en hield de mobiele telefoon als een wapen in haar hand. Een deur van een van de clubs zwaaide open en een flard heavy metal knetterde naar buiten. Zonder een moment in te houden vluchtte ze weg van de jakhalzen in het pakhuis en de jankende sirenes die steeds dichterbij kwamen. De lucht was zwart en ver weg, onbereikbaar.

Liz Sansborough was in geen velden of wegen meer te bekennen toen César Duchesne ook zwaar hinkend de steeg uit kwam rennen. De politie was gearriveerd en het scheelde maar een haartje of ze hadden Duchesne ontdekt. Hij had geen tijd meer om de geluiddemper van zijn Walther te schroeven, geen tijd meer om op zoek te gaan naar Sansborough. Hij dook in zijn taxi en scheurde weg. Nu had hij geen keus meer. Hij moest verslag uitbrengen aan Kronos.

Brussel, België

Kronos liep de Old Hack uit, de favoriete aanlegplaats voor de Engelssprekende aasgieren van de pers, en wandelde de goed verlichte Boulevard Charlemagne op. Ondanks het late uur was hij op weg naar zijn kantoor. Zijn kin stak agressief naar voren en zijn handen lagen op zijn rug. De vingers van de bovenste hand tikten zacht tegen de palm van de onderste, terwijl hij opnieuw begon te piekeren over de betekenis van de moord op Hyperion. Hij schudde zijn grote hoofd, verontrust en boos. Er was de laatste dagen veel te veel gebeurd. Onbegrijpelijk. Schandalig.
Zonder op of om te kijken liep hij langs de kroegen, winkels en cafés waar ambtenaren, politici, diplomaten en lobbyisten elkaar ontmoetten tijdens pauzes in hun werk voor de Europese Commissie,

het Europese parlement, de NAVO en de andere internationale en nationale instituten die hier in het Leopold-district een onderkomen hadden gevonden. Dit was zijn wereld en hij was er ook op zijn plaats in een van zijn favoriete kostuums van Savile Row compleet met clubdas. Zijn gedachten gingen terug naar die middag, toen hij het nieuws van de moord op Hyperion op de radio had gehoord. Aanvankelijk had het hem geschokt. Maar vrijwel meteen daarna had hij beseft dat zijn reactie bespottelijk was... naïef zelfs.
Hyperion werd gechanteerd. Nu was Hyperion dood. De chanteur had opnieuw toegeslagen. Ergo, ipso facto.
Terwijl hij doorliep, dwong hij zichzelf om de moord uit zijn hoofd te bannen. Er viel toch niets meer aan te doen tot de chanteur was gevonden. Het was vanaf het begin duidelijk geweest dat iemand dankzij het archief van de Carnivoor over een mate van macht beschikte die hij eigenlijk niet goed, laat staan verstandig, gebruikte.
Kronos wandelde verder en luisterde naar het ratjetoe van talen waarvoor de beschrijving kosmopolitisch nog ontoereikend was. Hij hield van Brussel omdat hij zich hier vitaal voelde. Vanwege de centrale ligging en het feit dat zoveel internationale instellingen hier gastvrijheid genoten, beschouwde de oude stad zichzelf als de hoofdstad van de Europese Unie. Maar volgens Kronos was dat op z'n best een geval van de wens die de vader van de gedachte is. Brussel was nog geen Londen, Washington, D.C., of zelfs Moskou, waar de regeringskantoren van grote naties gevestigd waren. Het zou nog jaren duren, als het ooit zover kwam, tot Brussel evenveel macht zou mogen ontplooien.
Daar was hij het roerend mee eens. De eenwording van Europa moest behoedzaam voortgang vinden en zich stap voor stap ontwikkelen, om ervoor te zorgen dat het een duurzame toestand zou worden. Bovendien zou Groot-Brittannië in dat geval haar positie kunnen handhaven tot de eenwording compleet was, en dat was eigenlijk nog belangrijker. Maar er waren niet veel mensen tegenover wie hij die vooringenomenheid zou laten blijken. Per slot van rekening had hij als lid van het Europese parlement gezworen dat hij de belangen van de unie zou laten prevaleren boven de belangen van individuele staten. In de meeste gevallen hield hij zich daar ook aan. Maar toch waren er gelegenheden waarbij hij zijn besluit aanpaste. Het was heel menselijk om af en toe wat strooigoed mee naar huis te willen nemen.
Doordat al die dingen hem door het hoofd schoten, begon Kronos weer een beetje tot rust te komen en hij liep de brede rue de la Loi in, waar de strakke, moderne gebouwen van de EU boven het druk-

ke avondverkeer uitrezen. Hij stapte het gebouw van het parlement binnen.
'Goedenavond, Sir Anthony.' Het was Jacobus, die hem vanachter de balie van de veiligheidsdienst vol respect toeknikte. Hij was een man met een lang geheugen en een smal gezicht dat aan een fret deed denken.
Kronos was Sir Anthony Brookshire, sluw, vereerd en zelfs legendarisch, de belangrijkste afgevaardigde van Groot-Brittannië bij de Europese Gemeenschap. Hij was een voormalig minister van financiën, die zijn vermogen en zijn titel had geërfd, maar die zijn bekendheid en zijn invloed dankte aan tientallen jaren trouwe dienst aan de Kroon.
Sir Anthony knikte. 'Het is aan de warme kant, hè, Jacobus.' Het was een opmerking, geen vraag.
Het stille gebouw was zo koud als ijs, dankzij de hyperactieve airconditioning. Er schenen zo laat op de avond nog maar weinig mensen aan het werk te zijn. Maar bureaucraten gingen dan ook graag op tijd naar huis. Sir Anthony nam de lift omhoog naar zijn kantoor en dacht terug aan het gesprek dat hij net in de Old Hack had gevoerd. Hij was zo vriendelijk geweest tijdens zijn maaltijd een journaliste van de *Sunday Times* een privé-interview toe te staan. De vraag die hem die avond het best was bevallen, luidde: *Vindt u het realistisch van de EU om te verwachten dat zij tegen het eind van het decennium de strijdvaardigste economie ter wereld zal hebben?*
Daar had hij om moeten glimlachen. 'In de jaren tachtig kon niemand tegen Japan op. In de jaren negentig werd de economische standaard bepaald door de Verenigde Staten. Het komende decennium zal dat van Europa worden,' had hij haar verzekerd. Het was prettig om Hyperion even uit zijn gedachten te kunnen bannen.
Hoofdschuddend ging hij zijn kantoor in en liep regelrecht naar het raam aan de oostkant, dat uitkeek over de Brusselse Grand Place, het best bewaarde middeleeuwse stadsbeeld in Europa. De lantaarns en de diepe schaduwen gaven het plein een bijzondere uitstraling, die hem aan een schilderij van Rembrandt deed denken. De skyline werd gedomineerd door de koninklijke toren van het Hôtel de Ville.
Hij ging in zijn stoel zitten en zette zijn leesbril op. Hij was tweeënzestig en al bijna veertig jaar getrouwd met dezelfde vrouw. Ze hadden twee volwassen kinderen. Maar de laatste tijd had hij zichzelf er toch aan moeten herinneren dat hij een man was met vaste overtuigingen en zeer hoogstaande morele principes.
Hij sorteerde zijn boodschappen. Hij was tot halverwege de middag in Parijs geweest, dus er lag een hele stapel. Toen hij een telefoon

hoorde overgaan, wierp hij automatisch een blik op het toestel dat op de hoek van zijn bureau stond, maar dat was het niet. Hij pakte een mobiele telefoon uit zijn binnenzak en nam op.
'Met Kronos.'
'Met Duchesne,' zei een Amerikaans klinkende stem. 'We hebben een probleem.' Zoals altijd klonk de man uiterst zelfverzekerd.
'Wat is er nou weer aan de hand?' wilde Sir Anthony weten.
'Mac is vermoord,' antwoordde Duchesne zonder omhaal.
Sir Anthony leunde achterover in zijn stoel. 'Wanneer? Hóé?'
'Hij werd in de kast in Sansboroughs hotelkamer in Parijs gevonden met een injectienaald in zijn hals.'
'Nee! Weer *Rauwolfia serpentina?*'
'Dan zouden ze wel consequent zijn.'
Ze hadden eerder die dag de uitslag van de laboratoriumproeven ontvangen met de naam van het middel dat in de injectienaald zat die Mac had afgepakt van de man voor het Amerikaanse ziekenhuis. *Rauwolfia serpentina*, dat afgeleid was van normale kalmerende middelen, kon via de luchtwegen of middels een injectie worden toegediend, maar ook op de huid worden gespoten. Het was een nog uiterst geheim Amerikaans middel dat het centrale zenuwstelsel uitschakelde, binnen enkele seconden de dood veroorzaakte en vrijwel onnaspeurbaar was. Sir Anthony vermoedde dat het ook de dood van Grey Mellencamp had veroorzaakt.
'De politie heeft een anonieme tip gekregen,' vervolgde Duchesne. 'Maar dit is een heel ander geval dan waarbij Flores gewond raakte. Toen hadden we de toestand vanaf het begin zelf in de hand. Hier kunnen we niets meer aan doen, tenzij u achter de schermen wilt ingrijpen.'
'Ik kan me niet veroorloven om hiermee in verband te worden gebracht. Dat weet je best!'
'Ik dacht wel dat u dat zou zeggen. De echte identiteit van Mac hoeft niet aan het licht te komen. Hij had een prima dekmantel, compleet met paspoort, creditcards en een rijbewijs uit New Jersey. Ik zal wel een vrouw laten opdraven om zijn lichaam op te eisen en die kan dan aan de politie vertellen dat hij gokschulden had. Zodra de Parijse politie het idee heeft dat de onderwereld erbij betrokken is, zullen ze weinig tot geen interesse hebben om de zaak verder te onderzoeken. En er is trouwens toch niets dat hem in verband kan brengen met de Spiraal. En natuurlijk zullen we zijn familie schadeloos stellen, als hij die al heeft.'
Sir Anthony was nog steeds des duivels. 'Wie heeft het gedaan?'
'Volgens ons de vrouw die het hotel in de gaten hield.'

'En Sansborough ook? Dan had ze uit de weg geruimd moeten worden!'
'Dat ben ik met u eens. Ik heb die ploeg behoorlijk de mantel uitgeveegd. Maar ik wil liever niemand ontslaan, zeker nu niet. We hebben al onze mankracht nodig.'
Sir Anthony zei niets, maar hij bleef ziedend. Hoe kon iets wat met zulke goede bedoelingen was opgezet zo faliekant uit de hand lopen? Hij had Mac nooit ontmoet, hoewel Mac jarenlang een trouwe werknemer was geweest. Maar goed, rector Quentin en professor Tedesco in Santa Barbara waren ook trouwe medewerkers geweest. En zij waren er ook niet meer, omdat Sansborough erachter was gekomen dat ze aan Themis rapporteerden. Via hen zou iemand vanzelf bij Themis zijn uitgekomen als zo'n persoon er maar moeite genoeg voor had gedaan. En dat zou de plannen van de Spiraal gedwarsboomd hebben.
Hoewel ze onvermijdelijk waren geweest, hadden de liquidaties Sir Anthony diep geschokt. Hij had de rol van Kronos niet aanvaard om opdracht tot moord te geven. Maar dit was dan ook een buitengewone situatie. In de loop van de geschiedenis hadden koningen en presidenten zich in dezelfde omstandigheden bevonden en die hadden hun plicht ook gedaan. Dan kon hij niet achterblijven.
'Er is nog meer slecht nieuws,' ging Duchesne verder. 'Sansborough heeft zich van haar mobiele telefoon ontdaan. Die hebben we uit een vaatje vis op de markt opgeduikeld. De GPS-verklikker en het afluisterapparaatje zaten er nog steeds in, maar ze waren wel iets verschoven. We gaan ervan uit dat ze die gevonden heeft en ons op deze manier duidelijk wil maken dat ze weet waar wij mee bezig zijn. In ieder geval voor zover dat betrekking heeft op het archief van de Carnivoor.'
'Ik mag toch verdorie hopen dat jullie haar niet kwijt zijn geraakt!' Sir Anthony was niet geïnteresseerd in beweegredenen.
'Natuurlijk niet. Ze zit in Belleville.' Voordat zijn baas opnieuw kon gaan schreeuwen, vervolgde Duchesne: 'De vrouw die door Sansborough geschaduwd werd, heeft onze mensen in het pakhuis overvallen en Sarah Walker en Asher Flores meegenomen. Sansborough werd licht gewond. Ik heb een paar getuigen gevonden die me genoeg konden vertellen om te weten wat er is gebeurd. Uit ons oogpunt hoeft dat geen ramp te zijn. Per slot van rekening heeft Sansborough het overleefd en zich in veiligheid kunnen brengen.' Zonder emotie te tonen, gaf Duchesne de bijzonderheden door. Gelukkig had zijn list gewerkt: Sansborough had de openstaande achterdeur gevonden, was ontsnapt en had het jasje opgepakt. Maar hij had geen rekening ge-

houden met de vier jeugdige boeven die hem hadden overvallen toen hij uit zijn schuilplaats in de steeg te voorschijn was gekomen. Uiteindelijk was hij gedwongen geweest het hele stel te elimineren. Hij onderdrukte een zucht. Het gebeurde maar al te vaak dat arme mensen banger waren voor het leven dan voor de dood.
Sir Anthony zette zijn bril af en masseerde zijn neus. Zijn gezicht gloeide en hij voelde een aanval van indigestie opkomen.
'Zit jij daar ook?' snauwde hij.
'In Belleville? Ja. De politie is in het pakhuis en zet de omgeving af. Ik rij rond, op zoek naar Sansborough. Mijn mensen doen hetzelfde.' Duchesne had er spijt van dat hij geen verklikker in de mobiele telefoon had aangebracht. Maar het ging in feite om zijn eigen jasje en zijn eigen telefoon. Hij had op het laatste moment moeten improviseren. 'We vinden haar heus wel.'
'Dat is je verdomme geraden ook! Als zij het archief in handen krijgt terwijl wij haar niet onder controle hebben, kan ze het zelf houden of het verbergen zonder dat we dat ooit te weten komen. Hoe ben je van plan dat te voorkomen, Duchesne?'
'Het antwoord is Simon Childs,' zei Duchesne met een geslepen lachje. 'Zoals u zich zult herinneren, hebben ze in Londen samengewerkt en elkaar hun mobiele telefoonnummer gegeven, zodat ze in Parijs contact konden houden. Ze zit in een slechte buurt van Parijs, ze is gewond en ze heeft hulp nodig. Hij is niet alleen goed getraind, maar hij is ook haar neef. Ze zal hem wel moeten bellen. Ze heeft niemand anders. Hij heeft bij het Gare du Nord een Peugeot gehuurd. Via die auto zullen we haar ook op het spoor komen. Maar ik heb ook nog een ander idee.'
'En dat is?'
'Toen Sansborough het lijk van Mac vond, heeft ze haar portier opgebeld en om hulp gevraagd. Daar kunnen wij gebruik van maken.'
Sir Anthony luisterde naar de suggesties van het hoofd van zijn veiligheidsdienst, knikte bij zichzelf en begon Duchesne alweer te vergeven. Duchesne had de eigenschap dat hij tegelijkertijd briljant kon zijn en toch iemand het bloed onder de nagels vandaan kon halen. Er was iets wat de man dreef, iets persoonlijks. Sir Anthony vermoedde dat Duchesne zelf de Carnivoor ook in de arm had genomen. Misschien stond de naam van Duchesne ook in dat archief, of anders de naam van iemand om wie hij veel gaf. Sir Anthony had Duchesne diverse keren ondervraagd, maar hij was er geen steek mee opgeschoten.
'Dat is een goed idee, Duchesne. Natuurlijk heb je gelijk. Als ze haar portier één keer heeft gebeld, kan ze er niet onderuit om dat nog een

keer te doen. En we kunnen ook gebruik maken van MI6.'
'We vinden haar wel weer,' beloofde het hoofd van de veiligheidsdienst. 'We zullen haar goed beschermen en dan brengt ze ons vanzelf bij het archief. Dat archief móét gevonden worden. Ons plan is goed. Het staat als een huis.'
'Het is jóúw plan, Duchesne. En je hebt gelijk... er is geen reden om ervan af te wijken.'

26

In de fotostudio in de buurt van de Place des Vosges strekte Simon zijn rug. Hij was stijf geworden van het bestuderen van de foto's die hij van de documenten van baron De Darmond had gemaakt. Hij zat nu al een hele tijd voorovergebogen te lezen en papieren bij elkaar te zoeken in de hoop een verband te vinden tussen de stapel verzoeken om leningen en de moordenaar van de baron. Hij bewoog zijn hoofd heen en weer en rekte zich uit. Zodra zijn aandacht werd afgeleid van zijn werk moest hij weer aan Sarah denken, en hij maakte zich ontzettend veel zorgen. Maar hij hield zichzelf streng voor dat hij toch niets kon doen en zich dus beter op de foto's kon blijven concentreren.
Zeven multinationals hadden een verzoek ingediend voor een of andere lening van de Darmond Bank AG. Het waren commerciële imperiums die overal ter wereld zaken deden:

Temple Eire Group
Eisner-Moulton
KonDra Poland
Gilmartin Enterprises
InterDirections Britain
FabriMaire Systems
Trochus Pharmaceuticals

Simon ging ervan uit dat de moordenaar van de baron een functie bekleedde die hem in staat stelde om uit naam van het bedrijf te onderhandelen. Of er stond zoveel voor hem op het spel dat hij bereid was zich rechtstreeks tot de bankier-baron te wenden, met de pet in de chanterende hand. Temple Eire was een bedrijf dat software ontwierp en verkocht. Eisner-Moulton bouwde auto's en vrachtwagens.

KonDra Poland was een scheepvaartmaatschappij. Gilmartin hield zich bezig met machinebouw en defensieprojecten. InterDirections was een mediaconglomeraat. FabriMaire specialiseerde zich in huishoudelijke en voedingsproducten voor de consument. En Trochus Pharmaceuticals ontwikkelde en produceerde geneesmiddelen.
Simon had een lijstje gemaakt van de personen die de aanvragen ondertekend hadden en eveneens de namen genoteerd van alle andere hoge employés en directieleden die hij tegenkwam. Er waren ook drie persoonlijke brieven met een verzoek om een lening en die namen schreef hij ook op. Dit was een van die aspecten van spionage waar het publiek niets van wist: het vermoeiende en gedetailleerde schiften van gegevens. Het doorlezen van pagina lange documenten, het maken van lijstjes met namen en het overwegen van de consequenties.
Zijn mobiele telefoon ging over. Hij keek er argwanend naar en onderdrukte zijn opwinding. Sarah? Eindelijk? Hij probeerde niet toe te geven aan zijn hoop en drukte op de ontvangstknop. 'Ja?'
'Waar heb jij uitgehangen?'
Ze was het. Dezelfde melodieuze stem, maar nu een beetje hijgend, alsof ze hard had gelopen. Simon zweeg even terwijl er een golf van opluchting door hem heen sloeg. Het was bijna tien uur geleden dat ze bij het Gare du Nord afscheid van elkaar hadden genomen. Hij opende zijn mond om woedend tegen haar uit te vallen, maar hield zich in.
'Leuk hoor,' mopperde hij. 'Verdomme nog aan toe, Sarah! Je hebt me de doodsschrik op het lijf gejaagd. Goddank dat je belt. Is alles goed met je?'
Liz schoot in de lach, hoewel ze overal pijn had en doodmoe was. 'Ik ben ook blij om jouw stem te horen.' In feite stond ze ervan te kijken hoe blij ze was. Ze leunde achterover tegen de muur van een woonhuis in een steegje dat vijf straten verwijderd lag van het pakhuis van Eisner-Moulton en bleef haar omgeving scherp in de gaten houden. Verderop zoefde het verkeer door een drukke straat. In de verte hoorde ze rockmuziek.
'Je hebt heel wat uit te leggen,' hoorde ze Simon zeggen. 'Wie was die dooie vent die de politie in jouw kamer heeft gevonden? En wie was die knaap die jouw mobiele telefoon beantwoordde? Wat heeft die waarschuwing te betekenen die je voor me achtergelaten hebt? Verdorie nog aan toe, het is hoog tijd dat je me vertelt wat er nu eigenlijk aan de hand is!'
'Daar zou je weleens gelijk in kunnen hebben. De vermoorde man werkte met mij samen. Hij heette Mac. Toen ik hem vond, was hij al dood en daaruit maakte ik op dat ze veel te dichtbij kwamen. Maar

ik snapte absoluut niet hoe ze erin slaagden om bij me in de buurt te blijven, dus toen heb ik mijn mobiele telefoon gecontroleerd. Daar zat niet alleen een GPS-verklikker in, maar ook afluisterapparatuur.'
'Dus ze konden je zowel volgen als afluisteren?' Hij vloekte.
'Ja. Vervelend, hè? Dus ik heb die telefoon uiteraard weggegooid en daarna gebeurde er gewoon te veel om je opnieuw te bellen. Het spijt me dat ik je bezorgd heb gemaakt.'
Hij deed net alsof hij haar verontschuldiging niet had gehoord. 'Was die dooie vent van de CIA?'
'Ja en nee.'
'Ja en nee? Wat betekent dát nou weer?' Hij was niet van plan om haar de gelegenheid te geven opnieuw uitvluchten te bedenken.
'Dat zal ik je later moeten uitleggen. Het is nogal ingewikkeld.'
'Dat geloof ik onmiddellijk. Ik ben een geduldige Job en ik wil best wachten, want je zult het wel uit móéten leggen. Denk je dat de chanteur die afluisterapparatuur heeft geplaatst?'
'Nee, dat was iemand anders.'
'Wie dan?'
'Ik zei toch al dat het ingewikkeld was. We moeten echt met elkaar praten.'
'Nee maar. Wie was die Amerikaan die jouw mobiele telefoon opnam?'
'Dat moet een van de mensen zijn geweest die de afluisterapparatuur hebben aangebracht of een kerel die voor hen werkte. Ik verwachtte wel dat ze zouden proberen die telefoon op te sporen nadat ik het ding had weggesmeten. En dat hebben ze kennelijk ook gedaan.'
'De lui die misschien van de CIA zijn of misschien ook niet?'
'Het spijt me, maar zo is het inderdaad,' zei ze. 'Ik hoop echt dat jij iets meer te weten bent gekomen over het archief van de Carnivoor of over de chanteur. Ik kan wel wat goed nieuws gebruiken.'
'Eerlijk gezegd was mijn bezoek aan Chantilly vrij onthullend. Het heeft wel wat opgeleverd. Ik ben nu bezig uit te zoeken wat het precies inhoudt. Maar daar kunnen we het later ook over hebben. Waar zit je?'
'Ik heb me verstopt in een steegje in Belleville. Het is zo smal dat je er niet in kunt rijden. Wat moet ik doen om je zover te krijgen dat je me op komt halen?'
'Nou, je hebt je verontschuldigingen al aangeboden, dus dit keer zal ik de rest maar door de vingers zien. Vertel me maar waar je bent.'
Hij noteerde de routebeschrijving die ze hem opgaf. De plaats waar ze was, beviel hem totaal niet... het was een heel gevaarlijke omgeving. 'Ben je gewapend?'

'Ja, met een mobiele telefoon.'
'Geweldig. Blijf maar op me wachten. Ik ben in de Marais. Ik denk dat het me minstens een halfuur gaat kosten, afhankelijk van het verkeer. Ga niet weg voordat ik er ben.'
'Voor geen goud.'
Voor het eerst in een paar uur schoot Simon in de lach. Hij verbrak de verbinding en pakte de afdrukken en zijn aantekeningen op. Toen zijn oog op een stapeltje nieuwe fotomappen viel, koos hij een van de kleinste en stopte zijn aantekeningen erin, samen met de foto's van de papieren en de dubbelgevouwen opnamen van de fotowand. Terwijl hij haastig een briefje krabbelde waarin hij Jackie bedankte, hoorde hij de bel van de winkeldeur rinkelen. Terwijl hij aan de foto's zat te werken waren er een stuk of tien klanten binnengekomen en weer vertrokken, maar – hij wierp een blik op zijn horloge – niemand gedurende het laatste uur.
Jackie praatte met stemverheffing om ervoor te zorgen dat hij haar zou verstaan. 'Neem me niet kwalijk, monsieur, maar ik ga nu sluiten.'
Simon liep op zijn tenen de gang in.
Hij hoorde een mannenstem in slecht Frans zeggen: 'Hij rijdt in een Peugeot. Ik schat dat hij rond de een vijfentachtig is. Golvend bruin haar, aan de lange kant. Blauwe ogen en een neus die eruitziet alsof hij er vroeger een flinke klap op heeft gehad.'
'Sjonge, dat klinkt geheimzinnig. Weet u ook hoe hij heet? Dat zou misschien helpen.'
'Nee, ik ken zijn naam niet. Ik ben per ongeluk tegen zijn auto aangereden, nadat hij weg was gelopen. Tegen de tijd dat ik een parkeerplaats had gevonden, was hij nergens meer te zien. Ik wilde geen briefje achterlaten omdat ik hoopte dat we het onder ons zouden kunnen regelen. Als u begrijpt wat ik bedoel.'
'Natuurlijk.' Haar stem klonk vol meegevoel, de perfecte reactie van iemand die op het punt stond alles te ontkennen. 'Ik wou dat ik u kon helpen, maar ik heb hem niet gezien. Weet u zeker dat hij deze kant op ging?'
Simon sloop door de gang tot hij kon zien wie het was en snakte naar adem. Het was de moordenaar van Terrill, de man die later verstopt had gezeten tussen de bomen in de buurt van het château van baron de Darmond. Hij had nog steeds dezelfde kleren aan als eerder op de dag en was stevig gebouwd, met een lang gezicht, uitdrukkingsloze grijze ogen en haar van normale lengte. Ondanks zijn beleefde gedrag kwam hij een beetje sinister over, alsof hij alle kracht die hij had, gebruikte om andere mensen kwaad te doen.

Toen Jackie haar charme-offensief begon en het duidelijk werd dat ze wel van hem af zou komen – dankzij de ervaring die ze bij de inlichtingendienst had opgedaan – liep Simon terug naar haar atelier, liet genoeg geld op de tafel achter om de afdrukken af te rekenen en trok de achterdeur open. Hij glipte in het donker naar buiten. In gedachten was hij al op weg naar Belleville. Hij kon niet wachten tot hij Sarah weer zou zien.

Gino Malko was een zorgvuldig mens. Hij was niet alleen precies op zijn uiterlijk, maar ook kieskeurig in zijn gewoonten. Omdat de GPS-verklikkers die hij op de Peugeot had aangebracht bijzonder nauwkeurig waren, wist hij dat de man ook al eerder in het Marais-district was geweest, op zich een interessant gegeven waar Malko zijn voordeel mee kon doen. Met behulp van zijn computerkaart had hij cirkels van 400 meter om de beide parkeerplaatsen getrokken. Statistisch gezien was de kans het grootst dat de plek waar de man naartoe was gegaan zich ergens in het gebied bevond waar de beide cirkels elkaar overlapten.
Het was inmiddels al laat geworden en de meeste winkels waren gesloten. Maar toch ging hij van deur tot deur en vertelde allerlei leugens om zijn vragen te kunnen stellen. Nadat hij in de fotozaak was geweest, zag hij twee deuren verder een kapper die net op het punt stond zijn zaak te sluiten. Malko liet hem een foto zien en de kapper herkende de man meteen. Malko voelde een vleugje opwinding. Hij had zijn succes niet aan geluk te danken. Hij geloofde niet in geluk, en ook niet in pech trouwens. Hij was ervan overtuigd dat het zijn aandacht voor zelfs de kleinste details plus zijn volharding waren waardoor hij zijn concurrenten voortdurend in het stof liet bijten.
'Certainement,' zei de kapper terwijl hij zijn witte schort gladstreek. Hij vervolgde in het Frans: 'Ik heb hem een paar uur geleden gezien... twee, nee, meer dan drie uur geleden. Hij liep de winkel van Madame Pahnke in. Kent u mevrouw Pahnke? Ach, ja, ik zie het al. Een fantastische vrouw en een bijzonder prettige buurvrouw voor een zakenman. Maar hij zal inmiddels al wel weer weg zijn. Behalve de eigenaar en de winkelbediendes is er toch niemand die urenlang in een fotozaak blijft rondhangen? Mensen die snel even binnen komen lopen, dat zijn de klanten die kleine bedrijven zoals die van ons in leven houden.'
Malko's aangeboren voorzichtigheid zorgde ervoor dat hij niet meteen antwoord gaf. Die vrouw – Madame Pahnke – had bijzonder overtuigend gelogen. Ze beschermde de man, maar waarom? 'Dit is

een prima straat voor bedrijven en winkels. Zit u hier al lang?'
'*Oui*. Sinds mijn vader hier op precies dezelfde plek zijn zaak opende. Dat was in 1959, toen hij nog een jonge man was en de grote De Gaulle in Frankrijk aan de macht was. Dat was een mooie tijd.'
Malko knikte. 'En mevrouw Pahnke? Zit zij hier ook al zo lang?'
'*Non, non*. Pas sinds een jaar of vijf. Zij is een van de nieuwkomers.'
'En heeft ze zich goed aangepast? Ik bedoel, daar lijkt het wel op. Maar toch is er iets...' Malko hield zijn mond, in de hoop dat de kapper in het aas zou bijten. Er waren niet veel mensen die de kans lieten lopen om een dergelijk prikkelend zinnetje af te maken.
De kapper boog zich voorover en zei op vertrouwelijke toon: 'Af en toe lopen de vreemdste mensen daar 's avonds naar binnen. Eigenaardig, hè?'
'Dus ze is discreet en ze praat nauwelijks over zichzelf en haar zaak?'
'O ja. Dat staat als een paal boven water. Héél discreet.'
Malko bedankte de kapper. Toen hij weer verder liep over het trottoir, tekenden de lichtbundels van de hoge straatlantaarns cirkels op het wegdek. Banden zoefden over de kinderkopjes. De kapper had gelijk. Mevrouw Pahnke en de man die haar een bezoek had gebracht waren inderdaad eigenaardig. Het feit dat ze 's avonds nog zo vaak aanloop had, deed Malko aan drugs of gestolen waar denken. Of misschien waren het agenten van de inlichtingendienst. Criminelen of spionnen. De man in de Peugeot zou heel goed een van beide kunnen zijn.
Het licht in de etalage van haar winkel was inmiddels uit en de winkelruit was bedekt met een rolgordijn. Op de deur hing een bordje met de tekst GESLOTEN. Hij keek om zich heen, zette zijn handen om zijn ogen en gluurde langs het rolgordijn dat over de glazen deur hing. Hij zag geen enkele beweging. Zelfs geen schaduw die ergens overheen speelde. Hij liep een stukje verder om een paar voetgangers te laten passeren en haalde zijn inbrekersgereedschap uit zijn zak.
Toen hij terugkwam, ging hij vlak voor de deur staan om te verbergen wat hij deed. In Frankrijk werd gebruik gemaakt van sloten die twee keer omgedraaid moesten worden, waardoor ze lang niet zo gemakkelijk opengingen als sloten in andere landen, maar hij vond al gauw een passende loper en maakte de deur open. Behoedzaam glipte hij naar binnen. Zijn spekzolen maakten geen enkel geluid. Maar het was het donkere pak dat in feite zijn bedoelingen verborg. Wie zou nou op het idee komen dat een man in een driedelig pak een inbraak pleegde?
Hij knipte de kleine, maar krachtige zaklantaarn aan die aan zijn sleutelbos hing en begon alle laden van de toonbank in de winkel te

doorzoeken. Hij vond niets wat zijn belangstelling wekte, behalve een klein kaliber.22 pistool. Dat was bepaald geen werelschokkende ontdekking. Kleine winkels hielden vaak wapens bij de hand om zich bij een overval te kunnen verdedigen. Hij legde het terug in de la. Het licht van zijn zaklantaarn wees hem de weg naar een smalle gang, waar hij de tijd nam om eerst de deur van een voorraadkast te openen en daarna die van een toilet, een donkere kamer en een afdrukruimte. Opnieuw was er niets dat zijn aandacht trok.

In de achterkamer liet hij het licht van de zaklantaarn over een werktafel glijden en over een aantal werkbladen waar allerlei chemicaliën op stonden en dozen met fotopapier. De drooglijnen hingen vol foto's. Hij bestudeerde alles nauwkeurig en bleef ten slotte stilstaan bij een volle prullenbak, die hij boven de tafel omkeerde. Aanvankelijk vond hij alleen een nutteloos rommeltje van afgekeurde afdrukken, papieren zakdoekjes, kapotgescheurde etiketten, een lege balpen en reclamefolders. Maar toen hij de hele stapel had doorgewerkt en bij de spulletjes kwam die bovenop hadden gelegen, bleef hij als aan de grond genageld staan. Hij pakte drie afdrukken van mindere kwaliteit op. De eerste was te donker en de andere twee te licht. Toch was nog goed te zien wat erop stond. Een van de lichte afdrukken was een gewone opname van een paar ingelijste foto's die ergens aan de muur hingen. Maar het belangrijkste was een foto in de rechterbovenhoek: een opname van zijn opdrachtgever in het gezelschap van baron de Darmond. Zijn argwaan was gewekt en hij bestudeerde de twee andere afdrukken die heel anders waren dan de rest: gedeelten van een financieel overzicht. Hij herkende de naam van het bedrijf. Gelukkig was het niet het bedrijf van zijn opdrachtgever. Maar wel van een van zijn cliënten... een gewaardeerde cliënt.

Toen hij de andere foto's aan de muur nog eens goed bekeek, begon hij hardop te vloeken. Baron de Darmond stond overal op.

Hij keek peinzend omhoog. Zou dit in het château van de baron zijn? En als de man uit de Peugeot die foto's had gemaakt, wat had hij dan nog meer vastgelegd? En wat zou hij nog meer hebben gezien?

Met rustige, efficiënte bewegingen stopte hij de drie afdrukken in de binnenzak van zijn colbert, deed de rest van de vuilnis weer in de prullenbak en zette de bak terug op de plaats. Hij keek nog één keer om zich heen om er zeker van te zijn dat hij geen sporen had achtergelaten. Ten slotte liep hij haastig terug door de winkel en weer naar buiten. Hij moest dringend iemand bellen.

27

Vanuit de lucht vormden de lichtjes van Parijs bij nacht een glinsterend, kamerbreed tapijt. Sir Anthony Brookshire bewonderde het panorama vanaf zijn plek bij het raam in zijn privéjet, terwijl het vliegtuig omlaag cirkelde naar de luchthaven Charles De Gaulle. Het uitzicht riep herinneringen op aan de jaren vijftig toen hij nog een teenager was en samen met zijn moeder en zijn tante naar Parijs ging om te winkelen en aan cultuur en het 'leven' te snuffelen, zoals ze vol enthousiasme plachten te zeggen. Dan vertrokken ze van Victoria Station, namen de veerboot van Newhaven naar Dieppe en logeerden in het Ritz of het Bristol.

Het diner vond meestal plaats in het Crillon, waar in de elegante bar derdewereldlanden door diplomaten van de ambassades in de buurt gekocht en verkocht werden, terwijl de avond werd afgesloten met een paar drankjes op dure privéadressen of in een bistro, waar staatszaken belangrijker waren dan liefdesperikelen. Hij zwom in het Piscine Deligne in de Seine, maakte kennis met Kronenburg-bier in een jazzkelder in St. Germain, dankzij een stel gehaaide oudere jongens die vonden dat ze wel mee konden profiteren van zijn ruime toelage, en wandelde bij zonsopgang alleen naar de Place de Clichy, waar Parijs nooit sliep... Daar waren de straatvegers al aan het werk, terwijl de cafés vol zaten met mensen die een kop koffie kwamen halen.

Maar tegen de tijd dat hij twintig werd, was alles veranderd. Zijn vader en moeder waren gescheiden. Zijn tante was aan de drank overleden, toen haar lever het eindelijk begaf. Hij stond op het punt om af te studeren aan Cambridge en hij had 'toekomst'. Er was geen tijd meer voor middernachtelijke zwempartijtjes of voor de romantische lokroep van de jazz vanaf de andere kant van het Kanaal. Sir Anthony was geen nostalgisch type, maar net als toen torste hij vanavond het gewicht van de hele wereld op zijn schouders. Het was al lang geleden dat hij zulke sentimentele gedachten over Parijs had gekoesterd.

Toen de jet landde en tot stilstand kwam, leunde hij achterover. Het archief van de Carnivoor was een groot probleem. Maar goed, al was het nog zo'n vervelende zaak, hij zou er wel een oplossing voor vinden.

'Zal ik u iets te drinken brengen, meneer?' Beebee, zijn persoonlijke bediende, dook naast hem op. Beebee heette eigenlijk Horace Bedell, maar toen hij nog klein was, had het oudste kind van Sir Anthony, Thomas, de naam Bedell niet kunnen uitspreken.

'Ik zou wel een cognacje willen. De Cordon Bleu, lijkt me. Twee glazen, hè?'
'Natuurlijk, meneer.' De stem ebde weg. Voetstappen verwijderden zich. Maar Beebee kwam al snel terug. Een cognacglas van geslepen glas raakte even de rug van Sir Anthony's hand. 'Alstublieft, meneer.'
Sir Anthony pakte het glas op bij de voet. Hij nam een slokje en genoot van de scherpe drank die warm door zijn keel gleed. Beebee zette het andere glas op het kleine tafeltje dat bevestigd was aan de van luxueuze kussens voorziene stoel aan de overkant van het gangpad en liep terug naar de bar, waar hij de al glanzende glazen opnieuw begon op te poetsen.
Toen de krachtige Rolls-Roycemotoren van de jet zwegen, ging de deur open. Sir Anthony hoorde de kwieke voetstappen van zijn passagier de losse trap opkomen. Hij vermande zich en bande alle sentimentele gedachten uit zijn hoofd die hem zouden kunnen belemmeren bij het nemen van moeilijke beslissingen.
Hij ging staan, liet zijn handen over zijn colbert glijden en trok zijn das recht.
Themis stapte de jet binnen en Sir Anthony liep naar hem toe. Ze gaven elkaar een hand.
'Prettig om je weer te zien,' zei Sir Anthony tegen hem. 'Hoe zijn je zaken in Parijs verlopen?'
'Redelijk. Heb je een prettige vlucht vanaf Brussel gehad?'
Themis – Nicholas Inglethorpe – was lang en slank, met achterovergekamd goudblond haar waarin hier en daar wat grijs doorschemerde, een sterke kaaklijn en een haviksneus. De mediamagnaat straalde in zijn Armanipak charme en intelligentie uit. Sir Anthony kende hem al twintig jaar, vanaf de tijd dat hij een slonzige, in spijkerbroek en trui gehulde jonge doorzetter was geweest, die overal in het zuiden van de Verenigde Staten radiostations opkocht met de bedoeling een zakenimperium te stichten. Nu stond hij aan het hoofd van InterDirections en droeg designer-pakken, terwijl zijn nagels en zijn haren door 'kunstenaars' in zijn kantoor hoog boven Wilshire Boulevard in Los Angeles verzorgd werden.
Toch waren zijn felle blik en de gretige uitdrukking op zijn gezicht in de loop der jaren alleen maar intenser geworden. Hij was multimiljardair en geobsedeerd door succes, maar hoewel hij zich had aangepast aan het uiterlijk vertoon van de hoogste kringen was hij in zijn hart nog steeds een piraat en dus niet geheel betrouwbaar. En daarom had Sir Anthony hem nu nodig.
'De vlucht verliep soepel,' zei Sir Anthony tegen hem. 'Maar de rit naar het vliegveld was een verdraaide nachtmerrie.'

'Dat is altijd zo.'
'Hoe gaat het met Mindy en de kinderen?'
'Die lopen me goddank momenteel niet voor de voeten. Ze zitten voor een paar weken in ons huis op Majorca.'
'Daar is het prettig toeven in deze tijd van het jaar.' Sir Anthony liep terug naar de cabine. 'Heel vriendelijk van je dat je naar me toe kon komen. Is je assistente vooruit gereisd?'
'Die wacht op me in Belgravia.' Inglethorpe had een huis in die chique buurt van Londen. Zijn assistente was een van zijn vriendinnen.
'Prima.' Sir Anthony ging weer zitten en maakte een gebaar. Inglethorpe nam tegenover hem plaats en trok zijn das los. Sir Anthony keek afkeurend toe. Dat was weer echt iets voor een Amerikaan. Ze hadden altijd honderd-en-één excuses voor dat soort informele gedrag, van gemak tot een manier om te bewijzen dat je iemands gelijke was, maar als puntje bij paaltje kwam, was het gewoon een kwestie van slechte manieren en luiheid.
Terwijl het geluid van de jetmotoren toenam, trok Inglethorpe zijn das af, pakte zijn cognac op en snoof vol waardering. 'Je denkt altijd vooruit. Cordon Bleu.' Hij hief zijn glas op alsof hij een toast uitbracht. Dat stel ik op prijs, Kro...'
Kronos schudde waarschuwend zijn hoofd. Hij draaide zich om. 'Dank je wel, Beebee.'
Hij keek zijn bediende na toen de man de bar verliet, door het gangpad langs hen heen liep en de cockpit binnenstapte, waar hij zou blijven tot hij geroepen werd. Terwijl Kronos zich omdraaide in zijn stoel ving hij een glimp op van zijn spiegelbeeld in de ruit aan de andere kant van de jet: perfect verzorgd zilvergrijs haar, babyroze wangen en een strenge wijze blik, die hij tot een karaktertrek had gecultiveerd. Zowel in leeftijd als in gedrag was het contrast met Themis opmerkelijk: twee mannen die elk op hun eigen manier tot grote hoogte waren gestegen, maar met een onderling leeftijdsverschil van twintig jaar, terwijl de een op onderkoelde wijze de Oude Wereld en de ander alle agressie van de Nieuwe Wereld vertegenwoordigde.
'Na al die jaren zal hij toch wel op de hoogte zijn van het bestaan van de Spiraal,' zei Inglethorpe vriendelijk.
'Waarschijnlijk wel, maar ik verwacht van hem dat hij discreet is, zelfs tegenover mij. Druk je werknemers nooit met hun neus op een geheim, terwijl je hem gelijktijdig vertelt dat hij daar niets van af mag weten. Dat wekt zelfs bij de meest trouwe employés wrevel op.'
'Ik vind al die codenamen toch maar lastig.'
'Ze zijn noodzakelijk.'
'Ach, hou toch op. Onze mobiele telefoons zijn beveiligd. Niemand

kan ons afluisteren. We zitten midden in het elektronische tijdperk, hoor.'
Sir Anthony werd nijdig. 'De code heeft al meer dan vijftig jaar een belangrijk deel gevormd van onze veiligheidsmaatregelen. Het is van elementair belang dat we het bestaan van de Spiraal geheimhouden, nu zelfs meer dan ooit. Het kan best zijn dat de codenamen ouderwets zijn, maar ze hebben ons goede diensten bewezen. Hoe gaat dat ordinaire gezegde ook al weer dat jullie Amerikanen altijd gebruiken?'
'Als iets het nog doet, blijf er dan met je vingers af.'
Sir Anthony vertrok zijn gezicht. 'Ja.'
Inglethorpe schokschouderde en hief zijn glas. 'Op de Spiraal.'
'Op de Spiraal,' beaamde Sir Anthony. 'En ik denk dat we hier het gebruik van de codenamen wel kunnen laten varen, hè, Nick?'
'Ach verrek, Tony, ik vind ze eigenlijk best grappig,' lachte Nicholas Inglethorpe.
Sir Anthony glimlachte.
Ze namen een slok en keken elkaar aan terwijl de jet naar de startbaan taxiede. Inglethorpe zette zijn glas neer. 'Goed. Er zal wel een reden zijn waarom je me hebt uitgenodigd om mee te vliegen. Laat maar horen.'
'Heb je het nieuws over Hyperion gehoord?'
'De Darmond? Ja, natuurlijk. Vreselijk. Om eerlijk te zijn had ik net bij zijn bank een verzoek ingediend om InterDirections een behoorlijk bedrag te lenen.' Inglethorpe veegde een denkbeeldig stofje van zijn broek. 'Het zou voor Hyperion een prima investering zijn geweest.'
Zijn stem klonk nonchalant, maar Sir Anthony bespeurde toch een vleugje bezorgdheid. Waar zou hij nu het geld vandaan moeten halen? Hij onderdrukte een venijnige opmerking over InterDirections. Het was een mediaconglomeraat dat het stempel van de oprichter droeg, want uiteindelijk had Inglethorpe zich meer beziggehouden met aankopen dan met opbouwen. Opbouwen vereiste jaren van geduld: om een goed product te creëren en de mensen te vinden die het wilden kopen. Fusies en aankopen waren gewoon een vorm van techniek: je moest weten hoe je met geld moest omgaan en waar de vuile was verborgen was. Er was altijd genoeg vuile was om boven tafel te halen, maar de financiering van een dergelijke papieren groei vereiste een niet aflatende kapitaalstroom... of corrupte accountants. Maar tegenwoordig was commerciële fraude zo'n teer punt, dat het verstandiger was om goed aangeschreven accountants in de arm te nemen en het geld te lenen. Hij had gehoord dat Inglethorpe weer

een stel bedrijven wilde opkopen, dit keer in Duitsland.
'Volgens onze man Duchesne houdt de Franse politie in het belang van het onderzoek bepaalde inlichtingen over de moord achter,' zei Sir Anthony.
Inglethorpes blauwe ogen keken hem scherp aan. 'De zaak gaat anders met ontzettend veel publiciteit gepaard. Weet Duchesne wel wat ze niet bekend willen maken?'
'De baron had kennelijk niet aangemeld bezoek, dat hij persoonlijk door een zij-ingang binnen heeft gelaten. Vervolgens hebben ze samen op zijn privéterras geluncht en daarna heeft hij de bezoeker ongezien meegeloodst naar zijn kantoor. Volgens de bedienden deed hij altijd heel geheimzinnig over zijn machtigste cliënten.'
'En dat is dan ook ongetwijfeld de reden dat de baron problemen heeft – of had – met de politie. Heeft iemand dat "bezoek" gezien?'
'Slechts één van de bedienden, de onderbutler die de lunch opdiende. En die is ook vermoord. Dat was een naar geval. Hij is doodgestoken.'
Inglethorpe tuurde in zijn glas. 'Daar kijk ik niet echt van op. Anders had hij de moordenaar kunnen identificeren.' Hij keek op. 'Heeft de politie nog aanwijzingen gevonden?'
'Één ding dat een beetje eigenaardig was. Een lakei heeft ongeveer op hetzelfde moment een auto gestolen. Het probleem is dat alle bedienden een alibi hebben. Toch zweert de bewaker bij het hek dat hij een man in het uniform van een lakei weg zag rijden in de gestolen auto. Die is later in Chantilly teruggevonden.'
Inglethorpe nam een slokje cognac. 'Die auto is daar niet vanzelf gekomen. Wat denk jij ervan? Is de dief de moordenaar?'
Sir Anthony stond op het punt de vraag gedeeltelijk te beantwoorden, toen ze via de intercom te horen kregen dat ze gingen opstijgen. Hij nam een stevige slok toen de motoren begonnen te brullen en de jet over de startbaan stoof. De wielen kwamen soepel los en het vliegtuig klom omhoog en zwenkte naar het noorden. Hij keek opnieuw omlaag naar de zee van glinsterende lichtjes, maar in plaats van romantiek zag hij nu een hardwerkende stad die zich uitgeput te ruste legde, een stad waar een heleboel kon misgaan. Waar het toonaangevende lid van een legendarische bankiersdynastie op zijn streng beveiligde landgoed vermoord kon worden, zonder dat de politie veel aanwijzingen had.
'Heb je nog meer gehoord over de moord op de baron?' informeerde Nick Inglethorpe.
Opnieuw viel Sir Anthony op hoeveel belangstelling Themis voor het geval had. Maar goed, daar mocht hij niet te veel waarde aan hech-

ten. Per slot van rekening kon de dood van de baron ook betekenen dat hij zijn lening met het soort gunstige condities dat het ene lid van de Spiraal meestal aan het andere gunde, kon vergeten.
'Dat is de enige informatie die mij heeft bereikt,' zei hij. 'Behalve natuurlijk dat de barones volkomen overstuur is.'
'Dat zit er dik in.'
'Er zal een uitgebreide begrafenis volgen. Met een rouwstoet zo lang als de Champs-Elysées. Dat hoopt ze in ieder geval. Vanuit haar gezichtspunt is dat ook vrij reëel, als je rekening houdt met zijn hoge positie en met hun beide families.'
De mannen knikten elkaar toe.
'We zullen een vervanger moeten benoemen,' zei Inglethorpe behoedzaam. Hij was het jongste en het nieuwste lid van de Spiraal – waar hij nog maar net vijf jaar deel van uitmaakte – en had dus nog nooit de verkiezing van een nieuw lid meegemaakt. 'Heb je al iemand in gedachten? Hij moet uiteraard wel uit Europa komen, anders zouden de Verenigde Staten de overhand krijgen.'
'Ik heb er wel bepaalde ideeën over. Maar dat geldt natuurlijk ook voor jou.'
'Ik denk meteen aan de broer van de baron,' zei Inglethorpe onmiddellijk. 'Hij zal ook ongetwijfeld de leiding van de bank overnemen.'
'Ongetwijfeld.' En als hij de nieuwe Hyperion zou worden, kreeg InterDirections uiteraard ook die lening tegen gunstige voorwaarden. Sir Anthony stelde de vraag die hem al een tijdje door het hoofd had gespeeld. 'Heb jij enig idee wie de baron zou willen vermoorden?'
Inglethorpe trok zijn blonde wenkbrauwen op en wendde zijn blik af. 'Ik zei al dat hij problemen had met de autoriteiten. Misschien heeft een van zijn cliënten er wel opdracht voor gegeven. Dan zou het ook slim zijn om hem in Frankrijk te vermoorden, op een flinke afstand van Zürich.' Hij richtte zijn lichte ogen weer op Sir Anthony en keek hem aandachtig aan. 'Vertel me de rest nu ook maar. Hoe zit het met het archief van de Carnivoor? Zijn we al iets opgeschoten?'
'Met betrekking tot het archief helemaal niets. Maar Mac is vermoord en Liz Sansborough is erachter gekomen dat haar mobiele telefoon afgeluisterd werd. Ze heeft de benen genomen, maar aangezien ze in Londen haar neef Simon Childs tegen het lijf liep, lijkt de kans groot dat ze contact met hem zal opnemen.' Hij zweeg even. Hij kende de familie Childs goed. 'Simon Childs is van MI6.' Een serie barbaarse Amerikaanse vloeken ontsnapte Inglethorpe.
'Childs heeft ontdekt dat zijn vader gechanteerd werd,' vervolgde Sir Anthony, 'en nu is hij ook bezig met een soort privékruistocht om de persoon die het archief in zijn bezit heeft te vinden. Dat kan in

ons voordeel werken, als we er niet alleen in slagen hem op te sporen, maar ook zorgen dat hij zijn mond dichthoudt.'
'En als hij niet in opdracht van MI6 werkt,' mopperde Inglethorpe.
'Dat schijnt niet het geval te zijn. Maar dan is er nog altijd de CIA. Sansborough heeft contact opgenomen met haar oude portier, omdat ze uiteraard dacht dat ze voor de CIA werkte.'
Inglethorpe ontplofte. 'Hoe heb je die zaak zo uit de hand kunnen laten lopen? Sansborough is verdwenen, de CIA en MI6 kunnen ons ieder moment voor de voeten gaan lopen en we weten nog stééds niet waar dat verdomde archief is of wie het heeft! Jij bent toch de leider van de Spiraal, verdomme! Dit valt allemaal onder jouw verantwoordelijkheid!'
Sir Anthony onderdrukte een bits antwoord. 'Ik ben geen leider zoals jij nu bedoelt, Nick, en dat weet je verdraaid goed. Ik ben alleen het aanspeelpunt van mijn gelijken. Je moet niet vergeten dat ik ook maar één stem heb. Wij hebben gezamenlijk voor dit plan gekozen. Toen we zagen hoeveel publiciteit die tv-serie van haar kreeg en te weten kwamen dat ze ook een aflevering over huurmoordenaars plande, konden we toch niet anders? De chanteur zou op geen enkele manier willen riskeren dat miljoenen kijkers op de hoogte kwamen van het bestaan van het archief. Jij was het er ook mee eens, anders zou je haar programma nooit geannuleerd hebben. En naar nu blijkt hebben we gelijk gehad. Sansborough is in Santa Barbara bijna vermoord.'
'Het was een besluit uit wanhoop,' hield Inglethorpe hardnekkig vol.
'Het is ook een wanhopige toestand. We moeten dat archief vinden!'
'Weet de rest van de Spiraal al wat er is gebeurd?'
'Ik zal ze wel op de hoogte brengen. Natuurlijk moeten we nu vanavond bij elkaar komen.'
Inglethorpe keek Kronos scherp aan. 'Je wilt iets. Wat?'
Het was tijd om de brutale Amerikaan een halt toe te roepen. Sir Anthony dronk zijn cognac op, genietend van de zachte en volle smaak, en beleefde tegelijkertijd evenveel genoegen aan de soepele vlucht van zijn vliegtuig. Er was niets beters dan geld en de kwaliteit die daarvoor te koop was. Hij zette het cognacglas op zijn tafel en zijn koele, onverzoenlijke blik vestigde zich op de jonge Inglethorpe. Inglethorpe zag er woedend uit, maar om zijn ogen speelde een nerveus trekje. Mooi zo.
'Sansboroughs portier denkt dat ze mogelijk last heeft van flashbacks,' zei Sir Anthony. 'Ik vrees dat de kans bestaat dat hij een paar agenten stuurt om haar te zoeken. Of misschien begint hij zich wel af te vragen of Asher Flores echt is neergeschoten en gaat hij daar

een onderzoek naar instellen. Het laatste wat we kunnen gebruiken, is dat de CIA aan het rondsnuffelen slaat. Dan zouden ze weleens veel te veel te weten kunnen komen. Ben je het daarmee eens?'
'Dan zou ons hele plan in het honderd lopen,' zei Inglethorpe argwanend. 'Althans wat ervan over is.'
'Precies. En dan is MI6 er ook nog. Misschien is Simon Childs erin geslaagd hun interesse te wekken. En hen kunnen we ook missen als kiespijn. Je begrijpt vast wel wat ik bedoel.'
'Niet helemaal.'
Sir Anthony wist wel beter. 'Ik kan MI6 zelf wel aan banden leggen. Jij bent de logische persoon om hetzelfde met Langley te doen. Nee, luister nou even, Nick. Jij hebt de directeur van de operationele afdeling al jarenlang gunsten bewezen. Als ze een dekmantel als journalist nodig hadden, heb jij daar altijd voor gezorgd, zonder ook maar één vraag te stellen. Je hebt hun mensen de kans gegeven om Irak binnen te komen, Afghanistan, Pakistan, Bosnië... We moeten voorkomen dat er een onderzoek wordt ingesteld naar Sansborough. Dat idee moet meteen afgekapt worden. De inlichtingendiensten kunnen aan banden worden gelegd, maar dat moet dan wel meteen gebeuren, voordat de radertjes beginnen te draaien. Dat betekent nu. We moeten er voor zorgen dat de CIA uit de buurt blijft en dat ze haar geen millimeter ruimte geven als ze weer belt. Ze moet onafhankelijk blijven en niet door anderen gestuurd worden. Kun jij daarvoor zorgen?'
Aanvankelijk schudde Themis zijn hoofd. Toen hij opkeek, zag Kronos een onzekere blik in zijn ogen. Heel ongebruikelijk. Kronos fronste en Themis wendde zijn blik af. Maar ineens ging hij rechtop zitten en Sir Anthony wist dat hij een manier had gevonden om het voor elkaar te krijgen.
Themis begon te lachen. 'Is dat alles? Jezus, Kronos, dat is een peulenschilletje voor een knul uit Texas. Ik weet precies wie dat voor elkaar kan krijgen. Maar natuurlijk kan ik zijn identiteit niet prijsgeven. Het moet tussen hem en mij blijven, maar reken er maar op dat het voor elkaar komt.'

Gatwick Airport, Engeland

Twintig minuten nadat de luxueuze jet op Gatwick was geland, stond Nick Inglethorpe in een van de wc's van een herentoilet met zijn mobiele telefoon aan zijn oor. 'Weet je zeker dat het geen repercussies zal hebben?'
'Niet als ik iets onderneem, Nick. Dat weet je best.'
'Ik wist dat ik op je kon rekenen. En we hoeven ook niets tegen Kronos te zeggen, hè?'

‘Als jij het op die manier wilt spelen, mij best. Heeft die ouwe nog iets gezegd over de stand van zaken met dat archief?’
‘Nee. Hij blijft die zaak maar verknallen.’ Inglethorpe had al een tijdje gemerkt dat zijn aandelen bij de Spiraal, en met name bij Kronos, behoorlijk in het slop zaten sinds zijn laatste aankopen in bepaalde kringen niet echt goed waren gevallen. Daarom was het heel verstandig om Kronos het idee te geven dat mediamagnaat Nick Inglethorpe nog steeds genoeg macht had om de CIA naar zijn pijpen te laten dansen. ‘Maar nogmaals bedankt. Ik sta bij je in het krijt.’
‘Ja, Nick, dat klopt.’ De verbinding werd verbroken.

28

Hoofdkwartier MI6, Londen, Engeland
Shelby Potter vond dat het hoofdkwartier van MI6 in Vauxhall Cross, zuid-Londen, met het indrukwekkende uitzicht over de Theems, eruitzag als een verrekte verjaardagstaart, volkomen ongeschikt voor de ruige werkzaamheden van een buitenlandse inlichtingendienst. Potter vond niet alleen de hoeken en de uitsparingen lelijk, hij stoorde zich ook ontzettend aan het honingkleurige beton en de groene ruiten.
Het enige voordeel was de plek waar het gebouw stond, in totale afzondering op de zuidelijke oever aan het eind van Vauxhall Bridge. Potter had onuitwisbare herinneringen aan de onopvallende Londense torenflat waarin het hoofdkwartier tientallen jaren had gezeten, waar zoveel opofferingen hadden plaatsgevonden en waar zoveel was bereikt. In die tijd had de beveiliging ervoor gezorgd dat het voor het nieuwsgierige publiek gewoon een afdeling van het ministerie van Defensie was geweest. Maar ja, tot zeven jaar geleden had de regering het bestaan van MI6 ook altijd hardnekkig ontkend. Maar in 2001, toen de directeur van MI6, Sir David Spedding, overleed, was dat inmiddels allemaal veranderd. Zijn dood werd zelfs in de gore schandaalpers vermeld, alsof hij een of andere losbol uit hogere kringen was geweest.
Hij parkeerde zijn auto en liep met een boos gezicht en inwendig mopperend naar binnen. Het gerucht ging dat de koningin hem binnenkort tot commandeur van de Royal Victorian Order zou benoemen. Een titel voor een oude spion, die zijn hele loopbaan lang sufferds had betaald om hun land te verraden en vervolgens de pa-

triotten te vermoorden die hen probeerden tegen te houden. En dat terwijl hij jarenlang was gepasseerd. Niet alleen omdat hij nooit zijn mond hield en slechte manieren had, maar ook vanwege Janice. Eigenlijk had hij wel zin om voor de eer te bedanken, maar hij wist dat Janice ontzettend trots zou zijn. Een soldatenvrouw had het gemakkelijk vergeleken bij de vrouw van een verrekte spion. Als hij het toch aannam, zou hij haar trakteren op een dineetje bij de Connaught, waar ze een dronk konden uitbrengen op de dertig jaar die ze gelukkig met elkaar hadden gehokt en herinneringen konden ophalen aan betere tijden, waarin het ministerie van Buitenlandse Zaken nog niet hoefde te adverteren voor spionnen alsof ze op zoek waren naar een zootje bakkersknechten.

De enige mooie traditie die was overgebleven, was dat de analytici en de plannenmakers nog steeds het klokje rond werkten om Groot-Brittannië te beschermen. Hij liep met de handen op de rug langs verlichte kantoren en hokjes en knikte zwijgend tegen de mensen die langsliepen met gekleurde mappen, waarbij de kleuren de verschillende niveaus van geheimhouding aangaven. Het waren brave jonge mensen, ook al keken ze hem aan alsof hij een of ander standbeeld in Hyde Park was in plaats van de allerminst dode en bevelen blaffende directeur van de operationele afdeling, die de leiding had over alle geheime missies van MI6.

In zijn kantoor deed hij het licht aan, ging achter zijn bureau zitten en leunde afwachtend achterover. Op de klok zag hij dat het zestien minuten voor elf was. Een minuut later ging de telefoon, precies op de afgesproken tijd.

Hij nam op. 'Tony?'

'Hallo, kerel. Bedankt dat je even tijd maakt voor een praatje.' De stem van Sir Anthony Brookshire had nog steeds dezelfde afgemeten, holle en overdreven gewichtige klank die Potter associeerde met lange avonden vol drank en politieke discussies uit de tijd dat ze allebei nog in Cambridge studeerden.

'Wat wil je, Tony?'

Brookshire grinnikte even. 'Cynisch als altijd. Ik hoor dat ik je moet feliciteren omdat je in de adelstand wordt verheven. En volkomen verdiend.'

'De kans zit er dik in dat ik ervoor bedank.'

'Dat zou ik niet doen, kerel,' zei Sir Anthony. 'Al was het alleen maar omdat Janice het verdient. En na al die jaren zou je ook weleens met haar mogen trouwen, hoor. Lady Potter. Dat klinkt wel, hè? Hetzelfde geldt trouwens voor Sir Shelby.'

Potter vloekte omdat hij plotseling begreep dat Tony daar stiekem

de hand in had gehad. 'Verrek nou helemaal. Dus het was jouw idee, Tony. Jij hebt ze onder druk gezet.'
'Je had er al veel eerder recht op, Shelby. Daar is iedereen die de vinger op de pols houdt het over eens. Jammer genoeg heeft het... eh... clandestiene karakter van je werk de zaak nogal vertraagd. Het had al tien jaar geleden moeten gebeuren.'
'Het clandestiene karakter van mijn werk? Ammehoela,' snoof Potter. 'Mijn manier van leven en het feit dat ik me nergens een bal van aantrek... Dát waren de redenen dat het C en hare heilige majesteit niet behaagde om mij die eer te doen.' 'C' was de code voor het hoofd van MI6, de directeur-generaal. Potter voelde een vleugje respect opkomen. 'Verdomme, Tony, ik ben diep onder de indruk. Hoe heb je dat voor elkaar gekregen?'
Brookshires stem klonk licht geërgerd. 'Ik heb alleen maar een paar van de dingen die jij in de loop der jaren klaargespeeld hebt op een rijtje gezet.'
Potter grinnikte inwendig. De vertaling van die opmerking was dat Tony C aan zijn verstand had gebracht dat Potter te goed wist waar de vuile was lag om nog een keer gepasseerd te worden. Maar goed, Tony Brookshire was dan ook een geboren politicus. Dat moest je wel zijn als je, zoals hij, een leven lang in dienst van de kroon was geweest en tot zulke hoogten was gestegen. De wereld van de Britse binnenlandse politiek zat vol voetangels en klemmen, maar die zaten meestal verstopt onder zo'n dikke laag beleefdheid, dat de rest van de wereld de Britten als stijve harken beschouwde.
'Zo is het wel mooi geweest, Tony,' bromde Potter. 'Je hebt me genoeg stroop om de mond gesmeerd. Wat wil je nou?'
'Simon Childs. De infiltrant-agent. De zoon van het voormalige parlementslid.'
'Intelligente jonge vent. Een beetje een eenling, maar dat vind ik onder bepaalde omstandigheden een voordeel. Hij komt af en toe in moeilijkheden. Hij haalt zijn chef het bloed onder de nagels vandaan. Wel heel veelbelovend,' somde Potter op. 'Maar dat wist je allemaal al, hè? Je bent toch een vriend van de familie?'
Brookshire ging daar achteloos aan voorbij. 'Childs heeft zijn opdracht aan de kant geschoven en is nu op eigen houtje met iets bezig in het gezelschap van een voormalige CIA-agent, Elizabeth Sansborough.'
Potter fronste. 'Waarom weet ik daar niets van?' Hij prentte zich in dat hij niet moest vergeten Childs' directe chef daarover aan te schieten.
'De knaap heeft zijn sporen knap verborgen. We kwamen er toeval-

lig achter toen we met iets anders bezig waren. Het is op z'n minst een gebrek aan mensenkennis. En op z'n ergst...'
'Sansborough, zei je toch?' Potter zat even te piekeren. 'O, ja. De dochter van de Carnivoor. Ik had gehoord dat ze al jaren geleden de wei in is gestuurd.'
'Maar ze heeft nu duidelijk haar oude beroep weer opgepakt en kennelijk uit eigen beweging.'
'Is ze dan prof geworden, net als haar vader?'
'Dat zou kunnen.' Brookshire zuchtte. 'Zoals je je waarschijnlijk wel zult herinneren, is Childs haar neef. Wij zouden het op prijs stellen als jullie je handen van hem aftrekken en hem tot paria verklaren. Wij hopen dat hij er ongeschonden uit zal komen. Maar als dat niet zo is, willen wij niet dat de regering daar in enig opzicht bij betrokken raakt.'
Potter zei niets. Het was dat 'wij' dat hem intrigeerde... *Wij* zouden het op prijs stellen... *Wij* hopen... *Wij* willen. Had Brookshire het nu over interne regeringskringen of had hij het over Nautilus, de geheime club bij uitstek van toonaangevende wereldverbeteraars waarvan Brookshire ook deel uitmaakte, zoals Potter heel goed wist? De Nautilus Groep was verantwoordelijk geweest voor veel van de gigantische veranderingen in de wereldpolitiek sinds de Tweede Wereldoorlog. Potter was uiteraard van dat soort dingen op de hoogte, ook al zou hij nooit lid willen – of kunnen – worden van de groep. Daarvoor was zijn macht niet groot genoeg en hij miste bovendien de vereiste 'groepsmentaliteit'.
'Hoe weet ik dat je de waarheid spreekt?' vroeg Potter zonder omhaal.
'Omdat ik nooit zomaar een gunst vraag. Omdat we elkaar al veel te lang kennen en al veel te veel hebben meegemaakt om elkaar een rad voor ogen te draaien, zeker nu we allebei in de herfst van onze carrière zitten. Dit gaat om het welzijn van het land, beste Shelby. Ik heb nog nooit een persoonlijke gunst gevraagd en daar begin ik nu ook niet meer aan. Liz Sansborough is in het diepe gesprongen en het ziet ernaar uit dat ze die jongen van ons meegesleept heeft. We willen Childs niet om het leven brengen, maar we moeten er wel zeker van kunnen zijn dat hij ons geen kwaad kan doen. Als we daar later voor gestraft worden, dan is dat jammer. Laten we hem nou voorlopig maar op een zijspoor zetten. Hij mag geen hulp krijgen. Als wij ons ermee gaan bemoeien, zal dat zijn leven in gevaar brengen, en wat nog veel belangrijker is, ook de dienst zelf.'
'Is dat zo?' Potter wist best dat het eigenlijk niets uitmaakte. Iemand met een veel hogere positie dan hij, iemand in Whitehall, wilde dat

Simon Childs voorlopig uitgeschakeld zou worden. Dat was, als puntje bij paaltje kwam, het enige dat telde.
'Je kunt het zelf ook natrekken, nu je weet wat er aan de hand is.'
'O, dat zal ik zeker doen, Tony,' zei Potter. 'Maar ik ben ervan overtuigd dat alles klopt als een bus en ik maak het wel in orde.'
'Daar heb ik ook geen moment aan getwijfeld, beste kerel.'
'En Tony? Ik mag dan wel mopperen, maar ik ben toch van plan om die titel aan te nemen. Misschien trouw ik zelfs wel met Janice, als ze me na al die tijd nog wil hebben, tenminste. Dat zou er min of meer op neerkomen dat ik me toch maar overgeef, hè?'
'Ik ben blij om dat te horen, Shelby. Heel blij. We moeten na de plechtigheid maar iets gaan drinken. Met ons vieren. Je hoort nog van me.'
Potter schoot bijna in de lach, hoewel hij alleen in zijn kantoor zat. Tony liet er geen gras over groeien. Maar daar stond tegenover dat Tony er ook voor zou zorgen dat dat intieme dineetje er kwam en hij zou ook echt blij zijn als Potter de titel aannam. Tony zou ook aan de kant van Janice staan en proberen hem zover te krijgen dat hij met haar trouwde. Mensen als Tony wilden altijd dat het spel door iedereen op dezelfde manier gespeeld werd... op hun manier.
Potter zuchtte. Wat er ook achter mocht steken, Simon Childs zou op een zijspoor gezet worden. De knul zou het best overleven en het was waarschijnlijk ook wel goed voor hem. Het zou hem nog meer ruggengraat geven en hij zou er een betere vakman door worden. God wist dat het Potter in het verleden meer dan eens was overkomen. Hij toetste een nummer in en drukte de telefoon tegen zijn oor.

Hoofdkwartier van de CIA, Langley, Virginia
De afdeling personeelszaken die op de buitenwereld vaak een saaie indruk maakte, was het nieuwe koninkrijk geworden van Walter Jaffa. Hij was vijf jaar lang hoofd van de afdeling bestuur geweest, ooit het zenuwcentrum van de CIA, tot die afdeling in 1998 werd opgeheven en de enorme hoeveelheid taken als dure bonbons werden verdeeld over andere sectoren van de dienst. Aanvankelijk had Jaffa zich verzet tegen die reorganisatie. Maar hij had zijn status en zijn salaris mogen behouden en omdat hij een van de ambtenaren was die het langst in dienst waren, had hij mogen kiezen tussen de functies van hoofd financiële zaken, hoofd interne veiligheidsdienst, hoofd van de CIA universiteit en andere banen. Hij had uiteindelijk gekozen voor de afdeling personeelszaken, die op elk niveau van de CIA cruciaal was. Daar werd bepaald wie in dienst werd genomen en wie in aanmerking kwam voor pensioen. De afdeling verstrekte de leugende-

tectors om eventuele slapers, mollen en personen die mogelijk overlopers konden worden te ontdekken en onderhield het contact met de dappere agenten die zonder officiële dekmantel overal ter wereld hun leven in de waagschaal stelden.

Jaffa nam zijn taak serieus. Iedere keer als hij langs de witte, vensterloze hokjes wandelde waarin zijn diverse speciale eenheden ondergebracht waren, welde de trots in hem op. Hij hield van zijn godsdienst en van zijn vrouw en kinderen. Hij genoot van zijn succes, van zijn werk en van de Agency.

Hij liep zijn kantoor in en ging in de comfortabele stoel achter zijn bureau zitten dat volgestapeld lag met papieren. Het was bijna zes uur, het tijdstip waarop dit soort gedachten hem vaker door het hoofd speelde. In deze krankzinnige tijden was het heel ongebruikelijk om de dag met een dergelijk gevoel van spirituele zelfgenoegzaamheid af te sluiten. Hij was opgegroeid op de winderige prairies van South Dakota, met een drankzuchtige vader en een moeder die zich kapot had gewerkt, en hij had zelf zijn studie aan de universiteit van South Dakota betaald door als kelner in Vermilion en Sioux City te werken en in de bloedhete zomers op de combines van de uitgestrekte tarwevelden. Destijds was het puur een kwestie van overleven geweest en de enige manier om dat klaar te spelen was door hogerop te komen. Nu draaide zijn leven vooral om godsdienst. Zijn vrienden waren allemaal streng rooms-katholiek en ze behoorden net als hij tot de meest orthodoxe kerkgemeenschap: Opus Dei, 'Het Werk Gods'.

Zijn telefoon ging. Een van zijn telefoons. Maar niet het toestel dat het meest gebruikt werd. Jaffa bleef er even naar staren. Het was zijn directe lijn, die alleen gebruikt werd door de allerbelangrijkste personen, te beginnen bij de directeur van de inlichtingendienst. Hij ging rechtop zitten, pakte de hoorn op en zorgde ervoor dat zijn stem vast en autoritair klonk.

'Jaffa,' zei hij.

'Hou je van je baan, Walter?'

Jaffa herkende de stem niet. Hij klonk blikkerig en veraf, alsof hij mechanisch vervormd werd. Dat soort telefoontjes kreeg de administratief directeur nooit. Hij tastte onder zijn bureau naar de knop die de bewakingsdienst zou waarschuwen dat het gesprek getraceerd moest worden.

'Berlijn, 1989,' ging de vervormde stem verder. 'In die tijd nog West-Berlijn, om precies te zijn. Er was een meisje...'

Jaffa's vinger drukte de knop niet in. Hij trok zijn hand langzaam terug naar zijn bureaublad. Op zijn voorhoofd verschenen zweetdruppeltjes.

'Ze heette Elsa Klugmann,' vervolgde de blikkerige stem. 'Zestien jaar en in verwachting van jouw kind. Haar vader was een hoge employé van de BND... een harde man die je maar beter niet tegen je in het harnas kon jagen...'

Haar vader. In gedachten zag Walter dat kille buldoggezicht waar nooit iets op te lezen stond weer voor zich. In die tijd begon de West-Duitse inlichtingendienst – de BND of Bundesnachrichtendienst – eindelijk over de gevolgen heen te komen van een politiek schandaal, ettelijke jaren na de val van de regering van bondskanselier Willy Brandt, die zijn carrière abrupt ten einde zag komen toen ontdekt werd dat zijn rechterhand een mol was van de Stasi. Daarna had de BND de rijen gesloten en was even meedogenloos geworden als de Stasi zelf, hoewel ze zich nooit verlaagd hadden tot het op grote schaal afluisteren, hersenspoelen en chanteren van hun eigen burgers, zoals de Stasi dat wel in Oost-Duitsland had gedaan.

Niet, dacht hij bitter, dat hij dat uit eigen ervaring wist.

Hij had van Elsa gehouden, maar het was een zonde geweest om voor het huwelijk gemeenschap met elkaar te hebben. Toen Herr Klugmann erachter kwam wat Walter Jaffa zijn dochter had 'aangedaan', kreeg ze van hem opdracht om abortus te laten plegen, hoewel Jaffa Klugmann smeekte om haar met hem te laten trouwen.

Herr Klugmann was atheïst, net als zijn eigen vader, maar die was ook nog lid van de SS geweest. Hij verrekte het toch mooi om die *verdammter Schweinhund* met zijn Elsa te laten trouwen. Hij wilde Jaffa uit de weg hebben. Voorgoed. Dus arresteerde hij een Stasi-spion en deed net alsof hij bij hem papieren had aangetroffen waarin Jaffa als een handlanger van de communisten werd omschreven. Hij beloofde de in paniek geraakte Stasi-medewerker dat hij vrijgelaten zou worden als hij meehielp om Jaffa te ruïneren.

Elsa stuurde Jaffa een boodschap waarin ze hem van dat plan op de hoogte bracht en hem smeekte haar te redden. Jaffa was radeloos. Tot dusver was de CIA nog niet op de hoogte gesteld. Zodra dat wel zou gebeuren, kon hij zijn carrière vergeten, terwijl hij nog steeds zijn kind niet zou kunnen redden.

Jaffa zat urenlang te bidden en maakte bij wijze van zelfkastijding gebruik van de *cilice* (in feite het middeleeuwse boetekleed, maar in zijn geval een met spijkers beslagen band om zijn dijbeen), tot God hem ten slotte op een idee bracht. Hij had een erfenis gekregen van bijna honderdduizend dollar. Met behulp van een contactadres dat hij van de legendarische meesterspion Red Jack O'Keefe had gekregen, benaderde hij de beste huurmoordenaar die er was: de Carnivoor. Als die je als cliënt accepteerde, kon je er zeker van zijn dat het uit de weg ruimen keurig gebeurde, op een manier die nooit te traceren was. Vijf dagen later kwamen Herr Klugmann en zijn Stasi-collaborateur op weg naar het federale gerechtsgebouw om het leven bij een tragisch verkeersongeluk. Volgens de Duitse politie was het gewoon pech geweest dat de auto op een steile helling plotseling een technisch mankement had gekregen. De familie Klugmann was compleet overstuur, hoewel Frau Klugmann daar snel genoeg van herstelde om binnen drie maanden te hertrouwen. Walter en Elsa waren inmiddels ook getrouwd en hij had voor elkaar gekregen dat hij weer naar de Verenigde Staten was overgeplaatst.

De fluisterende stem aan de telefoon zei: 'Ik betwijfel of Langley dat als een onbetekenend akkevietje zal beschouwen en dan heb ik het nog niet eens over de minister van Justitie en over de Duitse politie. Of je nu in de gevangenis terechtkomt of niet... lang zul je het niet overleven. De BND heeft niet alleen een geheugen als een ijzeren pot, maar ook een ijzeren wil als het om de moord op een van hun eigen mensen gaat.'

Iemand die niet beschikte over een grote mate van zelfbeheersing zou het nooit ver brengen binnen de CIA... zeker niet tot directeur. Er klonk geen spoor van vrees in Jaffa's stem. 'Met wie spreek ik?' wilde hij weten. 'Ik heb geen flauw idee waar je die hersenspinsels vandaan hebt, maar ik verzeker je...'

'Dreigementen hebben geen enkele zin. Maar ik kan je wel een oplossing aan de hand doen. Jullie hebben een voormalig agent die inmiddels met pensioen is, Elizabeth Sansborough. Ik neem aan dat die naam je wel iets zegt.'

Jaffa had het gevoel dat hij op het randje van een bodemloze afgrond balanceerde. De man wist dus echt waar hij het over had, want Liz Sansborough was het enige kind van de Carnivoor. Jaffa kon zijn loopbaan vaarwel zeggen. Zijn werk, zijn vrouw, zijn kinderen... hij zou alles kwijtraken. Ondanks de haast mythische zwijgzaamheid van de Carnivoor had hij toch instinctief verwacht dat dit zou gebeuren. Op een dag zou iemand te weten komen dat hij een huurmoordenaar in de arm had genomen om een eind te maken aan het leven van de grootvader van zijn kinderen.

'Als ik me niet vergis, Walter,' zei de man, 'hebben jullie onlangs nog iets van haar vernomen.'

Hij herinnerde zich een onbelangrijk rapport waarin vermeld werd dat ze zichzelf weer had gemeld. Maar dat was een geval voor de operationele afdeling, niet voor de administratie. Desondanks begon hij weer enige hoop te koesteren. Die klootzak wilde het op een akkoordje gooien.

'Ja,' zei Jaffa op zijn hoede.
'Haar vader heeft dossiers achtergelaten. Een compleet archief. Daar kom jij ook in voor, Walter. Met alle bijzonderheden.'
'Nee!'
'Als je precies doet wat ik zeg, zal jouw dossier vernietigd worden.'

29

Parijs, Frankrijk

Simon parkeerde de auto op twee straten van de plaats waar ze afgesproken hadden. Dat was eigenlijk dichterbij dan hij verstandig vond, maar hij had haast en hij maakte zich zorgen om Sarah. Terwijl hij uitstapte, bedelden vormeloze gestalten met de uitgedroogde stem van een verslaafde vanuit de duisternis fluisterend om een fooi of een gunst. De deur van een kroeg ging open en gelach en rook wolkten naar buiten. De vochtige nachtlucht was bezwangerd met de geur van stof en afkoelend asfalt.
Hij was te bezorgd om zich te laten ophouden, maar er hing een vreemd sfeertje, alsof er ieder moment iets vreselijks kon gebeuren. Hij trok een bos verwelkte bloemen uit een vuilnisbak, zette zijn zonnebril op en liep met een wezenloze glimlach het duister in, alsof hij niet helemaal goed wijs was. Hij hield de bloemen met twee handen vast, zodat hij een soort wandelend lijk leek. Met een beetje mazzel zou hij er gek genoeg of gevaarlijk genoeg uitzien om de plaatselijke bevolking het idee te geven dat ze hem beter met rust konden laten. Een stel jongemannen vol tatoeages en piercings kwam hem tegemoet alsof het trottoir hun eigendom was. Ze zagen er boos en onheilspellend uit. Simon voelde hoe het haar op zijn armen rechtop ging staan toen hij controleerde of ze misschien wapens bij zich hadden, maar ze liepen langs hem heen alsof hij onzichtbaar was.
Twee straten verder liep hij een steegje in dat een soort smalle kloof vormde tussen twee hoge flatgebouwen. Het midden van de straat werd verlicht door een reepje maanlicht, maar aan weerskanten waren de schaduwen zwart en dreigend.
Hij smeet de bloemen weer in een vuilnisbak en liep door. Zijn zenuwen waren tot het uiterst gespannen. Toen Sarah uit de schaduw te voorschijn kwam en hem trakteerde op die stralende glimlach waar ze het patent op had, begon zijn hart sneller te kloppen. Er was net genoeg licht om te zien dat haar korte haar als een stralenkrans om

haar gezicht viel. Terwijl ze net naast het reepje maanlicht haastig naar hem toe kwam lopen, beeldde hij zich in dat hij de sexy moedervlek kon zien die zo verleidelijk naast haar mondhoek zat.
Plotseling begon ze te rennen.
Verbaasd en met een schuldig gevoel van opwinding merkte hij dat hij zijn armen spreidde. Vol verlangen begon hij sneller te lopen. Hij wilde haar in zijn armen nemen, haar parfum opsnuiven en haar tegen zich aantrekken... en toen zag hij dat ze niet langer glimlachte. Ze had haar ogen samengeknepen en haar rechterhand, die naast haar lichaam omlaag hing, wenkte hem dringend: *Loop door. Doe net alsof je niets merkt.*
Haar blik was gericht op iets dat zich vlak achter hem bevond. Hij wilde net omkijken, toen ze haar vinger haastig heen en weer schudde. *Nee.* Er liep een koude rilling over zijn rug en hij voelde dat zijn nekharen overeind gingen staan. Hij luisterde, maar hij hoorde niets bijzonders.
Hij bleef in zijn rol volharden, nog steeds met zijn armen wijd. 'Schat!'
Sarah stoof langs hem heen.
Simon hoorde haar schoudertas op de grond vallen. Hij draaide zich met een ruk om op het moment dat haar voet omhoogschoot en de arm van een man raakte die nog geen twee meter achter hem had gelopen. Iets glanzends – een stiletto – viel met een rinkelend geluid op straat en stuiterde door de streep maanlicht.
Simon wilde haar te hulp schieten, maar ze ontweek een stoot en deelde met de zijkanten van haar handen verlammende klappen uit die links en rechts van de hals van de man terechtkwamen. Simon stond versteld van haar vakmanschap en haar snelheid. Ze had het voordeel van de verrassing aan haar kant, maar dat was geen afdoende verklaring voor de professionele manier waarop ze met de kerel afrekende. Er was geen moment van aarzeling, elke beweging was doeltreffend. Als ze ook maar de geringste twijfel had getoond of een kleine fout had gemaakt, had het haar dood kunnen betekenen... en de zijne.
Toen de man achterover sloeg, viel het maanlicht op zijn gezicht. Jezus. Weer die klootzak die hij in de fotozaak van Jackie Pahnke had gezien. Simon holde naar hem toe.
Sarah stond hijgend op hem neer te kijken. 'Wie is dat?'
Terwijl hij haar vertelde waar hij de man van kende, pakte Simon haastig de stiletto op, ging op het lemmet staan en brak het heft eraf. Hij schopte de twee stukken in een hoopje rotzooi. 'Ik heb hem vlak voordat ik hiernaartoe kwam rijden ook weer in een fotozaak gezien.' Hij staarde naar haar mouw. De stof was nat en donker...

bloed? Nu stonden de spanning en de vermoeidheid, die eerder door die stralende glimlach waren verborgen, duidelijk op haar gezicht te lezen. Ze had een knap toneelstukje opgevoerd. 'Je bent gewond.' Hij wees bezorgd naar haar arm.
'Dat is niets.' Liz zette de pijnlijk kloppende wond uit haar hoofd. *Als het niet levensbedreigend is, denk er dan niet aan.* Het belangrijkste was dat Simon weer bij haar was. Ze bekeek hem van top tot teen en was blij om zijn soepele lijf, zijn knappe gezicht, zijn gebroken neus en zijn intelligente ogen weer te zien. Ze begon hem steeds aardiger te vinden.
Hij knikte, keek opnieuw rond in het steegje en ging op zijn hurken zitten om de zakken van de man te doorzoeken. Hij zou later wel weer over die arm beginnen.
Ze liet zich naast hem op haar knieën zakken. 'Dus hij is je gevolgd.'
'Dat lijkt er wel op,' beaamde Simon. 'En ik had helemaal niets in de gaten.'
'Dan is hij goed.'
Simon vond geen identiteitsbewijs of iets anders waaruit hij kon opmaken wie de moordenaar was of waarom hij hem achtervolgde. Hij trok een Glock uit de schouderholster van de kerel en keek waarmee het wapen geladen was. Het waren 9-mm Parabellum-kogels. De clip was vol. Hij legde de Glock naast zich neer en bestudeerde de schoenen van de man. Spekzolen. Vandaar dat hij geluidloos had kunnen lopen. Toen Simon zich naar haar omdraaide, zat Liz naar het wapen te staren.
Het pistool was een Glock-19, een automatisch wapen dat niet alleen betrouwbaar was, maar ook compact en licht van gewicht, omdat het voor ongeveer veertig procent uit plastic was gemaakt. Het was een wapen dat heel populair was bij politiekorpsen en legermachten overal ter wereld, met inbegrip van de Verenigde Staten, net als de Glock-17L, in feite hetzelfde wapen maar dan met een langere loop.
Terwijl ze ernaar zat te kijken, voelde Liz nog heel even een wurgende onzekerheid opkomen. Het waren die laatste paar seconden waarin je een net genomen besluit nog kon terugdraaien. In feite was het heel simpel: alle geweld was fout. Ze wist dat er in de toekomst, als er al een toekomst zou zijn, geen sprake meer zou zijn van geweld. En dan maakte het niet uit dat die toekomst misschien nog heel ver weg was. Maar de toekomst was ook het heden. Wat zij... wat ieder mens op dít moment zou doen, bepaalde hoe de toekomst eruit zou zien.
Verscheurd door twijfels voelde ze opnieuw haar schuldgevoel en het

verdriet om Sarah opwellen. Tish Childs. Mac. De dode mannen in het pakhuis van Eisner-Moulton. De rector en zijn vrouw. Kirk.
'Wat is er?' vroeg hij fronsend. Hij keek haar verwonderd aan.
'Geef mij dat pistool.'
Simon trok zijn wenkbrauwen op. 'Ben je van gedachten veranderd?'
'Kennelijk wel.' Haar stem klonk effen. Ze pakte het aan, woog het op haar hand en pakte het van links naar rechts, om aan het gevoel ervan te wennen. 'Ik zal het ermee moeten doen.'
Terwijl Simon toekeek, stond ze op en niet alleen haar blik maar ook het pistool volgden moeiteloos dezelfde richting, alsof ze het aan een draadje had. Ze hield de wacht zonder dat iemand haar dat had gevraagd. Toen dat tot hem doordrong, moest hij ook ineens weer denken aan haar karate-aanval. Voor een journaliste was ze verrassend capabel, ook al had ze dan een speciale opleiding gehad op de strikt geheime, hoogggewaardeerde Ranch van de CIA.
De man die in het donkere steegje op de grond lag, begon te kreunen. 'Hij komt bij,' zei ze.
'Hoog tijd om eens een babbeltje met die knaap te maken,' knikte Simon.
Er klonk opnieuw een gekreun, ditmaal iets minder lang. 'Wie ben je?' vroeg Simon met gedempte stem. 'Voor wie werk je?'
De man had een gezicht dat eruitzag alsof het nooit enige emotie had vertoond. Het leek haast ongebruikt. Simon bukte zich om hem door elkaar te schudden, toen Sarah hem plotseling een por in zijn rug gaf, waar hij niet op had gerekend. Hij viel plat op zijn gezicht... boven op de overvaller.
Sarah liet zich naast hem op de grond vallen en fluisterde: 'Blijf liggen!'
Hij draaide zich om en keek haar aan. Ze tuurde naar het begin van de steeg, waar hij vandaan was gekomen. De Glock was net als haar blik gericht op een gezette vrouw, die langs de beschaduwde muur van een van de flatgebouwen sloop en een uzi uit haar boodschappentas trok.
Zonder iets te zeggen liet Simon zich van de halfbewusteloze man rollen en richtte zijn Sig Sauer. Achter de vrouw bleef het verkeer door de straat zoeven.
'Ze ziet er niet gevaarlijk uit,' fluisterde hij.
'Ze is een beroepsmoordenares,' fluisterde ze terug. 'Ze probeert de indruk te wekken dat ze slap en veel te dik is, maar ze is één bonk spieren. Ze heeft die boodschappentas bij zich zodat ze zich als een gewone huisvrouw kan voordoen. Daardoor voelen mensen zich gerustgesteld en letten niet meer zo goed op.'

De vrouw had niet de moeite genomen om haar uiterlijk te veranderen. Ze had nog steeds dat kortgeknipte bruine haar en ze droeg nog steeds dezelfde roodbruine lipstick en de praktische lange broek, de blouse en het jasje. Ze liep behoedzaam verder, op zoek naar iets... of iemand.
'Hoe weet je dat?' vroeg hij.
'Ze heeft mij af en toe geschaduwd en ik weet bijna zeker dat zij Mac heeft vermoord. Ze werkt voor de mensen die het archief in hun bezit hebben.' En ze had de leiding gehad over de ploeg die Sarah en Asher voor de tweede keer ontvoerd had.
De man die languit op de kinderkopjes lag, bewoog. Hij begon absoluut bij kennis te komen.
'Dus... als ze toevallig bij onze vriend hier hoort...' begon Simon.
'Ze weten dat jij op zoek bent naar het archief. Vergeet niet dat mijn mobiele telefoon werd afgeluisterd. Degene die het archief in zijn bezit heeft, is nu tot de conclusie gekomen dat jij ook uit de weg geruimd moet worden.'
'Hè ja, daar zat ik net op te wachten.'
De ogen van de man knipperden. Zodra Simon de loop van de Sig Sauer tegen zijn slaap drukte, vloog zijn hand omhoog om het wapen te grijpen.
Simon spande de haan. 'Hoor je dat, maat?' vroeg hij zacht. 'Dat is je laatste herinnering voordat ik je een kogel door je kop jaag.'
De ogen vlogen open. Ze keken naar Simon. En naar het pistool. Op het gezicht stond niets te lezen. Hij liet zijn hand zakken. 'We moeten met elkaar praten.'
'Niet zo hard. Fluister maar,' beval Simon. 'Wie heeft je gestuurd?'
Liz ging op haar hurken zitten en concentreerde zich op de vrouw die nog steeds in hun richting sloop. Ze liep nu vlak langs het flatgebouw, waar de schaduwen het donkerst waren. Ze was alleen zichtbaar omdat ze rechtop liep en in beweging was, waardoor ze net genoeg maanlicht reflecteerde om gezien te worden door iemand die wist waar ze moest kijken. Het verkeer en de muziek in de verte zorgden voor genoeg lawaai om hun gefluister te overstemmen en ze had hen kennelijk nog niet gezien of gehoord omdat ze weggedoken zaten in het donker.
'Ze heeft het bij het rechte eind,' zei de man tegen Simon en hij dempte zijn stem weer toen Simon het pistool harder tegen zijn slaap drukte. 'We weten dat jullie samenwerken.'
'Je hebt nog geen antwoord gegeven op mijn vraag. Wie ben jij? Wie betaalt je?'
De uitdrukking op het gezicht van de man veranderde niet en hij ver-

trok ook geen spier, zodat ze volkomen overdonderd werden toen hij zijn mond ineens opendeed en brulde: 'Beatrice!' Hij rolde weg van Simons pistool, gaf hem een schop, greep hem bij zijn enkels en gooide hem ondersteboven. Hij was niet alleen stevig gebouwd, maar ook sterk en dit keer werkte de verrassing in zíjn voordeel.
Toen Simon zich weer op hem wilde werpen, dook de man weg en rukte het mes uit de schede die Simon onder zijn broek om zijn enkel droeg. Nu was hij gewapend. Op hetzelfde moment schreeuwde de vrouw: 'Malko!' Ze opende het vuur en rende naar de plek waar ze zijn stem had gehoord. Haar kogels ketsten af op de kinderkopjes en vlogen hun kant op, terwijl vlijmscherpe stukjes steen als scheermesjes in het rond spatten.
Alles speelde zich binnen enkele seconden af. Terwijl Simon een trap uitdeelde en probeerde een hoek te vinden om zijn Sig Sauer af te vuren, schreeuwde hij: 'Sarah!'
Liz had het gevoel dat ze verlamd was, zoals ze daar zat op één knie met de Glock in twee handen geklemd. Daarna zei een inwendige stem rustig: *Je hebt je besluit genomen. Nu heb je geen tijd om daar nog eens over te gaan zitten piekeren.* Ze haalde de trekker over.
Ze voelde de terugslag van de Glock als een elektrische schok door haar armen gaan en tegelijkertijd knapte er vanbinnen iets. Een deel van haar dat ze bijzonder op prijs stelde, was verdwenen, maar haar kogel raakte Beatrice feilloos. Beatrice liep nog twee stappen door en zakte toen in elkaar alsof haar wervelkolom verpulverd was.
Terwijl ze vooroversloeg, ramde de man zijn vuist recht in Simons buik en gaf hem met de ander een dreun tegen zijn kaak. Simon sloeg tegen de grond en Liz draaide de Glock haastig in zijn richting om opnieuw een schot te lossen. De man schopte het pistool uit haar hand en ging er als een haas vandoor.
Vloekend pakte Liz het op en zette de achtervolging in, maar Malko liep in het donker langs het flatgebouw. Voordat ze dichterbij kon komen, verdween hij in het duister, een spookverschijning die door de nacht werd opgeslokt. Ze liep haastig terug, rende naar de vrouw en draaide haar om. Er zat bloed op haar borst. Geen hartslag. Heel even bleef Liz op het dode gezicht neerkijken en vroeg zich af wie ze werkelijk was. En of deze vrouw, Beatrice, een man en kinderen had en een privéleven.
Daarna zette ze die gedachten uit haar hoofd. Ze kon later ook nog treuren. Nu moest ze eerst dit karwei afmaken, de chanteur een halt toeroepen en Sarah en Asher terugvinden. Liz fouilleerde de vrouw, maar ze vond niets waar ze iets aan had. Ze griste de uzi van de

vrouw op, holde terug, pakte de Sig Sauer op en boog zich over Simon.
'Simon?'
Hij had zijn ogen dicht. Zijn rechtervoet was in een onnatuurlijke houding onder zijn linkerdijbeen gepropt en zijn hoofd lag opzij. De kinderkopjes in de steeg glinsterden van het bloed.

30

Doodsbang drukte Liz haar oor tegen Simons borst. Toen ze zijn krachtige hartslag hoorde, ging ze rechtop zitten en wreef de tranen uit haar ogen. *Goddank*. Ze keek om zich heen. De overvaller was in geen velden of wegen te zien.
Simon kreunde. Liz bestudeerde hem aandachtig. Zijn golvende haar zat volkomen in de war, zijn gezicht was vlekkerig en smerig en zijn colbert en zijn broek waren verkreukeld. Ze glimlachte. 'Kijk toch eens hoe je eruitziet,' mompelde ze. 'Nog steeds het stoute jongetje van de familie.' Ze legde zijn been recht en draaide voorzichtig zijn hoofd om. Daarna pakte ze zijn schouder en schudde hem stevig door elkaar. 'Wakker worden, Simon! Word wakker, verdomme. We moeten hier weg!'
Hij deed zijn ogen open en kreunde opnieuw. 'Verdraaid nog aan toe. Ik heb er een mooie puinhoop van gemaakt.'
'Je deed het prima. We waren allebei afgeleid en hij wist precies wat hij deed. Hij had mij ook te pakken. Hij nam de benen voordat ik hem kon tegenhouden. Kun je lopen?' Terwijl hij wankelend overeind krabbelde, bleef ze naar de steeg kijken en vroeg zich opnieuw af hoe Malko Simon hier had gevonden.
'Ik hoop het wel. Maar ik ben te draaierig om te rijden.' Hij stopte zijn Beretta in de holster en borg ook het mes weer weg, voordat hij hinkend op weg ging naar de uitgang van de steeg. 'We kunnen beter deze kant opgaan, voor het geval er nog meer bezoek onderweg is,' legde hij uit.
Ze kwam naast hem lopen. 'Er is kennelijk niets mis met je hoofd, maar je loopt alsof je een stevige slok op hebt.'
'Ik wou dat het waar was. Zou je iets nuttigs kunnen doen? Schiet dan die verdomde lantaarn uit.'
'Als we iets dichterbij zijn. Anders mis ik misschien. Ik heb al zo lang niet meer geschoten.'

'Ik vond anders dat je een verdomd betrouwbare indruk maakte. Je had maar één schot nodig om Beatrice uit te schakelen.'
'Geloof me, dat was puur geluk.'
Het ene flatgebouw na het andere torende hoog boven hen uit. Ze stonden zo dicht op elkaar dat je er vrijwel geen hand tussen kon krijgen. Liz was bijzonder op haar hoede en hield de Glock in haar hand, terwijl ze de uzi in haar tas stopte. De kolf stak er nog uit, maar op die manier viel het wapen niet meer zo op.
Bij het begin van de steeg gluurden ze om de hoek. De straat was voor de helft gevuld met winkels, de rest bestond uit woonhuizen. Iedere keer als de deur van een van de kroegen openging, kwam er een golf lawaai naar buiten. Hopen oud roest lagen op de trottoirs alsof een reus ze met een botermesje plat had gedrukt. Het verkeer zoefde voorbij. Voetgangers liepen, wandelden of strompelden door de straat.
Simon zei niets. Hij had nog steeds moeite om bij de les te blijven. Toen er even geen voetgangers in de buurt waren, schoot Liz de lantaarn uit en ze liepen haastig verder. Het zou niet lang duren of hij zou haar met vragen bestoken. Maar eerst moest ze iets van hem weten. Iets belangrijks.
'Ik heb eens nagedacht over die vent met die stiletto,' zei ze met gedempte stem terwijl ze om zich heen keek. 'Beatrice noemde hem Malko. Als Malko een ploeg helpers in de buurt had gehad, waren ze hem vast te hulp geschoten toen ik hem besprong. Maar zij was de enige. Aangezien hij haar naam riep, neem ik aan dat hij verwachtte dat ze in de buurt was.'
Ze wierp een blik op Simon en zag dat hij haar met grote ogen aankeek.
Hij draaide haastig zijn hoofd om. 'Heb je een theorie?'
'Om eerlijk te zijn, ja,' ging ze verder. 'Misschien heb je niet gemerkt dat hij je schaduwde omdat hij ook werkelijk uit het zicht bleef. En misschien had hij geen grote ploeg mensen nodig, omdat hij je ook wel in zijn eentje in de gaten kon houden... omdat hijzelf of iemand anders een GPS-verklikker op je auto heeft aangebracht, precies zoals de ontvoerders met mijn mobiele telefoon hebben gedaan.'
Simon schudde zijn hoofd. 'Geen denken aan. Niemand is in de buurt van die auto geweest voordat hij me vond. Nee...' Toen herinnerde hij zich plotseling iets. 'Verdomme nog aan toe. De fietser.' Hij beschreef het 'ongeluk' in Chantilly. 'Die knul heeft me er mooi tussen genomen, maar het moet die vent – Malko – zijn geweest, die dat geintje in elkaar heeft gezet. Het is best mogelijk dat hij me vanaf het château van de baron naar het dorp is gevolgd.'

'Die lui zijn verdomd goed en ze hebben veel meer mankracht dan wij.' Ze voelde instinctief dat hij haar weer stond aan te staren. Ze draaide zich zo snel om dat ze hem nog net betrapte en ze had het onbehaaglijke gevoel dat ze wist wat hij dacht.
'Wat is er?' wilde ze weten.
Hij aarzelde en zei langzaam: 'Je voelt je kennelijk bijzonder op je gemak met een wapen in je hand. Je hebt Beatrice met één schot uitgeschakeld ondanks het feit dat ze hard liep. Je bent duidelijk geen beginneling op het gebied van karate. Je weet ook wel het een en ander van tactiek en aan de uitvoering mankeert ook niets. Je kunt toneelspelen... je bent niet één keer uit je rol gevallen tijdens ons gesprek met Jimmy Unak. En nu kom je onmiddellijk met de suggestie van een GPS-verklikker aandragen om te verklaren hoe de moordenaar mij had gevonden. En dan heb ik het nog niet eens gehad over het feit dat je gewond bent en probeert te doen alsof er niets aan de hand is.'
Ze slaakte een inwendige zucht. 'Ik heb het gevoel dat je me met al dat gezeur iets duidelijk wilt maken.'
'Alsof je dat niet weet.' Hij grinnikte even. 'Laat me eens nadenken. Als ik iemand op zoek zou willen laten gaan naar het archief van de Carnivoor, dan zou mijn keus op zijn dochter vallen en niet op het nichtje dat hem nauwelijks kende. Het lijkt me duidelijk dat Liz beter geïnformeerd en een veel betere jager is dan Sarah. Bovendien, hoe komt het dat jij zo goed bent in de dingen waarvoor Liz een opleiding heeft gehad? Weliswaar hebben ze jou ook wel het een en ander bijgebracht, maar niet genoeg om te verklaren waarom je er zó goed in bent.'
Hij keek haar aan om te zien hoe ze reageerde. Haar ogen waren bodemloze poelen waarin niets te lezen stond.
Ten slotte mompelde ze: 'Goed. Zeg het maar, Simon.'
'Jij bent Liz.'
Ze zuchtte. 'Je bent altijd al een rat geweest.' Ze glimlachte even, maar toen ze de uitdrukking op zijn gezicht zag, barstte ze in lachen uit. 'Ik was toch al van plan om je het te vertellen.'
Hij voelde dat hij rood werd. 'Verrek, je bent écht Liz. Dat had je me weleens eerder mogen vertellen. Dat is verdomd vervelend van je.' Hij keek haar boos aan. 'En ik heb je zelf verteld hoe verliefd ik op je was. Wat een geniepige rotstreek! Je had me best mogen vertrouwen.'
'Ik kon niemand vertrouwen. Maar je begint langzaam maar zeker indruk op me te maken.'
'Nou, bedankt hoor.'

In de verte hoorden ze het tweetonige gejank van Parijse politiesirenes. Ze keken elkaar even aan en zetten het op een lopen. Iemand had gemeld dat er in de steeg was geschoten.
Ze keek hem aandachtig aan toen ze de hoek omliepen naar een brede, drukke boulevard. 'Vertel me eens eerlijk, Simon. Zit MI6 ook achter het archief aan?'
'Denk je soms dat ik gelogen heb?'
'Ik weet hoe inlichtingendiensten werken. De dienst en de opdracht komen eerst. Altijd.'
Hij trok haar in de schaduw van een plataan en stak waarschuwend zijn vinger op. 'Laten we dit eens en voor altijd rechtzetten. Ik kan je weer een rad voor ogen draaien met een of andere slimme opmerking, of we kunnen nu meteen en hier ter plekke afspreken dat we samenwerken onder het motto gelijke monniken, gelijke kappen. Ik toon respect voor jou en jij doet hetzelfde voor mij. We werken op strikt gelijke voet samen, zonder rekening te houden met mijn leeftijd, mijn manier van doen, of het feit dat jij dit soort klusjes al vijf jaar lang niet meer hebt opgeknapt. En geen leugens meer.'
'Nou, daar zal ik van mijn kant geen problemen mee hebben. Maar acht jaar is wel een heel groot leeftijdsverschil. Ik heb praktisch je luiers nog verschoond. Denk je dat een knulletje zoals jij zich daar ook aan zal kunnen houden?'
Hij gooide zijn hoofd achterover en barstte in lachen uit. 'Je bent geen barst veranderd. Het is lang geleden dat iemand me zo kon irriteren en me tegelijkertijd aan het lachen kon maken.'
'Ik weet precies wat je bedoelt. Kom op, dan gaan we. Ik wil het met je over Sarah en Asher hebben.'
Ja, hij maakte fouten. Hij had bijvoorbeeld haar en Beatrice in de gaten gehouden, terwijl hij zijn aandacht op Malko had moeten concentreren. En hij spotte overal mee, af en toe onterecht, en hij was zich veel te veel bewust van zijn eigen sex-appeal. Daar stond tegenover dat hij in geval van nood geen spoor van angst vertoonde, dat hij verdraaid intelligent was en eigenlijk best een geschikte vent.
Met een koele, onpersoonlijke stem vertelde ze hoe zij in Santa Barbara was overvallen, hoe Sarah was ontvoerd en hoe ze samen met Mac naar Parijs was gevlogen. Ze nam niet de moeite om hem op de hoogte te brengen van het spelletje dat in Santa Barbara was gespeeld en de gebeurtenissen in Londen vatte ze heel kort samen, omdat hij het meeste toch al wist.
'Jezus,' zei hij ademloos en verbijsterd. 'Dus daarom zit je achter het archief van de Carnivoor aan. Je hebt het nodig als losgeld voor Sarah. Wat een verrekte rotstreek om Asher neer te schieten, alleen

maar om die zogenaamde ontvoering geloofwaardig te maken!'
'Ja.' Ze hoorde zelf hoe bitter haar stem klonk, maar daar trok ze zich niets van aan. 'Ik begrijp nu ook waarom ze hem later uit dat ziekenhuis weghaalden. Op die manier konden ze mij nog meer onder druk zetten en zorgen dat ik bij de les bleef. Alleen werkte dat niet, omdat ik doorkreeg wat er werkelijk aan de hand was toen ik Mac had gevonden en die afluisterapparatuur in mijn mobiele telefoon aantrof. Dat was de reden waarom ik besloot om Beatrice te gaan schaduwen.' Ze beschreef de overval in het pakhuis van Eisner-Moulton. 'Ik heb Sarah en Asher zelfs heel even gezien. O, Simon, het was echt vreselijk. Ze hadden net zo gemakkelijk gedood kunnen worden en god mag weten of ze nog wel in leven zijn.'
Hij haalde even diep adem en schudde zijn hoofd. Ze had een afwezige uitdrukking op haar gezicht, die hij aanvankelijk niet thuis kon brengen. Maar toen begreep hij het ineens: ze was niet alleen woest op de ontvoerders, maar ook op zichzelf en ze voelde zich verschrikkelijk schuldig.
'We zullen Sarah en Asher heus wel terugvinden,' zei hij vol zelfvertrouwen, hoewel hij geen flauw idee had hoe ze dat voor elkaar moesten krijgen. 'Heb je dit ook nog aan andere mensen verteld?'
'Aan wie zou ik dat in vredesnaam moeten vertellen?' Ze tuurde de straat af. 'En ik heb jou ook nog niet alle details gegeven. Is het nog veel verder? We moeten hier weg.' Haar wond brandde en ze voelde zich leeg. Zij was weliswaar in leven gebleven, maar gold dat ook voor Sarah en Asher?
Hij zag hoe ze haar arm tegen haar borst klemde. 'Dat ben ik roerend met je eens.' Ze was zeker geen zeurpiet. Eigenlijk gedroeg ze zich bewonderenswaardig. 'De auto staat één straat verder.'
De Peugeot stond onder een straatlantaarn op hen te wachten, ingeklemd tussen andere geparkeerde auto's. Ze gingen in een portiek staan om de straat af te kijken. Uit de hoeken aan weerskanten steeg de sterke geur van urine op. Ze bestudeerden de trottoirs, op zoek naar iemand die uit de toon viel, of die ergens in zijn of haar eentje rondhing en zich omstandig bezighield met de gebruikelijke sigaret, kettingrokend om te verbergen dat de persoon in kwestie in feite de wacht hield.
Simon merkte dat hij onwillekeurig steeds naar Liz moest kijken. Nu hij wist wie ze was, leken de gevoelens die hij ooit voor haar had gekoesterd heel ver weg. Maar nu ze hier zo samen naast elkaar in het donker stonden en allebei de omgeving afspeurden naar mogelijke achtervolgers kreeg hij bijna het idee dat ze dit al veel vaker hadden gedaan, zo vertrouwd voelde het aan. Hoewel het een prettige ge-

dachte was, weigerde hij er verder over na te denken.
'Ik heb me afgevraagd waarom de chanteur de moeite heeft genomen om Sarah en Asher te ontvoeren,' zei ze. 'En de enige reden die ik kan bedenken, is dat hij op die manier een troef in handen heeft. Hij heeft geen enkele poging gedaan om hen te doden.'
'Misschien gaat het helemaal niet om hen of om jou. Misschien heeft hij wel een reden die ons ontgaat.' Hij drukte op een knopje aan de zijkant van zijn horloge, waardoor een lichtje aanging. Het was een vaag schijnsel, maar voldoende om de wijzerplaat te verlichten.
'Hoe lang staan we hier al?' informeerde Liz.
'Een kwartier. Als je gelijk hebt met betrekking tot die GPS-verklikker verklaart dat ook meteen waarom niemand ons schaduwt. Malko gaat er gewoon vanuit dat hij me kan oppikken wanneer hij wil.'
Er kwam een politieauto voorbij. Ze verstijfden allebei, tot de auto de straat uitreed.
Hij prentte het kenteken in zijn geheugen. 'We kunnen net zo goed een poging wagen. Dek me maar.' Simon glipte het portiek uit, stak haastig de straat over en liep speurend om de Peugeot heen. Alles zag er normaal uit.
Hij knikte haar toe, sprong in de auto en startte de motor. Ze rende ook de straat op, ontweek de auto's en liet zich naast hem vallen. Hij trapte het gaspedaal in en voegde de sportauto in tussen het verkeer. Zeven straten verder hadden ze een andere buurt bereikt. Net toen hij de auto had geparkeerd, kwam er weer een politieauto langsrijden – met een ander kenteken – die vier auto's voor hen een plekje vond.
Nerveus keken ze toe hoe de wagen inparkeerde. Maar de twee gendarmes hadden heel andere dingen aan hun hoofd. Ze liepen haastig naar de fel verlichte bistro op de hoek, hesen vol verwachting hun broek op en verdwenen naar binnen. Het eethuisje lag in een uithoek, een prima plek om even rustig een pilsje te drinken zonder dat iemand hen lastig viel of hen zou verraden.
'Die blijven daar wel even zitten,' constateerde Liz. Opgelucht liet ze haar raampje zakken.
Simon stapte zonder iets te zeggen uit, pakte zijn zaklantaarn uit de tas in de kofferbank, dook onder de rechterkant van de voorbumper en vond de miniatuur GPS-tracker op de plek waar de fietser onder de auto had gelegen.
Hij stond op en liet haar het apparaatje zien. 'Goed geraden.' De ergernis stond op zijn gezicht te lezen.
Ze knikte. 'Laten we maar gauw maken dat we wegkomen.'
'Zo meteen.'

'Simon,' zei ze waarschuwend.
Maar hij holde al weg door het duister en stond even stil om twee vrouwen die hand in hand liepen te laten passeren. Ten slotte bukte hij zich om zijn broek recht te trekken. Hij keek op, zag dat niemand naar hem keek en drukte de verklikker tegen de bodem van de politieauto.
Daarna draafde hij grijnzend terug en sprong weer achter het stuur. Liz was in de lach geschoten. 'Ik wou dat ik op dat idee was gekomen!'
'Dank je wel.' Hij lachte nog even mee voordat hij de motor weer startte, een U-bocht maakte en terugreed naar het centrum van Parijs.
Toen ze uitgelachen was, trok ze haar benen op en bleef hem met haar wang tegen de rugleuning van de stoel bestuderen terwijl hij reed. Het werd steeds duidelijker dat achter die façade van jeugdige nonchalance een ervaren en fantasierijke agent school.
'Vertel me eens iets meer over die overval op jou in Santa Barbara en de ontvoering van Sarah,' zei hij. 'Ik snap het nog steeds niet goed. Het klinkt alsof die gelijktijdig plaatsvonden. De beide groepen kwamen tegelijkertijd in actie, kennelijk zonder dat ze contact met elkaar hadden.'
'Precies. Maar ze hadden wel degelijk contact. Alles schijnt in beweging te zijn gekomen door de voorpubliciteit voor mijn programma over huurmoordenaars, met name omdat in de media werd vermeld dat de Carnivoor een van hen zou zijn. Natuurlijk wilden zowel de chanteur als de ontvoerders voorkomen dat ik bekend zou maken dat de kans bestond dat de Carnivoor een archief had bijgehouden. Tegelijkertijd zouden mensen die op dat archief aasden misschien denken dat ik het in mijn bezit had of dat ik het zou publiceren.'
'En volgens mij besloten ze daarom meteen dat ze Sarah moesten ontvoeren en welke losprijs ze voor haar zouden eisen.' Hij keek haar even fronsend aan en richtte daarna zijn aandacht weer op het verkeer. 'Dat Sarah en Asher in dat pakhuis werden vastgehouden moet strikt geheim zijn geweest. Dus hoe is de chanteur daar dan achter gekomen? Hoe wist hij waar hij zijn mensen naartoe moest sturen?'
'Je legt meteen je vinger op de zere plek voor beide partijen. Bij de mensen die op zoek zijn naar het archief – de ontvoerders – zit een verrader.'
Hij trok zijn wenkbrauwen op. 'Ik ben een en al oor.'
'Het is de enige logische verklaring voor het feit dat de chanteur me het grootste deel van de tijd net een stapje voor is gebleven. En voor het feit dat hij een stel beroepskrachten naar Santa Barbara stuurde

om mij te vermoorden voordat het plan voor de ontvoering in Parijs goed en wel was uitgevoerd. En voor het feit dat die moordenaar in Londen Tish in elkaar moest slaan om erachter te komen waar ik naartoe zou gaan.'
'Dus dat is het. Een of andere insider brieft allerlei inlichtingen door aan de chanteur zonder hem alles te vertellen. Dat verklaart ook waarom wij op het Gare du Nord niet werden opgewacht door een stel beroepskrachten en waarom Malko niet op het château van de baron was om mij te vermoorden. Als dat wel het geval was geweest, had hij wel ingegrepen. Hij was daar alleen maar om de moordenaar van de baron te beschermen – de chanteur, Malko's baas. Dus de mensen die op zoek zijn naar het archief houden inlichtingen achter om die judas boven water te krijgen terwijl ze ons achter de broek blijven zitten.'
Ze keek hem strak aan omdat haar ineens een andere mogelijkheid door het hoofd schoot. 'Misschien moeten we verder doordenken. Stel je voor dat we ons vergissen? En dat er helemaal geen mol bij de ontvoerders zit?'
'Hoe bedoel je?'
Ze ging rechtop zitten. 'De chanteur zou best de mol kunnen zijn – de verrader – en tegelijkertijd een van de ontvoerders. Misschien moeten ze hem wel in hun eigen kring zoeken!'
Er was een verbeten trek op Simons gezicht verschenen. Terwijl de koplampen van tegenliggers erover speelden, zei hij: 'Dat zou ik behoorlijk grappig vinden als het leven van Sarah en Asher niet op het spel stond. En als de chanteur mijn vader niet tot zelfmoord had gedreven. Maar er is één voordeel. Met een beetje mazzel is het hele zootje ons nu allebei kwijt.'
De gedachte aan de macht die beide groeperingen tentoonspreidden, maakte haar niet alleen woest, maar ook bang. Ze hoorde nog steeds Sarahs stem die in het pakhuis opgewonden haar naam riep. Ze sloot haar ogen, maar toen het verdriet over de verdwijning van Sarah en Asher weer opwelde, keek ze haastig op. Ze schoot niets op met dat soort herinneringen. Die gaven haar alleen een gevoel van onmacht. Ze moest zich op de toekomst richten. Die zou de oplossing brengen.
'En hoe is het jou vergaan?' vroeg ze. 'Ben je nog iets wijzer geworden van de baron?'
Hij keek haar verrast aan. 'Heb je dat niet gehoord?'
'Wat? Ik ben nogal druk geweest, weet je nog wel? Ik heb geen tijd gehad om de krant te lezen of tv te kijken.'
'De Darmond is dood. Hij is vandaag in zijn château vermoord. Ik

stond buiten op het balkon... Nou ja, dat vertel ik je later wel. Dit moet je eerst horen, want dat is nu het meest interessante: de baron dreigde een of andere zakelijke overeenkomst met de moordenaar op te schorten, tenzij hij met het archief van de Carnivoor over de brug kwam.'

Ze ging met een ruk rechtop zitten. 'Dus de moordenaar van de baron heeft het archief?'

'Als je nagaat wat er allemaal is gebeurd, denk ik dat we daar rustig van uit kunnen gaan. Ik hoop dat zijn naam ergens te vinden is in de documenten en de foto's waarvan ik opnamen heb gemaakt. Het enige probleem is dat ik geen flauw idee heb om welke naam het gaat... nog niet, tenminste.' Hij beschreef de mappen die op het bureau van baron De Darmond hadden gelegen en de fotowand in zijn kantoor.

'Nou ken ik mijn neefje weer. Wat slim van je. Ik wil die documenten zien. Misschien vind ik de oplossing.'

Hij keek haar even aan en wendde meteen zijn blik weer af. Zijn mond leek een dunne streep. 'We zijn niet echt neef en nicht, hoor. In ieder geval geen bloedverwanten.'

Ze kreeg weer dat rare gevoel vanbinnen. 'Dat kan wel zijn, maar we kennen elkaar al zolang, dat het bijna geen verschil maakt. Waar zijn die foto's?'

'In de map die op de achterbank ligt.'

Ze strekte haar arm uit en zijn blik viel onwillekeurig op haar ranke middel. Haar arm streek langs zijn schouder toen ze weer rechtop ging zitten en de map op haar schoot opensloeg. Ze bladerde snel door de dikke stapel foto's en concentreerde zich op de drie grote opnamen van de fotowand.

'Goeie genade,' zei ze vol ontzag. 'Dat lijkt wel een *Who's Who* van beroemdheden, politici, hoge militairen en legendarische zakenmensen. We moeten goed licht hebben en een plek om te werken. Ergens waar we niet gestoord worden.'

'Alles is nu gesloten. We kunnen wel naar een hotel gaan, maar dan zullen we onze paspoorten moeten laten zien.' Waardoor ze gemakkelijk opgespoord konden worden door iemand met de juiste contacten. Ieder hotel, motel, pension of gastenverblijf in Parijs was wettelijk verplicht om de namen van hun gasten door te geven.

Ze fronste. 'Als je bedenkt hoe grondig die mensen te werk gaan en dat ze kennelijk over een ongelimiteerde mankracht beschikken, lijkt me de kans groot dat ze al mijn vrienden en de mensen met wie ik vroeger in Parijs heb samengewerkt in de gaten houden.'

'Dat is waar. En er is nog een ander probleem. Ik heb die foto's al een hele tijd bestudeerd en ik heb series lijsten gemaakt. Maar elke poging om er verband tussen te vinden of onderlinge verwijzingen liep op niets uit. We schieten niets op met die gegevens, tenzij we iemand kunnen vinden die begrijpt wat ze betekenen of er een bepaald patroon in kan herkennen. Of iemand die gewoon veel beter op de hoogte is van de internationale zakenwereld dan ik. Hoe zit het met jou? Weet jij iets af van hogere financiën of multinationals?'

'Nee. Je hebt gelijk... we zouden best wat hulp kunnen gebruiken. Maar in verband met Sarah en Asher moet het wel snel gebeuren. Wat stel jij voor?'

'Dat ik contact opneem met MI6 en precies vertel wat er aan de hand is. Barry zal me ontzettend de mantel uitvegen, maar daarna lijkt het me logisch dat hij ons naar een onderduikadres stuurt.'

Ze dacht er even over na. De macht en de hulpmiddelen die MI6 kon ophoesten, waren precies wat ze nodig hadden. Zeker nu ze aan den lijve hadden ondervonden hoe machtig, gewelddadig en meedogenloos de organisaties waren tegen wie ze de strijd hadden opgenomen.

'Dat idee bevalt me wel,' zei ze tegen hem. 'Ik vind het zelfs nogal geruststellend.'

'Ik weet precies wat je bedoelt.' Simon gaf een ruk aan het stuur, schoot tussen het verkeer door en reed een steegje in. Hij zette de auto stil en pakte zijn mobiele telefoon om contact op te nemen met Londen.

31

Zelfs bij MI6 in Londen zat de werkdag er allang op. Simon wist dat Barry waarschijnlijk thuis zou zitten, tenzij hij aan een groot project werkte. Maar in dat geval zou Simons gesprek doorverbonden worden naar zijn huis in een van de buitenwijken. Er waren niet veel mensen die er zo'n normaal privéleven op na hielden als de personen die op het hoofdkwartier werkten.

Barry bleek inderdaad al weg te zijn. Het gesprek werd doorverbonden en toen hij de telefoon opnam, was aan zijn stem te horen dat hij een behoorlijke slok op had. Maar zodra Barry hoorde, dat hij Simon aan de lijn had, snauwde hij: 'Ik ken je niet. Je moet me niet meer bellen.'

Simon fronste. 'Wat bedoel je? Wat is er in vredesnaam aan de hand?'

'Godverdomme, Simon! Alle contacten met jou zijn zonder pardon verbroken. Ik weet niet wat je verdomme uitgespookt hebt. En vertel het me ook maar niet! Je hoeft niets uit te leggen. Laat me met rust, laat Ada Jackson met rust en laat in godsnaam ook MI6 met rust. Ik hoop van harte dat je écht Simon Childs bent, want dit is de enige waarschuwing die je zult krijgen!' De verbinding werd verbroken.
Simon bleef doodstil en verbijsterd zitten. Hij liet de telefoon zakken, keek Liz aan en herhaalde wat Barry had gezegd. 'Ik werk al jarenlang met hem samen,' zei hij ten slotte met ingehouden stem. 'Dit is geen grapje.'
'Je zei dat hij klonk alsof hij dronken was. Misschien is hij in de war of heeft hij last van hallucinaties.'
Simons blauwe ogen waren somber en fel. 'Daar kom ik gauw genoeg achter.'
Hij toetste opnieuw het nummer van het MI6-hoofdkwartier in. Dit keer kreeg hij een antwoordapparaat: 'Het nummer waarvan u belt, wordt door dit bureau niet langer geaccepteerd. Probeer niet opnieuw te bellen.'
Simon kreeg een benauwd gevoel. Zijn ademhaling ging snel en gejaagd. Terwijl hij de telefoon uit zette, ging hij de beide gesprekken in gedachten nog eens na en probeerde te accepteren dat MI6 op de een of andere manier bedrogen, omgekocht of misbruikt was. MI6 had net als andere grote instanties te maken met de gebruikelijke kantoorpolitiek, incidentele gevallen van jaloezie en een bepaalde hoeveelheid incompetentie. En dat hield in dat ze je af en toe behoorlijk gek konden maken. Maar tegelijkertijd was de dienst onmisbaar voor de veiligheid van Groot-Brittannië en het was het enige in zijn leven dat hem houvast bood. De onvermijdelijke conclusie dat zelfs MI6 geïnfiltreerd kon worden, beviel hem totaal niet. En hij wilde al helemaal niet nadenken over de consequenties die dat zou hebben voor zijn veiligheid en die van Liz.
Ze begon ongerust te worden. 'Wat is er nou aan de hand?'
'De chanteur heeft het op een akkoordje gegooid met MI6. Dat is de enige mogelijkheid. Mijn god! Hoe heeft hij dát voor elkaar gekregen? Met MI6! Jezus!' Hij klemde het stuur zo stijf vast dat de knokkels van zijn handen wit werden. 'Ze hebben me één keer met Barry laten praten, zodat hij me kon waarschuwen. Maar nu laten ze me er niet meer door, in ieder geval niet als ik via deze mobiele telefoon bel of mijn eigen naam gebruik. En als ik zou proberen hen om de tuin te leiden of tegen de regels in te gaan, zullen ze me voorgoed afschrijven.'

'Dus ze hebben je dood verklaard! Waarom? Je hebt toch niets gedaan om hun reden te geven zonder pardon alle contacten met jou te verbreken!'
'Wie ís die chanteur? Wie heeft zoveel macht?'
Liz sloeg haar armen over elkaar en huiverde. Het werd hoog tijd dat ze hem vertelde welk spelletje er werd gespeeld. 'De mensen die mij vijf jaar lang naar hun hand hebben gezet en die verantwoordelijk zijn voor de ontvoering van Sarah en Asher hebben dat soort macht.'
'Naar hun hand hebben gezet?' Hij fronste.
'Belazerd. Onder de duim gehouden. Naar hun pijpen laten dansen. Een schitterend in elkaar gezet, perfect uitgevoerd toneelstukje met mij in de hoofdrol.' Boos beschreef ze de afgelopen vijf jaar en de manier waarop andere mensen het reilen en zeilen van haar leven hadden bepaald tot op het moment dat haar zogenaamde CIA-contact Mac de dood had gevonden en ze haar portier in Langley had gebeld.
'Jézus!' hijgde Simon. 'Vertel je me nou dat de CIA niets met die opdracht van jou te maken had?'
'Precies. Die mensen hebben genoeg invloed om ervoor te zorgen dat een toonaangevende stichting mij een leerstoel toewees, waar waarschijnlijk tientallen wetenschappers met betere kwalificaties ook naar hebben gesolliciteerd. Ze zijn erin geslaagd om mijn tv-serie van de ene op de andere dag geannuleerd te krijgen. En vervolgens hadden ze ook de middelen en de kennis om de typische handelwijze van Langley zo goed te imiteren dat ze niet alleen mij maar ook Asher voor het lapje hebben gehouden.'
Zijn adem stokte toen hij besefte hoe groot de macht van de beide groeperingen moest zijn. Geen wonder dat ze daar aanvankelijk haar mond over had gehouden. De mogelijkheid bestond immers dat hij, met zijn MI6-achtergrond, ook deel uitmaakte van die nachtmerrie.
'Ze proberen ons als vliegen in hun spinnenweb te vangen,' zei hij langzaam. 'Sarah, Asher, jij en ik...'
Ze zaten zwijgend in het steegje naast elkaar in de donkere, stationair lopende auto. Liz probeerde het gevoel van zich af te zetten dat ze opgejaagd werden, de angst dat er ieder moment iemand te voorschijn kon springen die de Peugeot met een uzi onder vuur zou nemen. Ze keek even naar hem. Hij zat rechtop met zijn handen in elkaar geklemd op de knieën en een ernstig gezicht strak voor zich uit te staren naar de vuilnisbakken en de stenen muren.
Hij draaide zich om en ze keken elkaar veelbetekenend aan. Heel even werd de auto een soort cocon die hen beschermde tegen het la-

waai van de stad en de constante dreiging van hun achtervolgers.
'Hoe zit het met Langley?' vroeg hij.
Daar had Liz ook al aan zitten denken. Per slot van rekening was het niet Langley geweest die haar die tweede keer had ondervraagd. En Langley was evenmin verantwoordelijk geweest voor dat obscene toneelspel dat in Santa Barbara was opgevoerd. Het ergste waarvan ze Langley kon beschuldigen was dat ze expres de andere kant hadden opgekeken, of zich in ieder geval niet met haar hadden willen bemoeien. En de experts van Langley behoorden tot de besten ter wereld. Simon en zij zouden alle hulp krijgen die ze nodig hadden om de foto's en de documenten te analyseren.
'Mij best,' zei ze opgewekt. 'Dan wordt het Langley. Ze hebben hier in Parijs de beschikking over diverse onderduikadressen.'
'Weet je het zeker? Toen je eerder vandaag met je portier sprak, deed hij net alsof je niet goed wijs was.'
'Maar toen had ik hem nog niet verteld dat de CIA wel degelijk betrokken was bij deze hele toestand... in de vorm van Asher. Hij is een van hun eigen mensen en wordt vermist. Rij jij maar, dan bel ik ze meteen. We moeten niet te lang op één plek blijven staan.'
Hij zette de auto in de achteruit, zoefde de steeg uit, schakelde opnieuw en voegde de sportwagen haastig in tussen het verkeer dat hen opnam en meevoerde. Tegelijkertijd zocht zij in haar tas naar de telefoon die ze in het jasje had aangetroffen. Het toestel zat naast het jasje uit de steeg en het verfrommelde papiertje dat ook in een van de zakken had gezeten. Een aantekening die iemand had gemaakt. Dat zou ze Simon straks ook nog moeten vertellen.
Ze toetste het nummer in. Frank Edmunds was op zijn kantoor. 'Ik ben het weer, Frank,' zei ze gelaten.
'O ja? Krijg nou wat. Mag ik je dan nu eindelijk helpen?'

Hoofdkwartier van de CIA, Langley, Virginia
Frank Edmunds was verontrust. Zodra het gesprek met Sansborough afgelopen was, verbrak hij de verbinding en bleef roerloos in zijn grauwe kantoor zitten. Directeur Jaffa had hem opdracht gegeven om een onderduikadres in gereedheid te brengen voor het geval ze zou bellen en nu had ze dat inderdaad gedaan. Het was duidelijk dat Jaffa meer wist dan hij en erop had gerekend dat ze zou bellen. Maar dit keer had Sansborough echt verdomd normaal geklonken en heel overtuigend.
Voor zijn raam strekten de met bomen bezaaide heuvels van Virginia zich tot in de verte uit. Binnen in zijn kantoor waren stapels dossiers en papieren stille getuigen van zijn werk waar nooit een eind

aan kwam. Op zijn computerscherm stonden drie vensters open met de personeelsbestanden die hij momenteel bijwerkte en voorbereidde op nieuwe opdrachten.

Hij had Sansborough nooit gemogen. Je kon toch iemand die was opgevoed door een stel huurmoordenaars niet vertrouwen, vooral niet omdat ze hun kant had gekozen. Ze hadden met grof geweld asiel afgedwongen omdat ze beweerden inlichtingen te hebben waar ze nooit mee over de brug kwamen. Maar hij was een beroepskracht die al zijn klanten, en dus ook haar, met respect behandelde. In de heimelijke wereld van de inlichtingendienst wist je maar nooit wie Langley nog nodig zou hebben, al was het alleen maar om een vals spoor uit te zetten.

Hij bleef nog even piekeren over wat ze volgens de directeur zou zeggen, maar ze had geen woord gezegd over het ergste van alles: de belachelijke leugen dat de Carnivoor een archief had bijgehouden. Dat was hem constant door het hoofd blijven spelen vanaf het moment dat hij het van de directeur te horen had gekregen. Als het echt waar was, zou het inslaan als een bom. Maar natuurlijk zou het gewoon een van de dingen zijn die ze uit haar duim had gezogen.

Maar goed... Asher Flores was een heel ander geval. Als hij echt was ontvoerd...

Hij toetste het nummer van Walter Jaffa in.

'Ja, Frank,' zei Jaffa's secretaresse meteen. 'Hij hoopte al dat je zou bellen.'

Twee klikjes later had hij opnieuw de administratief directeur aan de lijn. Hij vertelde Jaffa wat Sansborough had gezegd.

'Ze heeft er notabene zelf voor gezorgd dat die twee professoren uit Santa Barbara over wie ze het had vermoord zouden worden,' weerlegde de directeur. 'En vergeet de vrouw in Londen niet die ze zelf heeft geëlimineerd. En dat Flores ontvoerd zou zijn, is weer een van haar verzinsels. Hij heeft een geheime opdracht. Zo geheim dat ik je niet eens kan vertellen waar hij zit. Dat weet ze dus ook al, zie je wel? *Verdomme!* Ze heeft zelfs ons geïnfiltreerd! Ze moet tegengehouden worden, Frank. En wel metéén.'

'Ik...' Frank Edmunds slaakte een diepe zucht. 'Ze klonk heel overtuigend.'

'Gelóófde je haar?' Jaffa klonk getergd. 'Daaruit kun je opmaken hoe goed ze is. Ze heeft kennelijk een plek nodig waar ze zich kan verbergen, dus heeft ze een of ander sprookje verzonnen om jouw sympathie te winnen. Ze weet dat jij haar zonder toestemming van bovenaf een onderduikadres kunt bezorgen. Ze gaat er kennelijk vanuit dat ze degene die haar op de hielen zit wel heeft afgeschud voordat

jij alles wat ze heeft gezegd hebt nagetrokken en dan kan ze zonder zorgen weer op pad gaan.'
Frank vervloekte zichzelf in stilte. Hij had zich gewoon door haar laten belazeren. Was hij echt zo slap geworden dat hij haar smoesjes niet had doorzien? Op vastberaden toon zei hij: 'We zorgen er wel voor dat het een ongeluk lijkt, precies zoals u hebt gezegd.'

Parijs, Frankrijk

Gino Malko zat in zijn Citroën en remde af toen twee gendarmes uit een eettentje op de hoek kwamen en lachend terugliepen naar hun patrouillewagen. Hij vloekte en trapte het gaspedaal weer in. In zijn achteruitkijkspiegel zag hij hoe ze instapten, zonder ook maar enige notie te hebben van de GPS-verklikker die onder hun auto was geplakt, ongetwijfeld door die smeerlap van een Simon Childs.
Wie had het anders moeten doen, dacht Malko bij zichzelf terwijl hij met een vaartje de hoek om reed. Hij bestudeerde zijn GPS-scherm. Simon Childs mocht dan denken dat hij slim was, maar Gino Malko wist niet alleen hoe je een vos in Florida moest opjagen, maar ook een man die op de vlucht was. Een goede spoorzoeker zorgde er altijd voor dat hij ergens op kon terugvallen. En dat was de reden waarom Malko een tweede verklikker in de achterbumper van de Peugeot had verstopt, op een plek waar het apparaatje niet zo snel gevonden zou worden. Dat was gemakkelijk genoeg geweest, toen de auto van Childs een hele tijd in de buurt van de Champs Elysées in een zijstraat had gestaan. Simon Childs was goed, maar niet goed genoeg, anders zou hij zijn auto wel beter bekeken hebben.
Malko veroorloofde zich een moment van optimisme toen hij zijn elektronische kaart bekeek. Het stationaire signaal kwam van de politieauto. Daarom zou hij het signaal dat in beweging was volgen. Dat was de Peugeot. Simon Childs kon het schudden.
Tien minuten nadat ze afscheid had genomen van Frank Edmunds belde Liz opnieuw. Hij zat al op haar te wachten met het adres van een CIA-onderduikadres in het zesde arrondissement.
'Het is een prima adres,' verzekerde hij haar. 'Ik bel je daar wel om te horen of alles goed verlopen is. Waar ben je nu? Dan kan ik ze vertellen wanneer ze je ongeveer kunnen verwachten.'
Ze reden over een kruispunt in Montmartre en ze las de straatnamen voor hem op.
'Wees voorzichtig,' ging Frank bezorgd verder. 'Ik hoop dat je gewapend bent.'
'Natuurlijk.'
'Mooi zo. Die vent van MI6 ook?'

'Uiteraard. Dat weet je best.'
'Goed. Waar rijden jullie in en wat is het kenteken? Ik moet onze mensen waarschuwen, zodat ze jullie snel kunnen oppikken voor het geval jullie geschaduwd worden.'
Fronsend zei ze: 'Ik weet wel hoe ik een schaduw moet afschudden, Frank, en het is een Peugeot.' Ze vroeg Simon wat het kenteken was en gaf dat ook door. 'Waarom wil je al die dingen weten?'
'Het onderduikadres heeft een binnenplaats met een groot hek, van massief hout. Dat zal eerst opengedaan moeten worden voordat jullie naar binnen kunnen, dus moeten ze jullie zo snel mogelijk kunnen herkennen. Moet ik nog iets speciaals naar het huis laten brengen?'
'Nee, dank je wel.'
Edmunds lachte. 'Dat zegt mijn vrouw ook altijd: "nee, dank je wel." En als we dan in bed liggen, schiet haar ineens iets te binnen. Dan is het "Frank, loop jij even naar beneden om te kijken of de deuren op slot zitten?" "Frank, wil jij de hond binnenlaten?" Frank zus en Frank zo. En als ik daar geen zin in heb, herinnert ze me altijd aan de keren dat ik dat niet heb gedaan en aan de "vreselijke consequenties" ervan. Je zou bijna gaan denken dat ze een archief bijhoudt van al mijn vergissingen. Misschien is ze wel van plan om me te gaan chanteren. Maar als je al twintig jaar getrouwd bent, dan zal het wel niet zo vreemd zijn...'
De adem stokte Liz in de keel. Ze verbrak meteen de verbinding en keek Simon geschrokken aan. *'Hij weet van het archief van de Carnivoor.'* De angst kneep haar keel dicht. 'Ik geloof het gewoon niet. Hij wéét het. Hij heeft me aan het lijntje gehouden met al die stomme vragen. Langley is geïnfiltreerd. Nu zitten zij ook achter ons aan. En wat nog veel erger is: ik heb ze precies verteld hoe ze ons kunnen vinden!'
Soms was verraad wel begrijpelijk, als het voortsproot uit menselijke emoties zoals jaloezie of lust. Of uit zwakheden zoals hebzucht of kwaadwilligheid. Het verraad van een instelling was iets heel anders... daar had je als enkeling geen greep op. En het stuitte je helemaal tegen de borst als het om een instelling ging die iets vertegenwoordigde dat groter was dan het individu. Iets dat hoogstaander, beter en wijzer zou moeten zijn dan de personen die er deel van uitmaakten.
Ergens diep vanbinnen had Liz al jarenlang woede gekoesterd jegens Langley. Een woede die nu als een vloedgolf van ziedende verontwaardiging in haar opwelde. Ze trilde letterlijk van kwaadheid. Ze kon zich het moment dat ze voor het eerst bij Langley naar binnen

was gestapt nog precies voor de geest halen. Ze had daar in de lobby gestaan, naar de hoge muren gestaard en naar de uitgesneden sterren, naar die enorme ruimte vol licht die de belofte leek uit te dragen dat niets onmogelijk was als het om het belang van de mensheid ging. Ze was diep onder de indruk en vol hoop geweest.
Simon beet zijn kaken op elkaar en bleef doorrijden. 'Weet je zeker dat hij op de hoogte is?'
'Ik heb Frank niet verteld dat de Carnivoor een archief heeft bijgehouden. Dat heeft hij van iemand anders gehoord. Het is een val. Hij... Langley... Ze willen ons op dat onderduikadres in de val laten lopen. En die klootzak heeft nu ook het nummer van deze mobiele telefoon.' Ze schudde het toestel. 'Binnen een paar minuten zullen ze al naar ons op zoek zijn.'
'Verdomme! Dan moeten we van deze auto af zien te komen. Wat heeft hij precies gezegd?'
Ze herhaalde het gesprek. 'De clou was dat hij zei dat zijn vrouw een archief bijhield om dat tegen hem te gebruiken. Het onderbewustzijn is een soort ondergrondse stoofpot, vol onuitgesproken dingen. En daar borrelen Freudiaanse versprekingen uit omhoog. Bovendien was het slap geklets dat nergens op sloeg, tenzij hij me aan de lijn probeerde te houden tot ze het gesprek hadden getraceerd. Het waren vrije associaties en omdat hij zat te denken aan een archief dat gebruikt kon worden voor chantagedoeleinden ontglipte hem dat zonder dat hij het in de gaten had. Nu weet Langley precies waar we uithangen.'
Simon floot. 'Je hebt nog een probleem: de Parijse gendarmes. De *Herald Tribune* heeft vandaag een foto van je gepubliceerd in verband met de moord op Tish.'
'O, nee! Als die daarin heeft gestaan, zullen de Franse kranten de foto ook wel gepubliceerd hebben. Heb je nog meer slecht nieuws?'
'Volgens mij is dit voorlopig wel genoeg.'
Meer dan genoeg. Alle mobiele telefoons stonden geregistreerd in de databases van de telefoonmaatschappijen waarbij ze aangesloten waren. Die bedrijven konden via satellieten en mobiele meldposten op de grond precies bepalen waar een gesprek precies vandaankwam, zodat ze het in rekening konden brengen. Langley kon dat soort informatie opeisen of aan de hand van het dichtstbijzijnde mobiele servicestation zelf achterhalen waar de gebruikers van een bepaalde mobiele telefoon zich bevonden. Zelfs als ze haar telefoon uitzette, bestond de kans dat die nog steeds een signaal uitzond en zonder de juiste apparatuur had ze geen schijn van kans om erachter te komen of dat ook inderdaad het geval was.

Hoe dan ook, het was best mogelijk dat Langley nu al ontdekt had waar Simon en zij waren. Met bonzend hart liet ze het raampje aan haar kant zakken en smeet het verdomde toestel naar buiten. Het was een schrale troost toen ze in de zijspiegel zag hoe het verpulverd werd onder de banden van de auto achter hen.

Het hoofdkwartier van de CIA, Langley, Virginia

Frank Edmunds zat verbijsterd naar de telefoon in zijn hand te kijken.

Dat kreng had de verbinding verbroken. Hij toetste een nummer in. 'Hebben jullie Sansborough kunnen traceren?'

'Ja, meneer.' De technicus dreunde de straat en het adres op.

Hij verbrak de verbinding en belde Parijs. 'Sansborough heeft ons door. Ze is gewapend en nog steeds in het gezelschap van die knaap die door MI6 is uitgekotst. Laat de ploeg uit het onderduikadres opdraven en naar hen op zoek gaan. Jullie weten wat er moet gebeuren.' Hij gaf het nummer van het kenteken en de plek waar ze het laatst waren getraceerd door. 'En hou de Parijse smerissen erbuiten. Die zullen het niet leuk vinden als wij rotzooi schoppen in hun gebied.'

Hij slaakte een diepe zucht en probeerde zijn bonzende hart tot bedaren te brengen. Daarna moest hij nog één persoon bellen en dat gesprek met de administratief directeur zou het moeilijkste van allemaal worden. 'Meneer Jaffa, ik moet u iets vertellen wat u helemaal niet zal bevallen...'

32

Parijs, Frankrijk

Simon stuurde de Peugeot door de kronkelende achterafstraatjes van Montmartre naar Pigalle, de hoerenbuurt van Parijs die in het verleden niet alleen afgeschuimd werd door Toulouse-Lautrec, Gauguin en Van Gogh, maar ook door honderden adellijke Victoriaanse heren. De meeste beroemde cabarettheaters waren verdwenen, maar het oude *quartier* bruiste 's nachts nog steeds van het leven, dankzij de gore kroegen, de peepshows, de tabakswinkels en de eethuisjes.

Liz en Simon letten goed op of ze gevolgd werden en speurden ondertussen naar een plek waar ze de auto achter konden laten. Maar niet op straat, want dan zouden Langley, MI6 of Malko het voertuig

binnen de kortste keren gevonden hebben. Het verkeer was één lange file van personenauto's, vrachtauto's en – zoals overal in de straten van Parijs – taxi's, die tegelijkertijd de vloek en het levensbehoud van het vervoer binnen de stad vormden.
'We moeten nu snel iets zien te vinden,' mompelde Liz.
Simon keek even naar haar strakke gezicht en de grote, glinsterende ogen met de hyperwaakzame blik. Niets ontsnapte aan die ogen. Desondanks was haar gezichtsuitdrukking beheerst en kalm.
Liz wees naar drie taxi's die achter elkaar aan reden en een soort karavaan vormden. 'Ik heb na zitten denken over al die taxi's. Eigenlijk let je nooit op ze, hè? In ieder geval niet in een grote stad. Ze horen gewoon bij het straatbeeld, net als een postbode of een straatveger.' Ze vertelde hem dat ze eerder die dag twee keer door dezelfde chauffeur was opgepikt. 'Statistisch gezien is dat wel een verdomd groot toeval in een stad die zo afgeladen vol taxi's zit. Iedere keer als ik er weer één zie, bekruipt de twijfel me weer. Stuk voor stuk zouden ze mij – ons – best in de gaten kunnen houden.'
Simon vloekte plotseling en trapte op de rem. Liz greep het dashboard vast. Haar gordel sneed in haar borst. Ze waren gesneden door een kleine Fiat die hun spatbord op een haartje had gemist.
'Heb je hun gezichten gezien?' vroeg Simon, terwijl hij zijn handen om het stuur klemde.
'Nee.' Liz tuurde door de voorruit en probeerde of ze iets kon zien in de fel verlichte, drukke straat.
De Fiat remde af, waardoor Simon ook gedwongen werd om langzamer te gaan rijden. Aan de linkerkant stoven de auto's hen voorbij. Ze kwamen in de buurt van een kruispunt.
'Ik ga afslaan.' Zijn stem klonk gespannen.
'Ik hou die Fiat wel in de gaten.'
Kleine, sportieve autootjes als de Fiat werden vrijwel nooit gebruikt om iemand in de gaten te houden of te schaduwen. Ze waren veel te opvallend. Het was verstandiger om een gewone auto te gebruiken, maar dan wel één met een opgevoerde motor. Maar er waren uitzonderingen en toen Simon met piepende banden de hoek omreed, hield zij de Fiat in het oog. Die stopte keurig langs het trottoir en er sprong een jongeman in smoking uit. Hij rende om de auto heen naar het rechterportier en deed het open. Een jonge vrouw in een kort rokje kronkelde naar buiten en wierp hem door haar wimpers een kokette blik toe.
Met een flauwe glimlach draaide Liz zich weer om. 'Daar hoeven we ons geen zorgen over te maken. Die hebben heel andere dingen aan hun hoofd.'

'Over bezorgdheid gesproken...' Hij knikte naar haar arm.
'Dat is maar een schrammetje. Een kogel die vlak langs mijn arm vloog, anders niet. Ik heb er een verband om gedaan.'
'Maar het is toch een wond en...'
Ze draaide zich met een ruk om. 'Je bent net langs een parkeergarage gereden. Daar zouden we de auto uit het zicht achter kunnen laten, als we erin slagen om binnen te komen.'
'Het is het proberen waard.'
In het drukke Parijs waren privéparkeergarages meestal tot de laatste plaats verhuurd. Autobezitters moesten maanden en soms zelfs jaren wachten tot er een plekje beschikbaar kwam. Aangezien de vraag naar parkeerplaatsen zo groot was, namen de meeste garages niet eens de moeite om een naambordje op te hangen, laat staan dat ze reclame maakten. Ze had de smalle ingang pas gezien toen ze er al bijna langs waren.
'Vind je het goed als ik de uzi in jouw sporttas stop?' vroeg ze. 'Dan valt dat ding tenminste niet op.'
'Doe die map met de foto's er alsjeblieft ook meteen in.'
Hij reed een blokje rond tot ze opnieuw bij de donkere ingang van de garage waren. Een stel feestgangers schoot tussen het verkeer door. Er werd boos getoeterd en Simon maakte gebruik van de gelegenheid om de garage in te rijden.
Een parkeerwacht kwam haastig met een boos gezicht en hoofdschuddend naar hen toe lopen, wenkend dat ze weer weg moesten gaan. *'Non, non.'* Hij had grijze stoppels op zijn kin, maar zijn uniform was schoon en keurig geperst. Zijn houding was ontspannen, maar de uitdrukking op zijn gezicht was vastbesloten.
'Wil je dat ik...' begon ze.
'Laat het maar aan mij over.' Simon liet zijn raampje zakken. *'Bonsoir, monsieur.'* Zelfvertrouwen, een snelle babbel en een doorsnee Franse naam, meer had hij niet nodig om een toneelstukje op te voeren.
De parkeerwacht reageerde verontwaardigd. 'Dit zijn uitsluitend privéparkeerplaatsen,' verkondigde hij in het Frans terwijl hij een gebaar maakte alsof hij de Peugeot met zijn blote handen weer naar buiten wilde duwen.
Simon schonk hem een nonchalante glimlach. 'Ik mag de plek van mijn vriend gebruiken,' zei hij in het Frans. 'Hij zit een paar dagen in Nice. Dat heeft hij toch wel doorgegeven?'
De man fronste. 'Daar kan ik me niets van herinneren, monsieur.'
Simon trok een gezicht. 'Wat een klootzak is die Jean-Michel toch. Ik durf te wedden dat hij het is vergeten. Daar kunt u natuurlijk niets

aan doen, maar het is Jean-Michel ten voeten uit. Hij is veel te slordig, vind je ook niet, schat?' Hij keek Liz aan.
Ze produceerde met moeite een glimlach. 'Lui lijkt me een beter woord, *chéri*. Je kunt nooit op Jean-Michel rekenen, behalve als het om vrouwen gaat. Hij is een echte wellusteling.' Ze wierp een blik op haar horloge. 'Kunnen we nu doorrijden? Ik wil Marie niet laten wachten.'
'Je hebt groot gelijk.' Hij keek op naar de parkeerwacht. 'We hebben u al genoeg opgehouden. Ik begrijp best dat u hier meer dan genoeg te doen hebt. Jean-Michel heeft ons het nummer van de parkeerplaats doorgegeven. We zoeken zelf wel uit waar we moeten zijn.'
De parkeerwacht keek even naar een kantoortje met glazen wanden, waar een thermosfles en een croissant op hem wachtten. Hij was een man van regelmaat.
'*Merci beaucoup*,' zei Simon opgewekt en reed naar binnen.
'Wat doet hij?' vroeg ze meteen. 'Komt hij achter ons aan? Pakt hij de telefoon op om ons aan te geven?' Ze wilde geen argwaan wekken door om te kijken.
Simon hield de achteruitkijkspiegel in de gaten. 'Hij staat ons na te kijken, nog steeds fronsend.' Hij reed langzaam de smalle oprit op, langs auto's die zo dicht op elkaar stonden dat de portieren niet eens helemaal open konden.
'En nu?'
Simon voelde zijn maagspieren ontspannen. 'Hij loopt terug naar zijn thermosfles en zijn croissant.'
Terwijl de Peugeot over de rondlopende oprit verder naar boven reed, zochten ze naar een plaats. Pas toen ze helemaal boven waren, zag Liz een vrije plek. Simon zette de auto erop en schakelde de motor uit. De plotselinge stilte in de auto en de garage overviel hen. Het duistere gebouw met de lage plafonds en de dicht op elkaar gepropte voertuigen had de charme van een mausoleum, maar het was de veiligste plek die op dit moment voorhanden was en ze slaakten tegelijkertijd een zucht van opluchting.
'We moeten elkaar wel precies op de hoogte houden,' zei Liz terwijl ze omkeek. 'Als een van ons iets overkomt...'
'Oké, je hebt gelijk. Daar kunnen we wel even de tijd voor nemen. Ga jij maar verder.'
'Leuk geprobeerd, maar nu ben jij aan de beurt. Vertel me maar eens precies hoe de baron is vermoord. Je zei toch dat je op zijn balkon stond?'
Hij liet het stuur los. Hij had het bloed van zijn knokkels geveegd, maar de schrammen waren nog te zien, rode wondjes die in het zwak-

ke licht in de garage bijna zwart leken. Hij ging iets verzitten om haar aan te kijken, met zijn rug tegen het portier geleund, maar zijn lichaam was zo gespannen als een veer, alsof het ieder moment in actie moest komen.

Hij begon abrupt aan zijn verhaal. 'De baron was diep verontwaardigd. Hij ging tekeer tegen de andere man. Hij zei: "Gebruikmaken van lacunes in de wet om geld te verdienen, is één ding. Maar moord is iets heel anders." Daarna begon hij mensen op te sommen die volgens hem in opdracht van die andere vent vermoord waren: Terrill Leaming in Zürich, een vrouw in Londen en een man in Parijs. De slachtoffers van de chanteur, uiteraard.'

'Ja.' Arme Tish. Heel even zag Liz in gedachten haar lieve gezicht en het elektrische kussentje tegen de rugleuning van haar stoel.

'Daarna begon hij erover dat hij stom was geweest... dat hij zich nooit had moeten laten overhalen om eraan mee te werken. Hij vroeg hoeveel mensen er nog moesten sterven en hij had het over een plaats die Dreftbury heet. Daarna zei hij: "Ik zal je het geld geven, maar alleen in ruil voor het archief van de Carnivoor." Als hij dat niet kreeg, zou de man geen steun meer krijgen van zijn bank. Hij dreigde dat hij het aan de Spiraal zou vertellen, wie of wat dat ook mag zijn, en toen hoorde ik het schot. De moordenaar maakte gebruik van een geluiddemper en dat betekent dat het met voorbedachten rade gebeurde. Dus het gaat niet alleen om het archief van de Carnivoor, het gaat ook om een heleboel geld. Niemand krijgt een privé-audiëntie bij zo'n hoge ome uit de internationale bankierswereld als De Darmond als het niet om een vermogen gaat... of om een serieus geval van chantage. Hoewel ik zeker de indruk kreeg dat er al een bankiercliënt-relatie tussen hen bestond.'

'Tot de baron tot andere gedachten kwam en hun wegen zich scheidden. Voorgoed.'

Simon knikte. 'De moordenaar zei één ding waaruit je misschien zou kunnen opmaken dat er ook sprake was van een persoonlijke relatie. Hij noemde de baron Hyperion. Natuurlijk heeft de baron een hele rits namen, zoals de meeste Franse en Britse edelen, maar Hyperion zit daar niet bij. Dat heb ik nagekeken.'

Liz schoot overeind. 'Hyperion? In Santa Barbara moesten Kirk en de rector verslag over mij uitbrengen bij iemand die Themis heette.'

Simon keek verbijsterd. 'Maar wat heeft dat...'

'Hyperion en Themis waren twee van de Titanen.'

'De Titanen?'

'Krijgen jullie in Engeland geen klassieke opleiding meer? De oude Grieken geloofden dat hemel en aarde de eerste ouders waren en de

Titanen waren hun kinderen. De goden kwamen pas later. Dat waren weer kinderen van de Titanen.' Haar hart begon sneller te kloppen en ze pakte het verfrommelde stukje papier uit haar schoudertas. 'Hier is iets dat ik je nog moest laten zien... Toen ik dat jasje in de steeg oppakte, bleek er niet alleen een mobiele telefoon in te zitten, maar ook een briefje.'
Hij knipte het kaartleeslampje aan en ze streek het papiertje glad. Ze lazen samen wat erop stond:

Vanmiddag om vier uur Kronos bellen

'Kronos is ook een Titanennaam,' zei ze tegen hem. 'Dat zijn er dus drie. Dat kan geen toeval meer zijn.'
'Hoeveel Titanen waren er?'
'Zeven belangrijke en daarvan was Kronos de leider, tot zijn zoon Zeus hem van de troon stootte.'
'Verdomme, alleen de naam "Titanen" maakt me al zenuwachtig. Dat riekt naar macht. Heel veel macht. Zoals baron de Darmond ongetwijfeld had.'
'De persoon die mij naar zijn pijpen liet dansen – Themis – had kennelijk ook meer dan voldoende macht. Maar wat houden die namen in? Een of andere groepering?'
'Een club?' zei hij, terwijl hij alle mogelijkheden snel op een rijtje zette. 'Een broederschap? Een stelletje drinkebroers?'
'Het kan van alles zijn. En nu hebben we niet alleen een verband tussen de baron en Themis, maar ook tussen Kronos en iemand die samen met Sarah en Asher in dat pakhuis was.'
'Iemand die in dienst is van de ontvoerders of die betaald wordt door de chanteur.'
Ze knikte, maar ze dacht alweer verder. 'Wat bedoelde de baron volgens jou toen hij het over Dreftbury had? In Schotland is een beroemde golfbaan die zo heet. Toen ik nog op school zat, hebben we in het hotel dat erbij hoort gelogeerd en een bezoek gebracht aan oude vrienden van mijn moeder die daar in de buurt woonden. Misschien waren de baron en de chanteur van plan om elkaar daar te ontmoeten. Maar wanneer dan? Misschien zijn de Titanen wel een of andere exclusieve golfclub en kunnen we via die club te weten komen wanneer de chanteur van plan is om daar naartoe te komen.'
'Verdomme!' Zijn stem schoot uit en hij klonk opgewonden. 'Dat had ik meteen moeten begrijpen! De baron had het over de Nautilus-bijeenkomst!'
'Nautilus?'

'Ja, die komen dit jaar in Dreftbury bij elkaar. De Nautilus Groep is een vrij onbekende, maar bijzonder machtige organisatie van topfiguren uit de zakenwereld en uit de politiek. Als je nagaat hoe rijk de baron was en hoeveel invloed hij had, dan is het logisch dat hij daar ook lid van was. Nu de kranten bol staan van nieuws over de aanstaande vergadering van de G-8 had ik dat eigenlijk meteen moeten begrijpen. Nautilus plant hun jaarlijkse bijeenkomst namelijk altijd in het weekend voor de G-8, zie je, aangezien een groot aantal Nautilus-leden daar ook naartoe moet. De G-8 begint komende maandag in Glasgow en dat is vanuit Dreftbury gemakkelijk te bereiken. Dat betekent dat Nautilus morgenmiddag al bij elkaar komt.' De G-8 was een informele topconferentie van de leiders van de zeven rijkste landen ter wereld – Groot-Brittannië, Canada, Frankrijk, Duitsland, Italië, Japan en de Verenigde Staten – plus Rusland. Hoge functionarissen van het IMF, de Wereldbank en de WHO, de wereldhandelsorganisatie, waren daar ook altijd bij aanwezig.
Ze pakte haar schoudertas en stak haar hand uit naar het portier. 'Dan moeten wij daar ook naartoe! We...'
Ze bleef stokstijf zitten en luisterde.
Hij draaide zich om op zijn stoel. 'Ik hoor ook iets.'
Ze trokken hun pistolen en ze zag de straal van een zaklantaarn. 'Het is de parkeerwacht.'
De lichtbundel gleed over de auto's die onder hen op de helling stonden en bleef ten slotte op de Peugeot rusten, waardoor de auto ineens in een zee van licht baadde.
'*Sacré bleu!* Wat spoken jullie daar uit?' informeerde een stem luid in het Frans.
'Hij is beter dan ik had verwacht. Hij herkent de auto.' Simon opende zijn portier en wurmde zich naar buiten, de hand met de Beretta op zijn rug. Terwijl hij zich bukte om zijn hoofd niet tegen het plafond te stoten gleed het licht van de zaklantaarn over hem heen.
'Kan ik u ergens mee van dienst zijn, monsieur?' vroeg Simon vriendelijk in het Frans.
Met een boze blik weigerde de man zich uit het veld te laten slaan, maar hij liet zijn zaklantaarn zakken tot het licht op Simons voeten viel. Nu kon Simon ook zien dat de man in zijn andere hand een gummiknuppel had.
'Ik zat maar te wachten tot jullie naar buiten zouden komen,' mopperde de man. 'Maar ho maar. Jullie weten toch ook wel dat het in Pigalle soms niet pluis is. Er is jullie toch niets overkomen, *non?*'
'Mijn vrouw en ik hadden iets te bespreken. U hoeft zich over ons geen zorgen te maken.'

'*Non, non.* En als straks een van mijn patrons iets blijkt te missen? Jullie zien er niet uit als een stel dieven, maar hoe kan ik daar zeker van zijn? Rij naar buiten of loop naar buiten.' Hij wees naar het centrale trappenhuis. 'Dat maakt me niet uit. Maar jullie moeten hier hoe dan ook weg. Anders bel ik de gendarmes.'
Liz stapte uit de auto met haar schoudertas en Simons sporttas in de hand. Ze keek met een lieve glimlach over het dak van de auto naar Simon. 'Het is wel goed, Homer. Ik heb trouwens toch honger. We moeten meteen naar Marie toe. We zijn nu echt veel te laat.'
Hij knipperde even met zijn ogen en keek de parkeerwacht weer aan. 'Zij is de baas.'
Terwijl ze wegliepen, gaf ze hem de sporttas. Zodra ze het trappenhuis binnenstapten, hoorden ze de man door de garage teruglopen naar beneden.
Simon stopte zijn pistool in de sporttas, maar liet de rits open. Hij grinnikte even tegen haar. 'Homer is niet bepaald een naam die ik zelf uitgezocht zou hebben.'
Ze lachte terug. 'Dat heb je me betaald gezet met die opmerking dat ik de baas was.'
Lachend liep ze voor hem uit de trap af. Haar ogenschijnlijk goede humeur verborg haar wanhopige verlangen naar een veilige plek waar ze konden werken en naar deskundigen die hun konden uitleggen wat die documenten van Simon inhielden. Ze had het gevoel dat ze op het punt stonden te ontdekken wie of wat achter al die moorden stak en waar het archief en Sarah en Asher zich bevonden. Als ze tenminste nog in leven waren. Ze onderdrukte een huivering en begon sneller te lopen.
Ze waren nog maar halverwege de eerste trap toen ze abrupt stil bleef staan. Haar glimlach verdween als sneeuw voor de zon. Lichte voetstappen kwamen de trap onder die van hen op.
'Dit keer is het meer dan één persoon,' fluisterde Simon. 'En ze doen hun best om niet gehoord te worden.'
'Misschien is het niets.'
'En misschien is het wel iets.'
Met de herinnering aan het bloedbad in het pakhuis van Eisner-Moulton nog vers in het hoofd holde ze zo snel mogelijk naar de derde verdieping. Simon volgde haar op de voet. Ze schoten het trappenhuis uit en bleven verscholen staan wachten.

33

Prometheus, zestig jaar oud en zo gezond als een vis, liep joggend over de donkere kade langs de Seine. Hij was nat van het zweet, maar dat drong nauwelijks tot hem door. Hij was een man van gemiddelde lengte met een normaal postuur die altijd aan sport had gedaan: tennis, golf en jogging. Zijn donker gebruinde gezicht zat vol fijne rimpeltjes als gevolg van jaren in de zon.

Bij het publiek was hij voornamelijk bekend vanwege zijn rijkdom, zijn medeleven en zijn platina Rolodex. Maar in werkelijkheid werd het privéleven van Prometheus geregeerd door eenzaamheid en woede. Zijn humeurigheid, die bij het minste of geringste kon omslaan in razernij, was berucht bij zijn personeel. Hij was vijf keer getrouwd en gescheiden en pendelde nu in zijn eentje tussen New York, Parijs, Londen en Rome. Hij was een van de bekendste financiële speculanten van de Nieuwe Wereld, een pionier van een nieuwe vorm van investeren – het waarborgfonds – die in het verre verleden, toen hij zijn carrière begon, nog vrij ongebruikelijk was.

Hij draafde in zijn witte shorts en T-shirt langs de beroemde Parijse boekenstalletjes aan de Seine en zijn Nikes roffelden over het trottoir. Omdat zelfbeschouwing hem vreemd was, had hij geen flauw idee waarom hij per se nu moest gaan hardlopen. Hij zag weinig tot geen verband met de gebeurtenissen die vandaag in beweging waren gezet, toen hij te horen had gekregen dat de staat New York een civiele procedure tegen hem had aangespannen wegens oneerlijke concurrentie, omdat hij in ruil voor opties op dure aandelen cliënten doorstuurde naar de afdeling effectenhandel van De Darmond.

Desondanks was Prometheus diep verontwaardigd en hij maakte zich wel degelijk zorgen. Bij deze nieuwe aanklacht werd hij ervan beschuldigd dat hij zakelijke, financiële projecten van InQuox – zijn algemene investeringsbedrijf – onderbracht bij de Darmond Bank, die hem in ruil daarvoor de kans bood om nieuwe aandelen tegen een vriendenprijsje te kopen. Een gang van zaken die in Wall Street inmiddels bekendstond als handel met voorkennis.

In de aanklacht eiste de officier van justitie van New York een boete van $28 miljoen, een bedrag dat volgens de aanklager gelijk was aan de winst die hij met zijn lucratieve handel had gemaakt. En dat was nog niet alles. Die klootzak wilde ook nog eens $500 miljoen – ongehoord! – omdat hij dat bedrag volgens hem verdiend had aan de verkoop van zijn InQuox-aandelen. Zijn advocaat had hem het krantenbericht voorgelezen, omdat hij de officiële dagvaarding nog niet had ontvangen: 'De opbrengst van de aandelen vormde onrechtvaardig verkregen kapitaal omdat ze door de analisten van de effectenafdeling van De Darmond als onderdeel van de afspraak aan het publiek werden opgedrongen.'

Hij was de officier van justitie een paar keer tegengekomen bij recepties van het Metropolitan Museum of Art, die hij altijd bezocht als hij in New York was. Maar hij was dan ook lid van de raad van bestuur, waar zijn Rolodex – en dus ook hij – bijzonder populair waren. Voor zover hij zich kon herinneren was de officier van justitie een klein, sluw mannetje met een dodelijke ambitie.

Iedere keer als zijn voeten de grond raakten, protesteerden zijn spieren en groeide zijn verontwaardiging. Het was hem allemaal gewoon te veel op een tijdstip waarop hij al zijn aandacht nodig had voor de nieuwe transactie die hij in de voormalige oostbloklanden op stapel had staan. Die was van levensbelang, omdat InQuox op die manier voet aan de grond zou krijgen in landen waar creatief financieren nog niet aan banden was gelegd.

Toen hij eindelijk vermoeid begon te raken, ging Prometheus vol afkeer langzamer lopen. Hij wenkte Raoul en Roger, twee van zijn lijfwachten die op korte afstand aan weerszijden achter hem aan waren gelopen. Hun gezichten waren rood en ze stonden te hijgen.

Raoul overhandigde hem een fles Evian. 'Moet ik de auto laten komen, meneer Hornish?'

'Ik loop wel.' Prometheus – Richmond Hornish – nam een slok en gooide de fles terug naar Raoul zonder de moeite te nemen de dop er weer op te schroeven. Het water spoot over zijn overhemd en over de blouse van een vrouw die samen met een klein jongetje langsliep. De uitdrukking op het gezicht van Raoul veranderde niet toen de vrouw een kreet van schrik slaakte en het jongetje naar zich toe trok.

Met een opwelling van genoegen draaide Hornish zich om en liep met grote stappen terug naar zijn *hôtel particulier*. Hij sloot zijn oren voor de stem van Raoul die de vrouw zijn excuses aanbood en stak een hand uit. Roger drukte er meteen een luxueuze, badstof handdoek in. Terwijl hij zijn gezicht afdroogde, hoorde Hornish zijn eigen mobiele telefoon overgaan. Het toestel hing aan de riem van Roger. Hij rukte het eraf en maakte een kort, bevelend gebaar. De beide lijfwachten weken achteruit tot ze buiten gehoorsafstand waren.

Hij haalde diep adem. 'Met Prometheus.'

'Waar ben je, Prometheus?'
'Nog steeds in Parijs. Hoezo?'
'We moeten met de volledige Spiraal bij elkaar komen. Over twee uur, in mijn huis in Londen.'
'Ik zal er zijn. Wat is er in jezusnaam aan de hand met het archief van de Carnivoor? Ik had verwacht dat ik te horen zou krijgen dat het was gevonden als je me weer belde.'
'Ik heb anders het idee dat je genoeg andere dingen aan je hoofd hebt om je bezig te houden. Ik heb gehoord dat je behoorlijk in moeilijkheden zit in New York.'
'Dat? Processen zijn gewoon het beroepsrisico van een zakenman. Ik heb zitten wachten tot je me het laatste nieuws over dat archief zou doorgeven, Kronos. Probeer je die zaak zonder ons af te handelen?'
'De aanklacht tegen jou is zeker geen wissewasje, zoals we allebei heel goed weten, en er lopen ook nog een paar zaken tegen je in Californië. Ik veronderstel dat je wel geld zult moeten lenen.'
'Dat zou best kunnen, maar aan Hyperion hebben we nu niet veel meer, hè?'

De bijzonder besloten en exclusieve Travellers Club was gevestigd in een elegant herenhuis in het hart van het centrum, vlak bij de Champs Elysées. Atlas kon zich vaag herinneren dat het het eigendom was van een avonturierster uit de negentiende eeuw. Hij had haar naam nooit gehoord, maar ze was een beruchte *marquise* geweest. Hij zat met een kopje Assam-thee aan een met linnen gedekt tafeltje tegen een van de massieve binnenwanden in de Grand Salon van de club. De ramen bevonden zich aan het eind van het vertrek, wat de kans op elektronische afluisterpraktijken van buitenaf kleiner maakte. De rijk versierde andere tafels en fauteuils van de salon stonden ver genoeg uit elkaar om een persoonlijk gesprek mogelijk te maken.
Atlas was een lange, magere man die gespannen als een kromzwaard over zijn thee gebogen zat en zijn ongeduld probeerde te verbergen, terwijl hij wachtte op Carlos Santarosa, het hoofd van de afdeling concurrentiebedingingen van de EU. Santarosa was van levensbelang, omdat het beoogde project van Gilmartin Enterprises waarmee een bedrag van veertig miljard dollar gemoeid was, afhankelijk was van zijn toestemming.
Hij keek op zijn Timex. Die klootzak van de EU was te laat.
In die omgeving vol donker hout waar de sfeer van beschaafde privileges hing, maakte de ingenieur een slonzige indruk in zijn confectiepak, dat aangevuld werd door stevige wandelschoenen, een wit overhemd en de universiteitsdas van Stanford. Op de middelvinger

van zijn rechterhand zaten blauwe inktvlekken. Een rekenmachine en een mobiele telefoon lagen naast zijn elleboog op tafel. Hoewel zijn persoonlijke vermogen op ongeveer een miljard dollar werd geschat, had hij nauwelijks oog voor luxe. Hij hield van de Travellers Club vanwege de discrete sfeer, niet omdat het zo'n chique bedoening was. Omdat zijn privacy daar verzekerd was. En vooral omdat de omgeving altijd indruk maakte op de mensen met wie hij zaken deed.

Hij was begin vijftig, maar had nu al last van hoge bloeddruk. Achter zijn bescheidenheid en zijn ogenschijnlijk rustige karakter gingen een scherp verstand en een bodemloze ambitie schuil. Maar zijn overgrootvader had dan ook de Hoover-dam gebouwd, terwijl zijn grootvader was bekroond met de Atlasprijs voor de belangrijkste industrieel van de Tweede Wereldoorlog, een onderscheiding die hij dankte aan de lange reeks oorlogsschepen die de scheepsbouwtak van zijn bedrijf ondanks de moeilijke omstandigheden tijdens de oorlog had afgeleverd.

Zijn vader had die prestaties nog overtroffen door de aanleg van de pijplijn in Alaska en het blussen van de brandende oliebronnen in Koeweit na de Golfoorlog van 1991. Toen zijn vader hém in plaats van zijn drie broers uitkoos om de leiding van het familie-imperium over te nemen, was Gilmartin Enterprises onweerlegbaar het grootste constructiebedrijf ter wereld. Sindsdien had het die plaats moeten afstaan aan gretige nieuwere bedrijven, met een agressievere houding ten opzichte van dienstverlening en de bereidheid tot fuseren.

Maar Atlas was geen financier. Hij was een ingenieur, die afstamde van een hele reeks ingenieurs. Net als zij regeerde hij Gilmartin Enterprises met een ijzeren vuist. Maar in tegenstelling tot zijn voorgangers had hij nog geen onuitwisbaar stempel op het bedrijf gedrukt. Hij zou nooit toegeven hoe erg hij zich dat aantrok. Maar goed, daar kwam binnenkort een eind aan.

Toen zijn telefoon ging, was er al zoveel tijd verstreken dat hij wist dat het slecht nieuws zou zijn.

Het was de assistent van Santarosa, die zijn verontschuldigingen overbracht. 'Het spijt het commissielid ontzettend, senhor Gilmartin.'

Atlas – Gregory Gilmartin – antwoordde effen: 'Zeg maar tegen hem dat ik teleurgesteld ben.' De wijsvinger van zijn vrije hand trok als een scalpel een diepe streep over het tafellaken.

'Dat geldt ook voor senhor Santarosa,' zei de man beleefd in het Engels met een zwaar accent. Santarosa was Portugees, evenals zijn assistent. Onbetekenende mensen uit een onbetekenend landje.

Gilmartin zorgde ervoor dat zijn stem een stalen klank kreeg. 'Ik ver-

wacht dat hij morgen wel tijd zal kunnen maken voor een gesprek onder vier ogen. Zeg dat maar tegen hem.'
Er viel een onzekere stilte. 'Ik kan niet...' begon de assistent.
Gilmartin voelde zijn andere mobiele telefoon tegen zijn borst trillen. 'Geef hem die boodschap maar gewoon door,' snauwde Gilmartin en verbrak de verbinding. Met een onderzoekende blik op de andere gasten in de salon pakte hij zijn persoonlijke mobiele telefoon uit zijn binnenzak en draaide zich om.

'Met Atlas.'
'Ben je nog steeds in Parijs, Atlas?'
'Natuurlijk. Wat heb je me te vertellen?'
'We moeten bij elkaar komen. Over twee uur in mijn huis in Londen.'
'Vanavond? Waarom zo laat, Kronos?'
'Vanwege die toestand met het archief. We moeten misschien voor een andere aanpak kiezen.'
'Dat verbaast me niets. Als de fundering ondeugdelijk is, stort het hele gebouw in.'
'Wat wil je daarmee zeggen?'
'Ik ben nooit overtuigd geweest van het bestaan van dat archief. Het is best mogelijk dat we achter een spookbeeld aanjagen.'

Oceanus had geen goed jaar achter de rug. Een paar huizen verwijderd van de kerk van Saint-Louis-en-l'île stond een van zijn favoriete pieds-à-terre, een schitterend herenhuis dat eigendom was van zijn automobielbedrijf, maar dat tijdens de regeringsperiode van Lodewijk de Veertiende was gebouwd door een Franse hertog.
Met ontblote borst en in een linnen broek zat Oceanus gespannen op een Deuxième-Empirestoel onder het hoge plafond van de hoofdslaapkamer en probeerde alle gedachten uit zijn hoofd te bannen. Cecily zat in bad zacht voor zich uit te zingen terwijl ze zich klaarmaakte voor hem. Hij was een vitale man van vijfenvijftig, met een dikke bos zwart haar, een licht gebogen Pruisische neus die de goedkeuring van Bismarck zou hebben weggedragen en een vierkant gebouwd lichaam dat hij niet toestond om dik te worden. Hij beschikte over een charmante maar onverzettelijke wilskracht, of hij zich nu aan een overdadig banket bevond of in de competitieve ambiance van een bestuurskamer.
Een uur geleden had hij zijn blauwe pil genomen. Meestal was die tijd meer dan toereikend, maar vandaag betwijfelde hij dat. De warme avondlucht drukte zo zwaar tegen de hoge vensters dat de glazen

ruiten leken te trillen. Boven het bed draaide een plafondventilator langzaam rond en heel even had hij het gevoel dat hij ontsnapt was naar een of ander exotisch plekje in het verre oosten... naar het bloedhete Beijing bijvoorbeeld, of naar het kleurrijke Shanghai, waar Eisner-Moulton een paar nieuwe auto- en vrachtwagenfabrieken in aanbouw had en waar hij zich kon concentreren op de opwindende problemen die gepaard gingen met groei.

Twintig jaar geleden was hij het beroemdste wonderkind van Europa geweest. Hij had de West-Duitse Eisner Motorwerke bijna van de ene op de andere dag veranderd van een fabriek van slome, pruttelende gezinsauto's in een productiebedrijf van chique wagens met krachtige motoren, die erom smeekten om gereden te worden. Daarna was zijn imperium snel gegroeid. Terwijl hij handig economische recessies en belangrijke veranderingen op het gebied van smaak wist te omzeilen, had hij van Eisner een intercontinentale reus gemaakt die zowel auto's en vrachtwagens als vliegtuigen bouwde. In de jaren negentig van de afgelopen eeuw had hij de Clarke Motor Company opgekocht, de in moeilijkheden verkerende Amerikaanse producent van luxueuze wagens, en was vervolgens een fusie aangegaan met Moulton, de vrachtwagenproducent uit Frankrijk. Tegenwoordig bouwde Eisner-Moulton overal ter wereld allerlei soorten voertuigen in elke mogelijke klasse.

Maar nu zat het bedrijf – en dus hijzelf – in de problemen, voornamelijk omdat hij het idee had gehad dat de bloei van de wereldeconomie gewoon zou voortduren. Wie had nu verwacht dat er zo'n ernstige depressie zou volgen? En nog erger, dat die zo lang zou duren? In januari was hij genoodzaakt geweest om het restant van het verlieslijdende elektronische dochterbedrijf van Eisner-Moulton onder te brengen in andere divisies. De kosten waren opgelopen tot een akelige verliespost van 1,1 miljard euro. In maart kwam hij tot de ontdekking dat het verlies van de autofabrieken van Eisner-USA twee keer zo hoog was als zijn accountants hadden voorspeld. En toen was de derde klap gevolgd: in mei had hij Koekker Air af moeten stoten, de noodlijdende Nederlandse luchtvaartmaatschappij waarvan Eisner-Moulton 51% van de aandelen bezat. Als gevolg daarvan ging Koekker failliet en kreeg Eisner-Moulton opnieuw een verliespost te verwerken, ditmaal een onthutsende 4,2 miljard euro. En hij had net gehoord dat een van de andere dochterbedrijven, Truckliner America, een verlies verwachtte van bijna 1 miljard euro. Dat betekende tot nu toe een totaal verlies van rond de 8,3 miljoen en ze zaten nog niet eens op de helft van het jaar.

Oceanus sprong op en begon te ijsberen, terwijl hij woedend aan

Claude de Darmond dacht. Hij had erop gerekend dat De Darmond Eisner-Moulton een discrete lening zou verstrekken om die klappen te boven te komen, zodat hij nieuwe wegen kon inslaan, met name in Oost-Europa. Hij had dat geld nodig. Hij dacht aan de problemen die de Citibank had met het ministerie van Justitie, aan de aanklacht tegen de Bank of America wegens het witwassen van geld en aan de interne praatjes die bij de Deutsche Bank de ronde deden. Waar vond hij een bank die groot genoeg was, discreet genoeg en gezond genoeg...

'Christian,' riep Cecily met een kwelend stemmetje.

Oceanus – Christian Menchen – keek op. Ze kwam de badkamer uit zweven, blond en gehuld in een of andere glanzende, doorschijnende stof.

Hij voelde opgelucht dat zijn hart begon te bonzen. Ze maakte een pirouette onder het met verguldsel versierde plafond. Ze zorgde niet alleen voor afleiding, ze was zelfs fascinerend, zoals alleen heel jonge mensen konden zijn die zichzelf nog niet kenden en niet wisten hoeveel indruk ze maakten. Toen de doorzichtige stof rondzwierde, hield hij even zijn adem in. Daar was de tatoeage op haar linkerbil... de opgekrulde staart van een slang. Op de plek waar hij stond, kon hij haar parfum ruiken, een muskusachtige viooltjesgeur. In gedachten zag hij de vijf intieme plekjes waar ze het dure parfum had aangebracht.

De vlammen sloegen hem uit, maar hij bewoog niet. Hij hield van dat verlangen.

Ze pakte de ragdunne stof van haar negligé op, zodat zijn ogen de blauwgroene staart konden volgen, die vanaf haar roze kontje leek te groeien en om haar heup naar haar buik kronkelde, waar hij uitmondde in de tatoeage van een brullende rode draak die op het topje van haar blonde schaamhaar balanceerde.

Hij bleef met grote ogen toekijken en slikte. Zijn problemen verdwenen als sneeuw voor de zon. De krulletjes waren zo licht, dat je ze nauwelijks blond kon noemen. Hij was vergeten hoe onschuldig ze waren. Alsof ze bij een klein meisje hoorden.

Binnen drie stappen was hij bij haar, pakte haar polsen en rukte haar naar zich toe.

Ze giechelde en deed net alsof ze probeerde weg te komen. '*Non, non*, Christian. O, je maakt me gewoon báng!' Ze leek op een Frans koffiebroodje, met haar zoete, vochtige vrouwelijke geur.

'*Bon*,' gromde hij. 'Wees maar bang.'

Ze begon weer te lachen. Hij beet in haar hals. Ze kreunde en hij rukte haar hoofd achterover en perste zijn mond op de hare.

Twee uur later was Cecily aan de champagne en liep naakt rond door de kamer terwijl ze zich aankleedde en vrolijk babbelde. Hij lag nog steeds op het grote bed en voelde een diepe genegenheid voor haar. Als ze hem nu om een diamanten tiara had gevraagd, had hij dat verzoek in overweging genomen. Maar hij wist dat ze in plaats daarvan tevreden – en zelfs dankbaar – zou zijn met de duizend euro die hij voordat ze vertrok in haar tas zou stoppen. Dat vond hij juist zo leuk van haar, dat ze echt om hem gaf.

Hij voelde zich weer helemaal de oude. Twee heftige orgasmes zouden elke man dat gevoel bezorgen. De reden daarvoor was een ander, wat pragmatischer tovermiddel: de blauwe pil. Voor één orgasme had hij die nog niet nodig, maar voor twee wel... en ze waren het waard.

Zijn persoonlijke mobiele telefoon ging over. Hij rolde naar de zijkant van het bed, maar Cecily was eerder bij zijn colbertje.

'Blijf af!' schreeuwde hij.

Ze bleef stokstijf staan en keek hem met grote ogen aan. De angst was niet gespeeld. 'Christian?'

Naakt liep hij naar haar toe. 'Raak die telefoon nooit meer aan. Nóóit meer.' Hij rukte het toestel uit haar hand, drukte op de ontvangstknop en zei zacht: 'Wacht even.' Hij pakte zijn portefeuille en zei tegen haar: 'Pak de rest van je kleren. Ik bel wel als ik je weer nodig heb.'

Ze pakte de rest van haar spullen op en hij dreef haar voor zich uit naar de deur van de slaapkamer en propte haar een stapeltje euro's in de hand. Ze tilde haar gezicht op. Toen hij haar kuste, voelde hij opnieuw die opwinding die zo belangrijk voor hem was. Hij bleef op de drempel staan terwijl zij haar pumps aantrok, haar rok gladstreek en haar goudblonde haar over haar schouders naar achteren wierp. Onderweg naar de trap woof ze hem even vrolijk toe. Hij wist dat haar genegenheid gespeeld was. Dat had hij al die tijd al geweten, maar nu hij op het punt stond om zijn eigen wereld weer te betreden, kon hem dat niets meer schelen. Hij sloot de deur en pakte de mobiele telefoon op.

'Met Oceanus. Ben jij het, Kronos?'

'Ja. We moeten vanavond bij elkaar komen. Over twee uur, in mijn huis in Londen.'

'Vertel me eerst maar hoe het in vredesnaam met dat archief van de Carnivoor staat.'

'Ik heb niet veel nieuws, maar daar zullen we het straks wel over hebben.'

'Daar kun je donder op zeggen. Dit is gewoon één grote tijdverspilling. We moeten alles in het werk stellen om dat probleem op te lossen. Dat ben je toch met me eens, Kronos?'
'Dat lijkt me wel. Maar goed, we willen allemaal dat archief te pakken krijgen, nietwaar, Oceanus?'

34

Geërgerd hinkte César Duchesne haastig terug naar zijn taxi, met een kop sterke koffie in de hand. Zijn walkie-talkie kraakte terwijl hij bevelen blafte en luisterde naar zijn spionnen die verslag uitbrachten terwijl ze door Pigalle reden en klanten oppikten en afzetten die aangelokt werden door het wilde nachtleven, de drugs, de onverhulde seks en de neonreclames die de illusie van plezier verkochten. Er kwamen steeds meer jongeren die Pigalle als een hippe buurt beschouwden. Dwazen.
'Guignot in de rue Duperré bij Fromentin. Ik sta op een klant te wachten. De Peugeot rijdt door naar Douai.'
'Trevale,' gebood Duchesne op dwingende toon. 'Jij bent vlak in de buurt.'
'Ik heb ze al.'
Vanaf de zuidkant van de Boulevard de Clichy tot aan de top van de Sacré Coeur stuurde hij de ene na de andere chauffeur achter verkeerde Peugeots aan. Hij had één rapport gehad dat betrouwbaar was gebleken, iemand die zelf had gezien hoe de sportauto, met Childs achter het stuur en Sansborough naast hem, vanuit Belleville omlaag gereden was naar Pigalle, waar hij op de Boulevard Clichy ineens in rook was opgegaan. Sindsdien was er geen spoor meer van te bekennen.
Duchesne stapte in zijn taxi, startte de motor en voegde haastig in tussen het drukke verkeer. Heel even schoten hem andere taxi's door het hoofd, andere steden, de opwinding van liefde en een doel in het leven samengevat in het parfum van zijn vrouw. Berlijn, Zürich, Rome, Londen, New York, Las Vegas, Los Angeles. Zoveel steden. De namen rolden van zijn tong. In gedachten zag hij ze allemaal voor zich, maar ze verdwenen allemaal achter het gezicht van zijn vrouw. Het gezicht van een verleden en een vreugde die verdwenen waren toen het archief van de Carnivoor een eind aan haar leven had gemaakt.

Langley, Virginia
Frank Edmunds woelde geërgerd en bezorgd met zijn vingers door zijn haar. Zijn mensen waren Sansborough kwijtgeraakt. De chaotische straten en de kolkende mensenmassa's van Pigalle hadden zijn CIA-team voor raadsels gezet. Tegen de tijd dat ze het kruispunt hadden bereikt waar haar laatste telefoontje vandaan was gekomen, was de auto allang verdwenen en er was ook op straat of in de winkels geen spoor te bekennen van Sansborough of Childs. Nu had hij tien man op de been, te voet en in auto's, terwijl hij hier hulpeloos en vloekend zat te wachten. Al gauw zou hij opnieuw verslag moeten uitbrengen aan meneer Jaffa en daar verheugde hij zich allerminst op.

Parijs, Frankrijk
De voetstappen in het duistere trappenhuis gingen voorbij en vervolgden hun weg naar de bovenste verdieping. Simon en Liz glipten net op tijd naar buiten om te zien dat de voeten toebehoorden aan twee mannen met automatische pistolen. Voorop liep een man met een opengeslagen notebook-computer, de blik vast op het scherm gericht.
'Malko!' fluisterde Liz nijdig. 'Hij is weer op het spoor van de Peugeot.'
Simon vloekte. 'Dan moet hij er een tweede GPS-verklikker op hebben aangebracht!'
Terwijl ze rustig verder liepen naar beneden, luisterde Simon vol leedvermaak naar de geërgerde kreten van boven toen de mannen ontdekten dat de auto leeg was.
Hijgend van de zes trappen die ze achter de rug hadden, bereikten ze de begane grond en kwamen terecht in een onregelmatig gevormd vertrek dat verlicht werd door een peertje aan het plafond. Er lag niemand in hinderlaag, maar de enige manier om buiten te komen was via een gesloten branddeur.
Simon trok de deur op een kiertje open. Hij verstarde en duwde hem haastig weer dicht. 'Malko heeft een complete ploeg meegebracht. Er staan vier tot de tanden gewapende mannen op wacht. We kunnen proberen om ons naar buiten te schieten, maar volgens mij hebben we verdomd weinig kans.'
'Ze hebben genoeg wapens om ons dit keer tegen te houden.' Liz gluurde voorzichtig om een hoek die dood leek te lopen. 'Hier zit nog een deur, die nauwelijks te zien is.'
Simon liep achter haar aan en ze probeerde de deurknop. 'Op slot, verdomme.'

Boven hen ontstond een verhitte woordenwisseling. Voetstappen kwamen de trap weer af.
Simon had een stel lopers in de hand. 'Laat mij maar.'
Ze stapte opzij. Hij probeerde de ene na de andere loper terwijl zij haastig de hoek om rende en de lamp met de kolf van haar Glock kapotsloeg. De duisternis daalde op hen neer, tot Simons zaklantaarn aanflitste. Ze kwam terug, pakte de lantaarn uit zijn hand en richtte het licht op het slot. Hij had een vastberaden en geconcentreerde uitdrukking op zijn gezicht. Je moest je niet haasten als je een slot wilde openbreken.
Boven hen gingen de voetstappen een andere verdieping op, waar de mannen hun speurtocht voortzetten. Het gaf hen even respijt, maar dat zou niet lang duren. Er klonk een licht gerammel van metaal toen hij de deur eindelijk open kreeg.
'Perfect getimed,' zei ze ademloos.
Ze liepen in het donker naar binnen, maar slaagden er niet in om de deur achter hen weer op slot te doen. Het slot was aan de binnenkant volledig verroest. Simon zette zijn sporttas voor de deur op de grond, als een soort wanhoopsmaatregel om hun achtervolgers op te houden. Liz liet de lichtbundel door het vertrek dwalen. Het bleek een soort opslagkamer te zijn, vol slordig opgestapelde bezems, scheppen en auto-onderdelen, die stonk naar vuil en smeer. Er was geen andere uitgang. Dat was een lelijke tegenvaller. Maar ze bleef de muren aandachtig bestuderen. Het vertrek was veel ouder dan de parkeergarage. De houten betimmering was zwart van ouderdom en de roodstenen vloer was door heel wat voeten tot een bleekroze kleur afgesleten. Het leek wel een kelder, of...
Simon vloekte en draaide zich haastig om, terug naar de deur. 'Hier kunnen we geen kant op.'
Liz trok hem aan zijn mouw terug. 'Pak die sporttas op en kom hier!'
Ergens achter de deur stonden mensen via walkie-talkies met elkaar te praten. Ze kon de stemmen en het gekraak horen. De branddeur in de gang werd met een klap opengegooid en het geluid van rennende voetstappen werd zwakker en verdween in de garage.
Ze haalde even diep adem. 'We hebben niet veel tijd meer.'
'Nu zie je toch wel dat ik een onmetelijk vertrouwen in je heb. Ze komen vast terug.' Hij kwam met zijn sporttas in de hand teruglopen.
'Ze zullen ons niet vinden als we hier niet meer zijn.' Ze richtte het licht opnieuw op de linkerwand en liep haastig om een stapel kale banden heen om dichterbij te komen. 'Ik dacht dat ik iets zag.' Ze speurde de grond af en griste een verroest metalen voorwerp op, dat

wel iets weghad van een overdreven grote oliespuit.
Hij liep naar haar toe. 'Wat is dat?'
Ze gaf het aan hem. 'Dat mag jij me vertellen.'
'Richt de zaklantaarn er eens op.' Hij bestudeerde het. 'Stik! Het is een ouderwetse stengun.'
'Dat hoopte ik al.' Liz rommelde weer verder. De goedkope, snelvurende stengun was het wegwerpwapen dat de Britten tijdens de Tweede Wereldoorlog met kistenvol hadden gedropt ten bate van het Franse verzet.
Vol ontzag draaide hij het roestige overblijfsel rond in zijn handen. 'Een van onze slimmere ideetjes. Maar dit exemplaar heeft een verbogen loop, dus ik heb het idee dat iemand het hier van zich af heeft gesmeten.' Hij keek haar aan. 'Jij hoopt dat dit een doorgangshuis was.'
Ze pakte een vergeeld papier op, waarvan de hoeken omgekruld waren. 'Dat klopt als een bus. Kijk, hier hebben we nog een bewijs... een oud opsporingsbevel in het Frans en het Duits voor een *maqui*.'
'Als je gelijk hebt, moet er nog een andere uitgang zijn.'
Liz keek zorgvuldig om zich heen. Tijdens de oorlog had de maquis overal in Parijs geheime plekken gehad, zelfs in kelders en riolen waar ze bij elkaar kwamen om plannen te maken. Waar de mogelijkheid zich voordeed, richtten ze eerst een andere kamer in die dood leek te lopen, zodat de nazi's hun zoektocht zouden staken voordat ze de echte schuilplaats hadden gevonden.
Simon bestudeerde het plafond. 'Schiet je iets op met een stel verborgen scharnieren?'
Ze draaide zich met een ruk om. 'Waar?'
Hij keek omhoog. 'Zie je die versiersels aan het plafond? Veel te chique voor een opslagruimte.'
Ze richtte het licht op de plek die hij aanwees. Het plafond was versierd met houten friezen, die bestonden uit vierkante tegels met een dwarsdoorsnede van een centimeter of zeventig, die net als de stengun en de wanden zwart van ouderdom waren.
Simon pakte de zaklantaarn. 'Kijk naar de rand van die fries. Zie je daar die deuk van een centimeter of tien zitten, voordat de rand weer doorloopt? Twee scharnieren. Door de manier waarop ze zijn aangebracht zijn ze bijna onzichtbaar. Dat doet me denken aan de muziekkamer in Oaten Place.' Oaten Place in Kent was het ouderlijk huis van hun grootmoeder Childs, geboren Oaten.
'De geheime slaapkamer van de landjonker? Je hebt gelijk.' In de familie deed het verhaal de ronde dat vier generaties geleden Squire Oaten de muzieklerares van zijn kinderen had begeerd. Terwijl zijn

vrouw en kinderen de zomer in Portofino doorbrachten, had hij het clandestiene liefdesnestje laten bouwen.
Liz en Simon maakten onder de scharnieren een stapel van de banden. Zij hield de banden tegen, terwijl hij erop klom. Hij drukte tegen het hout om de scharnieren tot er een metalig klikje klonk dat hij meer voelde dan hoorde. Hij duwde omhoog. Het paneel kraakte en ging open. Rode en gele lichtbundels vielen naar binnen. Hij tilde voorzichtig zijn hoofd op.
'Wat zie je?' fluisterde ze.
'Nog niet veel. Hou die banden vast, zodat ik me kan afzetten.'
Terwijl zij de banden tegenhield, greep hij twee kanten van de opening vast en sprong omhoog. Hij was zo gespierd dat hij zich katachtig en haast moeiteloos omhoog kon hijsen.
Toen zijn voeten verdwenen, vroeg ze: 'Wat zit daar, Simon?'
Zijn smerige gezicht dook weer op bij de rand, met een brede grijns. 'Dit is geweldig. Je zult het vast prachtig vinden.'
'Dat neem ik dan maar met een korreltje zout.' Ze gaf hem hun spullen aan.
Terwijl hij haar van bovenaf met de zaklantaarn bijlichtte, legde zij de banden weer op een stapel. Opnieuw hoorde ze stemmen en voetstappen in het trappenhuis. Ze kwamen dichterbij.
Ze holde snel naar de banden toe. 'Ik kom eraan.' Ze ging op haar hurken zitten, zwaaide haar armen achteruit en sprong met gestrekte armen recht omhoog.
Simon ving haar op bij haar polsen, hield haar stevig vast en kreunde van inspanning.
Ze pakte zijn polsen vast en voelde een scheut van pijn in de wond aan haar arm. Maar ze verdrong het gevoel onmiddellijk. *Niet nu.* Heel even welden de duizeligheid en de angst voor de bodemloze diepte weer op toen ze hulpeloos bleef hangen... aan de steile rots in Santa Barbara. De inspanning stond op zijn gezicht te lezen en zijn halsaders zwollen op toen hij haar met gesloten ogen omhooghees. Het was het meest aantrekkelijke dat ze ooit had gezien. Met een plotselinge ruk trok hij haar de laatste vijftien centimeter op en sleepte haar over de rand.
Ze zakte als een zoutzak in elkaar. 'Bedankt. Dat had ik net...'
Hijgend legde hij zijn vinger op zijn mond, deed het luik weer dicht en knielde ernaast. Fel gekleurd neonlicht flitste door het raam en over zijn gezicht.
Ze ging naast hem op haar hurken zitten. Samen bleven ze luisteren. Opnieuw stemmen, dit keer vlak onder hen. Ze hield de Glock stijf tegen zich aan en wierp een blik op Simon. Ze herkende dezelfde kil-

le vrees die zij altijd voelde als ze moest wachten. Maar de stemmen verdwenen weer even snel als ze waren gekomen. Ze hoorde geen deur dichtslaan, maar dat kon ook komen omdat die te ver weg zat. Hij slaakte een opgeluchte zucht en veegde met een mouw zijn voorhoofd af, waardoor er een smerige streep op zijn gezicht achterbleef.
'Dat viel wel mee.'
'Het had erger kunnen zijn.' De adrenaline gutste als gloeiende lava door haar aderen.
Ze keken elkaar aan en gunden zich een moment van onomwonden oprechtheid.
'Shit!' riep ze uit.
Hij blies zijn wangen op en liet zijn adem weer ontsnappen. 'Verdomme, verdomme en nog eens verdomme!'
'Shit! Shit! Shit!'
'Jezus, hoe heb ik ooit in mijn hoofd kunnen halen dat ik dit werk wilde gaan doen?'
Ze zuchtten nog een paar keer en keken elkaar aan, zich onbehaaglijk bewust van de waarheid.
'We hebben een paar lange dagen achter de rug,' zei ze ten slotte.
'Dat kun je wel zeggen. En we weten nog steeds niet waar dat archief is.'
'En ook niet waar Sarah en Asher zijn.'
'Wat een verrekt vervelende toestand.'
Ze leunde achterover en sloeg haar benen over elkaar, opgelucht omdat ze zich even had kunnen laten gaan. 'Je zegt wel heel vaak *verrekt.*'
Hij liet zich naast haar op de grond vallen, strekte zijn benen, legde zijn enkels over elkaar en leunde achterover op zijn handen. 'Alleen bij dit soort gelegenheden. Jij vloekt zelf ook vaak. Maar misschien was je dat niet opgevallen.'
'Het zal wel aan de omstandigheden liggen. Ik wil iets te eten hebben, ik wil slapen en ik wil nooit meer aan dood, vernietiging en hebzucht denken.'
'Tja...' Hij grinnikte even ondeugend. 'Dan ben je hier op de juiste plaats.' Hij wees om zich heen.
Haar blik dwaalde even rond en daarna volgde haar hoofd. Spiegelpanelen tegen het plafond weerkaatsten het grote bed en de paarsfluwelen sprei. Kussentjes in de vorm van diverse geslachtsdelen lagen tegen het hoofdeinde, waarop een hobbelpaard was geschilderd dat opmerkelijk ruim bedeeld was. De wanden waren versierd met tekeningen van naakte vrouwen en mannen in diverse prikkelende houdingen. Achter een openstaande deur waren nog net een bidet en

een toilet te zien en een andere deur bleek toegang te geven tot een keukentje. De enige verlichting kwam van de felle neonreclames die door het enige grote raam naar binnen schenen.
Liz barstte in lachen uit. 'Wie had dat ooit kunnen bedenken!'
'Stel je eens voor hoe verrukt de maquis moeten zijn geweest.'
'Ik weet niet zeker of me dat wel lukt.'
Het luik bevond zich naast een overdreven grote ladekast. Ze stond op.
Hij begreep wat haar bedoeling was. 'Ik help je wel even.'
Ze zette haar heup ertegen. 'Dat hoeft niet. Vrouwen hebben al duizenden jaren meubels moeten verslepen.'
Hij zette er toch maar zijn schouder tegen en ze begonnen samen te duwen. Toen de ladekast met twee poten op het luik stond, liep Simon naar de deur om te controleren of de grendel er wel op zat en haastte zich vervolgens naar het raam, waar hij zijn rug tegen de muur ernaast drukte om uit het zicht te blijven. Zijn kin was bedekt met bruine stoppeltjes en zijn haar zat onder het stof. Zijn bruine colbertje was ronduit smerig. Plotseling moest ze zich beheersen om hem niet te vragen hoe hij zijn neus gebroken had. Maar in plaats daarvan liet ze zich op haar knieën naast de sporttas vallen en pakte er de drie grote afdrukken van de fotowand van de baron uit.
'Ik maak toch even van de gelegenheid gebruik om te werken.' Ze liep met de foto's naar het raam, waar het licht beter was en ging op de grond zitten.

35

Terwijl Simon neerkeek op de kermisachtige sfeer van Pigalle stonden vier mannen op een hoopje onder zijn raam en streken hun colbertjes glad, alsof ze zich ervan wilden overtuigen dat ze hun pistolen bij zich hadden. Twee anderen kwamen uit de garage lopen, met hun automatische geweren tegen hun zij geklemd, zodat ze minder op zouden vallen. Een vierdeurs Citroën blokkeerde de ingang van de garage. De auto deed hem denken aan de wagen die hem was gepasseerd toen hij van het château van de baron op weg was naar Chantilly.
Hij vertelde Liz wat hij zag. Ze zat in kleermakerszit de drie grote foto's te bekijken en met haar kastanjebruine hoofd aandachtig gebogen leek ze net een eerstejaars studentje.

'Heb je al iets ontdekt?' vroeg hij.
'Je gelooft gewoon je ogen niet als je ziet met wie de baron allemaal optrok. Van Maria Callas en Aristoteles Onassis tot George en Laura Bush, je kunt het zo gek niet bedenken. Feesten, boottochten, officiële gelegenheden, politieke bijeenkomsten en kroningen. Deze foto's beslaan bijna vijftig jaar en hij staat overal op. Als je nagaat hoe beroemd zijn metgezellen zijn, dan heeft hij zich volgens mij nog ingehouden. Waarschijnlijk had hij nog wel tien keer zoveel foto's kunnen ophangen.' Haar gezicht stond somber toen ze opkeek. 'En als Themis en Kronos een soortgelijke status hebben...'
'Precies. Waarschijnlijk staan zij en de chanteur ook wel ergens op die foto's. Maar op welke?'
'Dat is de hamvraag.' Ze ging weer verder met haar onderzoek, terwijl ze binnensmonds zat te mopperen.
'Malko heeft zich net bij de groep gevoegd,' rapporteerde Simon. 'Hij staat bevelen uit te delen. Ik wou dat ik kon liplezen. Ik dacht al dat ik die Citroën herkende. Nu stapt hij in en rijdt weg.'
Liz zat met haar gedachten heel ergens anders. 'Jouw vader en Grey Mellencamp waren toonaangevende politici. Als het inderdaad klopt dat jouw vader werd gechanteerd om zijn stemgedrag aan te passen, zal Grey Mellencamp waarschijnlijk om soortgelijke redenen gechanteerd zijn, aangezien hij destijds minister van Binnenlandse Zaken was. Dat houdt dus in dat het de man die het archief in zijn bezit heeft niet uitsluitend om geld te doen is. Dat wordt bevestigd door de chantage van Terrill Leaming, die werd gedwongen om in plaats van de baron de schuld op zich te nemen.'
'Hij wil iets anders. Die "overeenkomst" waar hij met de baron over zat te praten.'
Ze keek op en bestudeerde even peinzend Simons profiel, zijn krachtige kin en zijn vastbesloten mond voordat ze weer ter zake kwam. 'Jij vroeg je op een gegeven moment af of er behalve de publiciteit voor mijn nieuwe programma's nog iets anders was geweest dat deze toestand had veroorzaakt. Stel je nou eens voor dat je gelijk had? Als de chanteur nou eens heel kieskeurig te werk gaat en zijn toevlucht alleen tot chantage neemt om een van zijn projecten te laten slagen?'
'Zoals bij de baron? Natuurlijk liep die poging uit op een volslagen mislukking, net als dat het geval was bij Grey Mellencamp en bij mijn vader. Drie doden. Alleen weten we niet hoe vaak het hem wel is gelukt.'
'Precies. Als we gelijk hebben en hij is inderdaad een van de Titanen, dan zal het niet meevallen om hem een halt toe te roepen. Dan blijft

hij gewoon proberen om zijn overeenkomst erdoor te drukken.'
'Dat ben ik met je eens, maar laten we niet te ver doordraven. Het belangrijkste is dat we hier weg moeten zien te komen. Je ziet er zo smerig uit dat het lijkt alsof je languit in de modder hebt gelegen.' Toen ze hem nijdig aankeek, voegde hij er haastig aan toe: 'En ik zie er waarschijnlijk uit alsof ik drie weken lang aan de rol ben geweest. We moeten ten koste van alles voorkomen dat we de aandacht trekken. Laten we ons nou maar gaan opknappen. Daarna kunnen we alles opeten wat hier te vinden is en ervandoor gaan.' Hij liep naar de badkamer en trok de deur dicht.
'Hoe wil je hier dan wegkomen?' vroeg ze. Maar hij gaf geen antwoord.
Toen ze water in de badkamer hoorde stromen, stond Liz op en liep naar het raam. Een bestelwagen met de firmanaam van een bloemist was achteruit de oprit ingedraaid zodat die volkomen werd geblokkeerd en acht mannen sprongen uit de zijdeur. Ze voelde haar maag krimpen. Er waren versterkingen gearriveerd. Twee stel kerels begonnen door de straat te patrouilleren, terwijl een ander koppel de garage in holde en het vierde duo naar de overkant liep. Ze keek rond. Ze wist maar al te goed dat Simon en zij de prooi waren waar een heel peloton gewapende jagers achteraan zat. En die kerels gaven ook nog eens de indruk dat ze goed getraind, gedisciplineerd en vastbesloten waren.
Tegelijkertijd ging het luidruchtige leven op straat gewoon verder, waardoor de moordenaars in de massa konden opgaan. Een eindje verder, op de hoek, deed een pantomimespeler met een wit gezicht net alsof hij een opdraaibaar tinnen soldaatje was, terwijl een andere, met een grote rode neus, vakkundig stond te jongleren met vier uit de kluiten gewassen dildo's die allemaal verschillende felle kleuren hadden. Er stond een kring lachende mensen omheen.
Maar wat haar aandacht vasthield, waren de witte gezichten van de pantomimespelers. Die deden haar terugdenken aan de tijd waarin ze onderhandelde over de overgave van de Carnivoor en vermomd als een boerenvrouw – in Avignon – luidkeels haar spullen had aangeprezen. Toen een reizend circus een optocht hield, had ze zich bij de toeschouwers aangesloten om naar de clowns te kijken die allerlei acrobatische toeren uithaalden en regelmatig bleven staan om iemand uit het publiek op overdreven manier de hand te schudden. Opgewonden had ze zich met haar fiets dichterbij gewaagd en had in haar handen geklapt. De fiets was een eigen leven gaan leiden en botste tegen een clown met een wit gezicht, die een mal matrozenpakje aan had. De herinnering maakte haar aan het lachen. Maar de

glimlach veranderde vrijwel meteen in een treurige blik.
Voor dat soort dingen had ze nu geen tijd.
Toen ze in een kast keek, vond ze een dunne broek die een tikje aan de grote kant was, een pullover waarvoor hetzelfde gold en een jasje dat wel redelijk paste. Alles was zwart... maar dat kwam goed uit omdat het toch nacht was. Ze kleedde zich snel om en vroeg zich af wie hun gastvrouw zou zijn. Ze doorzocht het bureau tot ze het antwoord vond. Hoofdschuddend en met een wrang glimlachje ging ze weer met de drie grote foto's op de grond zitten. Met de gele marker uit haar tas omcirkelde ze de drie foto's van de baron met Grey Mellencamp. Een ervan was in de afgelopen tien jaar gemaakt, de tweede zag eruit alsof hij een jaar of twintig oud was en de derde was kennelijk zelfs van nog langer geleden. Ze bleef peinzend naar de laatste foto staren.
Toen Simon weer opdook met een fris gezicht en schone handen, zijn colbertje over de arm, zei ze: 'Ik wil je iets vragen.'
'Kom maar op.' Hij gooide het colbertje op het bed en liep naar de keuken. 'Praat maar door. Ik kan je hier ook verstaan.'
'Kun je je onze jeugd in Childs Hall nog herinneren?'
Als haar vader en moeder op 'zakenreis' waren, had ze altijd in Childs Hall in Belgravia gelogeerd, waar Simon samen met hun grootouders, zijn ouders en zijn stiefbroer Michael – Mick – in een soort luxueuze familieresidentie had gewoond. Nu hun grootouders en Simons ouders dood waren, woonde alleen Mick daar nog met zijn gezin.
'Hoe zou ik die ooit kunnen vergeten? Die monstrueuze eettafel staat er nog steeds. Ze kunnen het kreng net zo goed aan de grond vastlijmen, want dat joekel krijgen ze nooit door de deur.'
'En hoe zit het met die eucalyptushoutblokken die opa altijd uit Noord-Afrika importeerde?'
'Iedere september worden er nog steeds een paar vadem afgeleverd. Mick houdt van tradities. Herinner je je de speelkamer boven nog?'
'Hoe zou ik die ooit kunnen vergeten?'
'Jouw poppen zijn er nog steeds. Barbie en de rest van het zootje. Ze zitten in je kast alsof je morgen weer komt opdagen om Mick en mij te pesten. Voor je het weet staan de knullen weer in de rij om stiekem door je ramen naar binnen te gluren.'
'Dat hebben ze toch niet gedaan?'
'Jawel, hoor.' Hij kwam de keuken uit met een lang stuk stokbrood belegd met gele kaas en een glas rode wijn, die hij allebei aan haar gaf. 'Ik heb ze aardig wat zakgeld gekost. "Hier jochie, en maak nou dat je weg komt." Maar mijn favoriete tekst was: "Heb je haar

naakt gezien?"' Hij grinnikte. 'Ik heb mijn jeugd voor jou opgeofferd.'
'Hing je daarom steeds voor mijn deur rond? In de hoop dat je zou zien dat ik me uitkleedde?' Ze nam een hapje van het stokbrood.
'Ik was een ondernemer geworden. Ik had mijn verantwoordelijkheden.'
'Je was hard op weg om een pooier te worden... of een spion.' Ze moest onwillekeurig lachen. 'We hebben veel plezier gehad. Dat was een leuke tijd.'
Ze zwegen even, keken elkaar aan en toen vroeg Simon rustig: 'Waarom moet je daar nu ineens aan denken?' Hij liep terug naar de keuken.
'Dat zal ik je zo vertellen.' Ze keek nadenkend naar de foto. 'Als we gelijk hebben en de chanteur probeert een project van de grond te krijgen dat niet alleen belangrijk is maar ook dringend, dan vormde de baron daar waarschijnlijk een onderdeel van. Misschien is er ook nog een ander bedrijf bij betrokken, of een instelling, of een hele zooi. Misschien gaat het niet alleen om kapitaal, maar om overheidsbepalingen waar ze zich aan moeten houden, of het formeren van dochterondernemingen, weet ik veel.'
'Je zit te denken dat eerdere gebeurtenissen misschien ook al onderdeel vormden van dat "project".'
'Ja, andere chantagepogingen die mislukt zijn. Dat zou dan gaan om iemand die ergens voor of tegen kon stemmen, of die toestemming kon geven voor een bepaald project of een bepaalde aanpak, of een besluit kon nemen waarbij de hele onderneming stond of viel. Maar hij of zij is gestorven, of heeft onverwacht ontslag genomen, of zelfmoord gepleegd, of gestemd op een manier die nergens op sloeg en die je nooit van hem of haar zou hebben verwacht.' Ze nam een slokje wijn – lekkere *vin ordinaire* – en maakte daarna korte metten met de rest van het brood.
'Wat wil je nu suggereren?' Hij kwam de keuken uit met zijn eigen brood en wijn en ging weer naast het raam staan.
Ze veegde haar vingers af, sloeg de rest van haar wijn achterover en kwam naast hem staan met de opname waarop de oudste foto's stonden. 'Herken je een van die mannen?'
Hij keek erop neer. 'Wanneer is die genomen?' Hij nam een hap brood.
'Daarmee verraad je hoe jong je nog bent. Ik denk zo rond 1960, ongeveer in de tijd dat ik geboren ben. Ik moet toegeven dat ik het trio ook niet meteen herkende.'
Simon bestudeerde de foto. 'Nou, dat is de baron met Grey Mellen-

camp en… Verdomme! Dat is oom Henry.' Simon stopte het laatste hapje brood met kaas in zijn mond.
'Dat dacht ik ook.' Henry, Lord Percy, was de mentor van Sir Robert geweest. Hij was geen echte oom van Simon of van haar, maar een geliefde, grootvaderachtige figuur die vaak de kerst bij de familie Childs in Londen had doorgebracht. Op zijn beurt nodigde hij de hele familie regelmatig uit op zijn landgoed in Northumberland, waar ze 's winters konden schaatsen en 's zomers boottochtjes konden maken. Omdat er ook een kinderboerderij bijhoorde en een uitgestrekt grondgebied waar je speurtochten kon houden, paard kon rijden en kon picknicken, waren alle kinderen altijd opgewonden als ze bij oom Henry mochten gaan logeren.
'Eigenlijk hoor ik daar niet van op te kijken,' zei Simon. 'Henry bewoog zich altijd in de hoogste kringen.'
'Misschien zelfs nog hoger dan wij ooit vermoed hebben. Leeft hij nog?'
'Ja, maar hij moet nu dik in de negentig zijn.'
'Zijn landgoed ligt hooguit een kilometer of driehonderd van Dreftbury, dus dat komt goed uit. Voor zover ik me kan herinneren, las hij drie kranten per dag en kocht hij elk actueel tijdschrift dat hij in handen kon krijgen.'
Simon knikte. 'Hij hield altijd zijn vinger op de politieke pols. En bovendien kende hij iedereen.'
'De kans bestaat dat hij ons kan helpen om erachter te komen wat die chanteur werkelijk wil.'
'Ja. Maar misschien is hij niet thuis. En als dat wel het geval is, dan is zijn geheugen misschien niet meer wat het geweest is.'
'Bel maar op. Als Clive opneemt, dan weten we dat Henry thuis is. Weet je het nummer nog uit je hoofd?'
'Ja, natuurlijk. Dat staat in mijn hersens gegrift.' Simon pakte zijn mobiele telefoon. 'Ik zal niets zeggen, om hen niet te laten schrikken. Wat de rest betreft, moeten we maar op ons geluk vertrouwen.'
Terwijl hij het nummer intoetste, bleef zij naar de straat kijken en probeerde een manier te bedenken om te ontsnappen.
Simon verbrak abrupt de verbinding en trok een gezicht. 'Arme Clive. Ik heb hem wakker gebeld. En hij klonk behoorlijk nijdig ook.'
'Mooi zo. Dus Clive is niet veranderd. Met een beetje geluk geldt hetzelfde voor Henry. Maar we hebben nog steeds het probleem dat we hier heelhuids vandaan moeten zien te komen. Kunnen we niet door de garage?'
'Nee, tenzij je het wilt opnemen tegen drie zwaarbewapende gorilla's. Af en toe zie ik een sliertje sigarettenrook naar buiten komen,

dus ik weet zeker dat ze er nog steeds staan. We zitten vast. Tenzij je natuurlijk ineens de neiging voelt om je schietend een uitweg te banen.'

Haar maag kromp samen. 'Dat doen we maar een andere keer. En het is ook veel beter om er stilletjes vandoor te gaan, zodat we onderweg naar Henry niet in de problemen raken.'

'Dat wordt moeilijk, want we zitten hier zo vast als een huis.' Hij verstarde en tuurde behoedzaam naar buiten. Zijn lichaam was gespannen.

Ze keek naar beneden. Twee mannen zeulden het slappe lichaam van een man de garage uit. Iemand had een jas over het gezicht en het bovenlichaam gegooid, maar ze herkende de keurig geperste uniformbroek van de parkeerwacht. Toen het stel haastig naar een Toyota liep, gleed het jasje op de grond, waardoor het gezicht en een bloedende buikwond zichtbaar werden.

'Dood,' merkte Simon overbodig op. Zijn stem klonk zwak.

Een van de gewapende mannen pakte het jasje op en legde het weer over het lijk. Ze zetten het op de voorstoel van de Toyota en gingen aan weerskanten zitten, zodat ze het tussen zich in overeind konden houden. Ze trokken de portieren dicht.

'Ik weet het!' Simon pakte zijn mobiele telefoon en toetste opnieuw een nummer in. 'Daarom moet je altijd een oogje in het zeil blijven houden. De omstandigheden kunnen altijd veranderen.'

Ze bleef naar de straat kijken. 'Wat weet je? Welke omstandigheden?'

Simon legde zijn vinger op zijn lippen. Hij begon in zenuwachtig Frans in zijn telefoon te schreeuwen, met een stem waar de angst en de bezorgdheid van afdropen. '*Mon Dieu!* Terroristen! Er wordt geschoten!'

In Pigalle wilde de politie bedenkelijke ondernemingen weleens door de vingers zien, maar dat gold niet voor een vermoorde man en zeker niet als er volgens een burger terroristen in het spel waren. Simon beschreef de Toyota en de bestelwagen van de bloemenzaak. Liz holde naar de kast en pakte een zwarte spijkerbroek, een T-shirt en een jasje. Met een beetje geluk zouden ze binnen een paar minuten kunnen ontsnappen.

Zodra hij had opgehangen, gooide ze hem de kleren toe. 'Klasse! Ga je maar gauw verkleden.' Ze deed de fotomap weer in zijn sporttas en stopte de uzi ernaast, zodat er niets meer van te zien was. Ze mochten niet in de fuik van de politie lopen.

Zijn gezicht was rood van opwinding, maar hij schudde zijn hoofd. 'Onze gastvrouw heeft vast niets wat mij past.'

'Ik heb een verrassing voor je.' Ze liep naar het bureau, trok een la open en gaf hem een stel ingelijste foto's, waarvan de lijstjes met een scharniertje aan elkaar vastzaten. 'Die vond ik toen ik op zoek was naar iets om aan te trekken.' De een was van een man in een net pak, compleet met stropdas, en de ander van een vrouw in een lange jurk. De man was knap, de vrouw adembenemend.
'Kom op, Sherlock,' zei ze. 'Vertel me maar wat je ziet.'
'Weet je het zeker?'
'Nou en of. Ik heb kleren gevonden die het bewijzen: mannen- en vrouwenkleren. Allemaal in dezelfde maat. Voel je je nou geen idioot?'
Hij bestudeerde de foto's: dezelfde smalle, rechte neus, platte jukbeenderen en een kin met een kloofje. 'Het zouden ook broer en zus kunnen zijn,' suggereerde hij.
Ze brulde van het lachen. 'Hij is een zij. Of zij is een hij. Over seksisme gesproken. We hebben ons dit zelf aangedaan. Heeft mijn vader je weleens verteld wat het woord "veronderstellen" inhoudt?'
Hij schopte zijn schoenen uit. 'Nee, maar ik heb zo'n idee dat jij die schade nu gaat inhalen.'
Terwijl hij zijn broek uittrok, schreef zij het woord in het stof op de vensterbank. 'Hij deelde het in drieën op: ver-onder-stellen, en zei altijd: "Veronderstel nooit iets. Want dan *stel* je je *ver onder* iets.'
'Oom Hal was een figuur apart.' Hij trok zijn overhemd uit.
Ze draaide zich om. De lange benen en de brede, forse borst waar ze een glimp van had opgevangen bleven even door haar hoofd spelen. In de verte klonk het gejank van sirenes. Terwijl hij zich verkleedde, luisterde hij ernaar. Hij wist nog niet zeker of ze wel op weg waren naar de garage.
Ze keek naar de pantomimespelers op de hoek en moest opnieuw aan het Cirque des Astres denken. Haar ouders hadden het reizende circus af en toe als dekmantel gebruikt, zoals destijds in Avignon. Op de aanplakbiljetten in de buurt van het hotel had gestaan dat het *cirque* deze week was neergestreken op het vliegveld Le Bourget, op de grens van Seine-St. Denis. Het was een afstand die te doen viel... als ze tenminste uit Pigalle weg konden komen. Maar nu hadden ze in ieder geval een kans.
Terwijl Simon zijn sporttas oppakte en haastig naar de deur liep, vertelde ze hem over het circus en zei dat de kans bestond dat Gary Faust, de eigenaar, hen naar Northumberland zou willen vliegen. Hij was bijzonder gehecht geweest aan haar moeder.
'Dat lijkt me een prima idee,' zei hij, hoewel er een gespannen trekje om zijn ogen en zijn mond lag. Hij trok de grendel open en tuurde de gang in.

Ze hing haar tas over haar schouder en pakte zijn telefoon. 'Ik bel wel even met inlichtingen om het nummer op te vragen. Kom op, dan gaan we naar beneden!' Terwijl ze de trap afliepen, toetste ze het nummer in.

36

Londen, Engeland

In het duister van de nacht arriveerden met een tussenpauze van een kwartier drie glanzende zwarte limousines bij een statig, achttiende-eeuws huis in de buurt van Berkeley Square. Ze leverden stuk voor stuk één passagier af en gleden geruisloos weg, terwijl de inzittenden door Beebee, de bediende van Kronos, werden opgevangen en naar de rookkamer gebracht, waar de vensters – voorzien van ruiten met geslepen randen – aan de kant van de rozentuin openstonden en de brokaten gordijnen heen en weer bewogen in een zacht briesje.

De kamer, waar de geur van dure havannasigaren hing, had rondom een uit de achttiende eeuw stammende mahoniehouten lambrisering, die oorspronkelijk bij het huis hoorde. Zodra de laatste man binnen was, vertrok Beebee en sloot de deur geluidloos achter zich. Kronos, Sir Anthony Brookshire, was blij dat hij thuis was. Hij stond bij de bar en schonk whisky in, omringd door zijn oude leren fauteuils en de trofeeën van zijn voorouders. Hier voelde hij zich op zijn gemak, voor zover zijn ongerustheid over de persoon die het archief van de Carnivoor in zijn bezit had en de mogelijke dreiging die dat voor de Spiraal inhield, dat toelieten.

Eerder op de avond, toen hij samen met Themis thuis was gekomen, had hij het aan de jongere man, die zich meteen van zijn colbert en zijn stropdas had ontdaan, overgelaten om zelf een sigaar op te steken en was naar boven gegaan om zijn favoriete vest en zijn leren slippers aan te trekken. Vanavond droeg iedereen vrijetijdskleding. Ze waren onder elkaar en dan was het belangrijk dat ze zich konden ontspannen. Dat was een onderdeel van de lange traditie van de Spiraal.

Terwijl hij zich omkleedde, wierp hij een blik op zijn vrouw, Agnes, die opgekruld met een van haar tuinboeken in hun bed lag en al half sliep. Hij voelde een lichte nostalgie toen hij naar haar slaperige gezicht keek, met de rimpeltjes van ouderdom die hij in de loop der jaren steeds dieper had zien worden. Nostalgie en een vleugje triest-

heid. Hij werd oud. Welke erfenis zou hij achterlaten? Zou hij de herinnering ingaan als de man die niet in staat was geweest de Spiraal en de wereld die hij kende te behoeden voor de destructieve gevolgen van het archief van de Carnivoor?
Toen hij weer beneden kwam, waren Prometheus en Oceanus inmiddels ook gearriveerd en stonden bij de bar. Atlas was naast Themis gaan zitten, op hun gewone plaats in de stoelen rechts naast de open haard. Ze hadden het allemaal over de laatste energiecrisis.
'De olieprijzen zijn belachelijk hoog. Meer dan vierendertig dollar per vat,' mopperde Atlas – Gregory Gilmartin – in het Engels, de taal waarvan ze zich volgens afspraak altijd bedienden als ze bij elkaar kwamen. 'Vandaar dat de energieprijzen de pan uit rijzen, benzinestations gesloten worden en de consumenten zich de keel schor schreeuwen. Die klootzakken van de OPEC spekken hun eigen beurzen weer, als compensatie voor alle ellende die ze zelf in het Midden-Oosten veroorzaken.'
De lange en pezige Gilmartin zat gebogen over zijn drankje terwijl de somberheid van zijn gemelijke gezicht afdroop. Zijn vader, die niet alleen als ingenieur maar ook als politicus nieuwe wegen was ingeslagen, had van Gilmartin Enterprises een wereldmacht gemaakt door zijn mensen hoge regeringsfuncties te bezorgen. Een onderdirecteur van Gilmartin was in Amerika minister van Binnenlandse Zaken geworden. Een andere onderdirecteur, met Londen als standplaats, had ontslag genomen om penningmeester van de Conservatieve Partij te worden. Soortgelijke infiltraties hadden ook in andere hoofdsteden plaatsgevonden. Acht jaar geleden, toen zijn vader was overleden en hij het beheer over de strak geleide multinational op zich had genomen, was Greg uitverkoren om de plaats van zijn vader in de Spiraal over te nemen.
Sir Anthony pakte zijn cognacglas op en nam plaats in het midden van de halve cirkel. Prometheus en Oceanus zaten links van hem. Niemand zei iets over de lege, zesde stoel – die van Hyperion – die ook aan die kant stond. Het was symbolisch dat die tijdens de eerste bijeenkomst na een sterfgeval ten teken van respect onbezet bleef. Voordat de volgende vergadering plaatsvond, zou de stoel tegen de muur worden gezet, zodat hij niet in de weg stond, en pas weer in gebruik worden genomen als er een nieuwe Hyperion was gekozen. Sir Anthony verwachtte dat het Alexandre de Darmond zou worden, zoals Themis al had gesuggereerd. Niemand wilde de illustere naam van De Darmond en het enorme bankiersimperium kwijtraken.
Hij leunde achterover, met het gezicht naar het kleine, gezellige vuur dat was aangestoken om de aangename sfeer van de kamer te bena-

drukken, hoewel dat vanavond lang niet gemakkelijk was. Hij kon de spanning op hun gezichten zien en die werd niet alleen veroorzaakt door de groeiende problemen waarmee de speurtocht naar het archief gepaard ging. Hij pakte een Cohiba uit de doos op het tafeltje naast hem, rolde de sigaar tussen zijn vingers, knipte het puntje eraf en stak hem op.

In de decennia sinds het ontstaan van de Spiraal, was er nooit iemand geweest die uit de groep was gezet of die zelf had willen vertrekken. Ze waren er trots op dat hun selectieprocedure daarvoor altijd veel te zorgvuldig was geweest. De geheimhouding van de Spiraal was elementair, van even groot levensbelang als zuurstof, en niets kon of mocht dat in gevaar brengen. Dat was wat Sir Anthony vanavond voornamelijk bezighield, want een van de mannen in deze kamer was inderdáád ten onrechte uitverkoren en moest geëlimineerd worden.

Terwijl ze zaten te praten dwaalde zijn blik van het ene vertrouwde gezicht naar het andere. Wie van hen?

Greg Gilmartin vervolgde zijn litanie. 'Kijk naar wat er in Californië is gebeurd. De ene energiestoring na de andere. Ziekenhuizen waar met behulp van generatoren operaties plaatsvinden. Om nog maar te zwijgen van de klap die de staatseconomie daarvan heeft gekregen.' Hij zwaaide met zijn sigaar alsof het een wapen was. 'Veel van de armste mensen werden gedwongen om te kiezen tussen het kopen van voedsel of het betalen van hun energierekeningen. Komen ze om van de honger of van de kou? Dat soort keuzes zou de mensen bespaard moeten worden. Vind je ook niet, Richmond?'

Richmond Hornish – Prometheus – was de spil waarom InQuox en nog een paar andere investeringsbedrijven draaiden. Bij elkaar opgeteld ging er bij de groep in een doorsnee jaar gemiddeld 500 miljoen dollar per dag om. Hij was een van de succesvolste financiële speculanten aller tijden en de officier van justitie van New York had net een proces tegen hem aangespannen. Sir Anthony vond de naïviteit van de OVJ nogal amusant. Volgend jaar zouden er verkiezingen plaatsvinden. Waar wilde die sufferd het kapitaal vandaanhalen om zijn campagne te financieren als hij een man die zo licht ontvlambaar was en zoveel invloed had als Hornish tegen zich in het harnas joeg?

Hornish wendde zijn door de zon gelooide gezicht naar Gilmartin. Hij was zelden ontspannen, zijn compacte, atletische lijf was strak als altijd. 'De aandelen in olie zijn geen knip voor de neus meer waard.' In zijn stem klonk het rauwe accent van New York door. 'Ik verwacht dat de inkoopprijzen nog zeker tot de eerste januari zo hoog blijven.' Hij wachtte even voordat hij met het slechte nieuws kwam.

'En zelfs als de prijs voor ruwe olie tot rust komt, moeten we er toch rekening mee houden dat de wereldeconomie daarna nog verder instort.'
Het was een sombere voorspelling, ook al had hij op neutrale toon gesproken. De andere vier mannen keken elkaar snel aan. Ze zouden die informatie onmiddellijk doorgeven aan hun financiële mensen, die dan meteen pas op de plaats konden gaan maken om hun belangen te beschermen en hun voordeel te doen met eventuele veranderingen in de markt.
Het grijzende blonde haar van Themis had een haast gouden glans in het zachte lamplicht, maar zijn gezicht stond geërgerd. 'Atlas heeft gelijk. We moeten meer aandacht schenken aan energie en nutsbedrijven. De olieprijs is altijd instabiel geweest. Fossiele brandstoffen zullen uitgeput raken. Op de lange termijn zullen we toch na moeten gaan denken over stabiele, betrouwbare en schone energiebronnen... en niet alleen voor auto's, vrachtauto's en schepen. Elektriciteit is de levensader van de industrie.' Themis – Nicholas Inglethorpe – was het jongste en onstuimigste lid van de Spiraal.
Oceanus – Christian Menchen – schraapte zijn keel en scheen zijn sigaar te bestuderen. 'De voorraad fossiele brandstoffen is in tegenstelling tot alle overtrokken berichtgeving nog lang niet uitgeput en ook de schadelijke invloed die ze zogenaamd op de gezondheid en het milieu hebben is schromelijk overdreven. Ik ben er zelf van overtuigd dat mijn kleinkinderen nog steeds gebruik zullen maken van de verbrandingsmotor en door fossiele brandstoffen aangedreven krachtinstallaties.'
Met zijn dikke zwarte haar, zijn prominente jukbeenderen, zijn Pruisische neus en zijn trotse houding zag Menchen eruit als een overblijfsel uit de vorige eeuw. Iedereen wist dat zijn bedrijf, Eisner-Moulton, moest inkrimpen en dat hij tot op zekere hoogte in moeilijkheden zat. Zelfs wonderkinderen struikelen weleens. Maar het enorme automobielkoninkrijk dat Christian Menchen in het leven had geroepen was gezond. Bovendien had hij de sluwheid van een geboren rekenaar. Hij zou de problemen zonder al te veel moeite overleven en hij was een gewaardeerd lid van hun gezelschap.
Gilmartin sloeg zijn benen over elkaar en leunde met een grimmig gezicht achterover. 'Jij bouwt sportauto's en schoolbussen, Christian. Je weet geen bal van energie, behalve wat je leest in de inleidingen van al die saaie verhalen die ergens achterin weggestopt worden in die vrachtwagenbladen van je. Je bent alleen bang dat je de benzinemotor zult moeten opgeven.'
Menchen verstijfde. 'Jij denkt alleen aan je eigen belangen, Greg.

Maar dat is niet het doel van de Spiraal. Als iets op de lange duur niet goed is voor de wereld, dan schieten jij en jouw mensen er ook geen barst mee op.'

'Zo is het wel genoeg, heren.' De stem van Sir Anthony klonk zo scherp dat ze hem verbaasd aankeken.

De Spiraal was gebaseerd op een visie die ze allemaal deelden: dat zes mannen aan de top van de machtselite van de wereld unieke kansen en verantwoordelijkheden hadden. Dat zij vanuit hun verheven positie, waar met een druk op de knop onmetelijke rijkdom en invloed verkregen werden, de wereld de weg konden wijzen naar vrede en voorspoed. Kapitalisme vol mededogen. Een industrie die zich van haar verantwoordelijkheid bewust was. Een brede kijk op heden en verleden, in plaats van bekrompen zelfbelang. Politici kwamen en gingen als vluchtige schaduwen op het gezicht van de beschaving, maar de groten in de zaken- en bankierswereld drukten er hun stempel op.

De juiste zes mannen zouden de aanzet kunnen geven voor blijvende veranderingen waarvan de wereld zoals zij die zagen de vruchten kon plukken en ondertussen konden ze zichzelf en hun eigen vermogens zuinig beheren. Die filosofie onderscheidde hen van Nautilus, waarvan ze allemaal deel uitmaakten en waar ze elkaar hadden leren kennen voordat ze uiteindelijk aan het eind van de jaren vijftig hun clandestiene groepering oprichtten. Ze hadden een intens verlangen om meer te doen dan Nautilus, dat veel te vaak alleen maar dacht aan kapitaalvorming en hun bezorgdheid om het lot van de mensheid alleen met de mond beleed.

Discussie binnen de Spiraal was toegestaan en werd zelfs noodzakelijk geacht. Persoonlijke onenigheid niet. En Brookshire had deze vergadering belegd met een specifiek doel voor ogen.

Zijn stem klonk somber. 'Mijne heren, volgens mij is het hoog tijd dat we zowel de moord op onze geachte collega, baron Claude de Darmond, als onze speurtocht naar het archief van de Carnivoor gaan bespreken.' Hij vatte de gebeurtenissen tot dusver kort samen: de moorden, de verdwijning van Liz Sansborough en Simon Childs, de ontvoering van Sarah Walker en Asher Flores door onbekende personen en hun nog steeds vruchteloze pogingen om het archief van de huurmoordenaar te vinden.

'Duchesne had Sansborough in dat pakhuis bijna te pakken,' vertelde hij hun. 'Hij heeft nu zijn hele netwerk ingeschakeld om haar te vinden. Simon Childs heeft zich bij haar gevoegd. We gaan nog steeds uit van de veronderstelling dat zij onze beste kans is om de dossiers van haar vader te vinden.'

Iedereen hoorde het hoofdschuddend aan en de teleurstelling, en wellicht een gevoel van schuld, was bijna tastbaar.
'Denk je dat de dood van Hyperion verband houdt met het archief?' vroeg Gilmartin.
'Daar is geen echt bewijs voor,' zei Brookshire langzaam, 'maar dat vroeg ik mij ook meteen af toen ik het nieuws hoorde en het lijkt me een logische conclusie.' Aangezien de moordenaar een van de leden van de Spiraal was, had hij alleen aan Duchesne verteld dat de baron had opgebeld met de mededeling dat hij hem waarschijnlijk de naam van de moordenaar zou kunnen doorgeven.
Christian Menchen fronste. 'Het heeft mij nooit gezind. Ik heb me al zorgen gemaakt vanaf het moment dat we Liz Sansborough in Santa Barbara hebben geïnstalleerd. In zekere zin hebben we haar de kans niet gegeven haar eigen leven te leiden.'
'Of haar juist het leven gegeven waarnaar ze verlangde,' zei Themis. 'We hebben haar een prestigieuze baan bezorgd, plus een volkomen nieuwe carrière die haar kennelijk uitstekend bevalt. De persoon die het archief heeft, had haar waarschijnlijk vermoord als ze niet verstopt had gezeten op de universiteit.'
'Maar het was niet háár leven. Ze heeft er niet zélf voor gekozen.'
'Iedereen moet zich naar de omstandigheden schikken.'
'Maar kijk eens naar al die moorden die sindsdien zijn gepleegd,' zei Menchen ernstig. 'Dat zijn de gevolgen als iemand voor God gaat spelen. We bevinden ons op een hellend vlak... geplaveid met goede voornemens, zoals het gezegde luidt.'
'We konden niet anders,' zei Hornish vastberaden. 'Het archief is gevaarlijk. We hebben gezien hoeveel macht ervan uitgaat. Er moet met respect mee omgesprongen worden. Daarom moeten wíj het ook in ons bezit hebben.'
'Dat klinkt ronduit machiavellistisch,' concludeerde Gilmartin. 'Misschien is het beter als niemand het in bezit heeft. Het kan ook gewoon vernietigd worden.'
'Hoe het ook zij, we moeten het eerst vinden voordat we het kunnen vernietigen, of in ons bezit houden, of in een of ander diep gat begraven,' zei Brookshire geïrriteerd. 'Dat zullen we wel beslissen zodra we het in handen hebben. En wat Sansborough betreft, het is te laat om haar verleden te veranderen. We moeten nu eerst alles in het werk stellen om de toestand weer onder controle te krijgen.'
'Hoe denk je dat voor elkaar te krijgen?' informeerde Gilmartin. 'We weten verdorie niet eens waar ze allemaal uithangen. Hoe goed is die nieuwe man van je trouwens, Tony? Die César Duchesne?'
'Hij werd door Peter d'Crispi aanbevolen voor die baan toen Peter

met pensioen ging. Nadat die arme Peter bij dat ongeluk met zijn boot in de Pyreneeën gewond was geraakt, moesten we meteen iemand anders hebben. Ik heb zijn raad opgevolgd en Duchesne gekozen.'
Gilmartin schudde zijn hoofd. 'Omdat we vertrouwen hadden in D'Crispi hoeft dat nog niet te betekenen dat Duchesne van hetzelfde niveau is.'
Terwijl de discussie werd voortgezet, stak Sir Anthony zijn tweede sigaar op. De rook kringelde omhoog, maar na een tijdje werd de robuuste smaak bitter in zijn mond. Hij legde de sigaar in de asbak en ging ongeduldig zitten wachten. Toen ze ten slotte weer bij het beginpunt waren aanbeland – treurend over de manier waarop hun aanpak zich tegen hen had gekeerd, zonder te weten hoe ze het anders hadden moeten oplossen – nam hij het heft weer in handen. 'Dus we zijn het erover eens dat we onze speurtocht naar het archief op dezelfde manier moeten voortzetten?'
Hij keek ze een voor een aan. Wie zou een gebrek aan enthousiasme tonen en Sansboroughs pogingen de grond in boren met vage loftuitingen?
Inglethorpe ontplofte bijna. 'Verdomme, dat hebben we allang besloten! Waarom zouden we daar nog meer tijd aan verspillen? De enige vraag is: wat doen we ermee als we het in handen hebben?'
'Het archief is zo gevaarlijk dat niemand anders het in bezit mag hebben,' herhaalde Hornish.
'Dat ben ik met je eens,' beaamde Sir Anthony, voordat hij de lont in het kruitvat stak. 'Maar volgens mij, heren, moeten we onder ogen zien dat er een groter gevaar is dan het archief of onze chanteur. Een gevaar dat de Spiraal zelf bedreigt.'
Het bleef volkomen stil, maar Sir Anthony wist dat ze allemaal in hun achterhoofd aan hetzelfde dachten. Want nu ze geen enkele zeggenschap meer hadden over Sansborough en Simon Childs, terwijl Walker en Flores zich waarschijnlijk in handen van de chanteur bevonden, stond de toekomst van de Spiraal zelf op het spel, met alles wat het genootschap voor hen en hun plannen voor de toekomst van de wereld betekende. Dat wil zeggen, met uitzondering van die ene persoon die zich daar niet druk over maakte.
De Spiraal was niet opgericht voor destructieve doeleinden. Integendeel. Een van de eerste leden – Sir Anthony's eigen vader – was zelfs in hoge mate betrokken geweest bij de wederopbouw van Moskou door Nikita Chroesjtsjov. Tijdens de Cubaanse crisis in 1962 nam hij op eigen houtje het initiatief om als adviseur van Chroesjtsjov op te treden en was later zelfs het brein achter de brief waarin Was-

hington een compromis werd aangeboden. Diezelfde brief zou er uiteindelijk toe leiden dat de sovjets hun raketbases ontmantelden en zich terugtrokken, waardoor een nucleaire oorlog voorkomen werd. Het jaar daarvoor had een Amerikaans lid van de Spiraal ook al een belangrijke bijdrage geleverd door de aanzet te geven tot de oprichting van het Peace Corps. En aan het eind van de jaren zeventig hadden de drie Europese leden geholpen de democratie in het fascistische Spanje op poten te zetten door de wetgevers in Madrid om te kopen en over te halen politieke partijen die voorheen verboden waren bestaansrecht te geven.

De Spiraal bevond zich inderdaad op een hellend vlak, maar Brookshire zag geen enkele uitweg. De Spiraal moest blijven bestaan – onbekend, in het geheim en zonder aan kracht in te boeten. Het archief moest gevonden worden, maar niet ten koste van het bestaan van de Spiraal. Hij, Kronos, wist wat hun te doen stond. Als leider had hij nu eenmaal de taak dit soort onmogelijke keuzes te maken.

Zijn stem klonk kalm terwijl hij oplettend naar hun gezichten keek om hun reacties te peilen. 'De veiligheid van de Spiraal is van groter belang dan het archief van de Carnivoor. We zullen dat archief heus wel vinden zodat we de chanteur een halt toe kunnen roepen, maar niet nu en niet door middel van Sansborough en Childs. Zij weten dat iemand hen op de een of andere manier heeft gemanipuleerd, anders zouden ze zich niet zo gedragen. Als ze in leven blijven, zullen ze hun uiterste best doen om het archief uit onze handen te houden, en daar zal het niet bij blijven. Ze hebben allebei belangrijke connecties en kunnen ons ontzettend veel moeilijkheden bezorgen, niet in het minst door het bestaan van de Spiraal aan het licht te brengen en ons te vernietigen. Ik zie geen andere mogelijkheid: Sansborough en Childs moeten geëlimineerd worden. In dat geval zullen Walker en Flores ook geen enkel nut meer hebben voor de chanteur.'

Het was doodstil geworden, maar Kronos voelde instinctief dat ze opgelucht waren. Iedereen had zich zorgen gemaakt, met uitzondering van die ene persoon.

Ten slotte slaakte Richmond Hornish een diepe zucht. 'Walker en Flores zijn waarschijnlijk allang dood.'

Kronos vroeg zich af of hij dat zeker zou weten.

'Slachtoffers zijn af en toe niet te vermijden,' zei Inglethorpe zonder omhaal. 'Soms moet je van twee kwaden het minste kiezen.'

Was Themis de eerste die ja zei? Omdat hij niet kon wachten tot de jacht op het archief gestaakt werd?

'Ze zijn allebei in een bepaald opzicht gevaarlijk voor ons,' voegde Gilmartin eraan toe.

Menchen was de enige die zijn mond niet opendeed. Hij wierp alleen een onzekere blik op Sir Anthony en wendde toen haastig zijn ogen af. *Wilde hij geen stem uitbrengen omdat hij de chanteur was?*
'Dus we zijn het erover eens?' vroeg Kronos. 'In dat geval zal ik Duchesne de opdracht geven Sansborough en Childs direct te elimineren zodra hij hen vindt.'
Hornish knikte kort. 'Het is hoog tijd dat we ons bij ons verlies neerleggen en verdergaan.'
'Prometheus heeft voorgestemd,' zei Kronos. Hij keek Gilmartin aan. 'Atlas?'
'Alles is verkeerd gelopen. Ik moet ook voorstemmen.'
'Themis?'
'Ja, verdomme,' mopperde Inglethorpe.
'Oceanus?'
Christian Menchen keek neer op zijn open handen. Hij draaide ze om en leek de ruggen te bestuderen. Ten slotte strengelde hij zijn vingers in elkaar. 'Ja.'
Brookshires blik gleed van links naar rechts over de sombere gezichten. Hij nam een stevige slok cognac. 'Zo zij het.'

Deel Drie

Waarom zou je een bank beroven als je er een kunt bezitten?
AMERIKAANS SPREEKWOORD

37

Ergens in Frankrijk

Het geluid van stromend water maakte Sarah wakker. Ze had vast geslapen, hoewel ze eigenlijk van plan was geweest om wakker te blijven, om een oogje op Asher te houden... Ze stak haar hand uit. De brancard waarop hij had gelegen was warm maar leeg. De dekens lagen op een hoopje.

Haar stem trilde van angst. 'Asher?'

'Joe.' Hij stond bij het campingtoilet.

Ze gooide haar deken af, rolde van de bank, bukte zich om haar hoofd niet tegen het lage dak van de bestelauto te stoten en liep door het duister, waarbij ze zich aan de wand vasthield toen de grote wagen opnieuw door de bocht reed. De banden piepten en pakten vervolgens hun gewone, monotone gedreun weer op.

'Ik sta te plassen,' fluisterde hij geërgerd. 'Jezus.'

'Goeie genade, Asher, wat haal je je in het hoofd?'

'Wou je me soms helpen?' Ze kon aan zijn stem horen dat hij lachte. In het duister kon ze net zijn schaduw onderscheiden en die van de infuusstandaard met de zoutoplossing. Hij steunde met een van zijn handen tegen de zijkant van de dichte bestelwagen.

'Je bent onverbeterlijk.' Ze moest onwillekeurig glimlachen.

'Ik ben toch al klaar.'

Hij draaide zich om en stond toe dat ze hem hielp om weer bij de brancard te komen. Hij stond verrassend stevig op zijn benen, al liep hij nog wel een beetje krom om zijn wond te ontzien.

'Voel je je echt zo goed, of doe je maar alsof?' wilde ze weten.

'Ik doe maar alsof. Daar ben ik goed in, hè?'

'Ja, verdomme. Je had niet op mogen staan. Straks trek je nog iets open. Je hebt zoveel hechtingen dat het lijkt alsof ze je aan elkaar genaaid hebben.'

'Als ik iets opengetrokken had, zou het bloed langs mijn benen lopen. Maar dat is niet zo. Dus is alles in orde. Wil je zelf even voelen?'

'Ik geloof je zo ook wel.'

Hij ging op de brancard zitten. In het licht dat langs de deur viel die

hen van de cabine scheidde, kon ze nog net zien dat zijn schouders gebogen waren.
'Moet ik je even helpen om te gaan liggen?' vroeg ze vol medelijden.
'Nee, zeg maar niks. Ik kom echt niet bij je op die brancard liggen.'
'Je kent me gewoon te goed.' Hij liet zich voorzichtig op zijn rechterschouder zakken. Hij kreunde toen hij de brancard raakte en rolde op zijn rug. 'Is die vrachtauto nog gestopt?'
'Ik weet het niet. Ik ben ook in slaap gevallen.' Ze dekte hem toe, ging weer op de bank zitten en legde de deken over haar benen.
Hij keek toe. 'Ik voel me echt beter.'
'Je hebt een pijnstiller gehad. Daarom voel je je beter. Ga maar weer slapen.'
'Ik ben in mijn eentje gaan piesen.'
'Gefeliciteerd. Ga nou weer slapen, lieverd.'
Ze voelde meer dan dat ze zag dat hij zijn hand in het donker naar haar uitstak. Ze pakte hem aan, drukte een kus op zijn handpalm en legde de hand terug op zijn borst. Hij protesteerde niet.
'Ik ga ook weer proberen om in slaap te vallen,' zei ze.
Ze leunde achterover en deed haar ogen dicht. Toen ze terugdacht aan de gebeurtenissen van de laatste paar dagen begon haar hoofd te tollen. Het ontzette gezicht van Liz dat ze in het pakhuis had gezien... de afschuw dat ze opnieuw ontvoerd werden... de mannen die de dood hadden gevonden. Ze kon het gewoon niet bevatten en ze kreeg het er benauwd van. Ze had geen flauw idee waar ze waren. Het enige wat ze wel wist, was dat deze mannen geen maskers droegen. En dat betekende dat ze zich geen zorgen maakten dat ze misschien later door haar of Asher geïdentificeerd konden worden.
Er liep een rilling over haar rug toen alles haar weer voor de geest kwam: het bloed, de stank van gewelddadige dood, het geweervuur dat het hele pakhuis op zijn grondvesten had doen schudden. De moordenaars hadden Asher en haar met geweld een dichte bestelwagen ingedreven en Ashers brancard met de rem op de wielen in het midden gezet, tussen twee banken in. De vrouw, een of andere feeks die Beatrice heette, had de leiding. Zij was samen met de mannen op de banken gaan zitten en had Sarah bevolen om aan het eind plaats te nemen, ver weg van de achterdeuren.
Het enige voordeel daarvan was geweest dat de deur naar de cabine openstond en dat ze door de voorruit bomen, lantaarnpalen en straatnaambordjes langs had zien vliegen. Ze had maar één bordje kunnen lezen en daaruit had ze opgemaakt dat ze naar het noordoosten reden. Werden ze naar een plaats gebracht waar ze vermoord zouden worden?

Iedere keer als zij of Asher hun mond opendeed, werden alle wapens op hen gericht. Ten slotte reed de chauffeur een of ander bouwterrein op. Ergens vooraan stond een enorme vrachtwagen met oplegger op hen te wachten. Op het moment dat zij afremden, ging de achterklep open en kwam er een schuine laadklep omlaag. De dichte bestelwagen reed haastig naar binnen en de gewapende mannen sprongen eruit. Toen een van hen een campingtoilet tussen de banken zette, keken zij en Asher elkaar opgelucht aan. Ze zouden nog een tijdje in leven mogen blijven.
De chauffeur trok de deur naar de cabine dicht en deed hem op slot. Toen de achterdeuren ook gesloten werden, sprong ze op en probeerde de hendels aan beide kanten. Asher, die vastgebonden lag op de brancard, vloekte. Ze zaten in een soort mobiele gevangenis – opgesloten in de dichte bestelwagen, die volkomen uit het zicht in de oplegger stond. Het was een benauwde en donkere ruimte, met uitzondering van het streepje licht dat langs de deur naar de cabine viel. Ze maakte de banden los waarmee Asher op de brancard vastgesnoerd lag. Hand in hand zaten ze ingespannen te luisteren hoe de krachtige motor van de vrachtwagen aansloeg. De versnellingsbak kraakte toen de grote wagen draaide en wegreed. Als haar richtingsgevoel haar niet bedroog, hadden ze het bouwterrein door dezelfde ingang verlaten en waren rechts afgeslagen, terug naar de snelweg, waar ze opnieuw in noordoostelijke richting reden.
Maar nu had ze geen flauw idee waar ze waren. Op weg naar het westen, naar de kust? Naar het oosten, richting België of Luxemburg? Of waren ze toch weer omgedraaid naar het zuiden, zonder dat ze dat gemerkt had? Ze luisterde naar het onophoudelijke gedreun van de grote banden en kon haar ergernis en angst maar met moeite onderdrukken.
Asher schraapte zijn keel. 'Heb je nog steeds die tas met al die verbandmiddelen en zo?'
De oplegger hing scheef. Ze maakten opnieuw een bocht.
Ze deed haar ogen open. 'Je moet rusten. Anders word je nooit beter. Morgenochtend praten we wel verder.'
'Wat we in de eerste plaats moeten doen, is een manier verzinnen om hier uit te komen. Het is verstandiger om dat nu te proberen, in de nacht. Dan hebben we meer kans.'
'Je bent niet goed wijs.'
'In feite heb ik je voor de gek gehouden. Ik weet wel dat je denkt dat ik goudeerlijk ben, dus het spijt me dat ik je moet teleurstellen. Maar de waarheid is, dat ik me echt een stuk beter voel. Sterker. Veel sterker, zelfs.'

Ze zei niets. Toen zag ze iets bewegen. Hij ging weer zitten en prutste aan zijn hand of aan zijn pols.
'Wat doe je daar?'
'Ik kan de naald van mijn infuus gebruiken.'
Ze sprong op en pakte zijn hand vast. 'Nee! Asher, lieverd, die moet je er niet uittrekken!'
'Te laat. Hé, kijk uit! Ik wil je niet per ongeluk prikken. Ik heb dat dingetje gevonden waarmee je het infuus stil kunt zetten. Opgeruimd staat netjes, dat is mijn motto.'
Ze stak haar handen op. 'En dan te bedenken dat ik alleen maar wilde dat je bij me was! Ik ben zelf niet goed wijs!' Met de grootste moeite bracht ze zichzelf tot bedaren. 'Goed. Je bent dus alweer zo ver dat ik je niet meer in bedwang kan houden, dus dan kun je ook wel iets doen. Vertel me maar wat je van plan bent.'

Londen, Engeland

Omringd door lege kristallen cognacglazen liep Sir Anthony terug naar zijn stoel in de studeerkamer waar nog steeds de vage geur van sigarenrook in de lucht hing en ging zitten. Hij tuurde nadenkend naar de restanten van de roodgloeiende kooltjes in de haard. De bijeenkomst van de Spiraal was vanavond niet echt bevredigend verlopen. Op een na waren het allemaal brave kerels met goede bedoelingen, mensen die begrepen dat je pragmatisch moest zijn. Een noodzakelijk evenwicht. Als dat er niet was, kreeg je weinig voor elkaar. Ze waren een halfuur geleden allemaal naar hun eigen huis in Londen vertrokken. Morgen moesten ze naar Dreftbury.
En hij wist nog steeds niet wie van hen het archief had. Het verraad vrat aan hem, het brandde in zijn ziel. Hij luisterde vol melancholie naar de stilte in het huis.
Toen zijn speciale mobiele telefoon overging, pakte hij het toestel gretig op. 'Ja?'
'U hebt me een bericht gestuurd dat ik moest bellen.' Het was Duchesne, die altijd even zakelijk klonk, of het nu twaalf uur 's middags of twaalf uur 's nachts was. 'Zoals ik al vermoedde, zijn Sansborough en Childs samen, maar ze zijn in Pigalle verdwenen.'
'En het archief?'
'Nog geen spoor.'
Sir Anthony onderdrukte een gekreun. 'Hoe weet je dat Sansborough en Childs in Pigalle zitten?' vroeg hij argwanend.
'Een van mijn mensen is vanaf Belleville achter hen aan gereden. Maakt u zich geen zorgen, ik laat alle straten in de gaten houden. We zullen ze gauw genoeg weer oppikken. De toestand is volkomen onder controle.'

'Je laat alle straten in de gaten houden?' herhaalde Sir Anthony. 'Hoe krijg je dat voor elkaar? Je bent de gendarmerie of het Franse leger niet.' Af en toe wenste hij uit het diepst van zijn hart dat Peter d'Crispi het bevel weer zou voeren. D'Crispi was misschien niet zo slim als Duchesne, maar hij deed ook lang niet zo geheimzinnig.
'Daar heb ik zo mijn methoden voor,' zei Duchesne. 'U hebt me in dienst genomen omdat ik een vakman ben. Heb ik ooit gefaald?'
'Je werkt nog niet zo lang voor me.'
'Als u wilt dat ik mijn mensen terugtrek, zegt u het maar. Misschien hebt u een beter idee om Sansborough en Childs op te sporen.'
Een vlaag van woede welde in Sir Anthony op. César Duchesne had net een dreigement geuit en de directe gevolgtrekking daarvan was dat hij hen als gelijken beschouwde. Sir Anthony ging er prat op dat hij zijn personeel met respect behandelde. In ruil daarvoor eiste hij dat zij hetzelfde met hem deden. Zijn vingers klemden zich om de mobiele telefoon. Zonder zijn zelfbeheersing te verliezen, zei hij effen: 'Bevalt je baan je niet, Duchesne?'
César Duchesne begreep onmiddellijk dat hij te ver was gegaan. Sir Anthony was een van die mensen die niet alleen gehoorzaamheid eisten, maar ook waardering. Terwijl hij verder reed en de trottoirs afspeurde, op zoek naar Liz Sansborough, besefte Duchesne dat zijn intense verlangen om de chanteur te ontmaskeren zijn verstand tegen beter weten in naar de tweede plaats had gedirigeerd.
Hij zorgde ervoor dat zijn stem verzoenend klonk. 'Ja, natuurlijk wel, Kronos. Het werk is goed en de betaling ruim voldoende. De reden waarom ik dat niet kan vertellen, is omdat de mensen die me helpen op geheimhouding staan. Door hen in bescherming te nemen ben ik in staat om u het hoge rendement te geven dat uw investering rechtvaardigt. Ik hoop dat u me wilt vergeven dat ik zo bruusk was.'
Sir Anthony knikte bij zichzelf. Zijn hand ontspande. 'Het zal vast niet meer gebeuren. Ik heb twee wijzigingen met betrekking tot jouw opdracht.'
Als Kronos fungeerde Sir Anthony bij de Spiraal als doorgeefluik van alle informatie. Het was zijn baan om zijn collega's veilig door het moeras van beslissingen waarmee ze geconfronteerd werden te loodsen. Dat kon variëren van welke valutamarkten ondersteund zouden worden en welke oliemaatschappijen samen gebruik konden maken van bepaalde internationale pijpleidingen, tot welke derdewereldlanden hulp zouden krijgen bij hun wederopbouw en welke dictator aan de macht mocht blijven.
Je had mannen met een goed zakelijk verstand nodig om ervoor te zorgen dat de beslissingen die genomen werden de beste uitkomst

voor iedereen boden. En als de huidige groep wellicht wat minder altruïstisch was dan haar voorgangers, dan was dat omdat de wereld veranderd was en niet in haar voordeel. Tijdens de Koude Oorlog was het allemaal een stuk gemakkelijker geweest. De vijand was het communisme, goed versus kwaad, een duidelijke doelstelling. Nu waren er vele vijanden, die stuk voor stuk hun best deden om de westerse beschaving uit te melken, in een kwaad daglicht te stellen en te ondermijnen. De Spiraal kon niet alle problemen oplossen die ze aanpakten, dat was duidelijk. En ze namen ook niet altijd de juiste beslissing: hun steun aan de nieuwe president van de Verenigde Staten was daar het bewijs van. Maar goed, inmiddels had de Spiraal al gedurende meer dan vijf decennia haar best gedaan om voor een betere wereld te zorgen.

Hij voelde een vleugje nostalgie opkomen en tikte zichzelf onmiddellijk op de vingers. Met dat soort zelfgenoegzaamheid schoot je niets op.

'Zoals je weet, heb ik vanavond overleg gehad met Themis, Prometheus, Oceanus en Atlas,' zei hij tegen Duchesne. 'Ik heb niet kunnen bepalen wie van hen het archief in zijn bezit heeft, dus zal ik je in Dreftbury nodig hebben. De enige verklaring die ik voor de moord op Hyperion kan bedenken, is dat de chanteur een of ander project op stapel heeft staan. Als we erachter kunnen komen wat dat is, weten we ook wie de chanteur is.'

'Natuurlijk. Ik zal er zijn. En als ik een suggestie mag doen...'

'Ja, wat wil je?'

'We zouden bepaalde voorzorgsmaatregelen kunnen nemen.'

Terwijl Sir Anthony luisterde, verscheen er een glimlach op zijn gezicht. Ja, Duchesne had zijn goede kanten. Hij was een sluwe, geslepen smeerlap... precies de persoon waar ze nu behoefte aan hadden. Toen ze uitgesproken waren, veranderde Sir Anthony van onderwerp.

'Ik zei al dat ik twee wijzigingen in je opdracht wilde doorgeven.' Met spijt in zijn stem gaf hij het nieuwe besluit van de Spiraal door. 'Als jouw mensen Sansborough en Childs terugvinden, moet je ze meteen elimineren. Zorg dat je niet faalt. Als ze puur toevallig het archief in hun bezit blijken te hebben, moet je hen toch elimineren en vervolgens het archief linea recta bij mij bezorgen. Je zult er hoe dan ook voor moeten zorgen dat niets erop wijst dat wij iets met hun dood te maken hebben.'

Het bleef even stil. Sir Anthony wist dat hij het hoofd van zijn veiligheidsdienst verrast had. Hij glimlachte even vergenoegd. Als hij ooit volkomen voorspelbaar zou worden, kon hij net zo goed dood zijn.

'Heb je daar problemen mee?' wilde Sir Anthony weten.
'Natuurlijk niet.' Duchesne klonk verveeld. 'Ik zat alleen aan Sarah Walker en Asher Flores te denken. Wilt u dat ik hen ook liquideer?'
'Ja, natuurlijk. Als je ze kunt vinden.'
'Als dat alles is, ga ik weer aan het werk.'

38

Parijs, Frankrijk
Terwijl ze de trap afholde, trok Liz Ashers baret bijna over haar oren en zette Sarahs zonnebril op. Simon stommelde achter haar aan en wurmde zijn armen in het dunne zwartleren jack dat ze voor hem had gepakt. Hij plantte zijn zonnebril op zijn neus en trok zijn haar over zijn voorhoofd. De kleren die Liz aanhad, waren te wijd en te lang, maar die van Simon pasten bijna perfect.
Ze kwam met een sprong op de begane grond terecht en rende verder. Hij volgde in haar kielzog. Bij de voordeur stopten ze hun pistool weg en bekeken elkaar van top tot teen.
'Je bent echt goed,' vond hij. 'Ik kan er bijna niet bij dat je zo goed een schuchter muisje kunt spelen.' Ze zag er weer net zo timide en bedrukt uit als hij in Waterloo Station had gezien.
'Daaruit blijkt maar weer dat je me nauwelijks kent. Ik ben van nature een bescheiden type.'
'Je neus is net ongeveer een halve meter langer geworden, Pinocchio. Hoe zie ik eruit?'
'Het eerste woord dat me te binnen schiet is schooier,' zei ze goedkeurend. 'Of schoft. Ik begon een beetje moe te worden van dat studentikoze uiterlijk waarvan jij denkt dat het je ware aard toont.'
Hij lachte. 'Bedankt.' Maar de glimlach verdween als sneeuw voor de zon toen hij de deur op een kiertje opendeed en erdoor gluurde.
'En?' vroeg ze.
Bij wijze van antwoord trok hij de deur verder open en stapte naar buiten. Ze volgde hem op de voet. Aan het jankende geluid van de sirenes te horen, was er een heel peloton antiterreurtroepen onderweg. Terwijl iedereen die iets te verbergen had zich uit de voeten maakte, sprongen een stuk of tien van Malko's gewapende bandieten in de bestelauto van de bloemist. Met piepende banden scheurde de auto weg.
'Mijn god,' zei ze. 'Ik geloof echt dat het gaat lukken.'

'Beangstigend, hè?'
Enthousiast keken ze toe hoe de laatste twee schutters achter in de Toyota sprongen. De chauffeur gaf gas en de auto schoot met een vaart de straat uit. De dode man die tussen de twee mannen voorin zat, sloeg voorover en werd snel overeind gerukt terwijl de chauffeur haastig van rijstrook verwisselde.
Op de trottoirs waren alleen verbijsterde toeristen achtergebleven. Toen het geluid van de sirenes aanzwol, maakten de oude gebouwen van Pigalle met hun smerige gevels en hun ordinaire neonreclames een troosteloze indruk.
Liz en Simon keken elkaar aan en gingen er met stevige pas vandoor. Hij bleef waakzaam om zich heen kijken, terwijl zij een nummer intoetste op zijn mobiele telefoon. Toen hij plotseling piepende banden hoorde, draaide hij zich haastig om en zag nog net hoe het portier van de Toyota openvloog. Het lijk van de parkeerwacht uit de garage viel met een dreun op de grond. De banden piepten opnieuw toen de Toyota het kruispunt over schoot, waardoor andere auto's tegen elkaar botsten en de vonken in het rond vlogen. Patrouillewagens zetten de achtervolging in, met nijdig flitsende zwaailichten.
Het busje met de rest van Malko's gewapende mannen verdween in tegenovergestelde richting, dus die hadden zich voorlopig veilig uit de voeten kunnen maken.
Simon haalde diep adem en genoot van zijn pas verworven vrijheid. Tot zover was alles goed gegaan. Hij vestigde zijn blik op Liz en zijn hart begon vreemd te bonzen toen hij haar op een toon waaruit duidelijk bleek dat ze een oude vriend aan de lijn had in zijn telefoon hoorde mompelen. Hij vroeg zich af of haar plan om naar Engeland te gaan haalbaar was. Maar goed, hij had geen betere suggesties voorhanden en zij was vastbesloten. Eigenaardig genoeg was hij volkomen bereid haar te vertrouwen.
Toen ze de verbinding verbrak, vroeg hij: 'Wil Faust ons helpen?'
'Ja, we hebben geluk. Zijn er nog problemen?'
'Tot nu toe niet.'
Terwijl hij met innig genoegen beschreef hoe de Toyota en het busje met de staart tussen de poten waren verdwenen, kwam de plaatselijke bevolking langzaam maar zeker als een soort geestverschijningen de trottoirs weer opdrijven. Dit stuk van de Boulevard de Clichy, tussen Place Pigalle en Place Blanche, stond stijf van de peepshows, de sexshops en de theatertjes met live seks.
Terwijl ze argwanend de straat afkeken, begonnen Simon en Liz steeds sneller te lopen. Vanuit de kroegen viel blauw licht naar buiten, waarin witte kleren op een haast enge manier lichtgevend wer-

den. Prostituees met lichtgevende plastic handschoenen maakten suggestieve handgebaren waaruit viel op te maken dat ze goed waren in het aftrekken. Anderen lieten het publiek een glimp opvangen van de messen die ze in hun kousenbanden droegen. Mensen stonden in de rij voor gewelddadige pornofilms. De lucht leek bezwangerd met de geur van drank, ellende en wanhopige seks.

Liz zag tot haar opluchting dat niemand haar taxerend opnam. Met haar slungelachtige houding en haar bril was ze in deze opgefokte omgeving niet alleen onaantrekkelijk maar ook oninteressant. Toch kon ze haar vrees niet helemaal van zich afzetten. Naast haar liep Simon met een air alsof de straat, de stad en de hele wereld van hem waren. Vrouwen keken nog even om als hij langsliep en mannen wendden hun blik af.

Bij de bushalte op de Place de Clichy stapten ze in een bus en kochten een kaartje. Terwijl ze door het gangpad liepen, bestudeerden ze achteloos de gezichten van de andere passagiers. Ze gingen helemaal achterin zitten. Simon zette zijn sporttas op de grond tussen hen in, leunde achterover en slaakte een zucht toen de bus langzaam in beweging kwam. Hij liet zijn vingers door zijn haar glijden, streek het van zijn voorhoofd, zette zijn zonnebril af en stopte die in zijn zak. Hij was blij dat die aanstellerij voorbij was.

Hij merkte dat hij haar onwillekeurig in het oog hield terwijl zij door het raampje naar de glinsterende nachtelijke stad zat te kijken. De spanning was aan haar profiel met de strakke mond af te zien. Ze zag eruit alsof ze zich niet op haar gemak voelde en met haar gedachten heel ergens anders was, op een plek die alleen zij kende.

Toen de bus zich tussen het verkeer voegde, vroeg hij op gedempte toon: 'Ben je van gedachten veranderd omdat je Sarah en Asher in dat pakhuis weer moest laten gaan en wilde je daarom die Glock van Malko hebben?'

Ze keek hem even aan en knikte kort. Hij had haar teruggeroepen naar het heden en ze had gehoor gegeven aan zijn verzoek. 'Ja en nee. Diep in mijn binnenste wilde ik eigenlijk al vanaf het moment dat ik in Santa Barbara werd overvallen een pistool bij me hebben. Mijn eerste reactie was dat ik degene die mij probeerde te vermoorden wilde doden. Maar het enige dat je met wraak bereikt, is toch dat er nog meer gewonden en doden vallen? Je verdriet wordt er niet minder door. De mensen die gewond zijn genezen niet sneller en de doden staan niet op. Je schiet er niets mee op. Je wordt er zelf ook niet beter van. Je gedraagt je precies zoals zij, de boosdoeners voor wie je zoveel minachting hebt. Dat vind ik niet bepaald eervol of slim. En zeker niet ethisch of zedelijk verantwoord.'

'Ik heb niet het idee dat veel mensen het met je eens zullen zijn.'
'Wat je bedoelt, is dat jíj het er niet mee eens bent.'
'Dat denk ik ook,' gaf hij toe.
'Geweld is tegenwoordig een remedie voor van alles en nog wat. Ik maak me zorgen over wat er van ons is geworden. Waar het met onze beschaving naartoe moet.'
'Maar toch wilde je die Glock hebben.'
Ze leunde achterover, worstelend met haar emoties terwijl ze haar best deed om eerlijk te zijn tegenover zichzelf en tegenover hem. 'Er zijn niet veel mensen die dezelfde opleiding hebben als ik. Het zou hypocriet zijn als ik aan iemand anders vroeg om Sarah en Asher te redden, met het excuus dat ik mijn hoogstaande morele principes niet wil bezoedelen.' Ze keek hem strak aan. 'Ik moet het gewoon doen, omdat ik het kan.'
'Je aarzelde bij Beatrice. Je was er niet zeker van of je in staat was haar neer te schieten, hè?'
'Nee.'
Zijn verweerde gezicht keek haar vriendelijk aan. 'Je moet niet vergeten dat je er niet meer alleen voorstaat.'
'Dat weet ik.' Ze zag iets in hem dat haar een warm gevoel gaf, iets dat haar op haar gemak stelde. Iets dat ze al heel lang niet meer had gevoeld.
In zijn ogen twinkelde een vleugje amusement... of misschien was het een uitdaging. 'We zijn partners. Kameraden. Vrienden door dik en dun.'
'Ja hoor, de Twee Musketiers. Bonnie en Clyde die zich aan de wet houden.'
Ze wendden allebei hun blik af. Het duurde niet lang tot ze moesten overstappen op een bus richting noordoost. Ze concentreerde zich op het verkeer, dat inmiddels behoorlijk druk was geworden, afgezien van de overal aanwezige vloot taxi's. Werden ze achtervolgd? Had iemand hen al gevonden? Dat kon gewoon niet, prentte ze zich in, maar ze bleef toch op haar hoede.
De dood werd in toenemende mate haar vaste metgezel. Ze vroeg zich opnieuw af, zoals ze zich al duizenden keren had afgevraagd, hoe haar moeder in staat was geweest om te moorden en te blijven moorden. Maar ze kende het antwoord allang, het had haar alleen nooit bevredigd: Melanie had moorden gepleegd voor haar vaderland, uit patriottisme. Toen Melanie eindelijk aanvaardde dat de Carnivoor haar jarenlang had voorgelogen en dat ze vrijwel nooit voor de Britse of zelfs de Amerikaanse inlichtingendienst hadden gewerkt, had ze nooit meer een pistool aangeraakt.

Liz zette haar schuldgevoelens van zich af. Ze deed nu precies hetzelfde wat haar moeder had gedaan: ze was een bepaalde weg ingeslagen voor wat in haar ogen een hoger doel was, dit keer voor Sarah en Asher en ook om dat smerige archief van de Carnivoor te vinden. Ze was net als haar moeder geworden, of misschien was ze altijd al zo geweest... en was ze daarom in staat geweest het vuile werk voor Langley op te knappen.

Daar moest ze nu niet meer aan denken. Onder het zoevende geluid van de banden van de bus wierp ze een blik op Simon. Zijn gezicht stond bedachtzaam terwijl hij de straat in de gaten hield. De manier waarop hij daar zo op zijn gemak zat, beviel haar. Nonchalant, met die brede schouders achterovergeleund alsof hij volkomen ontspannen was... tot je in zijn ogen keek en die scherpe, waakzame blik zag.

'Ik had je nog meer willen vragen over Nautilus,' fluisterde ze. 'Voordat die parkeerwacht ons stoorde, wilde je me nog iets vertellen.'

Hij keek om zich heen en dempte zijn stem. 'Je hebt gelijk. Het is heel belangrijk dat je dat weet, zeker nu. Je moet denken aan hoge personen, koningen, presidenten en generaals. Je moet denken aan een privéalliantie tussen Europa en Amerika waarbij eenvoudige regeringen niets in te brengen hebben.'

'Eenvóúdige regeringen?'

'Je begint het door te krijgen. Alle voorzitters van Nautilus behoorden tot de wereldelite: een voormalige Britse eerste minister, een voormalige West-Duitse bondskanselier, een voormalige secretaris-generaal van de NAVO en een voormalige vice-voorzitter van de Europese Gemeenschap. Dat is echt zo. De mensen die aanwezig zijn behoren tot een soortgelijk exclusief niveau: bankiers, zakenmagnaten, presidenten, premiers, internationale staatslieden en bevelhebbers van de NAVO.'

'Je hebt het over politieke hoogten waar een normaal mens een zuurstofmasker nodig heeft. Als onze chanteur lid is van Nautilus dan zullen we bergen moeten overwinnen.'

'Ja en daar kunnen we ons maar beter op voorbereiden. Hun beveiliging is fabelachtig, beter dan die van de meeste derdewereldlanden. Dat is ook een feit.'

Toen de bus voor een rood licht stopte, vroeg ze rustig: 'Over hoeveel mensen hebben we het eigenlijk?'

'Er is een permanent bestuursorgaan dat ongeveer dertig man telt – de helft Europees, de andere helft Amerikaans – en een gastenlijst van negentig personen. Die lijst is variabel, afhankelijk van wie aan de macht is en wie de laatste twaalf maanden wat heeft gepresteerd. Doorgaans zijn er ook een stel toekomstige sterren aan het politieke

firmament bij. Ze worden er zo snel mogelijk bijgehaald om opgevoed te worden.'
'*Opgevoed?* Dat woord bevalt me niet.'
'Natuurlijk niet.' Hij zweeg even. Plotseling werd het hem duidelijk dat Ada zich in hem had vergist. In feite had hij zich in zichzelf vergist. Hij was niet drie jaar lang als infiltrant werkzaam geweest, zonder dat het een stempel op hem had gedrukt, zonder dat hij had nagedacht over wat hij had gezien en te weten was gekomen. 'Ik heb gehoord dat Tony Blair en Bill Clinton al een paar jaar voordat ze tot regeringsleider werden verkozen uitgenodigd werden. Bij George W. Bush was dat kennelijk niet het geval.'
'Om gehersenspoeld te worden?' Toen hij zijn schouders ophaalde, zei ze: 'Als puntje bij paaltje komt zijn het politieke en financiële supersterren. Dus zou iedereen te horen moeten krijgen wat er bij Nautilus besproken wordt.'
'Ze beweren dat ze niet openhartig kunnen zijn als de ogen van het publiek op hen gericht zijn.'
Ze snoof ongelovig. 'Als mensen niet willen dat je weet wat ze te vertellen hebben, moet je oppassen. Dat is meestal omdat ze meer dan "openhartig" zijn. En praten over plannen waarvan ze niet willen dat mensen zoals jij en ik daar iets over te horen krijgen.' Ze zweeg even en dacht aan Sarah. 'Ik begrijp nog steeds niet waarom de media geen verslag doen van die bijeenkomsten.'
Toen het stoplicht op groen sprong, keek Simon onderzoekend naar het kruispunt waar de bus overheen sukkelde. 'Als ik het over zakenmagnaten heb, horen daar ook mediamagnaten bij. Voor hen geldt hetzelfde als voor de rest... ze moeten plechtig beloven dat ze niet zullen onthullen wat er is gezegd, wie er aanwezig was of zelfs maar dat ze een uitnodiging hebben gekregen. Dat betekent dat ze aan hun leidinggevende staf doorgeven dat er geen verhaal mag komen. Voor verslaggevers en freelancers is het hun broodwinning, dus als die van hun redacteuren te horen krijgen dat er niets te melden valt, hechten ze daar doorgaans geloof aan. De enige Amerikaanse bladen die serieus over de bijeenkomst berichten, zijn meestal extreem rechts of extreem links. Een uitzondering is de Europese pers en dan heb ik het bijvoorbeeld over *The Irish Times* en *Punch*. Die vertellen precies wie er allemaal binnenkomt en weggaat, compleet met foto's. Je kent vast die subtiele managementstheorie wel die gebaseerd is op het principe dat de top altijd naar beneden schijt. Dit is daar een mooi voorbeeld van. Het begint allemaal aan de top en zelfs de top bedenkt zich wel twee keer voordat ze Nautilus dwarsbomen.'

'Maar er zijn dus wel mensen die het hebben geprobeerd? Dat is hoopgevend.'
'Maar niet altijd met succes. Margaret Thatcher heeft het in 1998 in Brussel geprobeerd. Zij vond het plan voor een verenigd Europa een regelrechte nachtmerrie en ze bezwoer dat Groot-Brittannië nooit haar soevereiniteit of haar munteenheid op zou geven. Maar een Europese superstaat is een grote prioriteit voor Nautilus en dat wist ze verrekte goed, want ze was regelmatig aanwezig op hun bijeenkomsten. Dus heeft Nautilus achter de schermen aan wat touwtjes getrokken en ervoor gezorgd dat ze onder vuur kwam te liggen, haar medestanders onder druk werden gezet en haar geld minder waard werd. Nog geen twee jaar later, in 1990, zag ze zich gedwongen om ontslag te nemen.'
'Zo gaat dat in de politiek. Daar is niets vreemds aan.'
Hij schudde zijn hoofd. 'Thatcher was niet zomaar een politicus. Ze was eerste minister, compleet met de enorme macht en alle hulpmiddelen die met die functie gepaard gaan, maar zelfs zij kon niet tegen hen op. Nu ga je me vast vragen waarom niet, dus dat zal ik je dan meteen maar uitleggen. De wereld verandert. Er vindt een globalisering plaats langs een commerciële weg die door Nautilus is uitgestippeld. Met als gevolg dat politici – met inbegrip van premiers en presidenten – niet alleen bij Nautilus steeds minder te vertellen hebben, maar ook in hun eigen land. In feite bestaat tweederde van het permanente bestuursorgaan van Nautilus nu uit bankiers, financiers en zakenlieden in plaats van politici en staatslieden. Of je het nu wel of niet eens bent met Thatchers politiek, dat Nautilus gewoon het Britse volk negeerde en zelf de politieke toekomst van het land bepaalde, was ronduit verwerpelijk. De aanvankelijke opzet van globalisering hield niet per se in dat een kleine groep uitverkorenen met de winst gaat strijken, maar daar komt het inmiddels wel op neer.'
Toen de bus het station binnenreed, zei ze: 'Het klinkt heel angstaanjagend. Maar dat was ook je bedoeling. En als je je nu eens vergist met betrekking tot Nautilus?'
Hij keek haar strak aan en dacht aan Ada en haar beschuldiging dat hij geen eigen mening had. Maar daar had hij op dat moment ook geen behoefte aan gehad. Hij wilde geen problemen en het was zeker niet zijn bedoeling om de hele bliksemse boel overhoop te gooien. Hij wilde gewoon zijn werk doen, zonder al te veel moeite. Maar nu dreigde alles kopje-onder te gaan en hij kon niet langer volhouden dat het hem geen bal interesseerde.
'Ik heb veel verschillende definities van Nautilus gehoord, van een onschuldig zakelijk netwerk tot een aristocratische denktank en een

samenzwering die bepaalt wat er in de wereld gebeurt,' zei hij tegen haar. 'We weten allebei dat er wezenlijke macht uitgaat van alles dat verborgen blijft. En zoals jullie eigen J. Edgar Hoover heeft gezegd: een geheim heeft iets verslavends. Nautilus doet zijn uiterste best om zowel die geheimhouding als die macht te bewaren. En als het publiek niet op de hoogte is van al het goede wat ze doen, dan kun je er vergif op nemen dat we net zomin weten wat ze allemaal voor kwaad aanrichten.'

Ze voelde ineens een rilling over haar rug lopen. 'Hoe komt het dat jij er zoveel van af weet?'

Hij keek toe hoe de deur openging en mensen begonnen uit te stappen. Maar ze waren partners of ze waren het niet. Hij dempte zijn stem. 'Ik heb de uiterst geheime opdracht om de belangrijkste tegenstander van Nautilus te infiltreren: de antiglobaliseringsbeweging. De structuur van de wereld verschuift langzaam maar zeker van nationale staten naar zakenstaten en die verandering wordt gestimuleerd, en volgens sommigen aangedreven, door Nautilus. Dat daarmee ook het voornaamste doelwit van die beweging is geworden, vooral omdat de bijeenkomsten van Nautilus hoogst geheim en streng beveiligd zijn, en alleen door genodigden bezocht mogen worden. Terwijl er niets over bekend wordt gemaakt en de media worden geweerd.' Hij wierp haar een onzekere blik toe. 'Maar je begrijpt ook wel dat ik je dat niet had mogen vertellen. Dus mondje dicht.'

Ze aarzelde geen moment. 'Simon, als jij echt denkt dat jij nog aan de bak komt bij MI6 als dit allemaal voorbij is, aangenomen dat we het overleven, dan moet je je echt laten nakijken.'

Gekwetst hield hij zijn mond en dacht na over die opmerking. Ze raakte even zijn arm aan en stond op. Toen hij om zich heen keek, zag hij dat ze de enige mensen waren die nog in de bus zaten en stond ook op. Samen liepen ze naar de uitgang.

39

Gino Malko was ziedend terwijl hij in zijn Citroën achter het busje van de bloemist aanreed en een gevoel moest onderdrukken dat hem onbekend voorkwam... een gevoel van vernedering. Hij klapte zijn mobiele telefoon open, drukte op HERKIES en bracht verslag uit zonder de moeite te nemen even aan de kant te gaan staan.

Hij sloot af met de mededeling: 'De politie heeft vier van onze men-

sen opgepakt, maar die weten geen van allen genoeg om ons problemen te bezorgen. Ik heb de advocaat al gebeld. Zij zal ervoor zorgen dat ze weer vrij komen en naar het buitenland worden gestuurd.'
Sansborough en Childs hadden hem verdomd slim te pakken genomen. Niet alleen hadden ze vier man uitgeschakeld, maar het nieuws zou zich als een lopend vuurtje verspreiden. *Malko heeft een fout gemaakt. Malko is te pakken genomen.* Dat soort dingen werd altijd meteen doorgebriefd.
Maar hij zou het Childs en Sansborough betaald zetten, en met rente. Hij zou het niet over zijn kant laten gaan.
'Dus ik mag ervan uitgaan dat alles geregeld is? Die vier doen hun mond niet open?'
'Dat zou een fatale vergissing zijn,' verzekerde Malko zijn baas. 'En ze zitten allemaal lang genoeg in het vak om dat te weten.'
'En Sansborough en Childs?'
'Ze zijn geïsoleerd en op de vlucht. Aangezien de CIA en de Franse politie ook achter hen aanzitten, zullen ze op een gegeven moment wel weer boven water moeten komen. Als dat het geval is, sta ik op ze te wachten.'
'Waarschijnlijk hoeft dat niet eens.'
Malko wist nooit wat hij moest zeggen als zijn baas hem weer eens op zo'n emotieloze manier op de hoogte bracht van een verrassende wijziging in een plan. Maar de man deed dan ook zaken met het kille hart van een haai. Malko bewonderde hem.
'Zijn er nieuwe ontwikkelingen?' vroeg Malko.
'Ja en nogal belangrijk ook.' Hij vertelde hoe de Spiraal had besloten om Sansborough en Childs te elimineren. 'César Duchesne en zijn mensen zullen dat voor hun rekening nemen.'
'Denkt u werkelijk dat het verstandig is om mij terug te roepen?' protesteerde Malko. 'Is hij echt zo goed?' Hij had het nieuwe hoofd van de veiligheidsdienst van de Spiraal nooit ontmoet, maar hij had zijn voorganger ook niet gekend. Het risico was te groot dat iemand hem in verband zou brengen met het archief van de Carnivoor.
'Duchesne lijkt me gehaaid genoeg. Bovendien heb ik je in Schotland nodig. Kronos heeft door wat er aan de hand is. Anders is het niet te verklaren dat hij geen informatie meer doorgeeft en ons ook vrijwel niets heeft verteld toen we vanavond bij elkaar waren. Het voordeel voor ons is dat hij iedereen in de kou laat staan, dus hij probeert er nog steeds achter te komen wie van ons het archief in zijn bezit heeft. Ik loop het grootste risico in Dreftbury, waar ik moet proberen dat project erdoor te krijgen. Als Duchesne Sansborough en Childs kwijtraakt... als ze lang genoeg in leven blijven, is de kans

groot dat ze er op de een of andere manier achter komen dat ik daar ook zal zijn. En daarom wil ik dat je het volgende doet...'
Terwijl zijn werkgever hem de bijzonderheden doorgaf, moest Malko glimlachen. Toen ze de verbinding hadden verbroken, leunde hij achterover en reed automatisch door terwijl hij het voorstel overdacht en er steeds meer voor begon te voelen. Piekerend over de nieuwe ontwikkelingen genoot hij onwillekeurig van de sterke Citroënmotor onder zijn handen. Hij hield van de stille kracht van de zwarte auto, die in zijn verbeelding een hongerige panter was, op zoek naar prooi, net als de lynxen die hij in zijn jeugd in de moerassen van Florida had gezien.
Hij zette het beeld onmiddellijk van zich af. Toen hij nog in Jacksonville woonde, had Malko zichzelf geleerd om zijn fantasie aan banden te leggen. Het was verstandiger om van feiten uit te gaan dan van veronderstellingen, om je bezig te houden met de werkelijkheid in plaats van met wat er zou kunnen gebeuren. Hij had niet alleen familieleden ten onder zien gaan aan een overdosis fantasie, maar ook collega's. Als ze maar genoeg mensen vermoord hadden, begonnen ervaren executeurs eerst overal gevaar te zien en vervolgens bang te worden voor wraak. Uiteindelijk vluchtten ze dan in drank- of drugsmisbruik – of allebei – en schoten hun wapens zo vaak op schaduwen leeg dat of de autoriteiten of een andere prof hen te pakken kreeg. Malko kende niemand die in dit vak lang genoeg in leven was gebleven om met pensioen te gaan. Zijn eigen mentor was op zijn zesenveertigste bij een 'jachtongeluk' in de buurt van Fort Lauderdale omgekomen. Malko had altijd vermoed dat hij zelfmoord had gepleegd.

Ergens in Frankrijk
Terwijl de grote truck met oplegger door de donkere nacht stoof, zei Asher op zakelijke toon: 'Heb je tijdens je opleiding op de Ranch ook geleerd hoe je sloten moet openbreken?'
'Ja, toevallig wel. Maar ik weet niet zeker of ik het nog steeds kan.' Sarah tastte in het duister om zich heen tot ze de papieren zak met de medicijnen en de verbandmiddelen onder de brancard vond.
'Ja, dat lijkt me logisch. Gelukkig ben ik er nog steeds een kei in. Toen ze ons hier naar binnen schoven, heb ik de sloten goed kunnen bestuderen. Ze zijn voorzien van tuimelbladen. Je zult het vast niet erg vinden als ik zeg dat ik die zak in ieder geval nodig heb.'
'Waarom? Bloed je op de plek waar je de naald uit je hand hebt getrokken?' Ze zocht naar de in alcohol gedrenkte doekjes. 'Ik zal er in ieder geval voor zorgen dat je geen infectie oploopt. En je mag die

zak hebben, als je belooft dat je mij niet prikt.'
'Dat lijkt me redelijk.'
'Dat dacht ik ook.' Ze zette de zak op zijn schoot, pakte zijn linkerhand op en begon te wrijven.
'Zo is het wel goed,' zei hij om van haar af te zijn. 'Bedankt.'
Ze zei niets, maar zocht een pleister die ze op het wondje plakte voordat ze zijn hand weer teruglegde op zijn schoot. Hij begon onmiddellijk in de zak te rommelen. Zij liep terug naar de infuusstandaard. Het zakje met de zoutoplossing was bijna leeg en dat was een goed teken. Ze hadden geen drinkwater, maar hij zou voorlopig niet uitdrogen. Ja, de metalen stang van de standaard zat in elkaar geschroefd. Het duurde even tot ze het plekje vond dat ze zocht.
Ze draaide de schroef open die de stang op zijn plaats hield. 'Heb je wat je zocht?' vroeg ze.
'Ik kan de naald gebruiken als een soort loper. Ik had liever iets gehad met een gebogen punt, maar ik heb het wel vaker met een naald gered. Het probleem is dat ik een soort moersleutel nodig heb, maar er zit niets in de zak dat ik daarvoor kan gebruiken.'
'En dit dan?' Ze overhandigde hem het metalen staafje dat ze net had losgeschroefd. Het leek op een miniatuur schroevendraaier.
'Zo ken ik mijn Sarah weer. Je zit nooit voor één gat gevangen. Bedankt.' Hij zwaaide zijn benen van de brancard en ging staan, terwijl hij zijn ziekenhuishemd aan de achterkant dichthield. 'De vloer is koud.' Het was net alsof hij naar zijn blote voeten stond te kijken. Maar zij wist wel beter. Vanwege de pijn kostte het hem nog steeds de grootste moeite om zich op te richten. Ze had het liefst tegen hem gezegd dat hij maar gauw weer op de brancard moest gaan liggen, maar ze wist dat hij dat toch niet zou doen. Niet meteen, tenminste.
'Ik wed dat de vloer heel koud is,' voelde ze met hem mee. 'En gevaarlijk ook. God mag weten wat er allemaal ligt. Schroeven, kogels, gebroken glas en misschien zelfs wel ijzervijlsel. Kijk uit waar je loopt, zou ik willen zeggen, maar het is veel te donker.'
'Je klinkt mij een beetje te opgewekt,' mopperde hij. 'Ik ga eerst even bij die deur aan de voorkant kijken. Ik wil weten waar dat licht vandaankomt.'
Met een angstig voorgevoel pakte ze een deken op en liep achter hem aan. Ze hadden geen geluid meer uit de cabine gehoord sinds ze hier opgesloten waren. Ze had wel geprobeerd om door de kiertjes te kijken, maar die waren te smal. Ze sloeg de deken dubbel en legde die op de grond voor de deur. Terwijl de vrachtwagen opnieuw een bocht nam, zette hij zijn handen tegen de deur en liet zich zakken.
Sarah keek toe terwijl hij het slot bekeek. Gelukkig had je geen ogen

nodig om dat open te breken. Je moest alleen een scherp gehoor hebben en voldoende ervaring om te voelen op welk moment de tuimelbladen op de juiste plaats zaten. Sloten met tuimelbladen waren simpel en betrouwbaar, net als sloten met tuimelpinnen, alleen zaten daar wafelvormige bladen in, die voorzichtig op hun plaats moesten worden geduwd om het slot open te krijgen. Zulke sloten werden niet alleen vaak gebruikt bij auto's, archiefkasten en kleedkamerkastjes, maar ook bij de meeste hangsloten.

'Het heeft maar één blad,' zei hij tegen haar. Hij stak de naald in het slot met behulp van de geïmproviseerde sleutel en begon ermee rond te tasten.

Tuimelsloten waren gemakkelijker omdat de sleutelgaten groter waren. Ze liep terug naar de infuusstandaard en begon het apparaat te demonteren. Het duurde even, maar ten slotte had ze de hoofdstang, de poten en de andere onderdelen uit elkaar geschroefd. Met de stang in de hand liep ze weer naar hem toe, waarbij ze steeds even stil bleef staan als de vrachtwagen schokte.

'Hoe gaat het?' vroeg ze.

'Ssst.'

Ze wachtte geduldig en hoopte stiekem dat het hem niet zou lukken. Als hij die deur niet open kreeg, was hij misschien bereid om weer te gaan liggen. Zelfs als het hem wel lukte, hadden ze nog steeds geen pistool en hij zou bij de eerste klap die werd uitgedeeld al in het stof moeten bijten.

'Het is voor elkaar.' Zijn stem klonk bijna eerbiedig. 'Ik kan het nog steeds.' Hij drukte zichzelf omhoog en hield de deken in zijn hand.

'Kan de deur open?'

'Ja, hoor.' Hij keek met grote ogen naar de stang in haar hand. 'Wat is dat?'

'Ons enige wapen. Pathetisch, hè? Waarom wachten we niet een tijdje voordat we verdergaan met die krankzinnige onderneming? Tot ik bijvoorbeeld een pistool heb kunnen stelen of totdat jij op z'n minst één rondje kunt hardlopen. En het zou ook een groot voordeel zijn als jij schoenen had en iets om aan te trekken.'

'Hoor eens, ik ben zelf opgestaan om te gaan plassen. Dat was al een hele stap.' Hij pakte de deurkruk vast en bleef staan. Hij leek even na te denken. Toen zei hij ernstig: 'Maak je geen zorgen, Sarah. Ik ben er vrij zeker van dat we alleen zijn. Ik wil alleen wat vooruitgang boeken. Misschien vinden we iets dat ons van nut kan zijn of komen we iets te weten wat ons later kan helpen. Als we hier uit willen komen, dan moet je mij mijn werk laten doen. Ik weet dat je bezorgd bent, maar gezien het alternatief vind ik dat we bepaalde risi-

co's gewoon moeten nemen. Als we niet ontsnappen, zou dat nog veel slechter voor mijn gezondheid kunnen zijn. Oké?'
Onder de huidige omstandigheden kon ze daar nauwelijks iets tegen inbrengen. 'Oké.'
Hij grinnikte zijn witte tanden bloot. Ze voelde hoe hij zijn spieren spande, klaar om toe te slaan. Ze drukte zich tegen de wand naast de deur en knikte. Hij trok hem een paar centimeter open. Ze haalde even diep adem, hief de metalen stang op en gluurde om de hoek. 'Leeg,' zei ze opgelucht. Ze stapte de cabine in en bleef met grote ogen staan kijken. 'Sjonge.'
'Wat is er?' Asher keek over haar schouder.
'Bewakingsmonitoren. Iemand heeft ze aan laten staan. Daar kwam dat licht vandaan. Er is hier nog meer bewakingsapparatuur.'
Boven de voorruit hing een rij kleine monitoren. Ze stonden aan, maar er was niet anders op te zien dan het interieur van de enorme oplegger. Maar er zaten nog meer meters, wijzerplaten, schermpjes en knipperende lichtjes.
'Mooi spul,' beaamde hij vol genoegen.
'Kunnen we naar buiten bellen of een radio-oproep plaatsen?'
'Eens even kijken.' Iemand had een sweatshirt met een rits aan de voorkant op de voorstoel laten liggen. Hij schoot het aan, trok de rits dicht, ging zitten en sloeg de deken om zijn middel. Daarna richtte hij zijn blik op de instrumenten.
Ze vond een zaklantaarn in het handschoenenvakje, stapte uit de gesloten bestelwagen en liet het licht door het interieur van de oplegger dwalen. Er stond niets anders in dan de bestelwagen, er waren geen wapens of voorraden te zien. Ontzettend jammer. Ze inspecteerde de voorkant. Er zaten wel luchtgaten, maar je kon van hieruit niet in de hoofdcabine komen. Ze drukte haar oor tegen de scheidingswand, maar het enige wat ze hoorde, was het eentonige geluid van de banden en het gedreun van de motor.
Daarna ontdekte ze dat de dubbele laaddeuren aan de achterkant stevig op slot zaten. Toen ze haar schouder ertegenaan zette, kon ze voelen dat er aan de buitenkant een dwarsbeugel opzat, die de deuren blokkeerde. Asher kon misschien deze sloten ook openmaken, maar die dwarsbeugel maakte ontsnappen onmogelijk.
Ze liep terug naar de bestelwagen en ging achter het stuur zitten. Asher had het plafondlampje aangeknipt. Zijn gezicht was bleek en zijn zwarte haar zat verward. Hij zag eruit alsof hij ieder moment in elkaar kon zakken. Maar zijn vingers bleven schakelaars omzetten en zijn blik dwaalde over de apparatuur.
Hij keek haar even aan. 'Iets gevonden?'

'Niets waar we iets aan hebben. En jij?'
'Niet veel. Het probleem is dat de camera's en de microfoons hier in die oplegger niets te registreren hebben, dus op de monitoren valt niets te zien' – hij woof even naar de rij schermen boven hun hoofd – 'en de afluisterapparatuur geeft ook geen sjoege. Er liggen geen walkie-talkies of mobiele telefoons, dus we kunnen niet met de buitenwereld communiceren. Dat is het slechte nieuws. Het goede nieuws is dat het GPS-systeem wel werkt.'
'Dat is tenminste iets.' Ze boog zich voorover en keek naar een gekleurde kaart waarop een bewegend pijltje hun route aangaf. 'We hebben een hele rondrit gemaakt!'
Hij knikte. 'Eerst in noordoostelijke richting naar Reims en vandaaruit naar het zuiden, tot aan Troyes en Orléans. Nu zijn we weer op weg naar het noorden.'
'Het ziet ernaar uit dat we vlak langs de westkant van Parijs zullen komen. Ze blijven gewoon rondrijden om te voorkomen dat we gevonden worden, hè?'
'Dat idee heb ik ook. Maar er is nog een pluspunt... een intercom.' Hij zette een schakelaar om.
De stemmen van twee mannen kwamen uit een kleine luidspreker. Ze spraken Frans.
'Mecca cola?' vroeg een van hen. '*Merde*. Geef mij maar een echte cola. Dat is het enige goeie wat die Amerikanen leveren.'
'Heb je soms een zwak voor Amerikanen?'
Terwijl de eerste Fransman ruw begon te lachen, zette Sarah het geluid zachter. 'Zijn dat onze chauffeurs?'
Er schitterde iets in Ashers ogen, maar het was geen vrolijke blik. 'Ja. Uit dat gesprekje zou je kunnen opmaken dat ze vrij ongevaarlijk zijn, maar dat is niet zo. Ze zijn goed bewapend en ze rekenen erop dat ze ons uiteindelijk om zeep zullen moeten brengen. In feite lijken ze zich daar zelfs op te verheugen.'
'Hè ja, daar zat ik net op te wachten. Waarom doen ze dat dan niet?'
'Ze wachten tot iemand het bevel geeft. Ze hebben één telefoontje gehad, maar dat kwam niet via de luidspreker, dus ik kon de persoon aan de andere kant van de lijn niet verstaan.'
'Hun baas?'
'Zoiets. Geen naam, uiteraard.'
Ze bleven gebogen over de radio zitten luisteren, in de hoop dat de mannen iets zouden zeggen wat hen zou helpen. Vijf minuten later waren ze alleen te weten gekomen dat het stel pas onlangs ingehuurd was. Ze vroegen zich af wie de man zou zijn die hen in dienst had genomen, maar ze kwamen tot de conclusie dat ze zo goed betaald

werden dat ze best bereid waren om hun nieuwsgierigheid te onderdrukken.
'Is hij alleen maar hun baas, of gaat het om iemand die een hogere positie bekleed?' vroeg ze.
'Daar ben ik nog niet achter.'
Ze bestudeerde Asher. Hij was nu echt doodsbleek geworden. 'Je hebt meer dan genoeg gedaan. Nu ben ik aan de beurt. Ik neem de eerste wacht wel voor mijn rekening.'
'Vind je dat niet vervelend?'
'O, Asher, wat kun je toch een sukkel zijn. De toestand is al erg genoeg. Ga jij nou maar weer als de bliksem op die brancard liggen. Rust uit. Je moet op jezelf passen. Je jaagt me echt de doodsangst op het lijf.'
Hij begon langzaam op te staan, maar zakte toen abrupt terug. 'We remmen af.'
Toen hij weer op zijn stoel zat, spuugde de luidspreker een stroom Franse vloeken de cabine in. 'Wat een klootzak!' brulde een van de mannen verontwaardigd.
De ander klonk gelaten. 'Hij doet gewoon wat hem wordt gezegd, net als wij.'
Stilte. Sarah en Asher wachtten. Het enige wat ze hoorden, was een incidentele vloek.
Ten slotte zei een van de mannen: 'Daar staat hij. Zie je wel?'
'Wat een kanjer van een ding, hè?' gromde de ander.
Terwijl de vrachtwagen vaart bleef minderen, hoorden ze ergens voor hen het geluid van motoren dat steeds sterker werd – tot het zo hard was dat het pijn deed aan hun oren. Asher pakte Sarahs hand vast en kneep er even in.
'Straalmotoren?' vroeg Sarah bezorgd.
'Ja.' Hij keek haar aan. Haar ogen waren donker, waakzaam en probeerden niet te tonen hoe bang ze was. 'Zo klinkt het wel.'

40

Parijs, Frankrijk
Liz en Simon stapten over in een andere bus. Hij zat te dommelen, met zijn hoofd tegen haar schouder. Achter de Périphérique lag het voorstadje Seine St.-Denis onder een donkere hemel. De kleine uurtjes van de ochtend waren aangebroken. Hier en daar brandde licht

in bedrijven waar een nachtploeg schoonmakers aan het werk was. Anderhalve kilometer voordat ze bij Le Bourget waren, stapten ze uit. Er kwam een taxi voorbij, gevolgd door een tweede. In de eerste zat een passagier, maar de tweede was leeg. Hij kwam naast hen rijden en bood aan hen verder te brengen. Liz wendde zich af en begon met haar hand voor haar mond te hoesten.
'*Merci, non,*' zei Simon tegen de chauffeur. Toen de taxi doorreed, zei hij: 'Kwam hij je bekend voor?'
'Dit keer niet.'
'Het is wel heel toevallig dat hij op dit moment langs kwam rijden.' Hij schudde nijdig zijn hoofd. 'We schrikken van elke schaduw. We lijken wel een stel zenuwachtige katten.'
'Wees maar blij. Dat is een afweermechanisme. Als dat niet meer werkt, zitten we in de problemen.'
De wind stak op, waardoor de blaadjes van de bomen begonnen te ritselen en het zweet op hun gezicht opdroogde. Op dit uur was er geen andere voetganger in zicht en de trottoirs waren donker en bijna griezelig stil. Af en toe doken ze een tuin of een zijstraat in, waar ze even bleven zitten om zich ervan te vergewissen dat ze niet gevolgd werden.
Ten slotte liepen ze met stevige pas verder en Simon grinnikte.
'Waar denk je aan?' vroeg ze. Ze vond het prettig om te zien hoe hij liep, met lange verende passen.
'Aan Malko, in die steeg. Hij had geen schijn van kans, zodra jij hem in de gaten had.'
'Ik weet niet zeker of dat wel een compliment is.'
'Natuurlijk is het een compliment. Vrouwen worden meestal onderschat. Dat is een voordeel waar je gebruik van kunt maken. En dat doe jij.'
'Het brengt me ook weleens in moeilijkheden als ik dat niet in de gaten heb.'
'Heb je het nu over Santa Barbara? Over de rector en dat vriendje van je?'
Hij voelde even een scheut van jaloezie. Hij vroeg zich af wat voor type Kirk Tedesco was geweest. Waarom was ze in godsnaam met hem naar bed gegaan? Hij wist niet zeker of dat ook echt zo was geweest, maar hij vermoedde van wel. Ze was een volwassen vrouw. Ze was alleen. En iedereen maakt fouten. Voordat hij het kon voorkomen, zag hij in gedachten het gezicht van Viera weer. Hij voelde haar strelende vingers en zag de gelukkige blik in haar ogen. Maar hoewel hij zijn best deed om haar snel uit zijn hoofd te zetten voordat hij de beelden van haar dood weer voor ogen kreeg, bleek zijn

onderbewustzijn sneller te zijn dan zijn gedachtegang... daar waren de felle vlammen die een einde maakten aan haar leven.

'Dat kan ook een typische vrouwelijke karaktertrek zijn,' zei ze. 'Vertrouwen. Ik vertrouwde Kirk, omdat ik hem aardig vond en graag in zijn gezelschap was. Ik heb nooit vraagtekens gezet bij het feit dat hij in wetenschappelijk opzicht eigenlijk een lichtgewicht was en ook nooit vermoed dat hij en de rector me bespioneerden.' In haar stem klonk haar ergernis door. 'Ik was gewoon een stommeling.'

'Het lijkt me waarschijnlijker dat de mensen die jou in de gaten moesten houden erg goed waren.'

'Nee. Ik verlangde zo ontzettend naar een idyllisch leven dat ik er bijna om vroeg om belazerd te worden. Ik zal nooit vergeten hoe opgewonden ik was toen ik hoorde dat die leerstoel aan mij was toegewezen. Het gaf me een prima excuus om te stoppen met mijn kruistocht tegen Langley en het leek net alsof ik een stempeltje "goedgekeurd door de vereniging van huisvrouwen" kreeg voor alles wat ik daarna zou gaan doen.'

'Heb je er spijt van dat je bent afgestudeerd?' vroeg Simon voorzichtig.

Ze zweeg even. 'Ik vind het heerlijk om college te geven. Die tv-serie was gewoon het gevolg van mijn interesses en die was – is – ook heel belangrijk voor me.'

'Wil je weer terug?'

In gedachten zag ze Santa Barbara voor zich. Haar huis lag op een eenzame plek, hoog in de Santa Ynez Mountains en keek uit over de stad. Van daaruit had ze een adembenemend uitzicht op daken met rode dakpannen en palmen dat zich uitstrekte tot de plek waar het weelderige land overging in de azuurblauwe zee. De stad lag op een vlak stuk land tussen de oceaan en de bergen, die op de kom van een grote, vriendelijke hand leek. Het milde klimaat zorgde voor uitbundig bloeiende exotische planten: hibiscus, bougainville, slaapmutsjes, en paradijsvogelplanten.

Plotseling voelde ze zich ontzettend eenzaam. Het leek alsof diep vanbinnen een zwart gat ontstond... kil, leeg... vertrouwd.

Ze had daar toch iets gemist. Iets wat ze niet goed kon omschrijven en ze had het van zich af kunnen zetten door haar dagen te vullen met haar universiteitswerk, comités, colleges, de tv-serie, karate – en zelfs Kirk – allemaal luxueus verpakt in de slaperige schoonheid van de stad. Terwijl ze terugdacht aan de gezellige luiheid van Kirk werd ze overmand door een gevoel van eenzaamheid dat haar koude rillingen bezorgde, ondanks de warme zomernacht. Ze had hem vertrouwd. Hij had haar verraden.

Ze keek Simon niet aan. 'Mensen gaan naar Santa Barbara toe om te vergeten of om te dromen. Ik ben ernaar toe gegaan om te vergeten. Ik weet niet wat ik zal doen, als dit voorbij is. En jij?'
'Die vraag komt niet eens bij me op. Ik zit voor mijn leven lang aan MI6 vast.'
'Als je het zo zegt, klinkt het net alsof het een gevangenisstraf is.'
Hij keek haar verbaasd aan. 'Zo had ik het niet bedoeld.'
'Zal je tamme psychiater je eens een verstandige raad geven? Let goed op de kleine grapjes die mensen maken, vooral als ze het over zichzelf hebben. Daarin steekt dat geniepige onderbewustzijn weer de kop op. Zo'n humoristische opwelling waarin je jezelf onderuithaalt, duidt vaak op dingen die we eigenlijk liever verborgen willen houden... voor iedereen, maar ook vooral voor onszelf.'
Hij reageerde meteen. 'Laten we nog iets afspreken: als jij niet probeert om mij aan een psychoanalyse te onderwerpen, dan zal ik niet vragen hoe zo'n slimme meid als jij zo'n windbuil als die Kirk als vriendje kon uitzoeken.'
Ze kon nog net een boos antwoord inhouden, maar toen schoot ze toch in de lach. 'Touché. Ik schaam me diep. Ik zal mijn vragenformulier opbergen en als een geslagen hondje achter mijn lessenaar wegsluipen.'
'Dat lijkt me heel verstandig.'
Hij glimlachte en ze lachte terug, voordat ze zwijgend verder liepen. Er kwam steeds minder verkeer langs. Bomen rezen als zwarte schaduwen tegen de met sterren bezaaide hemel omhoog. Haar hoofd liep om van de vragen toen ze vooruit probeerde te denken.
'Ik heb lopen piekeren over wat jij net over Nautilus vertelde,' zei ze tegen hem. 'In Dreftbury moeten we niet alleen op zoek gaan naar de chanteur, maar ook naar Themis en Kronos en alle anderen met een Griekse codenaam. Als we erachter kunnen komen wie het zijn, kunnen we onze zoektocht beperken.'
Hij knikte. 'Het lijkt me duidelijk dat we geen steun zullen krijgen van een statisticus of een expert op het gebied van het verwerken van gegevens. Maar toch moeten we zo gauw mogelijk die documenten die ik heb gefotografeerd bestuderen. Samen weten we misschien wel meer dan we beseffen.'
'Dat ben ik met je eens. Hoeveel tijd hebben we nog voordat Nautilus begint?'
'Vanaf een uur of vier, vijf vanmiddag zullen mensen bij het hotel aankomen om zich in te laten schrijven, een borrel te drinken en een rondje golf te gaan spelen. Om een uur of acht is het openingsbanket, compleet met toespraak. De eerste voordrachten en commissie-

vergaderingen beginnen zaterdagochtend acht uur. Morgenochtend. De laatste zijn zondagavond laat.'
'En de beveiliging?'
'Dat is meestal een mengvorm van privé- en overheidsdiensten. Nautilus huurt zelf een topfirma in als Kroll of Wackenhut. Vervolgens krijgen ze ook, afhankelijk van het land, steun van de plaatselijke politie of het leger. Of van allebei. We kunnen er blind van uitgaan dat de veiligheidsmaatregelen al bij het aanbreken van de dag bijzonder streng zullen zijn.'
'Geweldig.'
'Nautilus weet wat ze doen. Je kunt er nu al wel zeker van zijn dat het hele complex is afgesloten voor het publiek en dat de normale gasten hun koffers hebben kunnen pakken. Dat is de normale gang van zaken bij Nautilus, net zoals ze de plaats waar ze naartoe gaan altijd heel zorgvuldig uitkiezen... het is meestal eigendom van iemand die lid is van Nautilus of het wordt door een van hun eigen mensen beheerd.'
Ze zuchtte. Maar meteen daarna bruiste de adrenaline door haar heen. 'Daar hebben we het circus.'
Het stond op het asfalt van de luchthaven, vlak bij de parkeerplaats. De grote tent bolde op in de wind, als een wit zeilschip onder een zwarte lucht vol hoge, heldere sterren. Ernaast stonden de woonwagens van de artiesten en de werklieden, een armzalige verzameling met hier en daar een voertuig dat nog net niet van ellende in elkaar zakte. Het Cirque des Astres was nooit echt lucratief geweest en dat was kennelijk nog steeds niet het geval.
Aan de andere kant van de tent torenden de grote, vierkante blokken van de gebouwen van de luchthaven Le Bourget omhoog. Het oude vliegveld, dat roem had vergaard als de plaats waar Charles Lindbergh na zijn historische vlucht over de Atlantische Oceaan was geland, was geen belangrijke luchthaven meer. Het werd tegenwoordig alleen gebruikt voor vracht- en privévluchten en er vonden evenementen plaats, zoals de tweejaarlijkse Parijse Luchtvaart Show en andere tentoonstellingen. En nu stond het circus er dus.
Alles was rustig en uitgestorven. Dankzij de nacht konden ze hun bestemming geheimhouden.
Ze had Gary Faust al zeven jaar niet meer gezien. Hij was een voormalig leider van de Franse verzetsbeweging en moest inmiddels al in de tachtig zijn. Zijn Franse moeder en Amerikaanse vader hadden het circus in hun jeugd opgericht. Vervolgens had Gary het tijdens de Tweede Wereldoorlog gebruikt als dekmantel voor zijn ring van spionnen en saboteurs, leden van de beroemde verzetsbeweging. Voor

zijn moed was hij beloond met het Légion d'Honneur, het Croix de Guerre en de Médaille de la Résistance. Een Franse volksheld.
Toen ze om de tent heen liepen, zag ze het vliegtuig staan, spookachtig in het maanlicht, bijna een geestverschijning. Het was een Westland Lysander uit 1940, een van de twee toestellen ter wereld die nog steeds luchtwaardig waren.
'Is dat het?' vroeg Simon terwijl hij met grote ogen naar het toestel met zijn hoge vleugels keek. Zijn zachte stem kon zijn scepsis niet verbergen. 'Komt het nog wel van de grond?'
'Volgens Gary vliegt ze als een sprookje.' Als de plaatselijke autoriteiten daar toestemming voor gaven, trakteerde hij hele gezinnen op een gratis rondvlucht. Uiteraard waren die vluchten een mooie reclame. Maar het belangrijkste was dat Gary het heerlijk vond om het stokoude toestel te besturen en andere mensen een idee te geven van de onzekerheid en de vreemde blijmoedigheid van een lang vervlogen oorlog.
Simon schudde zijn hoofd. 'Het ding ziet eruit alsof iemand het in zijn kelder met behulp van zilverpapier en gluton in elkaar heeft gezet. Hoe moet dat ons over het Kanaal brengen?'
'Pas op je woorden als je het over mijn meisje hebt,' zei een Franse stem in het Engels. 'Ze is snel op haar teentjes getrapt. Als je wilt dat ze goed voor je zorgt, moet je respect voor haar tonen.' De man die uit de schaduw van het vliegtuig te voorschijn kwam, bewoog zich gemakkelijk. Hij had een behoorlijke omvang, maar zijn rug in de donkergrijze overal was kaarsrecht. Hij had een pet op en om zijn hals bungelde een stofbril.
Hij pakte Liz bij haar schouders, kuste haar op beide wangen en duwde haar van zich af zonder haar los te laten. In het maanlicht keek hij haar aandachtig aan. 'En gaat het goed met je?'
'Ik heb een glas wijn gehad,' zei ze glimlachend. 'En een stuk stokbrood met kaas.'
'Meer kan een mens niet wensen, hè? Wie weet wat ons morgen te wachten staat.'
'Leuk om je weer te zien, Gary.'
'Van hetzelfde. Het spijt me te horen dat je moeder dood is. Maar misschien is dat toch het beste. Ze was een gekweld mens. Die vader van je!' Hij liet haar los en sloeg een kruis. 'Dat had ik niet moeten zeggen. Van de doden niets dan goed.' Hij sloeg nog een kruis en grinnikte. 'Maar na al die jaren schijnt het me nog steeds geen kwaad te doen. Waar maak ik me druk over?' Hij draaide zich om. 'En jij bent Simon? De neef van Melanie?'
Ze schudden elkaar de hand. 'Fijn dat u ons wilt helpen,' zei Simon

tegen hem. De hand van de oude strijder was droog en sterk. 'Liz heeft me verteld dat u het ideale vliegtuig hebt voor onze...'
'Zeg maar niets meer.' Gary legde een vinger tegen zijn lippen. 'Ik heb tientallen jaren geleden al ontdekt dat het verstandiger is om zo min mogelijk over een missie te weten, tenzij ik de leiding heb. Je bent jong, Simon, en dat betekent dat je je zorgen maakt. Ik twijfel er niet aan dat je nog nooit zo'n vliegend wonder als dit hebt gezien.' Hij klopte op de vleugel van de Lysander. 'Je moet je ontspannen en vertrouwen hebben. Zij en haar zusters hebben de mensen van jullie eigen F-Group overgevlogen naar Frankrijk en veel van jullie neergeschoten vliegers weer naar huis gesmokkeld. De Vrije Fransen gebruikten haar als een spionagevliegtuig en ze heeft heel wat wapens en voorraden naar de maquis gebracht. En waarom kon ze al die dingen doen? Omdat ze langzaam vliegt en laag boven de grond. Bovendien kan ze op de meest onmogelijke plaatsen landen en weer opstijgen. En dat is van belang bij onze bestemming van vannacht.'
Simon bekeek het vliegtuig achterdochtig. 'Passen wij daar allebei wel in?'
'Ik heb veertig jaar geleden het achterste kanon er al uit laten slopen en de zitplaats laten vergroten, nadat ik haar op een veiling van overbodig oorlogsmateriaal had gekocht. En al die tijd heeft ze met gemak twee passagiers kunnen vervoeren.'
'Dan zijn wij nu aan de beurt.' Liz klom op de vleugel.
'*Oui*, nu zijn jullie aan de beurt. Schiet op, Simon. Ik moet jullie ver voor zonsopgang afzetten, zodat ik hier ongezien terug kan komen.' Hij tilde zijn gezicht op en leek de nacht te proeven. 'We gaan naar een vliegveld in Northumberland dat ik goed ken. Het ligt bij de boerderij van een van mijn vrienden uit de oude tijd. Het verleden en onze vergevorderde leeftijd zorgen ervoor dat degenen van ons die het overleefd hebben elkaar niet meer los kunnen laten.' Zodra Simon naar boven was geklommen, kwam Gary achter hem aan. 'Dit is een belangrijke opdracht, *hein?*'
'Heel belangrijk,' zei Liz tegen hem.
'*Bon*. Dan vertrekken we nu.'

Langley, Virginia

Frank Edmunds zat in zijn kantoor en vloekte in de telefoon. 'Verdomme. Dus er is geen spoor van hen te bekennen?'
'We hebben de Peugeot gevonden in een privéparkeergarage in Pigalle. Sansborough en Childs moeten de auto daar neergezet hebben vlak nadat jij me op pad had gestuurd om hen te zoeken. Maar goed, we hebben de Peugeot en de garage binnenstebuiten gekeerd, maar

er was geen enkele aanwijzing te vinden waar ze naartoe zijn gegaan. En zal ik je nog eens iets anders vertellen, Frank? Het wemelt hier op straat van de antiterreureenheden. Ze hebben vier kerels aangehouden die ervandoor probeerden te gaan en nu kammen ze de hele omgeving uit. Het enige voordeel daarvan was, dat al die herrie en heisa onze aandacht trok. Maar toen kwamen ze terug om hun onderzoek te hervatten en we moesten er als een haas vandoor, voordat ze ons identificeerden. Over pech gesproken.'

Edmunds had het donkerbruine vermoeden dat pech er weinig mee te maken had. In feite leek die overval van de antiterreureenheden rechtstreeks uit de koker van Sansborough en Childs te komen. Het begon langzaam maar zeker duidelijk te worden dat er ook anderen achter hen aan zaten en wie dat ook mochten zijn, de kans bestond dat zij hen in de garage in een hoek hadden gedreven. Om dan alarm te slaan dat er terroristen in de buurt waren zou een slimme manier van het stel zijn om hun achtervolgers af te schrikken en zich tegelijkertijd uit de voeten te maken. Dat leek hem in ieder geval de meest logische oplossing.

Maar hoe het ook zij, Sansborough en Childs waren opnieuw door de mazen van Langleys net geglipt. Voor iemand die ze zogenaamd niet meer op een rijtje had, leek ze verdomd actief te zijn. Hij begon zich steeds vaker af te vragen of Jaffa zich niet had vergist. Wat als haar verslag nou eens waar was geweest? Wat als ze wel bij haar verstand was?

Er was maar één manier om daar achter te komen. 'Oké. Zorg dat je mannen blijven zoeken. Sansborough en Childs zullen wel vermomd zijn, maar wat moeten we beginnen als we niet eens meer door een vermomming kunnen kijken? Hebben jullie nagetrokken wanneer ze in Parijs is aangekomen en waar ze vervolgens naartoe is gegaan?'

'Dat ging niet, Frank. Weet je waarom niet? Omdat er nergens een aanwijzing te vinden is dat ze in Parijs of zelfs in Frankrijk is aangekomen. Helemaal niets.'

Edmunds begon zich steeds onbehaaglijker te voelen. 'Hoe zit het dan met Asher Flores en Sarah Walker?'

'Dat is ook al zo'n raar verhaal. Flores was inderdaad in Parijs, maar gewoon onder zijn eigen naam, dus dat verhaal dat hij aan een strikt geheime opdracht werkt, slaat nergens op. Maar goed, ik heb via mijn contactpersoon bij de gendarmerie ontdekt dat Flores en zijn vrouw een kamer in het Hotel Valhalla hebben en dat ze een week vooruit hebben betaald, tot zondag. Maar vanmorgen is er in hun kast een lijk gevonden. Het enige wat de smerissen weten, is dat Wal-

ker voor die tijd in de kamer is geweest en weer is vertrokken, maar sindsdien heeft niemand haar meer gezien. En na dinsdagavond is Flores ook niet meer gesignaleerd. De smerissen staan op het punt om een arrestatiebevel voor hen uit te vaardigen, als dat inmiddels al niet gebeurd is. Verder ben ik nog niet gekomen.'
'Blijf zoeken, Jeff.' Edmund voelde zijn maag branden en wist dat hij op het punt stond een aanval van maagzuur te krijgen. 'Probeer ze allemaal te pakken te krijgen. Probeer maar uit te vissen wat er allemaal aan de hand is! En zorg ervoor dat je Sansborough vindt, verdomme.'
'Wordt er nog steeds van ons verwacht dat we Sansborough en Childs koud maken?'
Edmunds aarzelde. Binnensmonds vloekend pakte hij zijn medicijnen op.
'Frank? Ben je er nog?'
'Ik ben er nog.' Hij nam een van de pillen in, dronk een slokje water en zuchtte. 'Wacht daar maar mee. We kunnen beter eerst uitzoeken wat er verdomme aan de hand is, voordat we tot drastische maatregelen overgaan.'
Hij verbrak de verbinding en toetste de eerste twee cijfers van het interne nummer van Walter Jaffa in. Maar toen stopte hij. Stel je voor dat het belachelijke verhaal dat Sansborough had opgehangen toch waar was? Ze mocht de Company dan een paar jaar geleden wat schade berokkend hebben vanwege dat gedoe om haar vader, maar voor die tijd was ze één van hen geweest.
Hij legde de telefoon met een klap neer. Hij had nog heel wat uit te zoeken voordat hij opnieuw verslag uit zou brengen aan Jaffa.

41

Northumberland, Engeland

Vanuit de lucht viel het maanlicht als een zilveren sluier over de wilde grensvallei van de North Tyne River. Het kleine vliegtuig vloog over dichte wouden, indrukwekkende heidevelden en afgelegen heuvelruggen vol verwaaide planten. Terwijl Simon toekeek, stuurde Gary Faust het vliegtuig via de rivier naar een uitgestrekt boerenbedrijf, waar hij het voorzichtig op een rudimentaire landingsbaan aan de grond zette. Het vliegtuig schudde en rammelde. Maar de oude verzetsstrijder had gelijk gehad: het kon landen op een servetje.

Liz werd wakker, gaapte en rekte zich uit terwijl ze naar de boerderij taxieden. Aan het eind van de landingsbaan zette Faust de Mercurymotor uit.
'Mooie landing,' zei Simon toen ze naar buiten klommen.
'*Oui*, en jij bent opgelucht dat je weer vaste grond onder de voeten hebt,' merkte de Fransman op zonder zijn plezier te verbergen. Simon was de hele reis op zijn qui-vive geweest.
'Ze heeft me verrast,' zei hij. 'Ze is even stevig als je zei.'
Liz keek hem met grote ogen aan. Ze dacht aan zijn gespannen reactie toen ze had voorgesteld om naar Engeland te vliegen. 'Je houdt niet van vliegen... je hebt er gewoon een hekel aan.'
Hij haalde zijn schouders op en lachte een beetje beschaamd. Met Faust tussen hen in liepen ze snel weg. Overal stonden bomen en struiken die heen en weer zwaaiden in de duistere wind. Boven hun hoofd joegen antracietkleurige wolken langs de met sterren bezaaide hemel. Het viel Simon op dat Liz het huis en de bijgebouwen ook aandachtig bestudeerde. De kans dat ze gevolgd waren, was te verwaarlozen. Maar toch konden – en wilden – ze zich geen van beiden ontspannen.
Faust had van tevoren opgebeld en ontdekt dat zijn vriend Paul Hamilton, een gedecoreerde RAF-piloot uit de oorlog, in zijn De Haviland Humming Bird was vertrokken naar een luchtvaartshow in Kent. Maar Hamilton had desondanks gezegd dat ze zijn Jeep mochten lenen. Faust duikelde de sleutel op, die verstopt zat achter een bloembak vol rode geraniums naast de keukendeur. Hij liep naar binnen. Toen hij terugkwam, overhandigde hij de sleutels van de Jeep aan Liz.
Ze bedankte hem. 'Is dat Bellingham?' vroeg ze met een knikje in de richting van een paar verdwaalde lichtjes. In dat geval was de weg die er langs liep de B6320, waar ook het landgoed van Lord Henry Percy aan lag.
'*Oui*, dat klopt.' Hij keek Simon aan. 'Tot ziens, jongen.' Hij schudde hem de hand en pakte toen Liz opnieuw bij haar schouders, drukte haastig een kus op haar beide wangen en ging ervandoor. 'Veel succes.' Zijn stem klonk ijl, gedragen door de wind.
Liz en Simon renden naar de garage en trokken de deur open. Binnen stonden een Jeep en een motorfiets. Ze klommen in de Jeep en ze reed achteruit naar buiten. Hij vond een kaart in het handschoenenkastje. Het was twintig jaar geleden dat zij bij Henry had gelogeerd en Simon was er al tien jaar niet meer geweest. Ze reed de Jeep haastig een geasfalteerde weg op die naar de landelijke autoweg liep, waar ze de afslag naar het zuiden nam, langs de lome rivier en de

dichte bossen van het Northumberland National Park. De weg was vrijwel uitgestorven.
'Dit keer kunnen we er zeker van zijn dat we niet achtervolgd worden,' zei ze tegen hem.
'Behalve door de spoken van de Border Reivers.'
'Dat doet me denken aan die spannende verhalen van Henry.'
Hij glimlachte en keek om zich heen, alsof hij op zoek was naar de ruziënde boerenbandieten die eeuwenlang aan weerszijden van de Engels-Schotse grens de oogst en vee hadden geroofd. De graven van Northumberland – Henry's familie, de Percy's – hadden in die wetteloze tijden als koningen geregeerd.
Ze glimlachte terug en kreeg plotseling een opgelucht gevoel. Ze waren hun achtervolgers kwijt en ze gaf zich over aan een plezierig optimisme. Ze hield zichzelf voor dat Sarah en Asher vast nog in leven waren, en ergens zaten te wachten tot Simon en zij het archief en hen zouden vinden.
Ten slotte zag Simon een hoop rotsblokken die eruitzagen als een achterover leunende man. De rotsformatie, die door de plaatselijke bevolking de Slapende Zuiplap werd genoemd, maar in toeristenfolders omschreven werd als de Rustende Wijsgeer, markeerde het begin van het landgoed van baron Henry Percy. Ze draaide de Jeep de bekende oprit op, die loodrecht voor hen uitliep. Maar de weg was inmiddels zo dicht begroeid met bomen, dat de takken als knokige vingers langs de zijkanten van de Jeep schraapten.
'Ik kan me dit niet herinneren,' zei ze.
'Ik ook niet. Vreemd dat Clive het zo uit de hand heeft laten lopen. Hij was altijd zo precies.'
Omdat het groene bladerdak het maanlicht tegenhield, was het aardedonker in de tunnel. Ze deed het grote licht van de Jeep aan en reed snel verder, langs een helling met een beekje waar ze als kinderen altijd gingen picknicken. Ten slotte verdwenen de bomen, waardoor ze een duidelijk zicht kregen op Moorlands – het grote, grillig gebouwde landhuis dat altijd als Henry's buitenhuis had gefungeerd, tot hij uiteindelijk met pensioen ging en zijn investeringen overdroeg aan een handvol neven en nichten. Dat was het moment waarop hij al zijn tijd op Moorlands door ging brengen, met uitzondering van excursies naar Afrika en het Verre Oosten en een incidenteel antropologisch reisje naar Las Vegas. Henry, Lord Percy, was een ouderwetse, keurige Engelsman die zo nu en dan wel van een avontuurtje hield. Zo was hij in ieder geval altijd geweest.
Ze zette de auto naast het grote huis, in de schaduw van een met druiven begroeide pergola.

'De dierentuin is verdwenen,' zei Simon, toen hij uitstapte. Hij liep weg van de Jeep en staarde naar de plek waar omheinde weilanden en pittoreske stallen onderdak hadden geboden aan zebra's, Andesgeiten en lama's, plus nog een heel stel andere exotische dieren. Nu was er alleen maar een veld. De stallen aan de noordkant stonden er nog wel, maar er was geen paard te bekennen.
'Ik ruik geen mest,' zei ze.
'Ik ook niet. De paarden zijn er ook niet meer.'
Het gazon was keurig gemaaid en langs het stenen pad stonden bloembakken met bloeiende zomerplanten. Het landhuis zag er goed onderhouden uit en de twee oude eiken die ze zich van vroeger herinnerde, torenden nog steeds voor het huis omhoog, groter, breder en statiger dan ooit. Maar toch maakten het gebouw en de grond eromheen de indruk van vermoeide landadel.
Terwijl Simon en zij over de oprit liepen naar het pad naar de voordeur, pakte ze *The Times* op en zag dat het de vrijdagochtendeditie was. 'Dat is een goed teken. Hij heeft in ieder geval nog minstens één vaste krant.'
'Laat me eens even kijken.'
Simon bleef voor de massieve deur staan, pakte de krant aan en bladerde het eerste katern door. Hij hield iedere pagina omhoog in het maanlicht en pas toen besefte ze wat hij zocht.
Ze vloekte en pakte het tweede katern op. Maar hij was degene die succes had: vier foto's en twee berichtjes. Ze leunde nerveus tegen hem aan en een golf van woede welde in haar op terwijl ze er strak naar bleef kijken. Op de foto's stonden zijzelf, Sarah, Asher en Mac, die volgens het onderschrift een zakenman uit New Jersey was, die Aldo Malchinni heette. Het ene bericht ging over de Londense politie die achter haar aan zat in verband met de moord op Patricia Childs, terwijl het andere verslag deed van de speurtocht van de Parijse politie naar Sarah Walker en Asher Flores, die hen over de moord op Malchinni wenste te ondervragen. In dat bericht stond ook dat zij en Sarah nichtjes waren en als twee druppels water op elkaar leken.
'O, verdorie,' zei ze ademloos.
'Dat zou morgen wel eens heel vervelend voor je kunnen worden. Misschien moet je maar niet met me meegaan naar Dreftbury. We willen niet...'
Ineens floepten de lampen boven de voordeur aan, waardoor het pad en de oprit verlicht werden. Ze liet haar hand in haar tas glijden en pakte haar Glock vast, terwijl Simon zijn hand onder zijn colbert stak, op zoek naar zijn Beretta. Ze keken elkaar aan.

'We zijn wel een tikje nerveus, hè?' zei ze.
Hij knikte, trok zijn hand terug en vouwde de krant weer op. 'Die moeten we verdonkeremanen.'
'Wie is daar?' Dat was niet de stem van Clive.
Ze noemden hun namen. Een paar seconden later ging de deur open.

Henry Percy ontving hen in de bibliotheek op de begane grond. Hij zat in een oorfauteuil met een geblokte Schotse plaid over zijn knieën, hoewel Liz en Simon die in de hal hadden staan wachten hem niet naar beneden hadden zien komen. Simon had van de gelegenheid gebruik gemaakt om de krant achter de vooroorlogse paraplubak te verstoppen.
Nu knielde Clive in een blauwe kamerjas over zijn pyjama en op leren slippers voor de haard en pookte een klein vuur op. Zijn verschrompelde gezicht keek af en toe op naar de baron, alsof hij zich ervan wilde overtuigen dat alles goed met hem was. Clive was bijna even oud als Henry en hij was gekrompen, al leek hij nog even kwiek en humeurig als altijd. Maar aan zijn stramme rug en zijn boze blik te zien beviel het bezoek hem allerminst. Een tweede bediende – Richard – stond aan de andere kant van de met boeken overladen kamer, eveneens in kamerjas en op slippers, beleefd te wachten tot hij nodig zou zijn. Hij was zeker vijftig jaar jonger dan Henry en Clive en had de deur voor Liz en Simon opengedaan.
'Lizzie! Simon!' Henry stak zijn handen uit. De uitgedroogde huid zat vol levervlekken. 'Wat fijn om jullie te zien. We zullen het maar niet over het onmenselijke uur hebben. Ik weet zeker dat jullie hier niet zouden zijn als het niet om iets belangrijks ging.'
Zijn gezicht was langer en smaller dan Liz zich herinnerde, maar vrijwel rimpelloos ondanks het feit dat hij over de negentig was. Zijn dunne witte haar was keurig achterovergeborsteld. Het meest opvallend waren nog steeds zijn dikke, borstelige wenkbrauwen, die inmiddels ook zilverkleurig waren. Daaronder leken zijn grijze ogen bijna kleurloos, hoewel er nog steeds de scherpe blik in lag die zijn concurrenten had doen beven, terwijl ze altijd vol genegenheid de innigste wensen van een kind hadden doorgrond.
'Het is echt héél belangrijk,' verzekerde Liz hem. 'Maar het is ook geweldig om je weer te zien.' Ze pakte zijn hand en drukte een kus op zijn ingevallen wang.
Simon pakte zijn andere hand. 'Je ziet er fantastisch uit, Henry. Bedankt dat we zomaar binnen mochten vallen.'
Henry straalde. 'Dat maakt niets uit. Thee, Clive. Iets warms en gezelligs. Oolong, lijkt me.'

'Het zou me niets verbazen als ze ook wel een boterhammetje lusten, sir.' Clive keek hen woedend aan. 'De kokkin zal ook wel wakker zijn. Al die herrie is haar vast niet ontgaan. Ze zal de korstjes er wel afsnijden.'
'Boterhammen?' zei Simon. 'Dat klinkt prima. Bedankt, Clive.'
'Mag ik jou ook een kus geven?' vroeg Liz. 'Per slot van rekening zijn we oude vrienden.'
Clive fronste maar bood haar zijn rechterwang aan. Liz boog zich over naar de kleine man en drukte een lichte kus op de gerimpelde huid. Heel even flitste er een glimlach over zijn gezicht, maar meteen daarna liep hij weg.
Henry, Lord Percy, een held uit de Tweede Wereldoorlog, voormalig parlementslid, diplomaat en internationaal zakenman, was een rechtstreekse afstammeling van de vierde Lord Percy, de eerste graaf van Northumberland die in 1409 was overleden. Het was zijn zoon, Henry, die zich op twaalfjarige leeftijd op het slagveld al zo had onderscheiden dat hij de bijnaam Hotspur had gekregen en bijna twee eeuwen later door Shakespeare onsterfelijk was gemaakt in *King Henry IV* en *King Richard II*. Voor hij stierf, had Henry bij een meisje in Wark een onwettig kind verwekt, aan wie hij zijn naam schonk. Deze min of meer illegale tak van de familie Percy gedijde goed en had handelaars en plaatselijke bestuurders opgeleverd voordat ze uiteindelijk naar Londen trokken om zich daar te onderscheiden. De grootvader van de huidige Henry had dit oude landgoed ten zuiden van Wark gekocht en de familie ten slotte weer teruggebracht op hun geboortegrond.
'Ga maar gauw zitten.' Henry wees met een spitse vinger naar een met leer beklede bank tegenover hem.
Liz en Simon lieten zich erop neerzakken. Het vuur knetterde en op de schoorsteenmantel stond een Victoriaanse klok te tikken. Het plafond was bijna vijf meter hoog en de wanden eronder waren bedekt met houten planken die vol stonden met in leer gebonden boeken. De kamer rook naar geolied leer en het uitnodigende vuur.
Henry keek naar de man bij de deur. 'Richard, wil je zo beleefd zijn om ons alleen te laten?'
'Maar Clive heeft gezegd...'
'Ik ben nog steeds de baas.' Henry's stem klonk droog en een beetje beverig, maar zijn vastberaden woorden waren even snijdend als een guillotine.
Liz en Simon keken elkaar aan. Er was niets mis met Henry's verstand.
Richard beet zijn kaken op elkaar, knikte even en liep naar buiten.

Liz wachtte tot de deur gesloten was. 'Henry, we zitten midden in een vervelende toestand...' begon ze.
Maar Henry hief zijn magere hand op om haar de mond te snoeren. Met een scherpe en beschuldigende blik zei hij: 'Ik heb een nieuwsbericht over je op de BBC gezien, Liz. Heb jij Tish Childs vermoord?'
Ze knipperde verbaasd met haar ogen. 'Natuurlijk niet! Je weet best dat ik nóóit zoiets zou doen!'
Zijn kin stak agressief naar voren. 'Je bent bij de CIA geweest. Het lijkt me duidelijk dat je daar best toe in staat bent.'
'Het gaat helemaal niet om wat ik wel of niet kan, verdomme. Dat weet je best. Je kent me toch? Tish werd gemarteld en vermoord. Hoe kun je in vredesnaam denken dat ik ooit zoiets walgelijks zou doen!'
Ze keek hem woedend aan, een blik die ze met rente terugkreeg. Het getik van de klok leek steeds luider te worden. Ze weigerde haar ogen neer te slaan.
Ten slotte scheen hij overtuigd te zijn. Zijn schouders ontspanden. 'Ik moest je die vraag stellen. Mensen kunnen veranderen.' Hij glimlachte vermoeid. 'Je staat hier ineens midden in de nacht voor de deur en maakt het hele huis wakker. Er moet wel iets ernstigs aan de hand zijn. Ik dacht dat je misschien...'
'Je vergiste je.'
'Ja, dat begrijp ik nu ook. Hou het maar op een gevoel van sterfelijkheid. Mensen op hoge leeftijd worden soms bang. Ik durf te wedden dat jullie nooit hadden verwacht dat ik dat zou toegeven.' Hij leunde voorover op zijn ellebogen. 'Het spijt me, lieve Liz. Echt waar.' Zijn ogen waren vochtig.
In een opwelling van medelijden boog ze zich ook voorover en klopte even op zijn hand. 'Ik ben dol op je, Henry. Dat ben ik altijd geweest en dat zal ik altijd zijn. Ik ben het alweer vergeten.'
Simon schraapte zijn keel. 'Nou, ik ben blij dat we dat hebben gehad. En ik ben ook blij dat jij even tijd voor ons hebt, Henry. Het is echt een vervelende toestand. Een regelrecht wespennest. Wil je horen wat er aan de hand is?'
De oude man nestelde zich weer in zijn stoel. 'Ik zou het voor geen goud willen missen. Het is al heel lang geleden dat iemand me een gewaagd verhaal voorschotelde.'
'Het begint met vader. Met zijn zelfmoord.'
Er verscheen een sombere blik op Henry's gezicht en zijn mond verstrakte. Het was algemeen bekend, niet alleen bij de talrijke leden van de families Childs en Percy maar ook tot in de hoogste parlementaire kringen, dat de machtige Henry Percy Sir Robert had beschouwd als de zoon die hij nooit had gehad.

'Ik heb nooit begrepen waarom Robbie dat heeft gedaan,' zei Henry. 'Die praatjes over hem en callgirls waren verdraaide leugens.'
'Moeder en hij hielden veel te veel van elkaar.' De verontwaardiging spatte uit Simons ogen.
Henry knikte boos. 'Maar achteraf hebben veel van zijn zogenaamde vrienden tegenover de pers gesuggereerd dat hij al jarenlang een versierder was geweest.' Zijn lippen krulden. 'Dat is een van de grote problemen van de politiek tegenwoordig... een niet te onderdrukken verlangen om de indruk te wekken dat je "op de hoogte" bent. Vertel me maar eens in welk wespennest jullie je hebben gestoken, kinderen. Misschien kan ik er iets aan doen.'

Luchthaven Le Bourget, Frankrijk

César Duchesne zat onderuitgezakt in zijn taxi, met zijn pet diep over zijn voorhoofd getrokken en het raampje open. Terwijl hij slap achter zijn stuur hing, dommelde hij af en toe even in slaap, maar hij werd steeds onmiddellijk wakker als er een ongewoon geluid klonk. Hij rustte uit, maar bleef tegelijkertijd op zijn hoede. Dingen die je een leven lang had gedaan konden heel nuttig zijn.
Natuurlijk was het best mogelijk dat de piloot van het vliegtuig bij Sansborough en Childs zou blijven, op de plek waar hij hen naartoe had gebracht, maar dat betwijfelde Duchesne. De man had een circus waar hij leiding aan moest geven. De kans was groter dat hij meteen terug zou komen, in de hoop dat niemand hem had gemist.
Zoals Duchesne al aan Kronos had voorspeld, had een van zijn chauffeurs Sansborough en Childs ten slotte toch in de gaten gekregen – dit keer toen ze naar de Place de Clichy liepen. Daarna had een verse, uit drie man bestaande taxiploeg die uitgerust was met infraroodapparatuur de achtervolging op zich genomen. Ze waren hen achternagereden toen het stel in een bus was gestapt, vervolgens overstapte en ten slotte uit was gestapt en verder was gelopen. Basil had het nieuws doorgebeld dat ze met een oude man hadden staan praten, in zijn vliegtuig waren gestapt en weg waren gevlogen.
Nu zat Duchesne in zijn eentje te wachten in zijn taxi die in de schaduw van de grote tent geparkeerd stond. De canvas zijkanten van de tent wapperden in een licht briesje. Touwen kletterden tegen palen. Terwijl hij zat te luisteren, dwaalden zijn gedachten terug naar gelukkiger tijden, toen hij nog jong was en voortgedreven werd door verontwaardiging. Toen hij nog dacht dat het leven heel anders zou lopen en dat geluk best mogelijk was. Hij werd overspoeld door een somber en triest gevoel, dat meteen plaatsmaakte voor een intense woede. Met zijn gewone stalen wilskracht onderdrukte hij zijn emoties.

Hij bleef onbeweeglijk zitten, onveranderd waakzaam. Toen ten slotte ergens ver in het westen het geronk van een klein vliegtuig klonk, keek hij toe hoe de machine naderde, landde en naar de opbollende tent taxiede. De piloot was alleen. Geen spoor van Sansborough of Childs.
Duchesne bleef zitten waar hij zat, geduldig en bijna ongeïnteresseerd. Het vliegtuig stopte en de voormalige verzetsstrijder klom eruit. Hij was ongewapend. Zijn bewegingen waren langzaam en pijnlijk, heel anders dan de soepelheid die aan Duchesne was doorgegeven. Duchesne stapte uit de taxi en liep naar hem toe, slepend met zijn rechtervoet.
De piloot zag Duchesne in het grauwe maanlicht aankomen. Hij week achteruit, zijn ogen op de Walther in Duchesnes hand gericht.
Duchesne gebaarde naar de taxi en zei bevelend in het Frans: 'Stap in.'
'En als ik weiger?'
'Je hebt al een lang leven achter de rug. Misschien heb je er genoeg van. Anders moeten we een praatje maken. Je gaat me vertellen waar je hen naartoe gebracht hebt.'
De blik van de oude man bleef strak, alsof hij de vastberadenheid in Duchesnes ogen op waarde schatte. Even later scheen wat hij daar zag als een loden last op zijn schouders te rusten. Hij knikte kort en stapte in de taxi.

42

Northumberland, Engeland

Terwijl de minuten voorbij tikten, namen Liz en Simon om de beurt het woord om Henry op de hoogte te brengen. Clive arriveerde met de beloofde thee, maar hij was de boterhammen vergeten. Die kwam hij vijf minuten later brengen. Iedereen bediende zich. Henry stelde allerlei vragen die hem door zijn gebruikelijke schranderheid waren ingegeven, tot hij ten slotte zijn mond hield om na te denken. Simon slenterde naar de open haard en leunde tegen de schoorsteenmantel. Liz drentelde rusteloos door de kamer en trok de gordijnen open om in het donker naar buiten te staren.
Ten slotte kwam Henry weer uit zijn trance. Hij schudde ongelovig zijn witte hoofd. 'Ik had er geen idee van dat jouw vader de Carnivoor was, Liz. Als ik denk aan al die jaren dat hij hier op bezoek

kwam met je moeder en jou... Dat had ik nooit kunnen vermoeden. Het is een hele schok. Ik ben er echt helemaal ondersteboven van. En heeft hij werkelijk een uitgebreid archief achtergelaten dat nu door iemand wordt gebruikt om mensen te chanteren? Schandalig! Natuurlijk zijn jullie vastbesloten om het stuk venijn dat het archief heeft te vinden. Jullie moeten hem een halt toeroepen.' Hij aarzelde, maar daarna klonk zijn stem schor van ontroering. 'En dan wat er met Robbie is gebeurd. Wat een tragedie om zo'n groot staatsman te verliezen, een man die zoveel goed heeft gedaan. Dat hij heeft verkozen om die smeerlap die al die kleine jongetjes heeft vermoord om het leven te laten brengen was duidelijk een juiste beslissing.'
Liz en Simon keken elkaar verrast aan.
Henry merkte niets. 'En wat die Titanennamen betreft... helaas, daar heb ik geen flauw idee van. Kronos, Hyperion en Themis... dat klopt toch? Het klinkt als een of andere club, maar of ze iets met Nautilus te maken hebben kan ik met geen mogelijkheid zeggen.'
'Zou jij ons op een of andere manier kunnen helpen om erachter te komen wie het zijn?' vroeg Liz.
'Dat denk ik niet. Ik ben nooit goed geweest in het op een rij zetten van dat soort gegevens. Maar nu wil ik het ergens anders over hebben. Ik wil jullie een lesje geschiedenis geven... Herinneren jullie je nog het verhaal over de Robsons en de gestolen schapen?'
Liz schudde haar hoofd. 'Nee, het spijt me.'
'Dat was toch in North Tynedale?' vroeg Simon.
'Precies.' Henry tuurde in de verte, alsof die langvervlogen dagen zich voor zijn geestesoog afspeelden. 'Mijn vader heeft me het volgende verhaal verteld... Op een donkere nacht slopen de mannen van de familie Robson de grens over naar Liddesdale. Tot hun opwinding ontdekten ze een hele kudde die eigendom was van de Grahams. Dus natuurlijk namen ze die mee terug naar Northumberland. Maar wat de Robsons niet wisten, was dat de schapen schurft hadden. De ziekte verspreidde zich razendsnel over hun eigen kuddes en ze waren woedend. Zonder een moment na te denken stormden ze terug naar Liddesdale waar ze zeven leden van de familie Graham te pakken kregen en ophingen. En vervolgens lieten ze een briefje achter, om er zeker van te zijn dat alle clans precies zouden weten wat er aan de hand was.' Met een zangerig accent citeerde hij: 'De volgende keer dat heren schapen wensen te stelen mogen ze niet schurftig zijn!'
Simon knikte somber. 'Wat van mij is, is van mij en wat van jou is, is ook van mij. Ik begrijp wat je bedoelt. Ja, er zijn mensen die vinden dat Nautilus precies zo is. Ze gedragen zich als de Border Reivers en hebben een kijk op de wereld alsof grenzen – of het nu om

morele, politieke of geografische grenzen gaat – niets te betekenen hebben. Als Nautilus iets wil hebben, dan wordt dat bekonkeld, gelegaliseerd of gewoon genaast.'
'Dat is wel heel boud gezegd, Simon. Maar ja, dat heb ik ook gehoord. Al jarenlang. Maar als mensen zich emotioneel laten gaan, dan zijn hun beschuldigingen vaak overdreven. Het is nooit de bedoeling geweest dat Nautilus zo zou worden en ik betwijfel of het tegenwoordig werkelijk zo is. Het is belangrijk dat jullie begrip krijgen voor iets dat jullie zo gemakkelijk afdoen als een monolithische organisatie die veel te geheimzinnig doet en veel te veel macht heeft. De oorsprong van Nautilus grijpt ver terug... tot ver voor de Tweede Wereldoorlog, naar een Poolse emigrant die Josef Retinger heette. Hij was een spion, maar hij was nog veel meer.'
'Retinger?' zei Liz en keek Simon aan.
Hij schudde zijn hoofd. 'Die naam zegt mij ook niets.'
'Daar is ook geen enkele reden voor. Hij was zo'n gentleman-agent, die af en toe uit de schaduw opdook. Een duistere figuur, van wie werd gezegd dat hij voor iedereen werkte, van de vrijmetselaars tot de heersers in het Vaticaan, van de Mexicaanse tot de Spaanse regering. Niemand wist waar hij voor of tegen was, tot de oorlog begon. Toen bleek hij tegen de nazi's te zijn. Dat was het moment dat Whitehall hem in dienst nam en hij overal in Europa spionagenetwerken voor ons beheerde. En daar was hij verdomd goed in, ook. Hij was zelfs zo'n belangrijk persoon, Liz, dat hij alleen maar de telefoon hoefde op te pakken om jullie president Truman te ontmoeten. Maar hij had dan ook een belangrijk aandeel gehad in de geallieerde zege.'
'Heel indrukwekkend,' zei Liz. 'Maar wat heeft hij met Nautilus te maken?'
'Probeer je de toestand eens voor te stellen,' zei Henry tegen hen. 'In 1948, drie lange jaren na de oorlog, was Europa nog steeds aan het puinruimen. Honderdduizenden zwierven over de wegen omdat ze nergens naartoe konden. Ze hadden niet alleen geen dak boven het hoofd, ze hadden zelfs geen land meer. Geen toekomst. Het was... hartverscheurend. Velen zijn van honger gestorven... volwassenen en kinderen. Anti-Amerikaanse gevoelens staken overal op het continent de kop op en massa's mensen werden lid van de communistische partijen. Retinger was bang dat er opnieuw oorlog in Europa zou uitbreken, maar dit keer zou het op totale vernietiging uitdraaien, omdat er gebruik zou worden gemaakt van nucleaire wapens. Dus ging hij op bezoek bij grote zakenlieden, ex-militairen en politici – de grijze eminenties van de naoorlogse politiek, zoals ze door de pers werden genoemd – en wist hen ervan te overtuigen dat de instandhou-

ding van Europa op het spel stond. Een klein aantal van hen hadden voor het eerst overleg met elkaar in 1952, rond een doodgewone pingpongtafel in een klein appartement in Parijs.'
'In het geheim, neem ik aan,' zei Simon. 'Om te voorkomen dat de communisten erachter kwamen.'
'Dat was de voornaamste reden, ja.'
Liz had naar de negentigjarige zitten kijken. Hij zat met opgeheven hoofd achterovergeleund in de oorfauteuil en in zijn ogen stond de scherpe blik die ze zich zo goed herinnerde. Hoewel zijn handen en stem beefden van ouderdom ging er toch een bepaalde spanning van hem uit, die duidde op hartstocht, kennis en visie. Ze had jarenlang horen praten over alles wat Henry Percy gepresteerd had, maar alleen in de meest vage termen: adviseur van Britse eerste ministers en buitenlandse staatshoofden... investeringen die de hele zakenwereld en alle continenten omvatten en die hem niet alleen op de hoogte hielden van alles wat de mensen nodig hadden, maar ook van hun verlangen naar de materiële zaken in het leven. Alles gehuld in een aangeboren bescheidenheid. Maar misschien had hij achter de schermen ook bekwaam gebruik gemaakt van zijn macht, net als Averell Harriman en David Rockefeller, die zoveel invloed hadden gehad op de moderne Amerikaanse politiek – en ook op die van Europa.
Plotseling wist ze wat ze instinctief had aangevoeld... waarom hij met zoveel kennis van zaken sprak. 'Jij was er ook bij, Henry. Dat is toch zo? Jij was ook uitgenodigd voor dat overleg in Parijs rond die "doodgewone pingpongtafel".'
Simon keek met een ruk op en staarde eerst haar en vervolgens Henry aan.
Henry knikte alleen maar. Zijn gezicht stond somber. 'Er zijn niet veel mensen die zich herinneren dat het maar een haartje heeft gescheeld of Europa was een van de totalitaire satellietstaten van de Sovjet-Unie geworden. Het waren sombere tijden. Maar ook opwindend. We wisten dat we op een historisch keerpunt waren aanbeland en omdat wij het gevaar onder ogen zagen, was het onze plicht om in te grijpen. Eeuwenlang hadden keizers en koningen geprobeerd om Europa door middel van oorlog te verenigen. We wisten dat het moest gebeuren, maar zonder nieuwe grote oorlogen. Die kosten gewoon veel te veel geld, ze veroorzaken veel te veel schade en er zijn maar weinig mensen die er baat bij hebben. Met dat uitgangspunt voor ogen stelden we ons een middels vreedzame integratie verenigd Europa voor... een nauwere samenwerking met Amerika... en het einde van het fascisme en het communisme. Het overleg verliep uitstekend, dus belegden we twee jaar later een meer formele bijeenkomst

in een hotel aan de Franse noordoostkust dat L'Hôtel Nautilus heette.'

'Vandaar de naam Nautilus,' zei Simon.

Liz zat aan iets anders te denken. 'De CIA moet er ook deel van hebben uitgemaakt. En Bill Donovan ook. Hun belangrijkste opdracht was om samen te werken met groepen en individuele personen om te voorkomen dat het communisme zich verder verspreidde.' Wild Bill Donovan was van de OSS geweest en een van de oprichters van de CIA.

'Ja, natuurlijk. Hij en Allen Dulles waren bijzonder behulpzaam en de CIA werd een van onze voornaamste geldschieters. Maar nu de Koude Oorlog voorbij is, speelt de dienst een minder belangrijke rol. En wat jouw beschuldigingen ten aanzien van Nautilus betreft, Simon, bekijk je het gewoon veel te veel van één kant. Ja, we richtten ons vooral op de eenwording van de geïndustrialiseerde wereld. Globalisering, zoals jij dat noemt. Dat komt omdat de geschiedenis ons leert dat als staten aan hun lot worden overgelaten, ze territoriale neigingen blijven houden en oorlogen onvermijdelijk zijn.'

'Ik ben absoluut een voorstander van het vermijden van oorlog,' zei Liz. 'Maar de afgelopen vijftig jaar zijn er toch verdomd veel "kleine" oorlogen geweest. Die heeft Nautilus niet weten te voorkomen.'

'Maar misschien komen bepaalde oorlogen Nautilus helemaal niet slecht uit,' zei Simon.

Henry wierp hem een scherpe blik toe. 'Wat bedoel je daarmee?'

Simon liep weg bij de schoorsteenmantel. Hij ging weer zitten, sloeg zijn benen over elkaar en keek Henry aandachtig aan. 'Misschien vindt Nautilus kleine oorlogen wel nodig als er olie, land of andere winst mee te behalen valt. Een van de zeldzame uitzonderingen was de afwijzende houding van Europa toen de Verenigde Staten Irak binnenvielen. Maar die onenigheid ging meer om wie er achteraf met de buit zou gaan strijken en politieke spierballen kon laten zien, dan om de ethiek van de invasie.'

Liz hield even op met ijsberen. 'Als Nautilus zoveel invloed heeft, waarom maken ze dan geen eind aan Al-Qaeda en roepen ze een paar van die angstaanjagende terroristische staten niet tot de orde?'

'Nautilus kijkt alleen maar naar de lange termijn,' theoretiseerde Simon. 'Al-Qaeda en de rest zijn randproblemen die ze wel graag meteen zouden oplossen, maar dat lukt niet omdat leidinggevende terroristen fanatici zijn en niet gevoelig zijn voor de gebruikelijke beloningen. Je kunt ze niet omkopen, omdat ze er alleen maar op uit zijn om hun "vijanden" te doden. Daarmee bedoelen ze ons. En trouwens, op de langen duur trekt Nautilus zich toch niets aan van fana-

taci, omdat terroristen en terroristische staten nauwelijks van invloed zijn op de wereldeconomie. Als de economische eenheid op aarde toeneemt, worden ze vanzelf onder de voet gelopen, of ze bekeren zich tot het juiste "geloof" en worden kapitalistisch.'
'Economische eenheid?' vroeg ze. 'Waar heb je het over?'
Henry schraapte zijn keel. 'Goed, Simon, ik heb beleefd naar je geluisterd. Nu is het mijn beurt. Twee mensen kunnen naar hetzelfde bos kijken en allebei iets totaal anders zien. De een ziet grimmige schaduwen – een enge plek vol gevaar – terwijl de ander het stralende licht ziet dat door de bomen valt. Waar jij alleen schaduwen en duisternis ziet, zie ik licht en hoop.' Hij keek Liz aan. 'Simon heeft het over het feit dat een van de eerste creaties van Nautilus de Europese Economische Gemeenschap was, destijds in de jaren vijftig.'
'Was de EEG een idee van Nautilus?' vroeg Liz. 'Die kleine economische gemeenschap die is uitgegroeid tot de grote EG?'
'Het was ons idee en we hebben het met zachte hand doorgezet, met een gezond resultaat: Europa begint eindelijk één te worden, zonder dat er ook maar één schot is gelost. Nu is er sprake van een Verenigde Staten van Europa, terwijl jullie in Amerika de NAFTA hebben. En de kans is groot dat er rond de Stille Zuidzee en in Azië in de komende tien jaar een vrijhandelszone ontstaat, met als middelpunt China of Japan.'
Simon wierp hem een boze blik toe en zei: 'Maar dat is echt geen altruïsme, hoor, Liz. Nautilus deelt de planeet gewoon op in economische zones omdat het goed is voor de handel. Als mijn informatie klopt, is het de bedoeling van Nautilus dat Europa en de Verenigde Staten over een jaar of twintig één muntsoort hebben.'
'Dat zal nooit gebeuren,' zei ze meteen.
'Dat zeiden mensen tien jaar geleden ook over de euro,' weerlegde Simon. 'Zelfs vijf jaar geleden nog. Ze waren niet zo goed in het voorspellen.'
'Simon heeft gelijk,' zei Henry. 'Er heeft zelfs onlangs een artikel in de *Wall Street Journal* gestaan met de opmerking dat als de euro in de plaats kon komen van de Franse franc, de Duitse mark en de Italiaanse lire, er net zo goed een wereldwijde munteenheid kan komen waarin de Amerikaanse dollar, de euro en de Japanse yen opgaan. Dat is een prima idee. Dan zouden we een wereldmunteenheid hebben, een wereldbank en stabiliteit. Maar dat zal alleen gebeuren als de Verenigde Staten zich meer op het internationale politieke leiderschap concentreert en minder op het militaire leiderschap.'
'Als het Nautilus-model voor globalisering zo fantastisch is, waarom

is de armoede dan overal groter geworden?' zei Simon koppig. 'Waarom wordt meer dan de helft van de grootste wereldeconomieën dan gevormd door bedrijven in plaats van naties? Multinationals zijn zo wereldomvattend en zo machtig dat ze constant regeringen naar hun pijpen kunnen laten dansen.'
Henry stak zijn handen omhoog alsof hij om begrip wilde vragen. 'Luister niet naar al die doemdenkers. Nautilus is geen groepje ruziënde grensfamilies. De organisatie is opgericht om de wereld veiliger en beter te maken. Daarom hebben we zo hard gewerkt om het nationalisme terug te dringen. Naarmate de industriële wereld meer verenigd raakt, wordt de kans op oorlog, ziekte, armoe en analfabetisme steeds kleiner. En ja, dan zal iedereen ook steeds meer geld verdienen.'
'Ik vind veel van jullie doelstellingen best goed,' zei Simon. 'Maar jullie methodes werken niet. Door toedoen van het IMF en de Wereldbank verarmen hele...'
Liz viel hem in de rede. 'Dit probleem zullen we vanavond toch niet op kunnen lossen.' Ze liep haastig om de bank heen en ging tussen de beide mannen in staan. 'Je ziet er moe uit, Henry. En Simon en ik hebben trouwens nog werk te doen. We hebben je al eerder verteld dat de chanteur volgens ons bezig is met een nieuw project dat in Dreftbury zijn beslag moet vinden. Kun je ons in dat opzicht nog een tip geven?'
'Er schiet me ineens iets te binnen.' Henry's stem begon zwakker te worden, maar zijn ogen bleven waakzaam. 'Toevallig moest de Duitse bondskanselier ongeveer ten tijde van Robbies dood aftreden naar aanleiding van problemen rond een onbelangrijk illegaal verkiezingsfonds. En ik geloof dat destijds ook een paar Amerikaanse congresleden, die tot de uiterst rechtse en linkse vleugels behoorden, zich niet meer herkiesbaar stelden. Jij zegt dat Robbie gechanteerd werd om bij een bepaalde handelskwestie zijn stemgedrag aan te passen. Wat dat ook geweest mag zijn, het zou best kunnen dat die anderen daar ook enige inbreng in hadden.'
'En hoe zit het dan met de laatste tijd?' vroeg Liz gretig. 'Is je onlangs nog iets vreemds opgevallen bij iemand met een positie die hoog genoeg is om invloed te kunnen uitoefenen?'
Henry wreef over zijn kin. 'Ik geloof het wel. Een maand, misschien twee maanden geleden, stierf Franco Peri, de voorzitter van de Europese Commissie voor Concurrentiebedingingen, in Brussel plotseling aan een hartaanval. Het vreemde was dat hij daarvoor nooit hartproblemen had gehad.'
'Dat klopt,' zei Simon. 'Hij was nog jong, begin veertig. Heel on-

verwachts. Was er iets ongebruikelijks aan de persoon die hem opvolgde?'
'Integendeel,' zei Henry. 'Carlo Santarosa werd al een tijdje als de beste keus beschouwd, wanneer Peri's ambtstermijn erop zat. Aangezien er geen duidelijke andere kandidaten waren en Santarosa bereid was de taak op zich te nemen, is de zaak snel en keurig afgehandeld. Hij heeft het roer zonder problemen over kunnen nemen.'
Iedereen was even stil. Toen drong de waarheid ineens tot Liz door. 'Misschien was dat het juist!'
Simon keek haar nijdig aan. 'Wat?'
'Ja, wat bedoel je?' vroeg Henry.
'Snappen jullie het dan niet?' vroeg Liz opgewonden. 'De chanteur kon er blind van uitgaan dat de meest logische kandidaat tot opvolger benoemd zou worden!'
'Verdomme nog aan toe, je hebt gelijk,' zei Simon. 'Als de chanteur iets van Santarosa wist en zijn project moet goedgekeurd worden door de Europese Commissie voor Concurrentiebedingingen...' Hij hield ineens op. 'Heeft Santarosa de macht om dat te doen, Henry?'
Henry vouwde zijn handen. 'Inderdaad. Zijn mensen onderzoeken de zaak en doen aanbevelingen, maar hij beslist. De Europese Commissie neemt zijn besluit automatisch over.'
'Komt hij ook naar Dreftbury toe?' vroeg Liz.
'Zijn voorgangers zijn altijd aanwezig geweest, dus ongetwijfeld is hij dat ook van plan.' Zijn ogen stonden vermoeid.
Liz keek Henry doordringend aan. 'Je ziet eruit alsof je ieder moment in slaap kunt vallen, Henry. Het is vast niet goed voor je om zo laat nog op te zijn. Ga maar gauw weer naar bed. Je hebt ons een heel stuk op weg geholpen. Vind je het goed als we hier nog een paar uurtjes blijven?'
'Natuurlijk. Misschien willen jullie ook wel even rusten. Ik geloof dat Clive de familiesuite al klaar heeft gemaakt. Neem jullie oude kamers maar. Simon, zou jij alsjeblieft die deur even open willen doen?'
De dunne, lange vinger werd opnieuw uitgestoken. Henry's werkkamer was altijd naast de bibliotheek geweest. Maar toen Simon de deur opendeed, zag hij dat het vertrek inmiddels een slaapkamer was geworden. Naast het bed stond een rolstoel en dat verklaarde waarom ze hem niet naar beneden hadden zien komen. Hij had hier liggen slapen.
'Zou je die even op willen halen?' vroeg Henry. 'Ik noem haar Dodd, naar een van de andere grensfamilies. Het was een vrij kleurrijk stelletje, die Dodds. Rolstoelen zijn zulke vervelende dingen, dat je wel moet proberen om ze een beetje interessant te maken.' Terwijl Simon

de stoel naar hem toe reed, vroeg hij aan Liz: 'Wil jij even controleren of Clive de suite al klaar heeft? Zijn geheugen begint minder te worden. Ik heb meer personeel moeten nemen om hem te ontzien. Misschien was jullie al opgevallen dat de tuinen aan onderhoud toe zijn.' Henry haalde zijn schouders op. 'Clive wil niet met pensioen en ik wil hem niet dwingen. Dus worden bepaalde dingen verwaarloosd.'
'Vooruit dan maar,' zei Simon. Hij hielp Henry in de rolstoel. De oude baron was zo licht als een herfstblaadje.
'Dan wens ik jullie nu welterusten.' Hij keek hen stralend aan. 'Het was geweldig om jullie allebei weer te zien. Nog even opwekkend als altijd. Maar als jullie voor het ontbijt al zijn vertrokken, zal ik dat best begrijpen. En als jij niet zo verstandig zult zijn om het met me eens te worden, Simon, kan ik daar ook begrip voor opbrengen. Misschien heb ik jullie een beetje kunnen helpen. Maar jullie moeten allebei wel voorzichtig zijn. Het zou best kunnen dat het met Nautilus de verkeerde kant op is gegaan, maar dat hoop ik niet. Dat hoop ik echt niet.'

Alleen in zijn slaapkamer voelde Henry hoe de stilte van het oude landhuis hem als een oude vriend omarmde. Terwijl hij met zijn mobiele telefoon in zijn rolstoel zat, luisterde hij naar de stemmen van zijn voorouders. Tegenwoordig moest hij vaak aan Hotspur denken – de gerespecteerde krijger en de niet-begrepen politicus – en betreurde zijn vroege dood. Hij was nog geen veertig geweest. En nu had hij zelf bijna de honderd bereikt. Sommigen stierven te jong, anderen leefden te lang.
Hij schudde zijn hoofd en prentte zich in dat hij zich niet van zijn stuk moest laten brengen door dat soort nostalgische gevoelens. Hij was nog te vurig en zijn praktische kennis was nog te groot om nu al 'te oud' te zijn. Maar daar zouden die jonge mensen boven nooit achter komen. Hij was met pensioen, nog niet dood.
'Dus jullie houden je mond?' zei hij in het stille vertrek. 'Hebben jullie niets te zeggen? Mag het individu opgeofferd worden ten bate van de massa? Of is het leven zo heilig dat niemand opgeofferd mag worden, ook al is de schade voor de anderen nog zo groot? Wat zijn jullie aan de andere kant van het graf te weten gekomen?'
Hij wachtte tot iemand hem de oplossing zou geven voor het morele dilemma waar hij al zolang mee worstelde. Toen de stilte drukkend begon te worden, toetste hij het nummer in. Sir Anthony Brookshire nam de telefoon op, maar Lord Henry Percy was degene die het woord nam.

'Met Kronos. Wat heb je in godsnaam gedaan, Kronos? Ben je gek geworden? Hoe durf je me zo te dwarsbomen?'
'Wat?'
'Je hebt me best verstaan, Kronos. Simon Childs en Liz Sansborough zijn familie van me, en dat weet je verrekte goed. Dacht je soms dat ik er niet achter zou komen? Dacht je dat ik niet zou ingrijpen als het me ter ore kwam? Hoe durf je haar tot doelwit te maken! En vertel me maar niet dat jij niet achter de reacties van MI6 en Langley zit. Je krijgt nog één kans en die geef ik je alleen omdat ik je voorgedragen heb. Roep die boeven van je terug. Simon en Liz kunnen rekenen op mijn bescherming. Ook al jagen ze jou recht het graf in, dan nog mogen jouw mensen geen haar op hun hoofd krenken. Dat archief is van haar vader. Dat betekent dat zij het erft. Als ze het vindt, is het van haar.'
'Die chanteur heeft Robbie zo goed als vermoord.'
'Robbie is dood. Voor hem kunnen we niets meer doen. En trouwens, we weten allebei dat het daar helemaal niet om gaat. Je wilt dat archief zelf hebben!'
'Nee, Kronos. Je slaat de plank volledig mis. Het gaat niet om mij. Het gaat om de Spiraal. Het gaat om wat voor ons allemaal het best is!'
'Nonsens! Ik verbied het. Heb je me verstaan?'
'Het lijkt me wel, Kronos. Je hebt er geen doekjes om gewonden.'

Londen, Engeland
In het halletje voor zijn slaapkamer liet Sir Anthony Brookshire langzaam de telefoon zakken.
Die ouwe smeerlap. Hij was met pensioen! Hoe was hij dat te weten gekomen?
Hij wist het meteen, want er was maar één logisch antwoord. Hij toetste een nummer in op zijn mobiele telefoon. 'Ik heb ontdekt waar Sansborough en Childs zitten!'

43

Northumberland, Engeland
Clive was al weg toen Liz en Simon op de eerste verdieping kwamen en doorliepen naar de achterkant van het huis. De deur van de oude familiesuite stond open en een legertje gespierde jonge kerels was

druk in de weer om de hoezen van de meubels te halen en alles in orde te maken. Binnen een paar minuten waren ze allemaal verdwenen en rust daalde neer in de grote woonkamer. Aan weerszijden zaten deuren die toegang gaven tot slaapkamers. Recht voor hen zaten hoge ramen. Liz en Simon liepen ernaartoe en staarden naar buiten, naar de vijver en de appelboomgaard die in het maanlicht zilver lagen te glanzen. Liz keek omhoog naar de nachtelijke hemel, waar de sterren in een ver en vreemd universum stonden te twinkelen.
Ze draaide zich om en nam de vertrouwde kamer gretig in zich op. 'Er is niets veranderd.'
Het was een vrolijke kamer, ondanks de donkere houten lambrisering. De banken en de stoelen waren bekleed met fel gekleurd gobelin en kussens in alle kleuren van de regenboog lagen op rechte stoelen en op de grond. Alle tafellampen en staande schemerlampen waren aan. De vloerkleden waren eenvoudig, allemaal effen blauw, maar in verschillende tinten. Overal stonden bijzettafeltjes waaraan je een hapje kon eten of een spelletje kon doen. Voor het laatste raam stond een ouderwetse leestafel, waaraan Liz in de paasvakantie vaak huiswerk had zitten maken.
Haar keel werd dichtgeknepen van emotie. 'Ik heb nooit beseft hoeveel we voor Henry betekenden.'
Hij knikte ernstig. 'Het lijkt wel een tijdcapsule. Je gaat je gewoon schuldig voelen. Maar daar staat tegenover dat we hier vaak pret hebben gehad. En dat was precies wat hij wilde. Scrabble, kaartspelletjes en gelach.'
'Verstoppertje spelen. Weet je nog dat Mick in die hutkoffer opgesloten raakte?'
Hij grinnikte. 'En daar was hij verrekt nijdig over ook.'
Ze grinnikte ook. 'Mick was vaak nijdig. Vooral op ons.' Ze zette haar schoudertas op de grond naast de leestafel en liep naar de bar. 'Dit is wel iets nieuws... hij zit niet op slot.' Ze trok de deur open en bestudeerde de flessen. Ze overwoog even om haar gebruikelijke martini te maken, maar veranderde meteen van gedachten. Ze wreef in haar handen. 'Hè ja, Cragganmore. Wie zou daar weerstand aan kunnen bieden?' Ze pakte de fles whisky op. Cragganmore, een merk dat in het buitenland nauwelijks bekend was maar dat in Groot-Brittannië op bijzonder veel respect kon rekenen, was afkomstig van een kleine distilleerderij aan de bovenloop van de rivier de Spey in Schotland.
'Ik wil ook wel een borreltje.' Simon ging met zijn sporttas aan de leestafel zitten en haalde de map met foto's eruit. 'Je vader dronk toch ook altijd Cragganmore?'

'Ja. Er mankeert niets aan je geheugen.'
'Ben je het daarom lekker gaan vinden?'
'U-huh. Laten we nou maar niet proberen om mij zoveel mogelijk met mijn ouders te vergelijken. Daar heb ik de laatste dagen al zoveel over gepiekerd dat ik een paar levens vooruit kan.' Ze pakte twee glazen, schonk ze vol en liep ermee naar de tafel. Ze overhandigde hem zijn glas.
'Daar zeg ik geen nee tegen.' Hij hield het omhoog tegen het licht. De whisky had de warme kleur van goud. Hij stootte met de voet van zijn glas tegen de rand van het hare. Het was een bekend gebaar in de families Childs en Sansborough en voor hem was het niet alleen een teken van onderling begrip, maar ook een verwijzing naar hun gezamenlijk verleden en het belangrijke doel waar ze zich nu op moesten concentreren.
Haar gezicht stond ernstig. 'Op Sarah en Asher. Dat we hen snel en ongedeerd mogen vinden.'
'En dat Santarosa ons rechtstreeks naar die verdomde chanteur mag leiden!'
Terwijl ze dronken, dwong ze zichzelf om haar aandacht bij de whisky te houden. De drank smaakte vol en zoet en rolde over de tong. Er was geen enkele valse noot. Dat de afdronk een tikje droog was, maakte het nog lekkerder.
Ze ging zitten en keek naar Simon. Eigenlijk was hij niet eens echt knap. Zijn trekken waren onregelmatig en natuurlijk zorgde die misvormde neus ervoor dat zijn gezicht niet bepaald verfijnd was. Ze dacht terug aan Pigalle waar hij zich verkleed had. Zijn spieren waren ongelooflijk soepel geweest. En zijn lange benen zo slank dat hij net een hardloper leek. Hij was tot aan zijn bikinilijn gebruind. Hij had iets vrijblijvends, van zijn dikke haar en zijn doordringende blauwe ogen tot de achteloze manier waarop hij zich bewoog. Hij had altijd mensen aangetrokken, maar hij was niet meer zo natuurlijk, zo ongedwongen. Om de een of andere reden had hij maniertjes aangeleerd om zich achter te verbergen.
'Wat is er met je gebeurd sinds de laatste keer dat we elkaar ontmoet hebben?' vroeg ze.
'Wat?'
'De laatste keer dat ik je zag, was je onbekommerd en open. Je hield niets achter. Heel anders dan nu.'
'Denk je dat ik me dat na al die tijd nog kan herinneren?' Hij lachte even om te verhullen dat hij geen antwoord gaf.
Ze bleef hem aandachtig aankijken en vroeg zich af wat de waarheid zou zijn.

Hij veranderde van onderwerp. 'Hoe is het met je arm?'
'Prima. Ik heb vrijwel geen pijn meer.' Dat was waar, maar het kon ook best zijn dat ze te moe was om iets te voelen.
'Mooi. Laten we maar eens kijken of we iets van belang kunnen vinden in die foto's.' Hij legde de drie grote foto's van de wand van de baron naast elkaar. 'Misschien helpt het als je me iets meer vertelt over die zes Titanen over wie je het had.'
'Mij best. Ze heetten Atlas, Kronos, Hyperion, Oceanus, Prometheus en Themis. Atlas was degene die de wereld op zijn schouders droeg. Kronos was de leider. Hyperion was de vader van de zon, de maan en de dageraad. Ik denk dat je in dat opzicht wel een bepaalde analogie kunt verzinnen met baron de Darmond door te stellen dat hij de zon, de maan en de dageraad kon kópen, plus waarschijnlijk ook nog alle sterren van de Melkweg. Oceanus was de rivier die de wereld omcirkelde. Prometheus was de redder der mensheid. En Themis werd doorgaans als de Rechtvaardigheid beschouwd.'
Simon keek nijdig. 'Rechtvaardigheid? Wat ze jou hebben aangedaan was anders allesbehalve rechtvaardig.'
'Mensen zijn heel vindingrijk als het erom gaat hun gedrag te rechtvaardigen. Maar goed, we weten dus zeker dat baron de Darmond Hyperion was. Kijk, dit is foto nummer vier waar Mellencamp op staat.' Ze viste haar gele marker uit haar tas en trok er een kringetje omheen, precies zoals ze met de andere drie had gedaan.
'Op deze staan de baron en hij samen met jullie president en de premier van Frankrijk. Op de tweede staan ze met John Sloane, Paige Powell, de internationale financier Richmond Hornish, de Italiaanse ambassadeur Edward Cereghino en Christian Menchen, die kerel die de leiding heeft over dat automobielbedrijf.'
'Wie zijn Sloane en Powell?'
'Topverslaggevers van de BBC. Een paar jaar geleden hebben ze een miniserie gemaakt over de financiële onafhankelijkheid van Europa en de Verenigde Staten. Vier van de mensen die ze daarvoor geïnterviewd hebben waren De Darmond, Hornish, Cereghino en Menchen.'
'Oké. Die journalisten zijn niet belangrijk genoeg om Titanen te zijn, maar Menchen staat toch aan het hoofd van Eisner-Moulton?'
Hij wist meteen waar ze naartoe wilde. 'Dat pakhuis waar Sarah en Asher werden vastgehouden was eigendom van Eisner-Moulton.'
'Mijn moeder zei altijd dat toeval niet bestond.'
Simon pakte een velletje gelinieerd papier uit een van de tafelladen en noteerde:

De Titanen
Baron Claude de Darmond ('Hyperion', overleden)
Grey Mellencamp (mogelijk 'Themis', overleden)
Christian Menchen – Eisner-Moulton – (potentieel lid)

'Hier is een foto van Mellencamp met de baron, Nicholas Inglethorpe en nog een vent. Herken je de achtergrond?'
'Laat die achtergrond maar zitten.' Haar stem klonk opgewonden. 'Ik geloof niet dat ik je al verteld heb, dat ik echt alles heb geprobeerd erachter te komen wie de opdracht had gegeven mijn tv-serie te annuleren. Ten slotte bereikte ik de hoogste regionen en werd ik verbonden met het kantoor van de man wiens bedrijf eigendom van de omroep was.'
Hij keek haar met grote ogen aan. 'Inglethorpe?'
'Ja! Hij heeft de leiding over InterDirections, dat niet alleen eigenaar is van Compass Broadcasting maar ook van een hele stoot kranten, radiostations en andere mediabedrijven. Compass heeft veel tijd en geld in mijn serie gestoken. Het was heel onlogisch dat zij er een eind aan hadden gemaakt. Ik liet een boodschap achter voor Inglethorpe, maar natuurlijk heeft hij nooit teruggebeld. En er is nog een ander verband. Hij zat samen met Mellencamp in de raad van bestuur van de Aylesworth Stichting en volgde Mellencamp op als voorzitter. Dat betekent dat hij voorzitter was toen de raad van bestuur mij de leerstoel toewees.'
'Inglethorpe moet een van de Titanen zijn.' Hij schreef de naam op. 'Wie is die andere vent?'
'Ook een Amerikaan. Gregory Gilmartin van Gilmartin Enterprises. Het is een gigantisch internationaal constructiebedrijf. Ze werken ook voor defensie: tanks en vliegtuigen.'
Simon wees. 'Zie je die hoge bomen achter hen? Dat zijn sequoia's. Die houtsnede is een uil, het symbool van de Bohemian Grove-groep. Die komt altijd bij elkaar in de sequoiabossen ten noorden van San Francisco.'
'Ik kan me herinneren dat ik daar weleens iets over heb gelezen. Het is een of ander jongenskamp waar nogal geheimzinnig over wordt gedaan. De mannen die daar naartoe gaan, gedragen zich als een stel eikels en worden de beste maatjes. Maar het gaat ook om macht en vriendjespolitiek. Dus omdat de baron en Inglethorpe, die allebei Titanen zijn, samen in Bohemian Grove waren, is het volgens jou best mogelijk dat Gilmartin daar ook bij hoort?'
'Schuld door associatie. Geen sluitend bewijs, maar in dit geval moeten we er wel rekening mee houden.'

Ze fronste. 'Dat verband is wel erg vaag. Gilmartin timmert niet zo aan de weg als Mellencamp of baron de Darmond vroeger en Christian Melchen en Nicholas Inglethorpe nu. Gilmartin is rustig en terughoudend. Zijn vader was veel flamboyanter.'
'Ja, maar hij heeft niet alleen veel invloed in de privésector, maar ook in overheidskringen. Als MI6 iemand naar het Midden-Oosten wil sturen, gaan we vaak als ingenieurs of technici van Gilmartin, of we krijgen een baantje in een van hun hotels. Het bedrijf is altijd wel ergens aan het bouwen... omdat het zo groot is, kunnen ze vrijwel iedereen onderbieden. Ze bouwen hotels om hun personeel onder te brengen en trekken vervolgens de kosten voor onderdak van de belasting af. Zo is hun hotelketen ontstaan. Zodra de opdracht binnen is, betalen ze de plaatselijke autoriteiten smeergeld en bieden hun verontschuldigingen aan omdat alles een stuk duurder wordt dan ze aanvankelijk hadden gedacht. Je zou toch denken dat het publiek dat geintje zo langzamerhand wel door zou hebben.'
'Oké, zet zijn naam er maar bij, maar dan wel met twee vraagtekens erachter.'
Terwijl hij zat te schrijven, leunde ze achterover en rekte zich. 'Laten we nu maar eens kijken naar die dossiers die je hebt gefotografeerd.'
Dicht tegen elkaar bestudeerden ze de financiële rapporten en brieven. Ten slotte kwamen ze bij een brief met een aanbeveling voor een investering in voorgefabriceerde pubs.
'Thomas Brookshire?' zei ze. 'Waar ken ik die naam van?'
'Tom Brookshire is even oud als ik. Volgens de brief is dit zijn eerste bedrijf. Het is echt godsonmogelijk dat hij een van de Titanen is.'
Liz wees naar het briefhoofd. 'Deze brief is van zijn vader. Gingen Sir Anthony en Lady Agnes niet twee keer per jaar met jouw ouders dineren?'
'Dat klopt. Hij is minister van Financiën geweest en nu is hij lid van het Europese parlement. Hij heeft jarenlang diverse ministersposten in conservatieve regeringen bekleed.'
Ze las de brief opnieuw door, op zoek naar verborgen aanwijzingen. Ineens ging ze rechtop zitten en wees naar de linkerbenedenhoek.
'Simon, kijk!'

Hij fronste. 'Oké, die ouwe Tony Brookshire heeft zitten krabbelen en zo'n speelgoedspiraaltje getekend waar kinderen zo gek op zijn.

Of misschien is het een windmolentje. Of een rol touw. Of een opgerolde slang. Wat is daarmee?'
Ze zat al in haar tas te wroeten. 'Hier heb ik het.' Ze viste het verfrommelde papiertje op met het adres van de rector in Santa Barbara en vertelde hoe ze het op de grond had gevonden nadat ze samen met Mac het lijk in de kofferbak van haar auto had gelegd.
'Denk je dat het papiertje uit de kleren van de moordenaar is gevallen?' vroeg hij.
Ze wilde eerst knikken, maar hield meteen op en kneep haar ogen samen. 'Dat zei Mac ook en het leek logisch. Ik ging ervan uit dat ik het over het hoofd had gezien toen ik het lijk fouilleerde. Maar stel je nou eens voor dat het uit Macs zak is gevallen, toen hij gebukt stond over mijn kofferbak? Mac werkte voor de ontvoerders. De Titanen. Deze spiraal kan best hun teken of embleem zijn.'
'Spiraal?' Simons hart begon sneller te kloppen toen hem iets te binnen schoot. 'Ik herinner me ineens nog iets anders... Toen de baron weigerde om de chanteur van dienst te zijn, zei hij ook dat hij hem in Dreftbury zou tegenwerken. Daarna zei hij dreigend: "En dan zal ik zelf aan de Spiraal vertellen dat jij het bent." *De Spiraal.* Dat is wat dit tekentje is en zo noemen die Titanen zichzelf: de Spiraal.'
'Je zou best gelijk kunnen hebben. De Nautilusschelp is vanbinnen een spiraal...'
'Een spiraal!' Hij tikte op de brief van Brookshire. 'En dat is meteen de sleutel tot deze hele puzzel!'
Het was binnen de kortste keren bekeken. Ze vonden nog tien andere foto's met datzelfde tekentje, altijd in de linkerbenedenhoek, altijd klein en altijd met een dun potlood geschreven, zodat het gemakkelijk weggegumd kon worden. Ze waren ook allemaal in hetzelfde handschrift, alsof de baron de documenten markeerde waaraan hij speciale aandacht wilde besteden. Het waren allemaal aanvragen voor een lening of een investering, of een verzoek om bepaalde grote aandelen- of obligatie-emissies te ondersteunen. Sommige hielden direct verband met de naam van een van de nog levende personen op de lijst: Brookshire, Gilmartin, Inglethorpe en Menchen. Andere kwamen van bedrijven die gelieerd waren aan dat van dezelfde mannen, of van zuster- of dochterfirma's van het bedrijf dat door een van de mannen werd geleid of waar ze een financieel belang in hadden. Er was een aantal brieven en verzoeken waarin twee of meer van de namen genoemd werden. De omvang van de samenwerking tussen de multinationals was onthutsend.
'Tot nu toe hebben we alleen maar kunnen raden en bepaalde gevolgtrekkingen kunnen maken,' zei Simon opgewonden. 'Maar dank-

zij dat Spiraal-tekentje weten we zeker dat het om Sir Anthony en die anderen gaat. Dat betekent dat we nog maar één lid zoeken. Laten we nog maar eens naar die vier foto's kijken.'
Ze bestudeerden opnieuw de foto's die Liz had omcirkeld. De tweede was die van baron de Darmond samen met Mellencamp, de twee tv-verslaggevers Sloane en Powell, de Italiaanse ambassadeur Edward Cereghino, het wonderkind van de auto-industrie Christian Menchen en de legendarische financier Richmond Hornish.
'Hebben we net niet iets over Hornish gelezen?' zei Liz. Ze zocht tussen de documenten. 'Ja. Hier is die brief van hem. Hornish vroeg om de steun van de bank om een nieuw beveiligingsinstrument te introduceren.' Ze keek op. 'Dat is die internationale financier die de economie van Maleisië bijna de doodsteek gaf door met hun munteenheid te speculeren.'
'Dat klopt. Van Maleisië en zes andere landen. Nu maakt hij goeie sier met donaties aan liefdadige doelen. Hij koopt computers voor schoolkinderen in Letland, heeft een vrije universiteit in Bulgarije gefinancierd, belooft dat alle kinderen die slagen voor hun eindexamen van een van de middelbare scholen in het centrum van Chicago op zijn kosten verder mogen studeren en hoppa! Hij komt met zijn smoel op de omslag van de *Times*, krijgt onderscheidingen van kerken en tempels en wordt voorgedragen voor de Nobelprijs voor de vrede. Zo koop je fatsoen. Maar ik geef geen cent voor zijn oprechtheid, want hij houdt zich nog steeds bezig met dezelfde gore praktijken. Het kan hem geen bal schelen dat mensen door zijn hebzucht van honger omkomen.'
Ze tikte op het dunne spiraaltje onder aan zijn brief. 'Dit is het bewijs. Hij is de laatste.'
'Dat ben ik met je eens.' Hij pakte een schoon velletje papier en zette de namen alfabetisch onder elkaar.

De titanen
1. Brookshire, Sir Anthony – Lid van het Europese parlement en politicus
2. Gilmartin, Gregory – Gilmartin Enterprises, internationaal constructiebedrijf
3. Hornish, Richmond – InQuox en andere investeringsfirma's, speculant en investeerder
4. Inglethorpe, Nicholas – media- en communicatie-imperium, met onder andere InterDirections, dat eigenaar is van Compass Broadcasting
5. Menchen, Christian – Eisner-Moulton, autofabrieken en transport

Terwijl ze naar de lijst zaten te kijken hadden ze geen oog meer voor hun omgeving. De stilte werd drukkend.
'Eén van hen is de chanteur,' zei ze, geïmponeerd omdat ze er toch in waren geslaagd zover te komen. 'Maar wie?'

44

Ergens in Noord-Europa
Omdat Asher zo verzwakt was, hadden ze geen schijn van kans gehad om zich te verzetten toen ze overgebracht werden van de vrachtwagen naar het vliegtuig, dat een anonieme Learjet bleek te zijn. De enige verbetering in hun omstandigheden was dat Asher kleren had gekregen – een trainingsbroek, schoenen, sokken en een overhemd, plus het jasje dat hij in de vrachtwagen had gevonden.
Zodra hij zich aangekleed had, was Sarahs eis dat ze hem naar het vliegtuig en de trap op zouden dragen aan dovemans oren gericht. Toen ze uiteindelijk aan boord waren, was hij zo wit als een doek en moest, nat van het zweet, zijn tanden op elkaar bijten. Hij viel in een stoel neer en zij gaf hem een paar extra pijnstillers.
Ze was zo woedend dat ze wakker bleef en zat te luisteren. De jet bleef twee uur op de startbaan staan, voordat ze eindelijk opstegen voor een korte vlucht. Er waren vier mannen aan boord – twee gewapende bewakers plus de piloot en de co-piloot, die geen stap buiten de cockpit zetten. Uit de incidentele gesprekken die gevoerd werden, maakte ze op dat Asher en zij alleen maar in leven werden gehouden tot een bepaalde belangrijke overeenkomst rond was.
In de donkere uren voor zonsopgang landde de jet in zo'n zware regenbui dat ze niets van het landschap kon onderscheiden en ook geen bordjes zag. Ze werden geblinddoekt en opnieuw naar een andere plaats gebracht, ditmaal in een of andere krachtige personenwagen met een man achter het stuur die Malko heette en kennelijk de leiding had. De auto ploegde zich door de stromende regen, dreunende donderslagen en een harde wind die hen allemaal door elkaar schudde. Malko vloekte terwijl hij vocht om de auto op de weg te houden.
Ten slotte kwam er een eind aan de herrie en de auto stopte. De zware motor klonk bijna dociel toen het geluid in een of andere beschutte ruimte werd weerkaatst. Sarah tastte naar Ashers hand, maar voordat ze er een geruststellend kneepje in kon geven, deed hij dat al bij

haar. Je kon toch troost vinden in bestaande liefde en ook hoop, ook al had je nog zo weinig kans.
De mannen rukten haar uit de auto. Ze kon horen dat ze Asher ook naar buiten sleepten.
'Wees voorzichtig met hem!' zei ze boos. 'Hij heeft schotwonden!'
'Dat is dan jammer,' zei een ongeïnteresseerde stem.
Ruwe handen sleepten hen een trap af naar een besloten ruimte die nog kouder was dan de felle wind die hen bij het uitstappen had opgewacht. Buiten raasde de storm nog steeds voort, maar ze hoorden ook iets anders... branding?
Toen een zware deur werd dichtgeslagen, rukte Sarah haar blinddoek af. 'Asher?' Het was stikdonker. Er hing een lucht van schimmel en vochtige stenen in de ruimte.
'Ik ben hier.' Zijn stem klonk ergens rechts van haar, vol pijn en vermoeidheid die hij – geheel tegen zijn gewoonte in – niet voor haar probeerde te verbergen. Maar toch was er ook nog strijdlust. 'Waar we in godsnaam ook mogen zitten, het is in ieder geval vlak bij zee. Luister maar eens naar dat gebeuk van de golven. Het overstemt zelfs het geluid van de regen en het onweer,' zei hij.
'Grote golven die onder ons op de rotsen slaan. We moeten op een of andere rotswand zitten.'
Toen haar ogen eindelijk aan het donker gewend waren, zag ze dat ze in een klein, leeg vertrek zaten. Door twee getraliede vensters hoog in de muur blies koude zeelucht naar binnen. Asher was op de grond in elkaar gezakt. Er was geen verwarming, maar er stonden twee canvas kampeerbedden naast elkaar.
'We moeten eerst zorgen dat jij weer warm wordt,' zei ze.
'Daar zeg ik geen nee tegen. Ik heb het zo koud dat het lijkt alsof ik in Candlestick naar een extra inning zit te kijken van een avondwedstrijd.'
Ze pakte zijn koude handen en trok hem overeind toen hij probeerde op te staan. Hij leunde op haar en ze liep met hem naar het dichtstbijzijnde kampeerbed.
Ze pakte een stel dekens op. 'We hebben elk drie dekens. Ik denk dat ze niet willen dat we doodvriezen, nog niet tenminste. Maar ze vinden het ook niet nodig om ons een behaaglijk onderkomen te geven.'
Zijn ademhaling ging zwaar. 'Ik kan beter gaan liggen voordat ik omval.'
Ze sloeg twee dekens dubbel en legde die op het bed. Hij viel erop neer en moest op zijn tanden bijten van de pijn. Ze legde de derde deken over hem heen. Nu hij kleren aanhad, hoopte ze dat het ge-

noeg zou zijn. Doodmoe draaide ze zich om naar het tweede bed. Ze maakte het op dezelfde manier op en kroop onder de wol. 'Waar zijn we volgens jou?'
'Nog steeds in Europa,' antwoordde zijn bibberende stem. 'Een behoorlijk eind naar het noorden, anders was het niet zo koud. We hebben niet zo lang gevlogen dat dit een zomeravond in San Francisco kan zijn.'
Ze knikte in het duister. Het woord wanhoop kwam in Ashers woordenboek niet voor en hij gaf de moed nooit op. 'Misschien zijn we wel in Elsinore,' veronderstelde ze. 'Het kasteel van Hamlet in Denemarken.'
Dit keer gaf hij geen antwoord. Ze luisterde naar zijn klapperende tanden en begon te vrezen dat hij zo koud en zo moe was dat hij ieder moment een shock kon krijgen. Ze stak haar hand uit en voelde zijn schouder. Hij lag onbeheerst te rillen. Geschrokken sprong ze op en legde haar dekens ook over hem.
'Het s-s-spijt me, Sarah.'
'Dat hoeft niet, schat.' Ze kroop haastig onder de dekens. 'Ik zocht toch al een excuus om bij je te gaan liggen.'
Bezorgd kroop ze tegen hem aan. Toen hij zijn mond niet meer opendeed, wist ze hoe slecht hij zich voelde. Ze kreeg een brok in haar keel, kuste zijn ijskoude oor en sloeg haar armen op hem heen. Ten slotte hield hij op met rillen en hij viel in slaap. Zijn adem bleef als een spookachtige mist boven hun gezicht hangen.

Northumberland, Engeland

'Iedere keer als ik naar de naam van Tony Brookshire kijk, word ik een beetje misselijk,' zei Simon. 'Het is gewoon walgelijk. Jezus christus, hij is nota bene al eeuwen een vriend van de familie. Hoe kon hij jou in Santa Barbara in de gaten laten houden en Sarah laten ontvoeren?' Met een sombere uitdrukking op zijn gezicht nam hij een slok van zijn whisky.
'Als we op dat archief van de baron af mogen gaan, matsen ze elkaar voortdurend,' zei Liz. 'Kijk maar eens naar al die raden van bestuur waar ze allemaal deel van uitmaken. Ze werken officieel al samen, dus hoef je geen hogere wiskunde gestudeerd te hebben om te begrijpen dat ze dat privé ook doen. Ze overleggen met elkaar, geven elkaar inlichtingen door en sluiten overeenkomsten waar ze allemaal van profiteren.'
'Je hebt gelijk. Maar er is nog iets anders. Brookshire is de enige die in overheidsdienst is. De vijf anderen staan aan het hoofd van multinationals die rijker zijn dan de meeste kleine landen en ze zitten

geen van allen in dezelfde bedrijfstak. Dus als ze echt hebben besloten om het op een akkoordje te gooien, bestrijken ze een enorm gebied. En hun macht is navenant groot.'
Ze ging rechtop zitten. 'Dat klinkt echt als de Titanen uit de oudheid! En kijk maar eens hoe díé van hun macht profiteerden... Ze bepaalden de regels, deelden straffen uit en gaven beloningen om ervoor te zorgen dat de wereld zich ontwikkelde op een manier die zij goed vonden en waarbij zij aan de macht bleven.'
'Dat bevalt me helemaal niet. Hún visie. Hún regels.' Simon schonk opnieuw twee glazen whisky in.
'Achter gesloten deuren legt de democratie het loodje.' Ze onderdrukte een huivering en stopte de foto's terug in Simons map.
Terwijl Simon een paar houtblokken in de open haard legde, zei hij: 'Als de bijeenkomsten van Nautilus geheim zijn, dan geldt dat zeker voor de Spiraal. Dat blijkt wel uit de codenamen.'
'Ik vrees het ook.' Ze deed een paar lampen uit, ging op de bank zitten en keek peinzend toe hoe hij een vuur aanmaakte. Ze was blij met zijn gezelschap, maar ze wenste dat de omstandigheden gelukkiger waren. En ze wenste ook dat Sarah en Asher bij hen waren.
Toen het vuur eindelijk goed brandde, ging hij naast haar zitten, sloeg zijn benen over elkaar, leunde achterover en legde zijn arm op de rugleuning van de bank, niet aan haar kant. In zijn andere hand hield hij zijn glas vlak voor zijn borst. De in schaduwen gehulde kamer was warm en het vuur zorgde voor een gezellige sfeer. De geur van brandend dennenhout dreef naar hen toe.
De moderne mens is nog steeds een holbewoner, dacht ze, hunkerend naar licht en warmte... een atavisme dat vooral opdook als er gevaar dreigde.
Bij het licht van het vuur had zijn haar de kleur van warm mahonie. Zijn neus leek nog groter en nog vormelozer dan anders. Met zijn hoofd achterover zat hij in de vlammen te kijken. De manier waarop de vlakken in zijn gezicht bijna loodrecht waren en met een lichte ronding overgingen in zijn vierkante kaken beviel haar. Zijn ogen leken bijna dicht te vallen en zijn gezicht was vermoeid. Hij was aan het eind van zijn Latijn, uitgeput, en probeerde dat niet te verbergen. Ze bleef naar hem kijken en ontdekte telkens iets nieuws, alsof ze hem net voor het eerst had ontmoet. Ten slotte slaakte hij een zucht, die niet alleen doodmoe klonk, maar ook kwetsbaar.
Het maakte een diepe indruk op haar, want vanaf het moment dat hij plotseling was opgedoken bij dat opslagbedrijf in Londen tot hun vlucht naar het landhuis van Henry had hij geen moment kwetsbaar geleken. Alleen eigenwijs en ongeduldig en op een irritante manier

vaak met het gelijk aan zijn zijde. Ze probeerde het kleine jongetje in hem terug te vinden, maar daar slaagde ze niet in. Het meisje dat ze zelf was geweest schitterde trouwens ook door afwezigheid. Ze was inmiddels volwassen en dat gold ook voor deze man die de druk van zijn verantwoordelijkheden voelde. Zijn aantrekkingskracht was zo groot, dat ze het gevoel had dat ze hier tot in de eeuwigheid naast hem kon blijven zitten.

'Ik zal je een geheimpje vertellen als jij mij er ook een vertelt.' Hij draaide zijn hoofd om en keek haar strak aan met een vragend gezicht. 'De generaal heeft toestemming gegeven.'

Het was een kinderspelletje dat ze vroeger hadden gespeeld en dat vernoemd was naar hun oudoom generaal William Augustus Childs, die bij Duinkerken was gesneuveld. Zijn tobberige portret hing bij de andere langs de trap in Childs Hall. De spelregels waren simpel. Geen leugens, geen excuses, geen uitdagingen. Het werd altijd gespeeld in een donkere kast, waar de geheimen die gedeeld werden achterbleven zodra de deur openging en ze terugkeerden in de werkelijkheid.

'We zitten anders niet in dekens gewikkeld samen met Mick in de kast,' zei ze.

Hij nam een slok. 'Nou en?'

'Goed. De generaal geeft je toestemming om het te vertellen.'

Hij zette zijn glas op zijn knie. 'Je vroeg me wat er met me was gebeurd sinds we elkaar voor het laatst gezien hadden. Een paar jaar geleden werd ik naar Bosnië gestuurd om een van onze tipgevers daar weg te halen. We hadden gehoord dat zijn aanwezigheid bekend was geworden.' Hij zweeg even. Zijn stem klonk bedrukt. 'Mijn dekmantel werkte prima, maar onwillekeurig heb ik iets gezegd... ik was jong en stom en zat achter een vrouw aan die ik in de trein had ontmoet.'

'Ik raad het al. Een geheim agente die was ingezet om jou te verleiden. Onder die omstandigheden kon je dat verwachten.'

Hij keek haar niet aan. 'Ze was uiteraard heel mooi. Ik heb haar onmiddellijk versierd. Het probleem was, dat ik daarna besloot om haar te gebruiken.'

Ze wachtte rustig af.

'Ik ging ernaartoe onder het mom dat ik een agrarisch expert van de VN was. Ik had geld genoeg, dus heb ik haar in de trein op een etentje getrakteerd, haar dronken gevoerd en geprobeerd haar uit te horen. Maar ze heeft me iets gegeven waardoor ik buiten westen raakte. Ik weet nog steeds niet wat het is geweest of hoe ze het voor elkaar heeft gekregen. Natuurlijk had ik ook paspoorten bij me voor de tip-

gever en zijn gezin, plus een miniatuurcamera om foto's te maken die erin geplakt moesten worden. Nadat ik bewusteloos was geraakt vond ze alles in een geheim vak in mijn koffertje, maar daaruit had ze nooit op kunnen maken wie hij precies was en waar ze op me wachtten. Maar toen ik probeerde inlichtingen uit haar los te krijgen, had ik het over een platgegooide zoutfabriek in Tuzla gehad. Ik werd pas wakker toen de trein plotseling moest stoppen omdat de guerrilla's de rails opgebroken hadden. Ik klapte tegen de bank tegenover me en brak mijn neus.' Hij schudde zijn hoofd, nog steeds boos en vol afkeer. 'Zij was weg. Toen ik bij de fabriek aankwam, was onze tipgever dood. En zijn hele gezin ook. Geëxecuteerd met een kogel in het hoofd. Ze lagen daar nog steeds. Ook de baby.'
Ze haalde diep adem. 'En jij had het gevoel dat het jouw schuld was.'
'Daar kun je donder op zeggen. Het was pure overmoed. Verdomde overmoed. Waarom had ik haar bij aankomst in Tuzla niet gewoon afgeschud? Dat was me best gelukt. Maar nee, ik moest eerst nog wat van haar los zien te krijgen. De grote held. In plaats daarvan maakte ze zich uit de voeten met zes Britse paspoorten en een aanwijzing van mij die een heel gezin het leven heeft gekost.' Er stonden diepe rimpels in zijn gezicht geëtst. Hij leek tien jaar ouder en de hand met het glas beefde. Hij tuurde in zijn whisky, dronk het glas leeg en stond op. 'Wil je er ook nog één?'
'Nee, ik heb genoeg gehad.'
Ze keek hem na toen hij naar de bar beende en nog een glas volschonk. Hij liep naar het raam, trok het gordijn opzij en keek in het donker naar buiten.
Ten slotte zei ze tegen zijn rug: 'Dat heb je jezelf nooit vergeven.'
'Wat ik heb gedaan was ook onvergeeflijk.'
'En heb je toen besloten dat je nooit meer ergens gevoelsmatig bij betrokken zou raken?'
'Natuurlijk heb ik mijn gevoel niet uitgeschakeld. Ik let alleen op dat ik niet meer zo betrokken raak bij een zaak.'
'Nou, je zit er nu tot aan je nek in. En je kunt het jezelf net zo goed vergeven. Je kunt er toch niets meer aan doen. Je kunt ze niet terugbrengen. Als je nooit meer fouten zou maken...'
'Ik weet het. Dan zou ik ook dood zijn. Het probleem is, dat ik wel beter wist.'
'Het heeft je leven veranderd. Dat hoeft niet zo erg te zijn. Je hebt iets geleerd. Ik durf te wedden dat je nooit meer zo'n fout hebt gemaakt.' Ze keek naar zijn stramme rug. Eindelijk. 'Je chef is woest op je. Ze heeft geprobeerd om je naar Florence te sturen. Dus er zal ook wel iets in Bratislava zijn gebeurd, hè?' Ze herinnerde zich plot-

seling de krantenkoppen die ze had gezien... de demonstratie met dodelijke afloop. 'Die jonge vrouw die zichzelf in brand heeft gestoken... Jij was daarbij, als geheim agent. Hoe heette ze?'
'Viera. Viera Jozef.' Hij slaakte een diepe zucht en draaide zich om. Hij had een verslagen uitdrukking op zijn gezicht.
'Je hebt haar gekend.'
'Vrij goed.' Vanaf de andere kant van de kamer vertelde hij haar het hele verhaal. 'Ik begrijp nog steeds niet waarom ze het gedaan heeft.'
'Of waarom jij het niet geraden hebt zodat je haar tegen kon houden. Maar dit keer valt je echt niets te verwijten, Simon. In Tuzla heb je een tragische vergissing begaan, die je je hele leven bij zal blijven. Dat heeft zich boven op de andere fouten gestapeld die je iedere dag maakt omdat je nu eenmaal leeft. Iedereen maakt fouten. En toen Viera zelfmoord pleegde, maakte dat het verlies voor jou nog groter.'
'Ik heb geen psychotherapeut nodig.'
'Nee. Maar een vriend zou je best kunnen gebruiken.'
Hij glimlachte even. 'Misschien heb je gelijk. Ik voel me gedeeltelijk schuldig omdat ik niet van haar hield. Als dat wel het geval was geweest, had ik misschien begrepen wat ze van plan was.'
'Het lijkt wel alsof je het over een ouderwetse kristallen bol hebt. Dat had je nooit kunnen voorspellen. Heb je vanwege dat gezin uit Tuzla je neus nooit laten rechtzetten?'
'Die zal me er voorgoed aan herinneren.' Hij wreef er met een vinger over. 'Iedere keer als ik in de spiegel kijk.' Hij wendde zich af.
'Een tikje overdreven, maar wel begrijpelijk. Ik weet niet of het er iets toe doet, maar ik vergeef je.'
Hij wierp haar een blik toe en glimlachte flauw. 'Geloof me, het helpt wel degelijk.'
Ze glimlachte terug. 'En dat niet alleen, ik ben ook bereid je te vergeven dat je me destijds, toen we nog klein waren, als een zakelijk project hebt uitgebuit.'
Hij kwam terug naar de bank, nam een paar slokken en liet zich weer achterover vallen. 'Ik heb nooit iemand verteld wat er in Tuzla is gebeurd. Natuurlijk is MI6 wel op de hoogte. Ik werd achter een bureau gezet, tot ik hen zover kreeg dat ze me als infiltrant op de antiglobaliseringsbeweging loslieten. Het hoofdkwartier had iemand nodig en ik had er de kwalificaties voor. Ik denk dat ik wilde proberen het weer goed te maken.'
'Drie jaar is wel erg lang om alles en iedereen op te geven, zelfs je eigen identiteit. Volgens mij heb je je bijzonder nuttig gemaakt.'
Het medeleven dat ze in Simon bespeurde beviel haar. En ze had er

bewondering voor. Ze voelde zich een beetje schuldig omdat ze hem aanvankelijk als een losbol had beschouwd. In gedachten hoorde ze de stem van haar vader. *Je moet nooit iets veronderstellen.* Het was warm in de kamer die bezwangerd was met de zwakke geur van het vuur en waar een vreemde, rustgevende sfeer van intimiteit hing. Ze voelde de gevoelens die hij in haar opriep weer opwellen. Het vertrouwen. De aantrekkingskracht.
'Nu is het mijn beurt,' zei ze.
'De generaal geeft je toestemming om het te vertellen.'
'Het is lang niet zo dramatisch als jouw verhaal. Heb je gehoord hoe mijn vader is gestorven?'
'Dat heb ik nooit uit kunnen plussen. Topgeheim en zo.' Hij ging weer even verzitten, zodat hij haar aan kon kijken. Ze droeg geen make-up, ze had haar gezicht in hun schuilplaats in Parijs schoongeboend. Haar gezicht was opvallend... met die grote ogen, die gulle mond, die hoge, gewelfde wenkbrauwen en natuurlijk die moedervlek naast haar lippen. Maar nu hij haar goed bekeek, leken haar trekken eerder gevoelig dan dramatisch. De manier waarop haar wimpers op haar jukbeenderen rustten als ze haar ogen neersloeg. Dat ene, zijdezachte krulletje dat tegen haar kaak lag. De blos van vermoeidheid op haar wangen. Ze was net heel lief voor hem geweest. Ze had geluisterd. Het was jaren geleden dat hij eerlijk met iemand over zichzelf had willen praten... of iemand had ontmoet die dat ook echt wilde horen.
Ze was al met haar verhaal begonnen. 'Nadat die opzet van Bremner in het honderd was gelopen, waren we er allemaal zeker van dat de Carnivoor dood was. Maar Sarah wist hem op te sporen op Sicilië, vlak bij de plek waar zijn grootmoeder was geboren. Hij had zich daar opgesloten met zijn boeken. Moeder heeft me later verteld dat hij daar in de loop der jaren af en toe naartoe was gegaan, omdat hij zich verbonden voelde met het land en de bevolking. Maar goed, Sarah vond dat hij terug moest komen om verhoord te worden, want dat had hij per slot van rekening beloofd. Bovendien was ze er niet zeker van dat hij zich echt had teruggetrokken. Maar ze zei niets tegen mij, alleen Asher wist het. Ze hebben met de CIA geregeld dat ze samen met wat manschappen in een helikopter naar zijn landgoed werden gebracht. Wat ze echter niet wisten, was dat hij zijn huis en zijn land ondermijnd had. Toen hij hen zag, heeft hij een serie ondergrondse ontploffingen veroorzaakt.'
'En daarbij is hij overleden?'
Ze knikte langzaam. 'Volgens Sarah was het echt vreselijk. Het leek wel een hele reeks aardbevingen achter elkaar. Maar goed, ze kon-

den niet eens een lijk vinden om te begraven en mijn laatste kans om hem te ontmoeten was verkeken. Toen Sarah me alles had verteld, heb ik maandenlang niet meer met haar willen praten. Ik was des duivels, omdat ik dacht – en af en toe denk ik dat nog steeds – dat hij het nooit zou hebben gedaan als ik erbij was geweest. Maar toen stierf mam en bleef ik helemaal alleen achter. Wat een ellende. Natuurlijk had Sarah gelijk dat ze hem naar huis wilde laten komen, maar ze had het tegen mij moeten zeggen. Ik denk dat ze bang was dat ik het er niet mee eens zou zijn.'

'Hij heeft zich in Parijs ook niet samen met je moeder overgegeven, hoewel jij alle voorbereidingen had getroffen.'

'Dat weet ik wel. Daar moet ik ook vaak aan denken. Dus toen mam was overleden, besefte ik dat ik mijn eigen leven weer moest oppakken en heb ik mijn verontschuldigingen aan Sarah aangeboden. We waren haar veel verschuldigd om alles wat Bremner haar had aangedaan en ik stond bovendien bij haar in het krijt omdat ik zo boos op haar was geweest.' Ze fronste en bleef even stil.

'Er is nog iets dat je dwarszit.'

'Mijn man. Hij... hij was ook heel gewelddadig.' Ze aarzelde. 'Af en toe zat hij diep in de put en dan sloeg hij me. Pas later kwam ik erachter dat ik kon zeggen of doen wat ik wilde, maar dat hij altijd wel een excuus vond om mij een pak rammel te geven.'

Zijn vingers klemden zich om het glas. 'En je líét je gewoon slaan?' Pas toen besefte hij dat dit de reden was waarom ze over haar vader was begonnen.

'Zo eenvoudig ligt het niet. Ik weet het... niemand zou ooit willen geloven dat ik door mijn man mishandeld werd, hè? Onze Liz met haar op haar tanden. Liz met haar karatediploma's. Liz van de CIA. Maar ik heb hem nooit aangegeven en ik heb nooit iets teruggedaan. Nu vraag ik me af of er tijdens mijn jeugd toch iets in de lucht hing, waardoor ik bereid was met dit soort geweld te leven. Kinderen voelen bepaalde dingen instinctief aan, ook al kunnen ze het niet onder woorden brengen. Het is een soort bakbeest van een gorilla dat door de familie waart, terwijl iedereen net doet alsof ze niets merken. Vreemd genoeg wist ik heel zeker dat ik me nooit door iemand anders zo zou laten behandelen. Enfin, toen ging hij dood. Dus ik heb geen kans gehad om wat flinker te worden en bij hem weg te gaan.'

'Heb je er weleens met iemand over gesproken?'

'Het zou kunnen dat een paar van de jongens in Langley hun vermoedens hadden.' Ze keek hem even aan. 'Ik heb me laten behandelen toen ik bezig was af te studeren. Dat hielp. Ik kan je precies vertellen wat er allemaal mis met me was, in de juiste termen, maar

wat maakt het uit. Uiteindelijk... heb ik me door hem als slachtoffer laten gebruiken. En nee, volgens mij kwam het niet doordat ik "te veel van hem hield". Op een gegeven moment was het echt wel gedaan met de liefde, maar ik was te stom en ik had hem te veel nodig om er iets aan te doen.'
'En je hebt er nog steeds niet mee leren leven.'
'Kennelijk niet. Anders was ik er nu vast niet over begonnen.' Ze lachte flauw.
'Heb je nu ook het gevoel dat je kwetsbaar bent?'
'Reken maar. God mag weten wat er vandaag gebeurt.'
'Er gaat niets boven een poging om al je fouten in één klap goed te maken, hè? We zijn van hetzelfde laken een pak. Als klein jochie was ik al dol op je en volgens mij vind ik je nu nog veel aardiger.'
'Dank je. Dat is wederzijds.'
'Ben jij net zo moe als ik?' vroeg hij. Zijn stem klonk laag en vertrouwelijk.
'Misschien wel. Dat zal best. Er zit een alarm op mijn horloge. Als ik dat zet, kunnen we een paar uurtjes gaan slapen. Daarna moeten we meteen weg naar Dreftbury en bedenken wat we zullen gaan doen.'
Hij controleerde de gang en deed de deur op slot. Terwijl zij nog een houtblok op het vuur legde, dacht ze na over het feit dat ze zich in deze kamer zo veilig voelde... In Henry's huis. Ze liepen samen terug naar de bank. Zij ging eerst zitten en hij nestelde zich naast haar. Iets dichterbij dan daarvoor. Hij pakte aarzelend haar hand vast. Ze protesteerde niet, maar legde haar beide handen om de zijne. Zijn hand was warm en droog en voelde gespierd aan. Ze leunden achterover, nog steeds hand in hand, en terwijl het vuur flikkerde en knisperde vielen ze al snel in een onrustige slaap.

Henry Percy vond het vervelend dat de jongere bedienden het vuur in zijn nieuwe slaapkamer de hele nacht hoog lieten branden. Maar goed, het was hier zelfs in juli vaak koud en hij was al zo oud dat een verkoudheid het einde kon betekenen. En hij was nog niet van plan om dood te gaan. Helaas zorgde de hitte er vaak voor dat hij in zijn rolstoel in slaap viel als hij zat te lezen.
Hij kreunde en rekte zijn pijnlijke schouder. Wat had hem wakker gemaakt? Hij herinnerde zich dat hij van zijn motor had gedroomd, die oude legermotor die hij bijna zestig jaar geleden na de oorlog mee naar huis had genomen. Maar was dat wel een droom geweest?
Hij fronste en luisterde. Hij hoorde niets. En toch... was er net niet ergens vlakbij een motor gestopt? Hij hoorde een vaag klikje in de

stille kamer en voelde heel even een vlaag tocht die meteen weer verdwenen was. Hij draaide zich snel om in zijn rolstoel en staarde naar de lange gordijnen die voor de openslaande deuren hingen. Hadden ze bewogen?
Zijn hart begon te bonzen en hij werd plotseling bang. Zijn pistool lag in de la van zijn nachtkastje. Hij was nog bezig om uit zijn rolstoel op te staan, toen een man achter de gordijnen vandaan stapte. 'Goedenavond, baron.' Hij richtte zijn pistool.
Henry Percy staarde naar het wapen en keek toen omhoog, in het gezicht van de man. 'Jij!'

45

Toen het geluid van een motor plotseling stopte, dwong Liz zichzelf om wakker te worden. Ze had haar ogen nog dicht en wist eigenlijk niet wat ze precies had gehoord. Ze luisterde naar het gekraak van het oude hout in het landhuis van Henry Percy en merkte dat Simon naast haar op de bank lag. Haar hoofd rustte op zijn schouder en zijn wang drukte tegen het kruintje van haar hoofd. Ze wenste dat ze hier altijd zo kon blijven liggen. Hij rook onweerstaanbaar lekker, naar walnoten, rozijnen en een vleugje uitstekende whisky. Ze luisterde naar zijn lichte gesnurk, echt een zalig geluid, en drukte haar neus tegen zijn schouder nadat ze zich had omgedraaid... tot haar ineens iets te binnen schoot...
Haar ogen vlogen open. Had ze een motor gehoord – van een motorfiets – die werd uitgezet voordat hij goed en wel bij het huis was? Ze ging weer op haar rug liggen en dacht na. Misschien was een van Henry's bedienden teruggekomen van een avondje stappen. Of misschien was een van de tuinlieden al vroeg gearriveerd om aan het werk te gaan. Ze luisterde ingespannen of ze gefluister hoorde, gelach, stemmen of een deur die dichtging. Niets. Maar Simon en zij bevonden zich ook aan de achterkant van het huis, op de eerste verdieping. Als er iets aan de voorkant gebeurde, in de woonruimte of zelfs maar in de keuken zouden ze dat nauwelijks kunnen horen.
Aan de knetterende vlammen in de open haard en de duisternis buiten te zien had ze nog niet lang geslapen. Ze wist niet eens zeker of ze wel een motor had gehoord. Ze was natuurlijk gespannen en ze haalde zich van alles in haar hoofd. Dat was alles. Ze probeerde zich te ontspannen, maar haar gedachten dwaalden eerst af naar het lan-

ge gesprek dat ze met Henry over Nautilus en zijn rol daarin hadden gehad en ten slotte naar de vijf mannen die volgens hen deel uit moesten maken van de Spiraal.
Ze begon onwillekeurig over hen te piekeren... Het respect dat hun namen internationaal opriep. Hun gigantische vermogens en hun enorme invloed. De ademloze bewondering van mensen die uit alle macht probeerden om tot diezelfde status op te klummen.
Maar toch hadden ze haar gebruikt alsof ze een rat was in een of andere laboratoriumproef en ze hadden Kirk, de rector en de vrouw van de rector vermoord. Hoe hadden ze dat kunnen doen? Het gemakkelijke antwoord was: uit hebzucht en de wens haar vaders archief te bezitten. Maar dat stelde haar niet tevreden, het was te oppervlakkig. Vol weerzin dacht ze aan wat Sophocles in *Oedipus Rex* had geschreven: 'God verhoede dat je jezelf leert kennen!' Dat was het. De Griekse toneelschrijver uit de oudheid had de menselijke ziel doorgrond. Hij wist dat ieder zijn eigen vonnis bepaalt. Om een hoge dunk van zichzelf te houden, zochten mensen altijd een logische verklaring voor gedrag dat het daglicht niet kon velen. En hoe vaker iemand dat soort dingen rationaliseerde, des te beter werd hij of zij erin. En des te groter werd het kwaad dat ze recht durfden te praten.
Ze onderdrukte een huivering. Simon scheen te merken dat ze zich niet op haar gemak voelde. Hij trok haar dichter tegen zich aan... tot de stilte plotseling ruw werd verbroken door één enkel pistoolschot.
Het geluid sneed haar door het hart. 'Simon!' Ze schudde zijn arm. Hij was al wakker. 'Verdomme! Wat was dat...'
'Een schot.' Ze wurmde zich los en holde naar de hoge ramen.
Hij stond al naast haar. 'Heb je verder nog iets gehoord?'
De vijver en het woud zagen er onaangetast uit, gehuld in diepe schaduwen terwijl de maan naar de horizon zakte. Alles was zoals het hoorde te zijn. Simon deed het raam open.
'Wel vóór het schot,' zei ze. 'Het leek net alsof ik een motorfiets hoorde.'
'Een motor en een enkel schot kunnen ook een stroper betekenen.'
'Dat zou best kunnen.' Ze liep de kamer door en pakte haar schoudertas.
Hij liep achter haar aan en greep zijn sporttas van de grond. 'Maar jij denkt dat het iemand is die achter ons aanzit.'
'Als ik me vergis, kunnen we ook weer terugkomen om ons tukje af te maken.'
'Het lijkt me beter dat we daar even mee wachten.'

Hij controleerde zakelijk zijn pistool en ze liepen haastig naar de deur.
Liz deed hem op een kiertje open en gluurde naar buiten. 'Niemand.' Haar stem klonk gespannen.
Hij duwde de deur iets wijder open en gluurde tussen de scharnieren door naar het andere eind van de zwak verlichte gang. 'Aan deze kant ook niet.'
Ze hing haar schoudertas kruislings over haar borst. Terwijl ze de Glock met twee handen vasthield, glipte ze naar buiten. Hij volgde haar met zijn Beretta. De kolf van de uzi stak uit zijn tas, voor het grijpen. Stilte. Liz knikte naar het kortste stuk van de gang. Hij knikte bevestigend. Ze holden over de loper, langs de portretten van Henry's voorouders met hun strenge gezichten. Er was een tijd geweest dat alle suites en kamers in deze vleugel van het huis ieder weekend bezet waren geweest door familie en vrienden. Nu was het hier zo leeg dat elk geluid weergalmde.
De gang kwam uit op een overloop aan de achterkant. Ze bleven onder de toog staan en keken naar de met houtsnijwerk versierde trap die in een sierlijke bocht naar boven en naar beneden liep. Geen beweging te zien. Geen geluid te horen. De stilte was bijna eng, alsof er ieder moment een hevig onweer los kon barsten. Ze kwamen uit hun dekking en slopen de trap af. Beneden bleven ze abrupt staan toen ze vier of vijf paar voeten over een parketvloer hoorden lopen.
'Dat is geen stroper,' fluisterde Liz. 'Ze zijn binnen.'
Voordat Simon dat kon beamen, werd er aan de voorkant een regen van schoten op het huis losgelaten. Ruiten gingen aan diggelen. Kogels vlogen in het rond en kwamen met een dreun in muren terecht. Ze hoorden het geluid van scheurend hout en het luide geratel van kogels tegen metaal. De mensen binnen begonnen meteen terug te schieten.
'We hebben Henry met het hele stel opgezadeld!' zei ze.
'Verdomme nog aan toe!' Simon belandde met een grote sprong op de begane grond.
Liz volgde hem op de voet. Ze renden door de gang, glipten de hal binnen, keken voorzichtig om zich heen en liepen haastig naar de voorkant. Een complete kogelregen sloeg naar binnen, dwars door de ruiten en door de massieve voordeur. De herrie was oorverdovend. Houtsplinters kwamen als venijnige pijlen op hen af vliegen. Liz en Simon lieten zich op de marmeren vloer vallen en bedekten hun hoofd.
Zodra het schieten ophield, kropen ze door de glasscherven naar de zitkamer, waar drie in pyjama gehulde bedienden ineengedoken naast de ramen zaten en met bibberende handen de indringers met een al-

legaartje van ouderwetse jachtgeweren van repliek dienden. De laagstaande maan vulde de kamer met een grauw licht en griezelige schaduwen. Opnieuw werd er van buiten een kort salvo afgevuurd. Een schilderij viel met een klap op de grond. Een houten lamp versplinterde. Toen het vuren weer even werd gestaakt, stonden de mannen op om in het wilde weg uit de ramen te schieten en weer haastig weg te duiken.

Liz en Simon kropen op handen en voeten naar Henry's bediende Richard, die voorovergebogen als een biddende abt onder zijn raam hurkte.

'Wie zijn dat?' vroeg Liz. 'En met hoeveel man zijn ze?'

'Dat weet ik niet.' Zijn gezicht was half in de schaduw, waardoor hij er veel ouder uitzag dan toen hij hen had binnengelaten. Hij draaide zich geschrokken om toen er opnieuw een salvo werd afgevuurd. 'Een stuk of tien. Misschien meer. Allemaal tot de tanden gewapend.'

'Waar is Henry?' vroeg Simon bezorgd.

'In zijn slaapkamer. Clive is bij hem, meneer.'

Toen er opnieuw een kogel door het raam naar binnen vloog, drukte Richard zich plat tegen de muur. De ruit ging aan diggelen, in scherven die op ijssplinters leken. Hij wachtte even en sprong toen snel op om in het wilde weg naar buiten te schieten en trok zich weer terug, met een gezicht dat trilde van angst.

Met tussenpauzes volgden nog meer schoten waardoor iedereen op zijn plaats bleef staan terwijl de muren de volle laag opvingen. Terwijl de bedienden terugschoten, kropen Liz en Simon terug naar de hal en schuifelden verder naar wat vroeger Henry's studeerkamer was geweest en nu als slaapkamer fungeerde. De deur stond open.

Liz verstijfde van schrik. 'O, nee!' Ze kreeg een brok in haar keel en stond te vechten tegen haar tranen.

'Henry!' Simons adem stokte in zijn keel.

In een plas bloed lag Lord Percy roerloos met een lijkbleek gezicht op zijn rug. Zijn grijze ogen keken strak omhoog. Clive zat handenwringend in kleermakerszit naast hem binnensmonds te mompelen. Omdat de gordijnen voor de openslaande deuren opengeschoven waren, viel het bleke maanlicht op de beide mannen.

Liz en Simon renden naar hen toe. Clive keek op. Zijn met grijze stoppels bedekte wangen waren nat van de tranen. Ze knielden naast hem neer en met een teder gebaar sloot Clive Henry's ogen. Liz voelde een steek in haar hart. Een gevoel van verdriet welde in haar op. Op hetzelfde moment werd er buiten weer geschoten en de kogels gierden dwars door de ruiten van de openslaande deuren naar binnen. Het regende glas.

Clive probeerde op te staan, maar Simon trok hem met een ruk terug op de grond.
'Blijf zitten!' beval hij en drukte hem tegen de vloer.
De volgende kogels belandden in een fauteuil, waaruit een wolk ganzenveren dwarrelde. Andere kogels kwamen ergens in de verte tegen muren terecht... de oostelijke vleugel. Het klonk alsof daar een deur opengetrapt werd.
'Ze komen naar binnen!' Clive keek zenuwachtig om zich heen en wilde weer gaan zitten, maar Simon gaf hem geen kans.
'Ze hebben het op jullie voorzien!' zei Clive. 'Ga weg. Gauw!'
Liz sputterde tegen. 'Nee. We kunnen jullie niet alleen laten. We...'
'Hij is toch dood,' zei Clive hardnekkig. De tranen klonken door in zijn stem. 'Jullie kunnen Lord Henry niet meer helpen. En als jullie weg zijn, laten ze ons misschien ook met rust!'
In de oostelijke vleugel klonken rennende voetstappen. Zijn geheugen mocht dan gebreken vertonen, maar Clive had volkomen gelijk. De ongetrainde bedienden met hun simpele jachtgeweren zouden de ongelijke strijd niet kunnen volhouden. Er waren zoveel overvallers en zoveel bedienden die in leven moesten blijven, dat Simon en zij het tij ook niet konden keren.
Clive rolde opzij en ging rechtop zitten. 'Maak dat je wegkomt! Nu! Alsjeblieft! Dan kunnen we ons overgeven.'
Liz en Simon keken elkaar even aan. Ze sprongen op en renden de gang weer in toen het geweervuur buiten plotseling ophield, waaruit ze konden opmaken dat de indringers waarschijnlijk al binnen waren. Van dit korte oponthoud moesten Liz en Simon profiteren. Ze holden langs de trap en sloegen de dwarsgang in die langs de achterkant van het huis liep. Er klonk geschreeuw in de hal. Zware voetstappen achtervolgden hen.
Ze stoven de achterdeur uit en renden onder de met druiven begroeide pergola door naar hun Jeep. Liz, die vooropliep, sprong achter het stuur. Simon liet zich op de passagiersstoel vallen. De motor sputterde en sloeg aan.
Terwijl de eerste twee overvallers die hen achternazaten het huis uit stormden, trapte Liz het gaspedaal in en liet de Jeep een scherpe bocht maken. De achterkant slipte even weg, maar toen kregen de banden houvast op de kinderkopjes en de auto trok recht.
Ze reed met een noodgang langs het in schaduwen gehulde gazon aan de voorkant, toen Simon de uzi uit zijn tas rukte en uit het raampje leunde. Ze wierp een korte blik op hem. Zijn gezicht stond strak. De zweetdruppeltjes op zijn voorhoofd glinsterden in het maanlicht.
'Ze komen eraan!' waarschuwde hij met een stem waarin de span-

ning doorklonk. De moordenaars waren spookachtige schaduwen die zich de benen uit het lijf liepen achter de Jeep aan. Ze hieven hun wapens op. 'Het zijn er zeker een stuk of tien.'
'Te voet?' De adrenaline bruiste door haar heen toen ze het gaspedaal nog dieper intrapte.
'Tot nu toe wel.'
'Dan halen ze ons niet meer in.'
Maar ze waren niet snel genoeg om de kogels te ontwijken. Een salvo kwam in de achterkant van de Jeep terecht en floot langs hun raampjes. Het afschuwelijke geluid ging door merg en been. Simon schoot terug en dook net op tijd weer naar binnen toen een kogel de zijspiegel aan zijn kant raakte. Glasscherven vlogen door de lucht en ratelden tegen het portier.
'Dat was op het nippertje.' Zijn stem klonk grimmig en ademloos.
'En veel te dichtbij!'
Ze onderdrukte haar angst toen Simon opnieuw uit het raampje hing om een salvo af te vuren. Maar het bombardement van hun achtervolgers leek af te nemen.
'Zijn we buiten schot?' vroeg ze hoopvol.
Simon zakte weer terug in zijn stoel. 'Ja. Hun kogels vliegen alle kanten op.' Hij draaide zich om en keek door de kapotgeschoten achterruit.
Ze knikte zonder iets te zeggen en nam gas terug. Toen ze in haar achteruitkijkspiegel keek, ving ze een glimp op van een in donkere kleuren gehulde gestalte die alleen voor zijn gewapende mannen uitliep. Zijn woede en ergernis waren aan zijn abrupte bewegingen af te lezen en ze had het gevoel dat de lucht in haar longen bevroor toen ze even het idee had dat ze hem zag hinken. Meteen daarna richtte ze haar aandacht weer op de Jeep en haar pogingen om de auto op de smalle donkere oprit te houden die hen terug zou brengen op de provinciale weg.
'Zie jij bij dat stel ook een hinkende man?' vroeg ze bezorgd. 'Hij sleept met zijn rechterbeen.'
'Ja. Rechts, dat klopt. Bij dat pakhuis van Eisner-Moulton had je toch ook een hinkende man gezien?'
Ze knikte. 'Volgens mij was hij degene die dat jasje met het briefje over Kronos heeft laten vallen. Ik heb hem daar niet goed kunnen zien en nu durf ik dat risico ook niet te nemen. Zie jij ergens een auto?'
'Ja! Er komt er net een aan!' Een busje was naast de achtervolgers gestopt en ze sprongen er allemaal in.
Met bonzend hart deed Liz het licht van de Jeep uit toen ze de tun-

nel van struiken en uit hun krachten gegroeide bomen in reed. Ze had het gevoel alsof ze in een inktpot zaten. Alleen de dashboardverlichting was aan. Takken schraapten langs de zijkanten van de Jeep. Simon hield zich stijf vast aan de greep van het portier. De hoge begroeiing vloog in een waas langs hun heen, als een streep zwarte verf. Achter hun boorden koplampen zich dreigend door de nacht, op zoek naar hen.
Simon zei niets, maar de spanning straalde van hem af. Ze bleef zo strak voor zich kijken dat haar ogen pijn deden van haar pogingen om de weg te onderscheiden. De oprit was zo recht als een meetlat. Dat had Henry ten minste altijd gezegd. Ze klemde zich vast aan het stuur terwijl ze zich onbewust vooroverboog, op zoek naar de plek... nog iets verder... ja, hier was het. Een opening tussen de bomen! Het vaag glinsterende beekje. De helling!
Maar met deze snelheid... Nou ja, dat deed er ook niet toe. Ze had toch geen keus.
'Hou je vast!'
Ze trapte op de rem en gaf een ruk aan het stuur. De wielen bonkten over stenen terwijl de auto blindelings over de berm schoot, op weg naar beneden, waardoor ze in hun gordels leken te hangen. Ze bleef het stuur stijf vasthouden maar liet de wagen verder zijn eigen weg zoeken, dwars over jonge boompjes en stenen. Ze zorgde er alleen voor dat ze niet omsloegen, ongeveer de juiste richting aanhielden en... daar waren de koplampen weer, glinsterend tussen de bomen alsof een monster hen met behulp van zoeklichten probeerde te vinden.
'Daar!' Simon wees naar een kastanje die vol in het blad zat.
'Ze kunnen de beek vanaf de oprit toch niet zien,' zei ze, terwijl ze het stuur omgooide. 'Tenzij ze hun licht uitdoen.'
'Tenzij ze weten waar ze moeten kijken.'
'Dat vind ik niet bepaald een leuk idee.'
Met een misselijk gevoel trapte ze op de rem en draaide opnieuw aan het stuur om de Jeep onder de boom te rijden. Lange takken drapeerden zich over de achterkant en maskeerden de auto. De voorkant stond op een helling van zestig graden, met de neus omlaag in de richting van de beek. Ze zette de motor uit.
Het was niet alleen stil maar ook volslagen duister om hen heen. Simon stak zijn hand uit. Ze legde de hare erin, die hij weer met zijn andere hand bedekte. Met opgeheven hoofd bleven ze roerloos zitten luisteren. Het gebrom van de motor kwam dichterbij en het licht werd sterker. Ze keken achterom en ze merkte ineens dat ze haar adem inhield. *Blijf doorademen, verdomme.*

Boven, op de oprit, denderde een grote bestelwagen voorbij, met een motor die zo brulde dat je onwillekeurig de kracht voelde die ervan uitging. Maar door het dopplereffect nam het volume plotseling af. En toen de rode achterlichten met een vaartje verdwenen, was het directe gevaar voorbij.

Ze haalde diep adem. 'Heb jij gezien wat voor merk wagen het was?'

'Geen schijn van kans. Ze reden veel te hard. Maar hij was zo groot dat die tien kerels die achter ons aan zaten er met gemak in konden.' Hij keek de achterlichten na tot ze verdwenen waren. 'Je kunt verdomd goed rijden.'

'Dank je wel. Ik hou van autorijden. Meestal,' voegde ze eraan toe. Ze bleven als een stel robots zitten, met het geluid van de snel stromende beek in hun oren.

Ten slotte zei hij: 'Ze komen vast terug, dus we moeten besluiten wat we zullen doen. We kunnen niet gewoon naar de weg rijden. Dan staan ze ons misschien op te wachten.'

'We hebben één voordeel... de Jeep.' Ze startte de motor weer. 'Vierwielaandrijving.'

Hij begreep meteen wat ze bedoelde. 'Wil je via de bedding van de beek weg zien te komen?'

'Waarom niet? Die loopt via een flauwe helling naar beneden, tenzij er iets veranderd is.'

'Ach, wat maakt het ook uit. Ik kan me niet herinneren dat er ergens rotsblokken in lagen. Zeg het maar als ik je moet aflossen.'

Ze drukte het gaspedaal in en de auto rolde omlaag, het water in. De banden hotsten en botsten. Het linkervoorwiel kwam met een dreun in een gat terecht en een golf zwart water sloeg over het spatbord.

Terwijl laaghangende takken over het dak schraapten, zag hij dat ze hem aankeek. Haar donkere ogen gloeiden als die van een wild beest, gevaarlijk van angst.

'Wat is er?' vroeg hij meteen.

'Als ik gelijk heb en die hinkende man werkt inderdaad voor de Spiraal, dan is alles veranderd.' Ze zweeg even, de blik vast op de verraderlijke beekbedding. 'Tot nu toe heeft de Spiraal ons in bescherming genomen tegen de chanteur, omdat ze wilden dat wij dat archief voor hen zouden vinden. Maar uit deze overval blijkt dat ze van gedachten veranderd zijn. Nu wil niet alleen de chanteur ons om zeep helpen, maar zij ook. En als ze Henry onder handen hebben genomen voordat ze hem doodschoten, weten ze ook dat we op weg zijn naar Dreftbury. Ze zullen ons daar opwachten.'

46

De rit door de beek nam bijna drie uur in beslag, ook al was de afstand nauwelijks meer dan anderhalve kilometer. Ze moesten vier keer uitstappen om grote stenen aan de kant te rollen. Toen de zon in glanzend roze en goud boven de toppen van de bomen opkwam, zag Liz kans een stukje af te snijden. Ze reed de oever op, over een in schaduwen gehuld weiland waar grazende reeën alle kanten op schoten, en vervolgens terug naar de beek. Vlak nadat Simon het stuur had overgenomen, zagen ze een waterval opdoemen. Liz stapte uit en liep over de oever mee om hem van de ene uitstekende rots naar de andere te loodsen, zeven in totaal. Vervolgens kregen ze een lekke band.

Tegen de tijd dat ze de provinciale weg weer opreden, was de hele auto drijfnat en zat de carrosserie vol krassen en deuken, terwijl zij zelf het gevoel hadden dat ze compleet door elkaar gerammeld waren. En ze waren ook nat. Maar niemand was hen gevolgd en er lag niemand in een hinderlaag op hen te wachten.

Dolgelukkig gebruikten ze een deken die achterin had gelegen om zich af te drogen en legden hun sokken en sportschoenen op de achterbank om ze in de zon te laten drogen. Toen ze weer op een normale weg reden, gaf Liz gas en de stoere Jeep zette koers naar het zuiden. Ze had het gevoel alsof ze over een spiegel reed. Groepen bomen torenden omhoog naar de ochtendhemel. Witte schapen graasden in groene weilanden. Verkeer was er nauwelijks in dit schaars bevolkte gebied.

Maar toch klonk haar stem gespannen toen ze vroeg: 'Zie je iets?'

Hij zat met zijn rug tegen het portier met zijn Beretta in de hand. Zijn gezicht was gegroefd en vastbesloten terwijl hij de weg achter hen in de gaten hield. 'Nog niet,' zei hij.

'Nóg niet.'

'We kunnen niet zomaar veronderstellen dat we van hen af zijn.'

Daar had je dat woord weer... *veronderstellen.* Ze beet haar tanden op elkaar en knikte. 'Denk je dat de Spiraal ons via Gary heeft opgespoord?'

'Dat lijkt me het meest logisch.'

'In Parijs had ik al het gevoel dat we gevolgd werden, zelfs toen we op weg waren naar het vliegveld... en ik had kennelijk gelijk. Op de een of andere manier hebben ze ons spoor naar hem weten te volgen. Daarna hebben ze hem gedwongen te vertellen waar hij ons naartoe heeft gevlogen. Ik hoop dat ze hem niet vermoord hebben.' Haar

stem klonk doods. Ze drong haar tranen terug en dacht aan Henry's ontzielde lichaam. Meteen daarna zette ze de moord op hem en haar zorgen over Gary Faust uit haar hoofd. 'We moeten zoveel mogelijk informatie over Dreftbury verzamelen.'
'Daar heb ik ook al aan zitten denken. Een internetcafé kan ons een eind op weg helpen.'
'Mooi zo. Dan kunnen we meteen ook een bezoekje brengen aan de website van de EG. Misschien kunnen we erachter komen welk lid van de Spiraal een project op stapel heeft staan waarvoor hij de medewerking van Carlos Santarosa nodig heeft.'
Hij schonk haar een kille glimlach. 'Ja. Dat vind ik een prima idee.' Hij klemde zijn Beretta nog steviger vast.
Ze keek hem even aan. 'Hoe wil je Dreftbury binnenkomen?'
'Met behulp van een van mijn MI6-identiteitsbewijzen.' Nautilus zou buitenlandse spionnen als een magneet aantrekken en dat betekende dat de contraspionagedienst van Groot-Brittannië, MI5, daar ook aanwezig zou zijn. Maar MI5 en MI6 gunden elkaar het licht in de ogen niet en de kans was klein dat MI5 op de hoogte was gebracht van zijn veranderde status. MI6 beschouwde MI5 als saaie pieten en MI5 vond MI6 maar een stelletje snobs. Volgens Simon hadden ze allebei gelijk. 'Ik zal me voordoen als een expert op het gebied van afluisteren en een kenner van de antiglobaliseringsbeweging. MI5 zal me haten als de pest, maar tegelijkertijd zullen ze ook blij zijn dat ik er ben.'
'Dat lijkt me een goed plan. Je zult mij ook een van de MI6-identiteitsbewijzen moeten geven.'
Terwijl Simon die constant om zich heen zat te kijken haar de weg wees, reden ze naar het stadje Hexham, waar ze de A69 naar het westen namen. Liz keek naar het verkeer en het ruige landschap terwijl ze uit rood zandsteen opgetrokken dorpjes passeerden en de kastelen die vroeger de grens hadden bewaakt. Ze waren inmiddels in Cumbria, met een geschiedenis van veten en oorlogen die in lengte en gewelddadigheid niet voor die van Northumberland onderdeden. De eerste verhalen dateerden al van voor de Romeinse tijd.
Bij Carlisle verlieten ze de snelweg. De stad die vroeger een eenvoudige buitenpost aan Hadrian's Wall was geweest, was inmiddels tot een plaats met meer dan 100.000 inwoners uitgegroeid.
'Ik ga even tanken, dan kun jij ondertussen kijken of je een internetcafé kunt vinden,' zei ze tegen hem.
'Je hebt het maar voor het zeggen.' Hij lachte.
Ze lachte terug en reed een benzinestation in. Terwijl zij de tank vulde, kocht hij een kaart van de omgeving en ze zaten al snel weer in

de Jeep. Hij stuurde haar naar de zuidkant van de stad. Het café bevond zich in een schilderachtig straatje met kleine winkeltjes. Hun sokken en schoenen waren inmiddels droog en ze kleedden zich aan. Toen ze uit de gehavende Jeep stapten, zette zij Ashers baret en Sarahs bril weer op.

Vanuit een ouderwets eettentje kwamen ontbijtluchtjes: worstjes en gebakken eieren met tomaat. Het was inmiddels al ver in de ochtend, maar er waren nog zoveel mensen dat alle tafeltjes bezet waren.

Het internetcafé *Byte Me* was naast het eettentje. Simon speurde nog een keer het trottoir af toen zij de deur opentrok. Ze stapten naar binnen temidden van geroezemoes en de geur van sterke espresso. De inrichting was techno: strak met veel chroom en witte verf. Zakenmensen, studenten, mafkezen en fanatiekelingen van diverse pluimage zaten achter een stuk of twintig terminals met een kopje of een mok naast zich en de blik strak op het scherm gericht. Bij elke terminal stond een kleine printer.

Achter in de hoek was een espressobar en daarboven hing een breedbeeldtelevisie, die in geuren en kleuren een nieuwsprogramma van de BBC uitzond. Aangezien de zender het bericht over haar gisteren ook uitgezonden had, was het best mogelijk dat het nog een keer langs zou komen.

Binnensmonds vloekend trok Liz de baret nog strakker over haar hoofd en liep haastig naar de enige vrije terminal en draaide de stoel zo dat ze gedeeltelijk met haar rug naar de tv zat. Ze voerde onmiddellijk de code van Shay Babcock in en ging aan het werk. Misschien zou ze maar weinig tijd hebben voordat ze herkend werd. De terminals stonden hooguit een meter van elkaar af… veel te dicht op elkaar.

Simon had maar één bezorgde blik nodig om te zien hoe de vork in de steel stak. Bij de espressobar bestelde hij twee cappuccino's en twee harde broodjes met brie. Hij legde zijn laatste briefje van twintig pond op de toonbank. Een noodzakelijke uitgave, als het lukte.

'Dat kan ik niet wisselen.' De man keek slaperig uit zijn ogen en zijn stem klonk nurks.

'Dat maakt niet uit. Zeg, zou je het erg vinden om dat toestel op CNN te zetten? Daar ben ik min of meer aan verslaafd.' Op dit vroege uur zou CNN zich concentreren op wereldnieuws en sport en de kans was kleiner dat de zender net als een Brits station nieuws over de speurtocht naar Liz Sansborough uit zou zenden.

De man stond nog steeds naar het geld te staren.

'O,' zei Simon alsof hij er nu pas aan dacht, 'en dan mag je wat mij betreft het wisselgeld houden.'

Dat gaf de doorslag. De vent kneep zijn ogen halfdicht, het geld verdween en CNN verscheen. Simon bleef rondkijken. Toen zijn bestelling klaar was, liep hij terug naar Liz. Hij trok een stoel bij en ging naast haar zitten.
'Bedankt,' fluisterde ze. 'Is je iets opgevallen?' Ze nam een slokje van haar koffie.
'Vijf exemplaren van de *Times*. Gelukkig zien ze eruit alsof ze niet ingekeken zijn. Misschien hebben we mazzel.'
Ze keek niet op haar gemak om zich heen.
'Wil je teruggaan naar de Jeep?' vroeg hij. 'Dit kan ik ook wel in mijn eentje.'
Haar wenkbrauwen schoten omhoog. 'Geen denken aan. Tot dusver heeft mijn vermomming prima gewerkt.'
'Laten we dan maar aan het werk gaan. Wat heb je gevonden?' Hij nam ook een slokje koffie.
'Dit is de website van de EG. Ik ben op zoek naar de Commissie voor Concurrentiebedingingen. Hier heb je Santarosa. Ik dacht dat je wel zou willen weten hoe die man eruitziet.'
Carlos Santarosa had een breed, Zuid-Europees gezicht, met een getinte huid, kleine donkere ogen en het soort mond dat zowel vriendelijk als wreed kon zijn, afhankelijk van zijn stemming of de omstandigheden. Zijn haar was met grijs doorschoten en hij droeg een bril met een stalen montuur.
'Hij ziet er niet uit alsof hij meteen plat zal gaan,' vond Simon.
'Onze chanteur zou het weleens moeilijker kunnen krijgen dan hij verwacht.' Ze klikte een hyperlink aan. 'Alle concurrentiekwesties zijn opgenomen, dus we hebben geluk. Ik ben nu bezig met de maatregelen tegen trust- en kartelvorming – je weet wel, bedrijven die in het geniep met elkaar samenwerken in plaats van te concurreren – en hoe de commissie de concurrentieafspraken controleert. Ik stuitte al meteen op Eisner-Moulton, dat verwikkeld is in een vervelende zaak waarbij ze ervan beschuldigd worden dat ze overal in Europa illegale prijsafspraken hebben gemaakt met betrekking tot auto- en vrachtwagenprijzen. De naam van Christian Menchen werd openlijk genoemd.'
'Dat klinkt niet goed.'
'Helemaal niet. Zijn multinational zit overal in de rode cijfers en er worden fabrieken gesloten en dochterbedrijven afgestoten. Het enige lichtpuntje waren de verkoopcijfers in Europa. Als het besluit negatief voor hem uitvalt, zal zijn winst aanzienlijk dalen en dat zal hem op verschillende punten slecht uitkomen. Met name als hij geld wil lenen om zijn schulden te betalen. Maar het is een enorm bedrijf.

Het zal het wel overleven. Als dit doorzet, bestaat de kans echter dat Menchen zijn baan kwijtraakt en Duitsland staat niet bekend om gouden handdrukken, zoals de Verenigde Staten.'
'Is hij onze chanteur?'
Ze keek hem even grimmig aan. 'Hij is een goede mogelijkheid. Dat hangt af van de persoon die hij is. Waar hij bang voor is. Wat hij wil. Aangenomen dat Menchen het archief in zijn bezit heeft, zou hij dit weleens als een niet te missen kans kunnen beschouwen. Hij hoeft alleen maar Santarosa te chanteren zodat de beslissing in het voordeel van Eisnar-Moulton uitvalt, dan verdwijnt het merendeel van zijn persoonlijke en zakelijke problemen als sneeuw voor de zon.'
'Hij klinkt alsof hij onze chanteur is. Maar mijn gezonde verstand zegt dat we ons er toch van moeten overtuigen dat we niemand missen.' De computer naast hen kwam eindelijk vrij. Hij liep ernaartoe en meldde zich aan onder een van zijn schuilnamen.
Ze bleven rustig doorwerken en dronken ondertussen hun koffie op. 'Hier heb je jouw oude nemesis... Nicholas Inglethorpe,' zei Simon ten slotte. 'Bij de fusies.' De Commissie voor Concurrentiebedingingen was ook het lichaam dat een oogje hield op alle fusies in de EG. 'De commissie heeft de eis in overweging dat zijn multinational afstand moet doen van hun aandeel, ter waarde van zes miljard dollar, in de betaal-tv-zender SkyCall voordat ze toestemming krijgen om het Poolse Grossblatt te kopen, want Grossblatt is eigenaar van een van Inglethorpes grootste concurrenten, Polska-Storrs Media. Dat zou dan de grootste gedwongen aandelenverkoop aller tijden zijn.'
'Inglethorpes multinational heeft ook financiële problemen. De zwakke wereldeconomie treft iedereen. Ik kan me herinneren dat hij van plan was het bedrijf uit te breiden naar het voormalige oostblok. Als hij daarbij op SkyCall rekent en Santarosa dwingt hem om zijn aandeel te verkopen, dan zal die klap hard aankomen.'
'Dat zijn dan twee leden van de Spiraal die onze chanteur zouden kunnen zijn.'
Ze wisselden een onbehaaglijke blik en zochten weer verder. Liz bleef op haar stoel zitten, bijna met haar neus tegen het scherm, maar Simon stond een uurtje later op om nog twee cappuccino's te halen. Hij nipte van zijn koffie. 'Hier komt het oostblok weer langs.' Hij praatte op gedempte toon. 'Dit keer gaat het om Richmond Hornish en het liefdadigheidsprogramma dat als zijn vlaggenschip functioneert: computers die hij ver onder de prijs verkoopt aan scholen in Bulgarije. De commissie onderzoekt of hij daarvoor renteaftrek mag berekenen, want in dat geval beschouwen ze het als oneerlijke concurrentie.'

'Willen ze daarmee beweren dat Hornish smeergeld aanpakt?'
'In feite wel, ja. Als er een rapport wordt opgemaakt waarin staat dat dat inderdaad het geval is en Santarosa zet daar zijn handtekening onder, dan zal er zo'n schandaal ontstaan dat Hornish zijn gooi naar de Nobelprijs voor de vrede wel kan vergeten. Hij is de laatste vijf jaar druk in de weer geweest om zijn reputatie van financiële huurmoordenaar te ontzenuwen en te bewijzen dat hem die prijs toekomt.'
'Dan heeft hij veel te verliezen. Dus hij kan ook de chanteur zijn.'
Simon knikte en ze gingen weer verder met hun onderzoek. Ze hadden de hele website doorgespit en stonden op het punt af te sluiten, toen haar oog ineens op de naam van Gregory Gilmartin viel.
'Ik was die voorgenomen fusie van Gilmartin Enterprises en Tierney Aviation helemaal vergeten. Maar die is in de Verenigde Staten al goedgekeurd door de SEC. Ik had geen idee dat Europa daar ook iets over te vertellen heeft. Het zijn allebei Amerikaanse bedrijven.'
'Omdat ze hier zoveel zaken doen volstaat die toestemming van de SEC niet,' zei hij. 'Onze Commissie voor Concurrentiebedingingen heeft niet dezelfde macht als jullie SEC: ze kunnen geen bedrijven opsplitsen die misbruik maken van hun marktaandeel en ze kunnen hen ook niet dwingen om aandelen af te stoten. Zodra een fusie is goedgekeurd, kan de commissie weinig doen om een monopolie te breken. Zij hebben alleen iets te vertellen voordat de kogel door de kerk is, dus daarom stellen ze toch een onderzoek in, wat de SEC ook mag beweren. Daarna besluit Santarosa wat er gedaan moet worden.'
'Dit is echt een gigantische fusie. Er is veertig miljard dollar mee gemoeid. Als het doorgaat, wordt Gilmartin-Tierney meteen een van de grootste multinationals ter wereld en dan zal Gregory Gilmartin de reputatie van zijn vader en zijn grootvader niet alleen naar de kroon steken maar ruim overtreffen. Ik heb ergens gelezen dat zij legendarische zakenlieden waren, maar dat hij in de bedrijfswereld nog steeds als een muurbloempje wordt gezien.'
Simon leunde achterover en rekte zich uit. 'Dus nu weten we het slechte nieuws: vier leden van de Spiraal hebben reden om Santarosa te chanteren. Het antwoord ligt dus niet voor de hand, verdomme.'
'Ik sta ervan te kijken dat er zoveel projecten op zijn toestemming liggen te wachten. Maar goed, ik neem aan dat het tegenwoordig ook vrijwel onmogelijk is om internationaal zaken te doen zonder met allerlei regelgevende instanties in aanraking te komen.'
'Je hebt gelijk. Vrijhandel is het thema waar het om draait bij globalisering, zodat bedrijven met hun geld, fabrieken en investeringen

over de hele wereld kunnen leuren, om de goedkoopste arbeidskrachten en grondstoffen te vinden, de meest lucratieve markten en de beste belastingparadijzen. Dus iedere keer als ze een grens oversteken, lopen ze het risico van nieuwe regels en voorschriften. Een van de nadelen daarvan is dat internationale handelsovereenkomsten het regeringen bijna onmogelijk maken om te regeren. In feite worden ze een soort dochtermaatschappijen van de financiële markten – de obligatiemarkt en de aandelenmarkt – in plaats van zich te concentreren op wat mensen nodig hebben.'

'Voedsel en onderdak, bedoel je.'

'Ja, en schoon water en onderwijs. De EG doet haar best om bedrijven onder controle te houden, maar zolang winst nog hun belangrijkste oogmerk is, zullen multinationals daarnaar blijven streven en zullen ze dus ook regelmatig in aanvaring komen met de Commissie voor Concurrentiebedingingen. Uiteindelijk zullen volgens mij de multinationals de overhand krijgen... tenzij de globalisering minder om vermogen zal gaan draaien.'

'En dat betekent dat het publiek de grote verliezer is. Daar word ik verdomme niet vrolijker van,' zei ze.

'Het enige wat we hier bereikt hebben, was dat we Brookshire kunnen elimineren omdat hij een politicus is. Uiteraard is hij de enige zonder een project dat afhankelijk is van de toestemming van Santarosa.' Hij keek haar aandachtig aan. 'Je zit hier nu al bijna twee uur. Zou je niet even pauze nemen terwijl ik kijk wat ik over Dreftbury kan vinden?'

'Prima. Bedankt.'

Bij de espressobar bestelde ze twee gewone koppen koffie terwijl een verwaaide CNN-verslaggever de deelnemers opsomde die naar verwachting de G-8 van aanstaande maandag bij zouden wonen. Toen Liz met de koffie terugkwam bij de terminal had Simon zich niet bewogen, maar naast hem op de tafel lagen vier uitgeprinte vellen met de tekst omlaag.

'Bedankt.' Hij pakte zijn koffie aan. 'Wat kun jij je van Dreftbury herinneren?'

Ze ging zitten. 'Het is een prachtig hotel... midden tussen de glooiende heuvels en golfbanen. Het hotel ligt op de top van een hoge heuvel en is gebouwd op de restanten van een kasteel. Er loopt een lange oprit naartoe, die vrij spectaculair is. Vanaf de weg kun je het hotel en bepaalde gedeelten van de golfbanen zien.'

'Dat brengt me al een stuk verder.' Hij draaide de vier uitgeprinte velletjes om. Boven aan het eerste blad stond de mededeling:

HET DREFTBURY HOTEL, GOLFBANEN EN KUUROORD
EEN LUXE VAKANTIEVERBLIJF
BEKEND VAN DE OPEN KAMPIOENSCHAPPEN

Hij legde de vier velletjes in een rechthoek neer. 'Dit is een kaart van het park. Dat is heel groot... meer dan 300 hectare.' Het hotel in het midden had twee vleugels die naar achteren wezen als een soort omgekeerde pi – Π. Eromheen stonden nog diverse bijgebouwen en er waren wegen en paden en terreinen waar andere vormen van sport plaats konden vinden.
Ze liet haar vinger over een smalle strook land glijden die als een schiereiland in de zee uitstak. 'Een van de golfbanen loopt hierover. De rotsen zijn hoog en steil en op sommige plaatsen is nauwelijks strand. Ik kan me herinneren dat mam en ik hebben geprobeerd om te gaan pootjebaden, maar we konden niet bij het water komen.'
Het hele gebied was omringd door bossen met op bepaalde plekken uitlopers tot op het terrein. Dreftbury lag ingeklemd tussen de zee en de snelweg, die van Ballantrae en Loch Ryan in het zuiden naar Troon en Symington in het noorden liep.
'Ik kan nergens vinden wie in welke kamer logeert.' Hij wees naar de tekening. 'Maar hier bevindt zich de hoofdingang en de leveranciersingang zit daar. Ik zei al dat het zwaar beveiligd zou zijn... er is niet alleen bewaking door de plaatselijke politie, plus waarschijnlijk smerissen uit Glasgow en van Scotland Yard, maar ook door een privébedrijf. Dreftbury zou dit weekend heel goed het doelwit van terroristen kunnen zijn, dus dat houdt in dat MI5 ook aanwezig is. We kunnen erop rekenen dat er over het hele terrein gepatrouilleerd wordt. Het zal niet gemakkelijk zijn om binnen te komen, zelfs niet voor ons.'
Ze huiverde even en knikte. 'Ik weet het. We moeten niet alleen verstandig, maar ook slim zijn.'
'Laten we maar gaan. We moeten een toneelstukje opvoeren dat weleens het belangrijkste van ons leven zou kunnen zijn.'

47

Ergens in Noord-Europa
Sarah schrok wakker, hoewel het ritmische geluid van de branding die tegen de rotsen sloeg minder luid was geworden, wat waar-

schijnlijk betekende dat het eb was. Het vroege ochtendlicht viel schuin door de getraliede vensters, zodat de muren, de vloer en het plafond met een zachtroze gloed overgoten werden. Alles was opgetrokken uit rode zandsteenblokken die er eeuwenoud uitzagen. Rusteloos en bezorgd rolde ze voorzichtig weg van Asher, die kennelijk vast in slaap was gevallen zodra hij warm was. Ze liep rond in hun cel, op zoek naar een manier om te ontsnappen, maar de zandsteenblokken maakten een massieve indruk.

Ze stond net de deur te bestuderen, die van dik, met ijzer beslagen hout was gemaakt, toen ze het gerinkel hoorde van een grendel die opzij geschoven werd. Ze stapte snel achteruit en de deur ging open. Een van de mannen van de avond ervoor stond op de drempel. Hij had een AK-47 automatisch geweer in zijn ene hand en stak haar met zijn andere hand een papieren zak toe. Achter hem was een smalle, stenen gang met een laag plafond, die aan een middeleeuws kasteel deed denken.

'Boterhammen.' Hij keek vluchtig rond in het vertrek.

Ze deed haar best om een nonchalante indruk te maken terwijl ze hem bestudeerde. Hij had dikke wenkbrauwen en een scheef gezicht, waar de verveling duimendik bovenop lag. Hij hield het geweer losjes in de hand. Een mobiele telefoon in een leren houder bungelde aan zijn riem.

'Dank je wel,' probeerde ze een gesprek te beginnen. 'Is het mooi weer vandaag?'

Hij keek haar met grote ogen aan alsof ze niet goed wijs was en stapte achteruit.

'Hé,' protesteerde ze. 'Is dit alles? We hebben honger.'

'Eet het op of laat het staan.' Hij sloot de deur en de grendel werd weer dichtgeschoven.

'Eten?' informeerde Asher vanaf het kampeerbed. Hij ging rechtop zitten.

Zijn stem klonk vaster dan de avond ervoor. En hoewel ze helemaal aan de andere kant van de cel stond, kon ze zien dat zijn ogen helder stonden. Zijn krullende zwarte haar zat helemaal in de war, maar zijn kleur was normaal. Hij had zijn voeten stevig op de grond geplant en zijn rug was kaarsrecht. Hij zag er prima uit, als je niet op de strakke trekken rond zijn ogen en zijn mond lette. Het zonlicht dat door de hoge ramen viel, wierp vlekken op zijn havikengezicht.

Ze ging naast hem op het kampeerbed zitten om de koude boterhammen met gebakken ei en spek op te eten en een fles water te delen. Vanaf het moment dat de bewaker opdook met het eten had er iets door haar hoofd gespeeld. 'Ik weet misschien een manier om hier

weg te komen, maar voel jij je goed genoeg om te helpen? Het zal wel op een gevecht uitdraaien.'
Ashers ogen werden harde, zwarte kooltjes. 'Vertel het maar.'
'We hebben een grote, scherpe steen nodig. Iets dat er gevaarlijk uitziet. Als de bewaker terugkomt, moet jij die steen optillen, alsof je hem wilt aanvallen. Aangezien ze ons kennelijk in leven willen houden – voorlopig althans – zal zijn eerste reactie waarschijnlijk zijn dat hij probeert je neer te slaan, waarschijnlijk met zijn geweer. Dus je moet ver genoeg weg staan om ervoor te zorgen dat hij naar je toe moet lopen. Op dat moment grijp ik in. Ik zal vlak naast de deur staan, met mijn rug tegen de muur. Als hij naar binnen rent, schop ik het geweer uit zijn handen. Dan moet jij dat grijpen, als hij op mij af springt.'
Ashers gezicht betrok. 'Goeie genade, Sarah. Hoe kom je op het idee dat zo'n simpel plan zal werken?'
'Dat komt door de bewaker. Die vent verveelt zich dood. Hij beschouwt dit als een routinekarweitje, omdat hij denkt dat hij van ons niets te vrezen heeft.'
Daar zat Asher even over na te denken. 'Afgezien van het risico dat zijn opdracht inmiddels misschien gewijzigd is, bestaat er ook nog de kans dat je niet hard genoeg kunt schoppen om dat geweer uit zijn handen te krijgen. Weet je zeker dat je nog steeds goed genoeg bent in karate om dit klaar te spelen? Ik bedoel maar, je hebt er al zolang niets meer aan gedaan.'
'Ik zit niet alleen maar research te plegen of te schrijven als jij de halve wereld rond rent,' zei ze koeltjes.
Hij besloot dat het verstandiger was om zijn mond te houden, want het feit dat hij zo vaak weg was, zat haar helemaal niet lekker. Hij voelde zich een beetje schuldig, omdat hij eigenlijk zou moeten weten dat ze nog steeds aan karate deed. Hij keek haar aan. Haar gezicht zat onder het vuil, maar er stond dat nijdige trekje op te lezen waaruit je kon opmaken dat je geen millimeter verder moest gaan. Dat had hij altijd zo fantastisch aan haar gevonden.
Hij wilde er net over beginnen, toen ze zei: 'Daar komt nog bij dat het maar afwachten is of jij wel sterk genoeg bent. Want zelfs als mijn plan lukt, moeten we toch hier weg zien te komen, wat dit ook voor gebouw is. En dat betekent dat we moeten rennen.'
Asher knikte. 'Ik kan de pijn wel negeren.'
'Tot het zo erg wordt, dat je flauwvalt.'
'Dat zal echt niet gebeuren,' verzekerde hij.
Toch wisten ze allebei dat die mogelijkheid bestond. Maar ze hadden geen andere keus. Ze aten de rest van het brood op en begon-

nen de muren af te zoeken naar een losse steen die groot genoeg was om de bewaker te laten reageren.

Het middagzonnetje verwarmde hun stenen cel en de zilte geur van de zee hing in de lucht, Sarah had twee gebroken stenen gevonden, maar het was haar noch Asher gelukt ze los te wrikken. Er was niets in de kamer wat ze als gereedschap konden gebruiken en de bewaker kon ieder moment terugkomen.
'Ik heb er nog eens goed over nagedacht,' meldde Asher, 'en volgens mij zitten we niet in Elsinore. Ik denk zelf dat we in Schotland zitten, ergens aan de kust.'
'Lieve hemel, waarom?' Ze ging op haar hurken zitten en keek hem met grote ogen aan. Die streek leverde hij haar vaker... om zonder nadere uitleg met conclusies te komen.
'Er zijn een paar redenen voor. In de eerste plaats lopen mensen buiten te golfen. Ik heb flarden van een paar gesprekken opgevangen. Golf is de nationale sport in Schotland. Ten tweede heeft de vlucht niet lang genoeg geduurd om een echt grote afstand af te leggen. En ten derde...' – hij trok een gezicht omdat hij haar dat maar met moeite uit kon leggen – 'het voelt hier gewoon áán als Schotland. Regenachtig. De geur van heide. De kolkende zee. Hoge rotsen. Een tikje kil, ook al is het juli. En dan dit oude kasteel... Schotland staat vol oude kastelen. Natuurlijk kan ik me best vergissen.'
'Ik denk dat je gelijk hebt,' beaamde ze. 'Maar ik zie niet in wat we daarmee opschieten.'
'Ja, daar was ik al bang voor.' Hij stond op het punt te voorspellen dat het zo zou gaan regenen, toen ze buiten opnieuw een stem hoorden. Ditmaal zo dichtbij dat ze hem bijna woordelijk konden verstaan.
Ze keek op. 'Heb je hem gehoord?'
'Het klonk als die vent die ons gisteravond van het vliegveld heeft gehaald.'
'Malko. Kun jij hem verstaan?'
'Nee. Ik...'
Ze holde naar het kampeerbed dat ze niet hadden gebruikt. Het was een metalen frame bespannen met een stuk smerig canvas. Ze zette het schuin tegen de muur.
'Zou jij het even tegen kunnen houden?'
'Natuurlijk.' Hij stond al naast haar.
Terwijl hij het bedje met zijn volle gewicht tegen de muur drukte, liep zij snel naar de tegenoverliggende muur, nam een aanloop en krabbelde omhoog tot aan het raam, waar ze zich aan de tralies vast-

hield, terwijl ze tussen het frame en het canvas steun zocht voor haar voeten.
'Waar heeft hij het over?' vroeg Asher.
'Ssst.'
Nu wist ze hoe Malko eruitzag: stevig gebouwd en gespierd en gekleed in een duur driedelig pak. Hij had een van die lange, onopvallende gezichten die je meteen weer vergeet. Het soort man dat in een menigte nauwelijks opvalt, een groot voordeel als je een beroepsmoordenaar was. Hij had een zonnebril op en praatte in een mobiele telefoon terwijl hij beneden in zijn eentje langs de rand van de rotsen liep. Hij keek om zich heen alsof zich een meute vijanden verborgen hield op het goed onderhouden terrein. Toch maakte hij geen zenuwachtige indruk, het was gewoon de oplettendheid van een beroepskracht. Achter hem zag ze de eindeloze zee, nog steeds grijs en kolkend na de bui van gisteravond.
'... in Alloway,' zei Malko. 'Natuurlijk zal alles daar in gereedheid zijn gebracht. U hoeft zich nergens zorgen over te maken, meneer. We hebben meer dan genoeg tijd. Ik geef de boodschap wel door aan zijn assistent. U kunt op me rekenen.' Het bleef even stil en toen klonk zijn stem opnieuw, maar dit keer zo zacht dat ze zich moest inspannen om hem te verstaan. 'Dank u wel, meneer. Ja, dank u.'
Terwijl hij de verbinding verbrak en de telefoon in zijn zak stopte, draaide Malko zich om en keek naar de zee. Zijn rug was recht. Hij gaf haar het vreemde gevoel dat hij een of andere gevaarlijke hond was die net door zijn baas was aangehaald.
Plotseling draaide hij zich om en liep met vastberaden pas om het gebouw heen. Toen hij uit het zicht was, liet ze zich omlaag glijden en vertelde Asher wat ze net had gehoord.
'Alloway ligt toch in Schotland?' besloot ze haar verhaal. 'Het is de geboorteplaats van Robert Burns. Je had kennelijk gelijk met je veronderstelling.'
Hij knikte. 'Heb je ook eilanden gezien toen je naar de zee keek?'
'Ja, toevallig wel. Het zal wel een eiland zijn, maar het ziet eruit als een enorme rotsblok. Of als een groot, rond, stenen brood.'
'Aha! Dat moet Ailsa Craig zijn. Daar hebben we tenminste iets aan. We zitten op de Firth of Clyde, in het zuidwesten van Schotland. Ik ben hier een paar jaar geleden langsgekomen, op weg naar Glasgow. Laten we nu maar gauw maken dat we wegkomen. Als dit een hotel is, moeten er ook auto's zijn. Ik ben klaar om te ontsnappen, jij ook?'

Dreftbury, Schotland

De snelweg A77 liep langs de Firth of Clyde en kronkelde omhoog tussen glooiende groene heuvels waar bruin-witte Ayrshire-koeien in de schaduw van grote dennen met brede takken stonden te grazen. Simon zat aan het stuur van een nieuwe Land Rover, terwijl Liz zat te wachten tot ze een bord met de afslag Dreftbury zou zien. Hij keek om de haverklap in de achteruitkijkspiegel.

Iedere keer als ze naar hem keek, kreeg ze een vreemd gevoel. Op een bepaald moment in de afgelopen achtenveertig uur was hij opgehouden een aandenken uit haar jeugd te zijn. Nu zat hij in vermomming naast haar: vuilblond haar, een zonnebril, een goedkoop colbertje en een polyester das. Met zijn brede gezicht en zijn veel te grote neus kon hij net zo goed een begrafenisondernemer zijn als een agent van de overheid. Ze had het idee dat zelfs zijn beste vrienden – als hij die nog had – hem niet zouden herkennen.

'Je zit naar me te kijken,' zei hij.

'Je bloost niet eens.'

'Moet dat dan?'

'Ik zat gewoon je nieuwe gedaante te bewonderen.'

'O.' Hij grinnikte haar even toe.

Met behulp van een van zijn schuilnamen had hij even buiten Dumfries, waar ze de Jeep hadden achtergelaten, de Land Rover gehuurd. In de stad kochten ze twee prepaid mobiele telefoons, kleren en haarverf en waren vervolgens naar een hotelletje gegaan, waar ze een kamer voor één nacht huurden. Maar zodra ze zich gewassen, hun haren gebleekt en zich verkleed hadden, waren ze weer vertrokken. Ze had nog steeds een bedrag aan euro's over dat in Sarahs portefeuille had gezeten en dat deelde ze met hem. Met de instantcamera uit zijn sporttas namen ze foto's van elkaar en flansten twee van de MI6 identificatiebewijzen die hij bij zich had in elkaar. Zij werd Veronica Young en hij Douglas Kennedy.

Ten slotte keerden ze terug naar de A75, die ze in westelijke richting volgden tot ze bij Stranraer waren, aan de enorme baai van Loch Ryan, waar ze de A77 naar het noorden namen.

'Ik ben ook bijzonder onder de indruk van jouw vermommig,' zei hij tegen haar. 'Er gaat niets boven het gezelschap van een grijsharige seksbom.'

'Pardon?'

'Wat had jij dan verwacht? Je hebt het haar van een zeventigjarige dame en het gezicht van een studentje. En dat zwarte broekpak is gewoon veel te netjes. Het is een combinatie die bepaalde seksuele fantasieën uitlokt.'

'Je houdt me voor de gek.'

'Tot op zekere hoogte.'

'Je doet net alsof je de rimpels niet ziet die ik zo zorgvuldig heb aangebracht.'
'Dat kost me ook niet de minste moeite.'
Het werd drukker op de weg en hij remde iets af toen hij door een lange bocht reed. Ze bestudeerde de omgeving. Links voor hen, op een heuvel boven de zee, verscheen een statig wit gebouw met pilaren, bogen en rode dakpannen.
'Daar, dat is het... het Dreftbury hotel.' Liz knikte ernaar en vroeg zich af wat ze daar zouden aantreffen. De beroemde golfbanen van het hotel strekten zich aan weerskanten van het gebouw uit, een volmaakt tapijt van levend groen, hier en daar onderbroken door diepe bunkers en omringd door stroken hoog, wuivend duingras. Terwijl de zon net onder de donkere wolken van een naderende regenbui door gluurde, stonden een paar golfers nog een balletje te slaan. Zwarte schaduwen kronkelden over het landschap.
Terwijl ze ernaar zat te kijken, werden de herinneringen weer wakker: de grote salon, de bar met de gezellige stenen patio die uitkeek over de monding van de rivier en de vallei, de liften, de lange gangen met vreemde bochten en zijgangen en de manier waarop de overal aanwezige bedienden zich onzichtbaar probeerden te maken.
Simon trapte op de rem. Het verkeer voor hen begon langzamer te rijden, wat betekende dat ze nu zelfs onder de vijftig kilometer per uur zaten.
'Wat is er aan de hand?' Liz keek op toen ze op een recht stuk weg kwamen.
'Dat kun je zelf ook zien.' Hij kon maar met moeite de herinneringen aan Viera en die laatste, gewelddadige avond in Bratislava onderdrukken. 'De antiglobaliseringsbeweging is hier op volle sterkte aanwezig.'
Ze hadden nu onbeperkt zicht op zowel het schitterende hotel als de hele heuvel tot aan de voet, waar een tweebaans provinciale weg omheen liep die ook al vol stond met auto's. De hoge stenen muur van Dreftbury stond langs de weg. Vanwege de veiligheidsmaatregelen wachtte een lange rij limousines met getinte ramen voor de hoofdingang, terwijl vracht- en bestelwagens een file voor de leveranciersingang vormden.
Maar aan de andere kant van de weg werd de orde verstoord door schreeuwende groepen demonstranten, die met duizenden vijf tot acht rijen dik achter de dranghekken stonden waarlangs politieagenten in uniform patrouilleerden. De opeengehoopte, in vrijetijdskleding gehulde en met rugzakken getooide demonstranten zwaaiden met hun spandoeken. Boven hen, op de top van een heuvel, was hun com-

mandopost, waar een uitgelezen kader van mannen en vrouwen de voortgang van de demonstratie begeleidden, met verrekijkers voor de ogen en walkie-talkies tegen het oor.
'Zet de radio eens aan,' zei Simon gespannen. 'Ik zie verslaggevers en camera's.'
Terwijl ze op zoek ging naar een nieuwszender, vertelde hij haar dat de antiglobaliseringsbeweging zich er ontzettend aan ergerde dat de grote media hun aantijgingen en klachten zelden serieus namen. Dat ze het gevoel kregen dat ze niets te betekenen en geen enkele stem in het kapittel hadden.
'Ik kijk er echt niet van op dat ze hier zijn,' verklaarde hij. 'Ik heb mijn baas gewaarschuwd dat er iets broeide. Ze zijn al een hele tijd op zoek naar een manier om het publiek de ogen te openen en Nautilus is een logisch doelwit. Als zij het nationaal – en internationaal – voor elkaar kunnen krijgen dat...'
'Daar is het bord voor de afslag naar Dreftbury,' viel Liz hem in de rede. Ze had een station gevonden en draaide het volume open.
Terwijl Simon de grote weg af reed in de richting van een provinciale weg rapporteerde een verslaggeefster met stemverheffing: '... bij het bijzonder exclusieve Dreftbury-hotel.'
Op de radio waren auto's te horen met razende of stationair draaiende motoren, mensen die bevelen schreeuwden en anderen die slogans riepen. Er kwam geen eind aan de herrie.
'We staan hier tegenover een geschat aantal van drieduizend demonstranten,' vervolgde ze. 'Sommigen laten een enorme, felroze ballon op in de vorm van een varken. Ze hebben kennelijk gevoel voor humor, want op de zijkant staat: KAPITALISTISCHE VARKENS ZIJN NIET MEER DAN HETE LUCHT. Ieder uur komen er meer demonstranten bij. Ze kruipen onder de afzettingen door en rennen naar de twee ingangen van Dreftbury, waar ze gearresteerd worden voordat ze zich toegang kunnen verschaffen. Vervolgens worden ze door de politie in vrachtwagens geladen en naar de gevangenis gebracht. Inspecteur Hepburn van de plaatselijke politie heeft verklaard dat er nog geen gewonden zijn gevallen, maar hij verzoekt het publiek dringend om weg te blijven. Vanaf deze plek kunnen we het alleen maar roerend met hem eens zijn. We hebben nog nooit zo'n gedrang en zoveel chaos in zo'n klein gebied meegemaakt. Bij de leveranciersingang kreeg het strijkorkest uit Glasgow opdracht uit de bus te stappen en al hun instrumenten te laten controleren. Ze waren niet bepaald blij, maar niemand ontkomt eraan gefouilleerd te worden. Nu lopen we naar de limousines om met een aantal van de gasten te spreken. Volgens de demonstranten vormen zij de wereldelite en ze zijn hierheen ge-

komen om in onderling overleg te bepalen hoe de wereld gedurende het komende jaar bestuurd moet worden.'
Haar stem ebde weg en klonk toen plotseling luider. 'Ga aan de kant, jongeman. Wij zijn van de radio uit Edinburgh. Jij bent helemaal niet van de politie! Waar haal je het lef vandaan! Je mág ons niet tegenhouden. Meneer! Meneer!' Ze hoorden iemand op een ruit tikken. *'Draai uw raampje omlaag zodat we met elkaar kunnen praten!'*
Liz draaide het volume terug toen Simon op de rem trapte. Ze hadden de verkeersopstopping bereikt van de auto's die met een slakkengangetje op weg waren naar het Dreftbury-complex.
'We zijn in ieder geval bij de stenen muur aangekomen,' zei ze.
'Kijk eens naar dat groepje bomen.'
Terwijl de Land Rover langzaam verder rolde, bumper aan bumper met de auto voor hen, bestudeerde ze de dichte begroeiing rond het terrein van Dreftbury. Er stapte een aangelijnde Duitse herder uit, de kop omhoog, meteen gevolgd door zijn begeleider in een zwart uniform, die een automatisch geweer droeg. De gewapende man en de afgerichte hond bewaakten de grenzen van het terrein. Al gauw zag ze meer mannen met honden.
Ze kreeg het er benauwd van. 'Angstaanjagend,' zei ze. 'Privébewaking?'
Hij knikte. 'Ik dacht dat je het wel interessant zou vinden.'

Asher maakte zich zelden zorgen. Dat paste niet bij zijn aard. Wat hem betrof, waren zorgen iets waarvan je terneergeslagen en onzeker werd. Maar vanaf het moment dat Sarah was ontvoerd, had hij het gevoel gehad dat hij vanbinnen helemaal in de knoop zat. Daaruit maakte hij op dat hij bezorgd was. Toen ze in Parijs weer bij elkaar kwamen, was hij aanvankelijk opgelucht geweest omdat ze nog in leven was. Maar daarna was het weer bergafwaarts gegaan met zijn gevoelens. Ze verkeerde nog steeds in gevaar en hij was nog steeds uitgeschakeld.
Er was een kleine kans dat haar plan zou lukken, maar de steen die daarvoor nodig was, hadden ze niet kunnen vinden, ook al hadden ze al drie wanden afgespeurd. Nu waren ze bezig met de vierde. Ze zochten naar zwakke plekken en trokken aan alle uitsteeksels.
Maar tot zijn verbijstering schoot ineens een onregelmatig gevormd stuk rood steen van ongeveer vijftien centimeter breed en dertig centimeter lang een paar centimeter naar voren.
Asher hoefde alleen maar even te rukken om het in zijn hand te houden.

Ze keek toe, met ogen als schoteltjes. 'Je hebt een steen gevonden! En precies wat we nodig hebben!'
Hij gaf geen antwoord, maar tuurde in het gat.
Toen ze het geluid van schurend metaal hoorden, waaruit bleek dat de grendel opzij werd geschoven, draaiden ze zich allebei met een ruk om en staarden naar de deur.
'Gauw, ga daarginds staan met die steen,' zei ze. 'Zorg dat je net doet alsof je hem wilt aanvallen!'
'Nee! Wacht even! We moeten ons plan op het laatste moment veranderen. Loop naar de deur en doe aardig tegen hem. Je mag hem níét schoppen of slaan.' Hij drukte de steen terug in de muur. Terwijl hij het zand van zijn handen veegde, liep hij haastig terug naar het kampeerbed en viel erop neer. De deur zwaaide open.
Ze stond er vlakbij te wachten. 'Bedankt,' zei ze tegen dezelfde man die de eerste keer was gekomen.
De ongeïnteresseerde trek op zijn grove gezicht was nog sterker geworden. Hij had nog steeds het geweer bij zich en de mobiele telefoon die aan zijn riem hing. Hij bromde iets, overhandigde haar twee volle flessen water en een nieuwe papieren zak en maakte zich weer uit de voeten. Opnieuw werd de deur dichtgeslagen en de grendel ervoor geschoven.
Asher glimlachte. 'Mooi zo.' Hij vond het een prettig idee dat ze af en toe toch deed wat hij zei.
Ze draaide zich met een ruk om. 'Ik hoop voor jou dat je daar in die muur een regelrecht wonder hebt gevonden.'

48

Zodra Sir Anthony ingeboekt was, ging hij rechtstreeks naar zijn suite, walgend van de meute krankzinnige demonstranten die kennelijk van plan waren een weekend te verpesten dat was bedoeld om rustig en op hun gemak ideeën uit te wisselen en tot overeenstemming te komen. In zijn favoriete corduroy colbert met de leren elleboogstukken stond hij voor het raam, de handen op zijn rug ineengestrengeld, en keek omlaag in de vallei waar die idioten door elkaar holden en stonden te schreeuwen.
Hij had een vreemd, dof gevoel, alsof de tijd te snel voorbij was gegaan. Ergens was iets misgelopen. Wist hij niet meer wat de toekomst moest brengen?

‘Ik heb mijn leven lang geprobeerd om te begrijpen hoe de wereld in elkaar steekt,’ piekerde hij hardop. ‘Wat de grondslag van de beschaving is. Welke overkoepelende betekenis er schuilt achter onze triomfen en mislukkingen, ons vermogen om geluk te vinden en verdriet te verdragen. Aangezien we allemaal deel uitmaken van dezelfde wereld en hetzelfde ras leek het zinnig om ervoor te zorgen dat hetzelfde voor ons gedrag gold. Als je tegen globalisering bent, wil je de klok terugdraaien. Dan wil je weer geloven dat de aarde plat is. Dat er feeën en heksen bestaan en dat we heidense goden moeten aanbidden.’ Hij zuchtte.
Omdat hij geen antwoord kreeg, draaide hij zich om. De weg die voor hem lag, beviel hem allerminst, maar hij zag geen andere oplossing. Normen moesten gehandhaafd worden en je moest op de ingeslagen weg verder. Uiteindelijk zou waarschijnlijk blijken dat uithoudingsvermogen de belangrijkste deugd was.
‘Wat willen die demonstranten eigenlijk?’ vroeg hij zich af.
César Duchesne stond vlak bij de deur. Hij was gekleed in een bruin, jersey overhemd, een tweed colbert en een bruine broek, en aan zijn borstzakje hing een geel plaatje waaruit bleek dat hij een van de assistenten was, hoewel hij gewoon zijn werk als hoofd veiligheidsdienst van de Spiraal bleef doen.
‘Dat de doelstellingen van het IMF en de Wereldbank herzien worden,’ antwoordde hij. ‘Dat er een eind wordt gemaakt aan de schuldenlast van de Derde Wereld. Dat er over de hele wereld één procent belasting wordt geheven over speculatieve financiële transacties om een fonds te stichten van één biljoen dollar met behulp waarvan onderontwikkelde landen hun eigen groei kunnen bepalen. Dat er een soort Neurenberg-proces wordt gehouden waarbij degenen terecht moeten staan die zij verantwoordelijk houden voor de nieuwe globale economische wanorde en de enorme verschuiving van inkomen van de armen en de middenklasse naar de mensen die al rijk zijn.’
‘Is dat alles?’ zei Brookshire bitter. Hij had genoeg van mensen die de wijsheid noch de ervaring hadden om te begrijpen hoe complex al die zaken waren. Het enige waar zij zich druk over maakten, was hun eigen voortbestaan, niet dat van de wereld. Kleingeestig en onproductief. Met stemverheffing zei hij: ‘Ze weten van niets en ze klemmen zich aan hun onwetendheid vast alsof het een talisman of een of ander religieus relikwie is. Het zijn verrekte fanatici. Als ze verandering willen, dan zullen ze toch eerst een reële kijk op de moderne wereld moeten krijgen!’ Hij zweeg even en zuchtte. ‘Is er een bepaalde reden waarom ze ons hier komen lastig vallen?’
‘Ze willen Nautilus aan de kaak stellen. Ze willen u en uw gasten

dwingen het internationale toneel te betreden en dat het doek geopend wordt om het zo maar eens te zeggen. Ze willen dat er een grondig onderzoek komt.'
'O, is dat zo? Nou, dat zullen ze niet voor elkaar krijgen door zich als een stel verwende kinderen te gedragen. Door te schreeuwen en op en neer te springen. Moet je dat zien. Ze stellen zich aan als kinderen van een jaar of twee.' Hij draaide het raam de rug toe en ging zitten. Met een sombere blik bestudeerde hij het hoofd van zijn veiligheidsdienst. Hij dwong zichzelf te bedaren en weer aan zakelijke dingen te denken. 'Is Henry Percy dood?'
Duchesne knikte even vol respect. 'Zoals u hebt bevolen.'
'En Sansborough en Childs?'
'Die zijn ontsnapt voordat mijn mensen hen te pakken konden krijgen.'
'Wat! Duchesne, ik zal...'
Duchesne viel hem haastig in de rede. 'Dat is niet alles. Ze zijn niet alleen tot de conclusie gekomen dat de chanteur achter de dood van Franco Peri stak, een paar maanden geleden, maar dat de executie ervoor moest zorgen dat Carlos Santarosa eerder de leiding kreeg over de Commissie voor Concurrentiebedingingen. En ik denk dat ze gelijk hebben. Ze geloven dat de chanteur de toestemming van Santarosa voor een of ander project nodig heeft. Henry Percy heeft hun verteld dat de kans groot was dat Santarosa in Dreftbury zou zijn.'
Sir Anthony zette zijn ellebogen op de armleuningen van zijn stoel, strengelde zijn vingers in elkaar, legde zijn kin erop en bestudeerde het hoofd van zijn veiligheidsdienst, die gewoon was blijven staan. Aan zijn houding te zien was hij volkomen ontspannen. Maar Sir Anthony waagde dat toch te betwijfelen. Voor het eerst zag hij vage tekenen van bezorgdheid, van kwaadheid. *Mooi zo.* Het was voor hem belangrijk dat Duchesne volkomen gemotiveerd was, nog meer op zijn qui-vive en nog slimmer dan anders, want Duchesne had hem inderdaad iets zinnigs verteld.
'Jij denkt dus dat ze hierheen komen en Santarosa willen gebruiken om de chanteur te vinden. Daar zul je wel gelijk in hebben. Maar wie zou hebben gedacht dat ze zover zou komen toen Sansborough erin slaagde om de benen te nemen? Natuurlijk zijn ze op weg hierheen. Ik neem aan dat je een valstrik hebt gezet om niet alleen Sansborough en Childs maar ook de chanteur te pakken te krijgen.'
Duchesne beschreef welke voorzorgsmaatregelen hij had genomen en van welke valstrik hij zich wilde bedienen.
Sir Anthony bracht een paar wijzigingen aan in het plan.
Zodra hij alleen was, stond Sir Anthony op uit zijn stoel. Hij had

zijn leven lang gejaagd en hij was niet alleen vertrouwd met vuurwapens, hij hield er zelfs van. Hij had op zijn achtste zijn eerste geweer gekregen, op zijn vijftiende zijn eerste jachtgeweer en op zijn zestiende zijn eerste pistool. Hij pakte zijn favoriete Browning uit een van de lades van het bureau.

Voordat hij uit Londen vertrok, had hij het pistool schoongemaakt en geladen. Hij verwachtte niet dat hij het nodig zou hebben, maar een wijs man was op alles voorbereid. Terwijl hij het wapen optilde, zag hij zijn spiegelbeeld: zijn dikke, achterovergekamde zilverwitte haar, zijn grote hoofd, zijn baby-roze gladgeschoren wangen, zijn uitstekende kin en zijn keurige kleren waaraan duidelijk te zien was dat hij altijd geld had gehad. Zijn vlezige, atletische lichaam. En de strenge blik waaruit wijsheid sprak en die hij een leven lang had moeten polijsten om echt over te komen. Ja, hij was de Oude Wereld ten voeten uit, maar pragmatisme en idealisme behoorden tot zijn karaktertrekken. Hij moest plotseling denken aan wat Plato tegen de Atheense democratie had gezegd: de straf voor het niet deelnemen aan het politieke proces was dat je geregeerd werd door je minderen.

Donkere wolken pakten zich samen toen Simon met zijn sporttas en Liz met haar nieuwe schoudertas uit de auto stapten. Ze lieten de Land Rover langs de kant van de weg staan en liepen naar het niemandsland tussen de oproerkraaiers die zwaaiend met hun spandoeken stonden te schreeuwen en de veiligheidsmensen, die met boze gezichten hun wapens in de hand klemden. De stank van ozon en zweet hing in de lucht. Het was ruim over vijf in de middag en de lange rijen auto's die wachtten tot ze Dreftbury binnen konden, waren iets korter geworden. Maar toch was het veel sneller om naar binnen te lopen.

Terwijl ze langs de leveranciersingang kwamen, lieten politiemensen hun honden de auto's besnuffelen, terwijl de veiligheidsdienst de chauffeurs fouilleerde en de lading controleerde. Een van hen goot een pak melk leeg, een ander sneed een pak diepvriesdoperwtjes open. Ze waren kennelijk op zoek naar kleine wapens of semtex. Tegelijkertijd kropen vier bejaarde demonstranten onder de dranghekken door en staken haastig de weg over naar het hek. Hun witte haar glansde in de zon die hun rimpels nog dieper deed lijken. Veiligheidsmensen grepen hun wapens vast en holden achter hen aan om hen te onderscheppen.

'Dit doet me denken aan Bratislava op de avond dat Viera zichzelf in brand stak,' zei hij met een onbehaaglijk gevoel. 'Meteen daarna begonnen de rellen.' Hij bestudeerde de mensenmassa door zijn zon-

nebril en probeerde de hoeveelheid spanning in te schatten. Er waren een paar gezichten die hij herkende: de gebruikelijke onderwijzers en arbeiders, huisvrouwen en studenten, die Duits, Pools, Sloveens, Tsjechisch of Engels spraken.
'Dat verbaast me niets.' Haar blik volgde de zijne, terwijl al haar zintuigen op volle kracht werkten. 'Maar met rellen bereik je niets, hoor.'
'Dat kun je ze toch nooit aan hun verstand brengen. Moet je die oude mensen zien. Die geven het nooit op.'
Politiemensen sloegen het bejaarde kwartet in de boeien en duwden hen naar een arrestantenwagen. Ze glimlachten grimmig, bijna alsof ze op weg waren naar een feestje.
'Maar dat zijn geen relschoppers,' zei ze. 'Demonstranten willen aanvankelijk alleen maar dingen verbeteren, ook al klopt hun idee van "verbeteringen" lang niet altijd. Ze willen een positieve revolutie. Maar rellen zijn niet revolutionair, ze zijn reactionair en relschoppers trekken altijd aan het kortste eind. De enige beloning is dat je in emotioneel opzicht onmiddellijk schoon schip kunt maken. Maar dat wordt gevolgd door een gevoel van zinloosheid, omdat alle macht die ze aanvankelijk voelden is verbruikt. De volgende stap is hulpeloze woede.'
'Is dat wijsheid à la professor Sansborough?'
'Om eerlijk te zijn is het van Martin Luther King. Natuurlijk heb ik hem niet letterlijk geciteerd. Maar kijk eens naar de gezichten van die oproerkraaiers en dan naar die smerissen. Kijk naar hun lichaamstaal. Die lijken als twee druppels water op elkaar, ziedend van morele verontwaardiging.'
'Maar als het echt nergens op slaat, waarom veroorzaken mensen dan rellen?' Simon liet zijn blik langs de veiligheidsmensen en de demonstranten glijden. Op hetzelfde moment zag hij Johann Jozef, de broer van Viera. Met zijn stevige, nog net geen een meter tachtig lange lichaam stond hij te zwaaien met een Engelstalig spandoek:

ZORG DAT DE GLOBALE ECONOMIE WERKT
VOOR DE MENSEN DIE HET WERK OOK *DOEN!*

Johanns gezicht was vertrokken van woede. Zijn verdriet had nieuwe, diepe lijnen rond zijn mond geëtst. Op zijn borst droeg hij een plastic badge met een foto van een glimlachende Viera. Simons adem stokte in zijn keel.
'Een groot deel ervan is kuddementaliteit,' zei ze. 'De macht van de menigte. Maar het komt ook omdat ze het gevoel hebben dat ze toch íéts moeten doen. Vergelijk het maar met sommige geestelijk ge-

stoorde mensen die met hun hoofd tegen een muur slaan of zichzelf bijten. Ze doen wanhopige pogingen om iets te voelen, wat het ook is. De loutering van het voelen. Natuurlijk raken mensen die proberen een onrecht te herstellen of verbetering te brengen in een bepaalde toestand gefrustreerd. Het is best mogelijk dat ze nooit hun zin zullen krijgen en soms is dat maar beter ook. Het gevaar zit in dit soort toestanden, als ze met zovelen zijn. De frustratie omdat er niet naar hen wordt geluisterd groeit, de spanning neemt toe, er gebeurt iets en er breken rellen uit. Dat werkt louterend, ook al is het niet op de manier die ze zoeken. Dan volgt altijd een periode van rust, waarna de spanning weer kan oplopen.'
'Dat klinkt verrekt deprimerend.'
Ze keek naar hem op en zette haar zonnebril recht. 'Wat is er gebeurd? Je hebt iemand gezien, hè?'
'Viera's broer is hier.' Hij beschreef Johann en draaide zich om. Als je lang genoeg naar iemand kijkt, vraag je erom dat zo'n persoon opkijkt. Hij betwijfelde of Johann hem in deze vermomming zou herkennen, maar hij durfde geen enkel risico te nemen.
'Hij is woedend,' concludeerde ze.
'Viera heeft zichzelf opgeofferd, maar ze is nu al geen voorpaginanieuws meer. Misschien dringt het langzaam maar zeker tot hem door dat je in leven moet blijven als je dingen wilt veranderen.'

Toen Simon en Liz naar de chique ingang van Dreftbury liepen, was een van de veiligheidsmensen bezig de bagage in de kofferbak van een limousine te controleren, terwijl een ander bij het open raampje van de chauffeur stond en paspoorten vergeleek met een lijst van genodigden. Een dobermann sleurde zijn begeleider mee rond de auto en snuffelde aan de banden en aan de onderkant van de auto.
Aan de overkant van de weg werden het gezang en het geschreeuw van de demonstranten steeds luider en indringender en de pogingen om het politiekordon te doorbreken steeds brutaler en frequenter. Bezorgd keek Simon naar de chaos. Als een soort weerslag van de gewelddadige sfeer werd de dreiging van regen steeds groter en boven de dieselwalmen pakten de wolken zich samen tot dreigende onweerskoppen. Ineens schoot hem een gezegde te binnen: als het in Schotland niet regent, heeft het net geregend of kan het ieder moment gaan regenen.
'Daar staat de man die we moeten hebben.' Liz lette goed op dat er niets op haar gezicht te lezen stond. 'Heb je mijn telefoonnummer uit je hoofd geleerd?'
'Ja. Weet je het mijne ook nog?'

Ze knikte. In gedachten zag ze de Glock, die ze boven in haar schoudertas had gestopt, zodat ze er gemakkelijk bij kon. Simon droeg zijn Beretta in een holster onder zijn colbert en de uzi zat in de dichtgeritste sporttas. De prepaid mobiele telefoons dienden om contact met elkaar te houden.
Simon knikte kort. Zoals ze hadden verwacht, stond een man van MI5 vlak achter het hek, een beetje opzij en onopvallend, behalve voor mensen die wisten waar ze op moesten letten: de achteloze manier waarop hij bijna uit het zicht tegen het portiershuisje leunde, de verveelde blik achter de zonnebril die elk gezicht en elk voertuig inspecteerde, het ietwat scheef gesneden colbertje dat op maat was gemaakt om het pistool onder zijn arm te verbergen en – het allerbelangrijkste – het feit dat hij volledig geïsoleerd stond. De mensen van de veiligheidsdienst liepen met een grote boog om hem heen. Dat was een vergissing. De agent had tegen hen moeten zeggen dat ze zich normaal dienden te gedragen en dat ze af en toe iets tegen hem moesten zeggen alsof hij een van hen was of een gewoon burger.
Liz spande haar spieren toen een dikke bewaker, met zijn geweer in de kromming van zijn arm, zich omdraaide. Hij had net een van de limousines toestemming gegeven door te rijden. Terwijl de auto verder zoefde, op weg naar het hotel, wisselde ze een snelle blik met Simon om aan te geven dat het toneelspelletje kon beginnen.
Ze hielden hun identiteitsbewijzen klaar.
'Kan ik u van dienst zijn?' De stem van de bewaker klonk beleefd maar vermoeid. Het was een lange dag geweest. Maar zijn blik was scherp toen hij eerst Simon en vervolgens Liz van top tot teen bekeek.
'Ja, inderdaad,' zei Liz koel. Ze had haar Engelse accent al bijna helemaal terug.
Ze gunden hem een blik op hun MI6-identiteitsbewijzen, die ze laag en vlak bij hun lichaam hielden om te voorkomen dat andere mensen ze ook zouden zien.
'Ik moet die vent daarginds spreken,' zei Simon met een knikje naar de agent.
Er was een korte aarzeling toen de bewaker overwoog wat hij moest doen.
Dat beviel Liz helemaal niet. 'Het spijt me dat we u niet meer kunnen vertellen,' zei ze op vertrouwelijke toon. 'Maar dat begrijpt u vast wel.' Om er zeker van te zijn dat hij snapte wat ze bedoelde, deed ze haar tas open en zorgde ervoor dat hij de Glock zag toen ze haar legitimatie opborg.
Op hetzelfde moment schoof Simon zijn jasje opzij om zijn identi-

teitsbewijs weer in zijn binnenzak te stoppen, waardoor de holster met zijn Beretta zichtbaar werd.
Dat gaf de doorslag. De bewaker keek van de een naar de ander. Hij knipperde met zijn ogen, gebaarde dat ze door konden lopen en negeerde hen verder koninklijk. Hij had kennelijk het gevoel dat hij een rol bij iets belangrijks speelde.
Liz slaakte een diepe zucht van opluchting.
Simon glimlachte vriendelijk toen ze naar de man van MI5 toe liepen. Met zijn mooiste Oxford-accent zei hij: 'Ik moet even een babbeltje maken met je baas, beste kerel.'
MI5 hield zijn blik op het hek gevestigd. 'Allebei?'
'Het wordt hoog tijd dat jullie snotapen van MI5 met de neus op de werkelijkheid worden gedrukt,' snauwde Liz verontwaardigd.
MI5 verstarde even, maar het bewees dat ze een haarscheurtje had veroorzaakt in zijn spijkerharde superioriteitsgevoel. Als het nodig was, diende zelfs MI5 zich te verlagen om niet alleen met MI6 maar ook met vrouwen samen te werken.
'Namen?' zei hij. 'Nummers van de uitnodigingen?'
'Kennedy, MI6,' zei Simon. 'Dit is Young, MI6. En doe niet zo vervelend.'
Een vermoeide zucht. 'Laat maar zien.'
Ze toonden hun legitimatie. Nadat hij er een blik op had geworpen, richtte MI5 zijn aandacht weer op het hek en mompelde iets onverstaanbaars in de richting van zijn borstzakje. Hij droeg een oordopje.
'Jullie worden bij het hotel opgevangen,' zei MI5 ten teken dat ze door konden lopen.
Liz onderdrukte een gevoel van opluchting en gaf hem een knikje alsof ze een portier bedankte. Ze liepen omhoog over de oprit, langs de golfbanen en onberispelijk gesnoeide struiken. Gewapende bewakers wandelden over de paden.
'Volgens mij hebben we dat netjes gedaan.' Ze veegde het zweet van haar voorhoofd.
'We zullen nog één hindernis moeten nemen.'
Boven aan de oprit stond een vrouw met een strak gezicht hen op te wachten, de handen in de zij. Ze droeg het blauwe jasje met het embleem van Dreftbury ten teken dat ze een van de golfleraren was, maar in haar oor zat weer zo'n miniluidsprekertje.
'Wat hebben jullie hier voor de donder te zoeken?' vroeg ze met een boze blik.
'Wij houden de antiglobaliseringsbeweging in de gaten,' zei Simon vriendelijk. 'Met behulp van verborgen microfoons en elektronica.'

'Ons hoofdkwartier heeft meer mensen gestuurd dan nodig zijn om de lui beneden op de weg in de gaten te houden,' legde Liz uit. 'De baas vond dat we best konden aanbieden om hier een handje te helpen.'
'Sjonge jonge.' MI5 was maar al te graag bereid om misbruik te maken van de desorganisatie bij MI6. 'Heb ik even mazzel? Gaan jullie maar een oogje houden op onze telefoon- en elektronische afluisterapparatuur, dan kan ik mijn mensen gebruiken voor normale veiligheidswerkzaamheden. Leve de hulptroepen van MI6, hè?'
Ze beschreef het hokje met de afluisterposten en gaf hun groene badges waaruit bleek dat ze voor de veiligheidsdienst werkten. Iedere projectleider zat altijd om extra agenten te springen en niemand vond het prettig om de hele dag opgesloten te zitten in een klein hokje en gesprekken af te luisteren. Daar hadden ze op gerekend. Terwijl Liz op zoek ging naar Santarosa zou Simon zich melden bij de afluisterpost om niet alleen achter het kamernummer van Santarosa te komen, maar ook achter de kamernummers van de leden van de Spiraal.

49

'Een tunnel?' Sarah tuurde in de donkere ruimte achter de muur van de cel waar Asher het stuk rode zandsteen uit had getrokken.
'Klopt. Daar lijkt het in ieder geval wel op,' zei Asher.
Het was een gang van ongeveer negentig centimeter hoog, met ergens in de verte een vaag lichtschijnsel. Ze haalde de rest van het kapotte blok weg en trok er nog drie complete blokken uit. Om de bewakers te pesten, legde ze de drie zware blokken op een stapeltje voor de deur.
'Ik ga wel eerst,' zei ze tegen hem. 'We weten niet wat we daar aantreffen.'
'Maar jij hebt last van claustrofobie.'
'Dat maakt het alleen maar spannender. Je voelt je wel beter, maar je hoeft je niet te schamen als je er bij nader inzien toch geen zin in hebt. Dat eerste stuk steen heeft zo'n scherpe punt dat ze zich vast bedreigd voelen. We kunnen ook mijn oorspronkelijke plan doorzetten.'
'Ik aanbid je, Sarah. Je bent mijn grote liefde. Maar ik geloof niet in de hemel, dus we moeten ervoor zorgen dat we hier levend uitkomen. Dit biedt ons meer kans.'

Ze knikte, slaakte een diepe zucht en duwde haar hoofd en schouders in het gat. De stank van vuil en schimmels sloeg haar in het gezicht en ze kreeg het benauwd. *Vooruit, je kunt het best.* Ze kroop naar binnen en richtte haar aandacht op het vage licht in de verte terwijl ze eerst haar ene hand en daarna de andere voor zich neerzette. Terwijl ze zichzelf dwong de cel achter zich te laten, leken de muren van de tunnel op haar af te komen. *Haal adem. Kruip verder. Haal adem. Kruip verder.*

Binnen twee minuten hoorde ze dat Asher achter haar aan kwam. 'Is alles goed met je?' vroeg ze.

'Het gaat prima.' Maar ze kon aan zijn stem horen hoe hij zich moest inspannen.

Toen het ten slotte wat lichter begon te worden, maakte de tunnel een bocht en kon ze voor zich wat zonlicht zien. Ze voelde een vlaag frisse zeelucht en snoof dankbaar.

Asher rook het ook. 'Misschien bestaat de hemel toch.'

Opgewonden kroop ze sneller verder. De tunnel werd nauwer, maar het licht wenkte. Toen ze in de buurt van het eind kwam, zag ze dat een klein rotsblok de uitgang blokkeerde, maar het zonlicht sijpelde er rondom naar binnen, waarbij plantenwortels een soort zeef vormden. Ze luisterde of ze stemmen hoorde, of andere geluiden waaruit ze kon opmaken dat er iemand in de buurt was. Vogels zongen. Insecten zoemden.

Asher lag vlak achter haar te hijgen. 'Ik ben er.'

'Heb je veel pijn?'

'Het is wel uit te houden.'

'Uh-huh. Oké, blijf waar je bent.'

Ze trok een paar kleine wortels weg en schepte zand aan de kant. Toen ze naast het rotsblok een gat van ongeveer vijftien centimeter had gemaakt, tuurde ze naar buiten. Ze bevonden zich op een met gras begroeide helling met hier en daar een paar struikjes, maar het was behoorlijk steil en ze wilde voorkomen dat het rotsblok naar beneden zou rollen en de aandacht op hen zou vestigen. Ze aarzelde toen het tot haar doordrong dat ze op de vlucht zouden zijn vanaf het moment dat ze uit de tunnel waren. Ze had een hol gevoel vanbinnen, alsof ze weer terug waren bij af, terug in een soortgelijke gevaarlijke toestand als toen ze elkaar hadden leren kennen.

'Is alles in orde?' vroeg hij.

'Geweldig.'

Ze draaide rond op haar achterwerk en gebruikte haar voeten om genoeg zand weg te schuiven tot ze een gat had van ongeveer zestig bij zestig centimeter. Toen glibberde ze meteen naar buiten, diep

ademhalend in de frisse lucht, en ging op haar hurken zitten. Donkere wolken zeilden door de lucht en filterden het licht dat onheilspellend op het land viel.
Ze zat op een berm naast en onder hun twee getraliede vensters. Nu bleek dat hun cel zich gedeeltelijk ondergronds bevond en waarschijnlijk ooit deel had uitgemaakt van een middeleeuwse kelder. De rest van de stenen muur lag verscholen in de heuvel. Op de top stond een modern gebouw, dat vast niet ouder was dan honderd jaar. Heel groot, met witte muren en rode dakpannen en nog een andere vleugel die ook in de richting van de zee wees, aan de noordkant, dichter bij de rotsen. Zij bevonden zich kennelijk op een stuk terrein dat niet vaak gebruikt werd.
Achterdochtig bestudeerde ze het gebouw vlak boven haar. Ze zag een ononderbroken reeks van reflecterende ramen op de begane grond... een inpandig zwembad? De drie etages erboven waren voorzien van normale ramen die als blinde ogen in de verte staarden. Gelukkig zat ze zo dicht bij de muur dat ze nauwelijks te zien was als er toevallig iemand haar kant op keek.
'Sarah?' Het gefluisterde woordje leek van grote afstand naar haar toe te zweven.
'Kom maar naar buiten.' Ze ging opzij en beschreef de omgeving.
Hij bromde iets en worstelde zich door het gat. Maar hij was breder dan zij en zijn schouder raakte het rotsblok. Het kwam in beweging. Met bonzend hart wierp ze zichzelf er bovenop, maar het bleef rollen en sleepte haar mee. Ze viel eraf en voelde een scherpe pijn in haar borst. Aangedreven door de zwaartekracht denderde het rotsblok steeds sneller naar beneden.
Binnen een paar tellen zat Asher op zijn hurken naast haar. 'Godverdomme.' Hij keek toe het blok een paar struiken vermorzelde. 'Sorry. Is alles goed met je?'
'Best. Ik heb alleen de pee erin omdat ik het niet tegen kon houden.' Ze ging weer op haar hurken zitten.
Gespannen zaten ze te wachten terwijl het rotsblok met veel lawaai verder naar beneden rolde. Vogels hielden op met zingen. Het land hield de adem in. Ten slotte kwam het met een klap tegen een groep bremstruiken terecht en bleef liggen. De plotselinge stilte weergalmde in haar oren. Ze keken elkaar aan en wachtten. Maar er was niets dat erop wees dat iemand iets had gehoord of al begreep wat ze gedaan hadden.
Ze sprong op. 'Ik heb links van ons automotoren gehoord. Ik voel een sterke drang om te ontsnappen. Ben jij alweer zover dat je een auto kunt stelen?' Ze stak haar hand uit.

Hij pakte hem aan en hees zich overeind. 'Verliest een oude vos zijn streken?' Hij keek haar ernstig aan. 'Ze hebben ons nog niet te pakken.'
'En dat zal ze niet lukken ook.' Ze liep haastig de hoek om, naar een flagstone pad dat langs de zuidelijke vleugel liep.
Maar toen ze opnieuw een hoek omsloeg, bleef ze verbijsterd staan en schoot toen haastig achter een grote struik die in de vorm van een olifant was gesnoeid. Ze gluurde er omheen. Bij een luifel boden geüniformeerde hotelbedienden hun in witte handschoenen gestoken handen aan om passagiers te helpen bij het uitstappen, terwijl boven de oprit duur geklede mensen met een glas in de hand over een balustrade hingen. Sarah volgde hun blikken naar een weg aan de voet van de heuvel, waar kennelijk een demonstratie werd gehouden. Geschreeuw en door megafoons versterkte stemmen dreven langs de heuvel omhoog in haar richting.
Toen Asher zich bij haar voegde, had hij een steen zo groot als zijn vuist in de hand en hij hijgde. Op zijn gezicht stond die vastberaden uitdrukking die binnen de kortste keren dodelijk kon worden. Zijn zwarte ogen werden groot toen hij zag wat er aan de hand was. 'Waar zijn we in godsnaam...'
'Ssst. Luister.' Ze wees naar boven, naar twee mannen die zich net ver voorover hadden gebogen, kennelijk om de demonstratie beter te kunnen zien.
'Weten ze eigenlijk wel waarover ze lopen te schreeuwen?' vroeg een van hen. 'Hebben ze ook maar het flauwste idee? Een greintje gezond verstand?' Hij had een scherp Chicago-accent en klonk ongeduldig en geïrriteerd toen hij het colbert van zijn pak over zijn schouder gooide. Hij nam een slok van zijn martini.
'Ze zijn helaas verkeerd ingelicht,' legde zijn metgezel uit. 'Volgens hen richten wij landen te gronde.' Hij had een Frans accent. Hij droeg een golfshirt en een onberispelijke linnen broek en had een longdrinkglas in zijn hand.
De eerste man snoof. 'Is dat alles? Stelletje idioten. Vijftig jaar geleden waren er maar zeventig landen. Nu zijn er meer dan tweehonderd. Hoe kunnen wij dan landen te gronde richten?'
'Je weet toch wat er over leiders gezegd wordt. Als je ver voor de kudde uitloopt, is je uitzicht beter. Het probleem is dat je daarbij je rug wel bloot moet geven.'
De beide mannen lachten.
'Het is goed om je weer te zien, Walter,' zei de tweede. 'Waarom ontmoeten we elkaar eigenlijk alleen bij Nautilus?'
Terwijl het stel zich terugtrok, staarde Asher Sarah aan.

'Nautilus,' zei hij. 'Heb je daar weleens van gehoord?'
'Nee. Moet dat dan?'
'O, jongens. O, jongens nog aan toe. Dit is me de toestand wel. Dat ziet er somber uit. Verdomd somber. Hoe zijn we hier in vredesnaam terechtgekomen? Het is vast iemand van Nautilus die het archief heeft!'
'Wat is Nautilus in vredesnaam?' wilde Sarah weten.
Maar Asher was alweer een stap verder. 'Oké, dit slaat tenminste ergens op. Het is logisch dat we hier naartoe zijn gebracht als die vent met het archief een van de deelnemers is. Nautilus komt altijd bij elkaar op een plek die het eigendom is of onder leiding staat van een van de leden, of van een regering die Nautilus goed gezind is, zodat ze zelf de beveiliging kunnen regelen.' Hij keek nadenkend om zich heen terwijl hij een beroep deed op zijn geheugen. 'Aan de hoteluniformen te zien zijn we in Dreftbury. Dat is een chique tent, geen overheidsinstelling. En dat betekent dat iemand van Nautilus de eigenaar is of dat het aan een van zijn of haar bedrijven toebehoort.'
'Ik geef het op. Je moet me later maar eens uitleggen wat Nautilus precies is. Maar als het iets met het archief te maken heeft en ze hebben ons hierheen gebracht, dan heb ik het idee dat er iets belangrijks gaat gebeuren.'
'Maar niet hier,' bracht hij haar in herinnering. 'In Alloway. Je weet toch nog wel dat Malko dat heeft gezegd. Dat ligt in het binnenland, in de buurt van Ayr. Dus we moeten naar Alloway toe.'
'Je zult wel gelijk hebben, maar hoe moeten we dat klaarspelen? De beveiliging hier is overdreven streng. We hebben geen schijn van kans om een auto te stelen. Bovendien kunnen we ons niet legitimeren en zien we er meer uit als terroristen dan als betrouwbaar volk. Niemand zal ons geloven.'
Haar gekreukelde broek, blouse en strak gesneden jasje zaten onder het zand. Hij moest zich nodig scheren. Zijn baard groeide zo snel dat zijn kaken de kleur van pek hadden.
Terwijl zij zich begon af te borstelen, keek hij peinzend naar zijn gore trainingsbroek.
'Als we een mobiele telefoon hadden, zou je Langley kunnen bellen,' zei ze tegen hem. 'Ik ga wel naar binnen om er een te stelen. Zorg jij nou maar dat niemand je in de gaten krijgt. Met dat uiterlijk van jou, word je meteen opgepakt.'
'Ja,' zei hij somber. 'Je hebt gelijk.' Hij trok haar met een ruk naar zich toe en gaf haar een kus. 'Wees voorzichtig. Ik wil je niet nog eens kwijtraken.'

De reusachtige en elegante receptie van het hotel straalde op een subtiele manier uit dat hier alleen bevoorrechte personen welkom waren. Terwijl Simon met zijn sporttas de noordelijke gang in liep, moest Liz het sterke gevoel dat er onheil dreigde onderdrukken. Ze zorgde ervoor dat er niets op haar gezicht te lezen stond, nam haar zonnebril af, zette Sarahs bril op en spande haar schouders. Ze ging met haar rug tegen een muur staan en hoopte dat de chanteur niet allang met Santarosa ergens in een achterkamertje zat. En dat zij en Simon niet ontdekt zouden worden door de moordenaars die voor de Spiraal of voor de chanteur werkten.
Maar de mensen die langs slenterden en aan haar badge zagen dat ze van de veiligheidsdienst was, keken dwars door haar heen of wendden hun blik af. Mooi zo. Met een beetje mazzel was ze nu officieel onzichtbaar, in ieder geval voor de deelnemers aan de conferentie.
Ze keek de receptie rond. De Venetiaanse kroonluchters en de Franse parketvloer blonken haar tegemoet. De receptionisten achter de balie droegen gesteven uniformen in de kleuren van de Schotse vlag, de oudste van Europa: een diagonaal kruis op een azuurblauwe ondergrond. Aan de overkant van de grote ruimte zaten gasten met donkerblauwe badges onderuitgezakt op de banken rond de fors uitgevallen salontafels, waar drankjes in mondgeblazen glazen het zonlicht opvingen dat door grote openslaande deuren naar binnen viel en dat regelmatig plaats moest maken voor een somberder licht als er weer een donkere wolk langszeilde. Aan weerszijden van de receptie waren twee gangen die doorliepen tot in de noord- en de zuidvleugel. Ze wist nog dat zich daar de liften bevonden, plus vergaderzalen, gastenverblijven, eetzalen, de fitnessruimte en diverse andere gelegenheden ter lering en vermaak... Bij uitstek geschikt voor een valstrik.
Toen ze zich had georiënteerd keek ze naar de gezichten om haar heen en herkende de meeste in een oogopslag. Het waren zakenmagnaten en staatslieden, presidenten en generaals, precies zoals Simon had gezegd. Maar geen Carlo Santarosa. Ze kreeg een opgewonden gevoel toen ze zag dat Richmond Hornish, de machtige financier, en Gregory Gilmartin, de keizer van de constructiewereld, bij een van de ramen verderop in een intiem gesprek waren verwikkeld. Ze bleef nog een minuut wachten. Toen geen van beiden opkeek, liep ze naar het Balmoral Café en bestudeerde de kleine groep mensen die daar koffie zaten te drinken of een hapje aten.
'Je moet het gewoon als een soort retraîte beschouwen,' legde Leslie Cheward, de Canadees die aan het hoofd stond van de grootste scheepsbouwmaatschappij ter wereld, uit aan de nieuwe president

van Zweden. 'Nautilus geeft ons de zeldzame kans om informatie en ideeën uit te wisselen zonder dat we op onze woorden hoeven te letten. Als dat de indruk van exclusiviteit wekt, dan moet dat maar. Had je liever dat we tegenover elkaar op een slagveld stonden, met automatische wapens in de hand en onze gedachten alleen op oorlog gericht?'

Toen ze Santarosa niet zag, liep ze snel naar een handgeschreven bordje met de programmering voor het hele weekend. Om acht uur vanavond was het openingsbanket dat zou worden gevolgd door een tafelrede van software-koning Bob Lord over het investeren in elektronica. Op zaterdag en zondag begonnen de studiegroepen om halfacht 's ochtends en eindigden pas om halfelf 's avonds met een onderbreking van een uur voor zowel het ontbijt, de lunch als het diner. De onderwerpen waren allemaal serieus: de rol van Turkije in het Midden-Oosten, de slechte economie in Azië, de gevolgen van de uitbreiding van de NATO, door staten ondersteund terrorisme versus zelfstandig terrorisme, van die dingen. Wat ze verder ook mochten zijn, de deelnemers aan Nautilus waren hier kennelijk om te werken.

Met een uitgestreken gezicht liep ze dwars door de receptie naar de Culzean Bar met zijn houten lambrisering. Hotelbedienden voorzien van oranje badges liepen snel langs haar heen om hun werk te doen. Binnen zaten drinkers te klagen over de demonstratie. Opnieuw geen spoor van Santarosa. Hij was ook niet op de veranda of in de cadeauwinkel, waar kilts in de etalage en op rekken hingen.

Ze trok de deur open om weg te gaan, opnieuw bezorgd dat de chanteur zijn vuile werk al had opgeknapt zonder dat zij het wisten. Ze stapte meteen terug. Heel even sloeg de paniek toe: Malko liep door de lobby, vastberaden maar op zijn gemak, zonder op te vallen. Hij was middendertig en gekleed in een grijs pak met net zo'n groene badge van de veiligheidsdienst als zij had.

Maar Malko zou haar rechtstreeks naar de chanteur kunnen leiden. Ze liet haar hand in haar tas glijden en pakte haar Glock vast. Toen hij de zuidgang in liep, volgde ze hem.

Op de muur achter de receptiebalie hingen twee ovaalvormige spiegels in rijk versierde vergulde lijsten. Ze waren beiden van één kant doorzichtig. In het kantoor aan de andere kant hield César Duchesne stiekem de receptieruimte in de gaten terwijl hij rapporten in ontvangst nam en af en toe naar een opsporingsapparaat keek. Liz Sansborough had zich knap vermomd. Met haar strak achterover geborstelde haar zag ze eruit als een bewaakster van een of andere gesloten inrichting. Hij bewonderde haar talent om steeds van uiterlijk te veranderen. Het had hem zeker vijf minuten gekost voordat hij haar doorhad. Hij controleerde de Walther in zijn holster, glimlachte grimmig en glipte de deur uit.

50

Nadat Simon de gang zorgvuldig had gecontroleerd liep hij de werkkast in waar een agent van MI5 met een koptelefoon op over een computer gebogen zat om alle interne en externe telefoonlijnen van het hotel af te luisteren. MI5 keek onmiddellijk op, met de hand op het wapen op zijn heup, maar Simon zwaaide al met zijn legitimatie. Een snelle blik en MI5 ging weer aan het werk.
Vanaf zijn computer liep een kabel naar een bundel veelkleurige kabels die uit een metalen kast aan de wand kwamen. Op het grote groene scherm was een rooster met tweehonderd witte vierkantjes te zien. In elk daarvan stond het nummer van een kamer of een kantoor, plus de achternaam van de bewoner. Terwijl de agent van de contraspionagedienst de gesprekken afluisterde, zocht de alarmsoftware in stilte alle lijnen af, op zoek naar woorden als *pistool, wapen* en *doden* of *vermoorden* in meer dan honderd talen.
Drie vierkantjes werden tegelijkertijd rood. MI5 raakte meteen een ervan aan en terwijl hij zat te luisteren werd het geel. Hij raakte het tweede aan en ook dat werd geel. Hetzelfde gold voor het derde. Hij luisterde of hij een dreigende toon hoorde of onzinnige gesprekken die zouden kunnen duiden op gecodeerde boodschappen.
Hij keek op. 'Ik zat al op je te wachten.'
'Wil je er even tussenuit?'
MI5 had misschien wel een hekel aan MI6, maar nu niet. Hij stond op. 'Kun je met de apparatuur omgaan?'
'Ja, hoor.'
Zonder om te kijken liep hij haastig de deur uit en Simon ging zitten en gaf de computer opdracht om een plattegrond van alle kamers te printen. Onderweg om de technicus van MI5 af te lossen, was hij even bij de receptie langsgegaan en daar hadden ze hem verteld dat alle leden van de Spiraal inmiddels aanwezig waren, hoewel ze stuk voor stuk waren opgehouden door het tumult buiten. Santarosa was nauwelijks een halfuur geleden aangekomen. Simon zette de koptelefoon op en raakte opnieuw een rood blokje aan. '... aan tafel ze-

ven vanavond,' zei een mannenstem in het Duits. 'Kroner zal er ook zijn. We zouden iets kunnen gaan drinken...'
Simon verbrak de verbinding en bestudeerde de blokjes op het scherm en vond al snel de kamers van commissielid Santarosa en van de Spiraal: Brookshire, Hornish, Inglethorpe, Menchen en Gilmartin. Ze brandden geen van alle. Teleurgesteld belde hij de kamer van Santarosa.
Een geïrriteerde stem nam op. 'Santarosa.'
'O, neem me niet kwalijk, beste kerel,' zei Simon onschuldig. 'Ik schijn de verkeerde kamer te hebben gebeld.'
Hij hoorde hoe de hoorn met een klap werd neergelegd. Carlo Santarosa was boos, hij zat kennelijk ergens over in. Een afspraak met een chanteur misschien? Of, aangezien de chanteur waarschijnlijk een slag om de arm zou houden totdat ze elkaar onder vier ogen zouden spreken, gewoon een afspraak met een man die hij niet wilde spreken omdat hij van plan was hem af te wijzen?
Hij belde de kamer van Brookshire. Dit keer verbrak hij de verbinding op hetzelfde moment dat de telefoon werd opgenomen en draaide het nummer van Hornish.

Sarah was gespannen en zenuwachtig toen ze snel door de zuidelijke gang liep en probeerde de mensen te ontlopen die uit vergaderzalen kwamen, uit kantoren en uit iets dat uit de verte op een receptie leek. Ze herkende drie van hen: de opperbevelhebber van de NAVO, de nieuwe, vrouwelijke president-directeur van de machtige Duitse Bundesbank en de schatrijke minister-president van Italië, die ook de huidige voorzitter van de EG was. Ze werden allemaal vergezeld door assistenten en waren diep in gesprek gewikkeld. Ze keek hen na en vroeg zich opnieuw af wat Nautilus was.
Maar dat moest wachten. Zodra ze een toilet had gevonden, waste ze zich en gebruikte een van de badstof handdoeken om haar kleren vochtig af te nemen. Daarna ging ze weer op pad. Ze luisterde aan deuren en als er geen geluid te horen was, glipte ze naar binnen om op bureaus, tafels en stoelen naar een mobiele telefoon te speuren. Ze onderdrukte haar gevoel van teleurstelling. Ergens zou iemand er toch wel een hebben laten liggen.
In een personeelsruimte zonder ramen werkte ze een hele rij kastjes van hotelbedienden af. Geen telefoons en een van de kastjes zat op slot. Ach, wat kon het haar ook schelen. Met behulp van een botermesje wrikte ze het deurtje open. Op het schapje lagen pocketboekjes, snoepgoed, toiletartikelen, condooms en sigaretten, maar geen telefoon. Er hingen ook een mannenoverhemd en een colbertje in. Ze

voelde in de zakken. Leeg. Maar toen ze het colbert pakte, zag ze dat er aan hetzelfde haakje een riem hing. En aan die riem zat een holster met een grote Colt.45. Ongelooflijk! Fantastisch. Maar ongeladen.
Ze controleerde het pistool, dat pas geleden schoongemaakt en geolied was. Ze zocht tussen de rommel op de vloer van de kast, vond een doos ammunitie, laadde het kanon en liep haastig langs de rest van de kastjes om ze te doorzoeken. Toen ze een stoffen tas vol breiwol en naalden zag, maakte ze die halfleeg en stopte de Colt erin. Daarna bleef ze even stilstaan uit verbazing dat ze zoveel geluk had gehad. Maar ze had nog steeds een mobiele telefoon nodig.
Bij de deur luisterde ze even. Ergens werd een deur dichtgedaan. Ze deed de hare op een kiertje open. Het was de bewaker met de AK-47 die hun iets te eten had gebracht. Haar hart sprong op: de mobiele telefoon bungelde nog steeds aan zijn riem. Ze pakte de Colt, wachtte tot hij voorbij was en sloop achter hem aan. Hij liep naar achteren, waar de gang langs de vleugel liep en vervolgens weer terug naar de grote hal.
Daar was ze al eerder geweest. Terwijl hij de hoek omliep, rende ze op haar tenen achter hem aan om hem behoedzaam te volgen.

Liz liep naar de zuidelijke gang, maar die had jammer genoeg niets anders te bieden dan een verzameling vergaderzalen en kantoren die aan zijgangen lagen. Als een roofdier liep Malko zonder op te vallen langs een groep houten telefooncellen en stak de gang over om een van de zijgangen in te gaan. Toen hij verdween, had Liz het gevoel dat haar hart stilstond. Ze wilde hem niet kwijtraken. Ze trok haastig haar Glock te voorschijn en holde. Bij de hoek bleef ze even staan met het pistool in haar uitgestoken hand en glipte toen de zijgang in. Hij was weer verdwenen. Maar waarheen? Ze luisterde ingespannen en hoorde voetstappen aankomen. Ergens ging een deur dicht. Met bonzend hart rende ze naar de hoek. Terwijl ze opnieuw haar wapen met twee handen ophief, glipte ze de volgende gang in.
En bleef stokstijf staan. Er ging een scheut van angst door haar heen en haar slapen bonsden toen ze in de loop van een enorme Colt.45 keek.
Toen zag ze wie het pistool vasthield en haar hart sprong op. 'Sarah!' fluisterde ze.
Een golf van emoties sloeg door Liz heen, van opluchting en opwinding tot stomme verbazing. Er zijn van die momenten waarop de tijd stil zou moeten staan. Want als de wereld echt eerlijk zou zijn of ook maar een beetje goed zou je eigenlijk in staat moeten zijn om tot in

de eeuwigheid te genieten van dat gevoel van dankbaarheid omdat er een wonder was gebeurd. Sarah leefde nog en was op de een of andere manier hier terechtgekomen.
Wat was Liz blij om haar te zien. 'Mijn god, Sarah, ik had je neer kunnen schieten!'
'Liz? Ben jij het?'
Sarah staarde naar het grijze haar en de rimpels in het gezicht. Maar de stem klopte. Net als de ogen en de vorm van het gezicht. Alles wat ze de afgelopen drie dagen beleefd had, schoot haar weer door het hoofd. De waanzinige frustratie en de bodemloze angst... het beeld van Liz die haar in het pakhuis zo verschrikt had aangekeken... en later de vrees dat Liz uit de weg zou worden geruimd door de machtige personen die met haar en Asher deden wat ze wilden.
Ze merkte dat ze onwillekeurig begon te grinniken en hoewel dat nergens op sloeg, zei ze: 'Je hebt mijn computerbril op!'
Ze keken elkaar lachend aan en namen een paar seconden de tijd om een van die natuurlijke vriendschappen te bevestigen die niet onder woorden gebracht konden worden, een vriendschap die gepaard ging met wederzijdse liefde en vertrouwen.
Daarna herinnerden ze zich weer waar ze waren. Wat ze aan het doen waren. Ze keken allebei snel rond in de gang.
'We moeten ergens naartoe waar niemand ons kan zien, zodat we kunnen praten!' zei Sarah haastig.
Liz stond al bij de volgende kamer te luisteren. Ze knikte en duwde de deur voorzichtig open. Zodra ze een blik naar binnen had geworpen, hief ze haar Glock op.
Sarah gluurde over haar schouder en zag de verveelde bewaker met de dikke wenkbrauwen en het onregelmatige gezicht. Hij had een verlaten vergaderkamer uitgekozen om zich te ontspannen en trok net een stoel weg bij de tafel waarop naast zijn geweer een exemplaar van *Hustler* lag.
Hij keek hen boos aan. 'Wat willen jullie...'
Toen viel zijn oog op Sarah en zijn hand vloog naar zijn AK-47. Als er werd geschoten zou de hele veiligheidsdienst onmiddellijk komen opdraven. Liz liet haar schoudertas vallen, rende recht op hem af en gaf hem met twee handen een verbijsterend snelle *Morote-zuki*-stoot tegen zijn borst. Hij wankelde achteruit, maar hief zijn Kalashnikov op, waardoor Liz niet verder kon.
In wanhoop sprong Sarah boven op het bureau. Toen hij zich snel omdraaide om dit nieuwe gevaar onder ogen te zien, gaf ze hem een *Mae-geri*-trap tegen zijn kin. Zijn hoofd sloeg achterover en hij viel tegen een bijzettafeltje. Liz stond meteen naast hem en ving hem op,

zodat hij zonder al te veel herrie op de grond belandde. Hij was bewusteloos.
'Dat was op het nippertje,' zei Sarah ademloos.
Liz greep zijn wapen op. 'Dat kun je wel zeggen. Ken je hem?'
Sarah sprong op de grond. 'Hij is de reden dat ik die Colt op je gericht had toen wij elkaar tegen het lijf liepen.' Ze beschreef de rol die de bewaker had gespeeld in de gevangenis onder het hotel waar zij en Asher vastgehouden werden.
'Is Asher hier ook? Goddank!'
Ze maakte het leren tasje van de bewaker open en trok de mobiele telefoon eruit. 'Hij verbergt zich ergens aan de voorkant en wacht op mij. Hier was ik naar op zoek.' Ze hield de telefoon omhoog. 'Asher is van plan om Langley te bellen en om hulp te vragen.' Ze draaide het toestel om en vloekte. Het toetsenbord was kapot.
'Dat moet zijn gebeurd toen hij tegen die bijzettafel klapte.'
Twee stukjes van de telefoon vielen in Sarahs hand. 'Verdomme! Heb jij een toestel dat ik even kan lenen?'
'Ja. Laten we die vent eerst uitschakelen voordat hij bijkomt, dan kun je het van me krijgen.'
'Mooi. En vertel me in godsnaam wat eraan de hand is. Ik weet eigenlijk alleen maar dat het om het archief van je vader gaat.'
Terwijl Liz haar snel verslag deed over Santa Barbara, Simon Childs, Nautilus, de Spiraal en de chanteur, trokken ze de koorden van de gordijnen die voor de ramen hingen en bonden de bewaker. En toen ze de man met een sjaal uit de schoudertas van Liz knevelden, vertelde Sarah wat er gebeurd was in de tijd dat ze samen met Asher gevangen had gezeten.
'Er loopt hier vast iemand van Langley onder een schuilnaam rond,' zei Liz. 'Dat moet wel, gezien het feit dat ze vanaf het begin bij Nautilus betrokken zijn geweest en het belang van deze bijeenkomst. Goddank, want Langley zal wel naar Asher willen luisteren en we hebben hulp nodig. Jij zei net dat Malko jullie hier had gebracht. Dat is de man naar wie ik op zoek was toen wij elkaar tegenkwamen. Ik hoopte dat hij me bij de chanteur zou brengen.'
'Nu begrijp ik waarom hij ons in leven wilde houden... om ons eventueel als wapen tegen jou en Simon te gebruiken. Ik heb een gesprek dat hij met zijn baas had afgeluisterd. Misschien zegt het jou iets.' Ze vertelde wat ze had gehoord.
'Alloway?' zei Liz. 'Weet je zeker dat Malko dat zei?'
'Ja. Hij was bezig met de voorbereidingen van iets belangrijks in Alloway. Als jullie gelijk hebben met betrekking tot Santarosa is de chanteur misschien van plan hem daar te ontmoeten.'

'Maar dat slaat nergens op. Dat is veel te ver weg. En veel te onpraktisch. Waarom zouden ze al die moeite doen als ze hier allebei al zijn?' Liz sloot haar ogen. Waar had ze die naam gezien? In gedachten ging ze terug naar de receptie, waar ze de programmalijst had bestudeerd. Alle bijeenkomsten werden gehouden in vertrekken met namen van Schotse plaatsen, dorpen of herbergen. 'De *Alloway Room*. Dat is het!' Ze pakte haastig haar mobiele telefoon en toetste een nummer in.

'Waar heb je in vredesnaam gezeten, Liz? Ik heb geprobeerd je te bellen...'
'Ik heb mijn telefoon uitgezet, omdat ik Malko schaduwde.'
'Heb je hem gevonden? Daar schieten we tenminste iets mee op! En?'
'Ik ben hem weer kwijtgeraakt, maar ik heb beter nieuws. Sarah en Asher zijn niet alleen nog in leven, ze zijn hier. Sarah is hier bij me. Asher is van plan om Langley te bellen, zodat we met een beetje geluk hulp krijgen bij het ontmaskeren van die smeerlappen. Ze heeft een gesprek afgeluisterd dat Malko met zijn baas had. Het lijkt erop dat Malko speciale voorbereidingen heeft getroffen voor een afspraak in Alloway, maar ik waag het te betwijfelen dat hij de stad bedoelde. Tenzij jij een beter idee hebt, gok ik erop dat de chanteur van plan is om in de Alloway Room met Santarosa te praten.'
'Ik ben diep onder de indruk. Bedank Sarah maar. Van mijn kant kan ik je vertellen dat Santarosa nog steeds in zijn suite is. Daar was hij tien minuten geleden tenminste nog. Hij is nog geen uur in het hotel, dus ik denk niet dat hij al mensen heeft gesproken.'
'Waar zijn de leden van de Spiraal?'
'Niet in hun kamers, met uitzondering van Brookshire. Wacht even... Ja, ik heb hier ook een programma, plus een kaart. Oké. De kamer naast Alloway is de Tam o'Shanter. In beide ruimtes staat vanavond niets gepland. Ik zorg wel voor afluisterapparatuur in Tam o'Shanter, zodat jij en ik er zeker van kunnen zijn dat het echt de chanteur is in Alloway, voordat we een of andere stumper die per ongeluk de verkeerde kamer is binnengelopen in de kraag grijpen.'
'Vertel me maar hoe we daar komen. We moeten er als de bliksem naartoe.'

Sarah en Liz stopten de bewusteloze bewaker in een linnenkast die Sarah bij haar zoektocht naar een mobiele telefoon had ontdekt. Terwijl Liz haastig op weg ging naar Simon liep Sarah met haar telefoon de andere kant op, in de richting van de zijdeur die haar buiten zou brengen, zodat Asher meteen zijn belangrijke telefoontje naar Lang-

ley kon plegen. Maar toen ze door de gang liep, stapte Malko een kantoor uit. Hij keek meteen naar links en naar rechts. Met bonzend hart schoot ze een schrijfkamer in.
Toen ze weer naar buiten gluurde, was Malko op weg naar het doodlopende stuk van de gang. Hadden zij en Liz zich vergist? Was de chanteur hier, in plaats dat hij in de Alloway Room in de andere vleugel zat te wachten?
Zodra Malko was verdwenen, rende ze bezorgd achter hem aan. De vleugel eindigde in een T, een dwarsvleugel waarin zich een inpandig zwembad en een fitnessruimte bevonden. Toen ze daar aankwam, was hij in geen velden of wegen te zien. Het rook hier naar dure massagelotions en zonnebrandmiddelen. Ze liep voorzichtig naar de glazen wand. Het was een vijftigmeterbad, met aan het eind duikplanken. Maar het enige dat telde, was dat de hele ruimte leeg was, hoewel er kabbelende golfjes te zien waren op het volmaakt blauwe wateroppervlak.
De Colt voelde zwaar aan in haar handen. Ze hief het pistool weer op en prentte zich in dat ze ervoor moest zorgen dat ze stevig op haar benen stond en zich rustig en snel voortbewoog. Ze liep langs de glazen wand en bestudeerde het water. Het kwam langzaam maar zeker weer tot rust, tot het wateroppervlak zo glad was als een spiegel. Er was iets dat die golfjes had veroorzaakt. Bijvoorbeeld een vlaag tocht van een deur die snel open en dicht werd gedaan.
Ze begon zich steeds meer zorgen te maken. Ze had in geen jaren een pistool afgevuurd... niet sinds dat gedoe met Bremner...
Ze zette de gedachte van zich af en trok de deur open. De lucht van chloor sloeg haar in het gezicht. Ze stapte naar binnen en trok de deur geruisloos achter zich dicht. Het wateroppervlak rimpelde opnieuw, maar dit keer iets minder. Helemaal rechts zag ze de stoom van een warmwaterbad.
Links van haar, achter de duikplanken en achter een tweede glazen wand, stond allerlei fitnessapparatuur – onder andere hometrainers en lopende banden – als uit hun krachten gegroeide tinnen soldaatjes naast elkaar opgesteld. Ze zag niemand binnen. In die wand zaten drie deuren, één die toegang gaf tot de fitnessruimte, één met het opschrift SAUNA en de derde met KANTOOR.
Als Malko deze kant op was gekomen, moest hij in een van die vertrekken zijn. Het kantoor leek het meest waarschijnlijk. Ze wenste uit het diepst van haar hart dat hij bij zijn baas zou zijn en dat zij de man zou herkennen of tenminste iets zou horen waaruit ze kon opmaken wie het was. Stijf van spanning sloop ze verder. Bij de fitnessruimte tuurde ze zorgvuldig door de glazen wand. Leeg. Ze liep ver-

der naar de sauna. Er zat een ovaalvormige ruit in de deur. Ze keek erdoor. Er stond geen stoom in de kamer, de lucht was helder. De houten banken waren leeg.
Dus bleef het kantoor over. Ze pakte de deurknop vast en draaide. *Op slot*. Waar...
'Wat leuk dat we elkaar hier weerzien.' Het was Malko, die vlak achter haar stond.
Ze verstijfde en hoorde hoe de deur van de sauna weer dichtviel. Terwijl ze zichzelf vervloekte, besefte ze dat hij zich vlak onder de ovaalvormige ruit verstopt moest hebben, waar ze hem niet kon zien... tenzij ze de deur opende.
Dat alles schoot in een flits door haar hoofd op het moment dat ze zijn stem hoorde en ze reageerde meteen.
'Leg je wapen neer...' begon hij.
Ze draaide zich met een ruk om, deed een stap naar voren en zwaaide haar voet omhoog voor alweer een *Mae-geri*-trap, gericht op zijn kin. Hij sprong opzij, hervond zijn evenwicht en gaf haar van opzij een schop tegen haar schouder, waardoor ze op de grond terechtkwam. Toen ze doorschoot, begreep ze meteen dat hij haar de baas was.
Hij rende achter haar aan en griste haar wapen op. Ze sprong overeind, maar ze was te laat. Hij schopte opnieuw en raakte haar dit keer op haar kin, op hetzelfde moment dat een verblindende bliksemschicht het zwembad verlichtte, gevolgd door een oorverdovende donderslag.
Haar nek kraakte. Een verlammende pijn schoot door haar hele lichaam. Ze viel opzij in het koude, zachte water dat toch hard aanvoelde. Het sloot zich boven haar hoofd. Ze werd overspoeld door een verstikkende duisternis toen er opnieuw een donderslag door het zwembad rolde.

De zomerse stortbui plensde neer op Asher, die op zijn hurken achter een van de in model gesnoeide struiken zat. Hij wierp een blik op zijn horloge en vroeg zich af waarom Sarah er zo lang over deed. Hij maakte zich zorgen.
Drie keer was hij genoodzaakt geweest om dieper in zijn schuilplaats weg te kruipen, toen een bewaker onbehaaglijk dichtbij was gekomen. Nu, terwijl de kolkende zwarte wolken werden doorbroken door donder en bliksem, kreeg het geschreeuw van de demonstranten plotseling een dreigende klank. Asher gluurde voorzichtig vanonder de doorweekte olifantsstruik naar de weg in de verte. De enorme, felroze ballon in de vorm van een varken zwiepte en draaide in

de wind, waardoor hij meer op een hulpeloos biggetje leek. Ondanks het feit dat ze zich in plastic hadden gehuld waren de activisten toch kletsnat geworden en hun gezichten werden grimmiger.
Hij had flarden van gesprekken opgevangen waaruit hij had kunnen opmaken dat het een teleurstellende dag voor hen was geworden. Ze hadden het politiekordon niet kunnen doorbreken en ze hadden ook niemand kunnen beletten om naar binnen te gaan, hoewel er duizenden demonstranten aanwezig waren. Wat als een zegetocht was begonnen, leek op een bittere nederlaag uit te lopen. Asher kon de groeiende ergernis en de sombere stemming bijna voelen.
Toen zag hij dat ze werden geprovoceerd: er waren tegendemonstranten aangekomen.
Een auto reed langzaam, bijna arrogant, langs de lange rijen natte, geïrriteerde activisten. De chauffeur en de passagiers maakten obscene gebaren. Een tweede auto volgde in hetzelfde, statige tempo. De inzittenden daarvan maakten dezelfde gebaren en schreeuwden hun eigen slogans, zo hard dat ze boven bij het hotel waren te verstaan.
'Ga naar huis, klootzakken!'
'Klungels! Klungels! Klungels!'
De tweede auto werd gevolgd door een derde.
Dat was te veel. Het was net alsof er een flits van verontwaardiging door de meute schoot. Met een luid gebrul leken de duizenden demonstranten als één man op te staan en in de aanval te gaan. Ze stortten zich op de drie auto's, duwden ze om en smeten ze ondersteboven alsof het speelgoedautootjes waren. Daarna rolde de hele meute als een vloedgolf in de richting van de politie en de privébewakers.
De veiligheidsdiensten, die in de mening verkeerden dat het grootste gevaar voorbij was, waren zo verrast dat ze al overweldigd waren voordat ze naar andere wapens dan gummistokken konden grijpen. Toen het kordon doorbroken was, weken ze in kleine groepen achteruit terwijl de zegevierende demonstranten als een ouderwets leger dat een gehaat kasteel bestormt door het hek stroomden en over de muren klommen.
Overal op het terrein verlieten veiligheidsbeambten, hotelbewakers en politieagenten hun post om langs de helling omlaag te stuiven, terwijl de demonstranten in gevecht raakten met de eerste rijen van de inmiddels gehergroepeerde politie, die echter ver in de minderheid was en langzaam naar boven werd geduwd.
Asher kroop terug in zijn schuilplaats en wachtte tot alle veiligheidsmensen voorbij waren. Toen hij opnieuw te voorschijn kwam,

was hij helemaal alleen. De angst welde in hem op toen hij zich opnieuw afvroeg waar Sarah was, maar tegelijkertijd viel zijn koele blik op de rij limousines, bestelauto's en vrachtwagens op de parkeerplaats. Statistisch gezien moest er zeker één bij zijn waar een mobiele telefoon in lag. Gezien de huidige populariteit van autotelefoons misschien zelfs wel een stuk of tien. Hij kwam in beweging en liep sneller dan zijn wond hem eigenlijk toestond. Terwijl hij zijn hand tegen zijn zij drukte, besloot hij dat hij zich een paar minuten tijd zou gunnen om rond te kijken. En als Sarah dan nog steeds niet terug was, zou hij haar gaan zoeken.

51

Terwijl Liz haastig de receptie in liep, zag ze tot haar verbazing dat alle gasten hun drankje oppakten en naar de grote openslaande deuren renden om langs de helling naar beneden te kijken. Overal om haar heen klonken angstige stemmen in een veelvoud van talen. Uit alle hoeken en gaten doken veiligheidsmensen op, zowel in burger als in uniform, die met getrokken wapens naar de deuren renden. Het feit dat zich zo'n stroom mensen in één richting bewoog, vertelde haar dat er iets belangrijks was gebeurd, maar omdat het al zo druk was bij de ramen had Liz geen schijn van kans om ook iets te zien.

Ze veranderde van richting en rende weer naar buiten door het gangetje dat tussen de bar en de cadeauwinkel naar de veranda liep. De laatste regendruppels kletterden omlaag en spatten weer op, waardoor haar broek nat werd. Ze drong zich tussen twee vrouwen die bij de balustrade stonden. Een van hen had haar hand voor haar mond geslagen en stond met opgetrokken wenkbrauwen vol afschuw toe te kijken. De ander nam een stevige slok van haar glas whisky.

'Ze zijn stapelgek,' zei de eerste in het Italiaans. 'Waanzinnig!'

'Maar ze zijn met zoveel,' zei een man die aan de andere kant naast haar stond ook in het Italiaans, 'dat het niet uitmaakt of ze beseffen wat ze doen.'

'Hoeveel zijn er dan volgens jou?' vroeg de vrouw.

'Op z'n minst vijfduizend,' antwoordde Liz in het Italiaans met een bezorgde stem. 'Misschien zelfs meer.' Terwijl het stel haar aankeek, wees ze naar haar badge van de veiligheidsdienst en week achteruit voordat ze iets konden vragen. 'Ik moet er weer vandoor.'

Ze zweeg opnieuw. De stroom oproerkraaiers golfde over de muren en tegen de heuvel op, terwijl tegelijkertijd de veiligheidstroepen, die ver in de minderheid waren, zich met hun honden en wapens in rijen opstelden om hen te onderscheppen. Liz voelde dat haar nekharen overeind gingen staan. Tenzij er een wonder gebeurde, zag ze niet hoe dit voor een van beide partijen goed zou kunnen aflopen.
En wat zou dat voor de chanteur betekenen? Ze vroeg zich onbehaaglijk af of hij zou afzien van zijn afspraak met Santarosa om zich weer in gevaarlijke anonimiteit te hullen. Maar nee, dacht ze. Hij heeft geen keus meer. Hij moet doorgaan. Het project was voor hem van zo'n groot belang dat hij zelfs zijn plaats in de Spiraal in de waagschaal had gesteld en iemand had vermoord. Wat het hem ook zou opleveren, hij verwachtte dat hij er nog lang na dit weekend van zou kunnen profiteren.
Plotseling weer doordrongen van het belang van de zaak liep ze snel naar binnen, dwars door de grote holle ruimte van de receptie waar zelfs het personeel achter de balie hun nek uitrekte om uit het raam te kunnen kijken, en sloeg toen haastig de richting van de noordelijke gang in. Kantoordeuren stonden open en de bureaus erin waren onbemand. Het leek alsof er een orkaan door het pand was gegaan... of dat het nieuws dat de demonstranten in de aanval waren gegaan zich als een lopend vuurtje door Dreftbury had verspreid.
Maar toen ze verder liep, kreeg ze het idee dat steeds minder mensen op de hoogte waren. Al gauw hoorde ze achter gesloten deuren telefoons overgaan en de stemmen van de mensen die opnamen. Bij een van de openbare telefoons stond een man met zijn vriendinnetje te flirten. Een ander stapte net uit een lift en trok zijn pak recht. Hij droeg de oranje badge van het hotelpersoneel.
De kamers die de naam Alloway en Tam o'Shanter hadden gekregen, bevonden zich in een wirwar van zijgangen aan het eind van de vleugel, aan de buitenkant. Ze rende de doolhof in en hield de kamernummers in de gaten terwijl ze zich probeerde te herinneren wat Simon had gezegd. Aan de wanden hingen prenten van Schotland en op smalle tafeltjes stonden hoge vazen met hei. Ze sloeg twee keer een hoek om en bleef voor Tam o'Shanter staan. Op het moment dat ze haar hand uitstak naar de deurknop voelde ze een golf van opwinding opkomen.
Carlo Santarosa, de voorzitter van de Commissie van Concurrentiebedingingen van de EU, kwam haar tegemoet en liep naar Alloway toe. Op zijn donkere gezicht stond de ergernis duidelijk te lezen. Zonder haar ook maar een blik waard te gunnen klopte hij een keer, trok de deur open en deelde mee: 'Ik kan je tien minuten geven, niet

meer. De demonstranten zorgen voor problemen, er zijn rellen uitgebroken. En ik moet terug naar mijn mensen. Wat zijn die belangrijke gegevens die mij volgens jou wel zullen overtuigen?'
Met een grimmig lachje opende ze de deur van de Tam o'Shanter en liep haastig naar binnen om van Simon te horen wie de chanteur was. Maar ze bleef meteen als aan de grond genageld staan. Haar adem stokte in de keel. Haar bloed veranderde in ijswater.
'Simon!' Hij lag op de vloer en knipperde met zijn ogen terwijl hij langzaam maar zeker weer bij kennis kwam. De klap had hem een gekneusde wang bezorgd die al blauw begon te worden. Ze keek woedend op en haar ogen schoten vuur toen haar blik naar de andere kant van de kamer gleed.
Malko had een uzi op haar hart gericht. 'Gefeliciteerd, Sansborough. Je hebt me gevonden.'

Voorzitter Carlo Santarosa voelde zich misselijk worden. Hij viel neer op de stoel die voor het computerscherm stond.
'En, voorzitter, hebt u genoeg gezien?'
Santarosa kon de woorden nauwelijks over zijn lippen krijgen. 'Waar heb je die inlichtingen vandaan?' Zijn stem klonk ijl van angst.
'Uw voormalige werknemer, de Carnivoor, heeft een archief van al zijn zaken bijgehouden en ik ben erin geslaagd dat in handen te krijgen. Een uiterst gedetailleerd archief, moet ik eraan toevoegen, met namen, datums, alle betrokken partijen en bijzonderheden over de betaling. U zou ervan staan te kijken als u wist wie de cliënten waren die hem meestal om behoorlijk goede en ethisch verantwoorde redenen in de arm namen. Maar goed, het blijft moord op bestelling, nietwaar? U kunt uw carrière en uw reputatie vaarwel zeggen als dit bekend wordt. Maar ja, dat zou voor iedereen gelden.'
Santarosa wreef met een trillende hand over zijn voorhoofd. Zijn gezicht was nat van het zweet. 'Het feit dat ik mijn goedkeuring verleen aan die fusie betekent nog niet dat de commissie mijn oordeel zal overnemen.'
'Natuurlijk doet ze dat wel. U hebt het allemaal in eigen hand. Niet alleen mijn toekomst, maar ook die van uzelf.'
Santarosa kromp in elkaar alsof hij een stomp in zijn maag had gekregen. 'U laat me geen keus. Die schande kan ik mijn vrouw niet aandoen, en ook mijn gezin en mijn...'

In de kamer ernaast stond Gino Malko op van zijn stoel en zette Simons sporttas die hij in zijn hand had op de tafel. Achter hem waren openslaande deuren die toegang gaven tot een flagstonepad. In

de verte was de zee een ziedende modderbruin-met-groene strook. Erboven hingen nog steeds zwarte donderwolken. In de verte klonk een vaag geroezemoes dat uit duizenden kelen leek te komen.
'Uw neef had helaas last van een plotselinge aanval van geheugenverlies,' zei Malko tegen haar. 'Hij scheen te denken dat u nog steeds in Parijs was. Geef me die Glock maar terug. Die heb ik echt gemist.'
Liz keek hem met grote ogen aan. 'Vuile klootzak. Hoe heb je ons gevonden?'
'De Glock.' Zijn gezicht bleef uitdrukkingsloos. 'Het heeft me geen enkele moeite gekost om jullie te vinden. Ik heb toegang tot elke veiligheidscamera in het hotel, aangezien mijn werkgever de eigenaar is. Je kijkt verbaasd. Je hebt die camera's zeker niet gezien, hè? De allermodernste apparatuur, ter grootte van een speldenknop en verborgen in de friezen langs de plafonds. En wat jullie vermommingen betreft, die zijn inderdaad vrij goed. Maar aangezien ik jullie al een tijdje in de gaten heb gehouden, was het onmogelijk dat jullie me lang zouden ontgaan.'
Liz vloekte inwendig terwijl ze wanhopig probeerde een truc te verzinnen, een of andere snelle beweging of een smoes die de kansen zou doen keren. Maar tegelijkertijd brak ze haar hoofd over iets dat hij had gezegd... iets belangrijks...
'Gooi dat pistool naar me toe,' beval Malko. 'Anders schiet ik hem dood. Ondertussen zul je wel weten dat ik meen wat ik zeg. Glocks gaan niet vanzelf af. Ik wil dat pistool ver uit je buurt hebben.'
Liz gooide de Glock op de grond zodat het wapen tussen Malko en Simon terechtkwam. Ze hoopte dat Simon inmiddels zover opgeknapt was dat hij zich zou omdraaien om het te pakken. Maar Malko schopte het opzij. Zijn uzi zwenkte heen en weer van Simon naar haar en hield hen onder schot terwijl hij door zijn knieën zakte, de Glock oppakte en weer opstond. Hij wist precies wat hij deed, hij was een ervaren beroepsmoordenaar die er altijd voor zorgde dat er voldoende afstand bleef. Hij liet het pistool in de sporttas vallen en pakte de hengsels.
Met een gebaar van de uzi zei hij: 'Help hem overeind. Hij kan wel weer lopen.'
'Waarheen?' In drie stappen stond ze naast Simon. Ze kon beter afwachten en de toestand scherp in het oog houden. Ze zou wel iets verzinnen. Ze moest wel.
'Help hem nou maar eerst overeind.'
'Simon? Kun je me verstaan?'
'Trek hem overeind!'
Ze trok aan Simons arm. Hij vloekte. Ze stond op en trok opnieuw.

Hij schudde zijn hoofd en vloekte opnieuw, maar zijn ogen gingen open.
'Ik moet hiermee ophouden,' mopperde hij. 'Jezus christus.'
Malko was om hen heen gelopen en terwijl de uzi vast op hen bleef gericht ging hij voor de openslaande deuren langs naar een verbindingsdeur en klopte erop.
'Ja?' zei een stem in de kamer.
Malko deed de deur open. 'Bent u klaar, meneer? Ik heb ze allebei. Ze zijn ongewapend.'
'Santarosa is weg. Breng ze maar binnen.'
Liz trok Simons arm om haar schouders en hees. Hij stond op en zijn passen werden steeds zekerder toen ze langzaam naar de openstaande deur liepen. Terwijl ze hem ondersteunde, draaiden haar hersens op volle toeren omdat ze nog steeds probeerde zich iets te herinneren. Het was iets dat Malko had gezegd... iets over zijn werkgever die eigenaar van het hotel was. Het was belangrijk.
En met een schok besefte ze plotseling wat het was geweest. Natuurlijk. Ze klemde haar kaken op elkaar en hield Simon onbewust iets steviger vast. Ze herinnerde zich ook iets dat hij haar had verteld... Ja, als ze gelijk had, was de chanteur niet alleen eigenaar van Dreftbury maar ook van een grote keten andere vakantieverblijven en hotels, waarvan het merendeel oorspronkelijk was gebouwd om onderdak te geven aan zijn constructiearbeiders. Ze wist nu wie hij was. Het project waarvoor hij Santarosa's toestemming nodig had, ging om meer geld dan de jaarlijkse begroting van de meeste landen. Het was een bedrag dat gelijk was aan het bruto nationaal product van Hongarije.

Terwijl Sir Anthony Brookshire en César Duchesne haastig door de gang liepen, groeide de woede bij elke stap die Brookshire nam. De twee mannen waren ongeveer even oud en even groot, bijna een meter tachtig. Maar terwijl Sir Anthony een groot hoofd met een dikke bos zilverwit haar had en tenger en gespierd was, had de chef van zijn veiligheidsdienst een kaalgeschoren hoofd en zag er stevig en atletisch uit. Sir Anthony had zijn klassieke colbert aan, terwijl Duchesnes tweed jasje om hem heen slobberde alsof het oorspronkelijk van een dikke loodgieter was geweest. Het verschil tussen klasse en soort. Hij vroeg zich af hoe Duchesne aan zijn been gewond was geraakt. Hij sleepte er licht mee onder het lopen. Alsof hij een gebrek had.
'Weet je zeker dat Santarosa in de Alloway zit?' wilde Sir Anthony weten. Terwijl hij opnieuw aan de chanteur dacht, dacht hij met een gevoel alsof hij moest overgeven van woede aan de arrogante manier

waarop de verrader de Spiraal in gevaar had gebracht. Hij wenste niet het risico te lopen dat het opnieuw zou gebeuren.
'Zoals we hadden afgesproken heb ik bij zijn aankomst een verklikker in Santarosa's zak gestopt. Dat is me ook bij Prometheus en Oceanus gelukt, maar Themis en Atlas hebben zich door hun assistenten laten inschrijven en ik heb ze niet gezien. Nadat Santarosa had ingeboekt, heeft hij een rondje gemaakt door de receptie en is even in de bar blijven hangen. Daarna ging hij naar zijn kamer, die hij een tijdje geleden weer heeft verlaten om rechtstreeks naar Alloway te gaan. Prometheus en Oceanus zijn daar niet te bekennen, dus de chanteur moet Themis of Atlas zijn. Daarom heb ik u opgebeld.'
'Dus we hebben de smeerlap eindelijk in een hoek gedreven,' gromde Sir Anthony. 'Hij zal die Zipdisc wel bij zich hebben, voor het geval hij Santarosa moet "overtuigen". Pak hem die onmiddellijk af en geef hem aan mij.'
'En als hij er geen afstand van wil doen?'
'Hij zal wel moeten. Als je begrijpt wat ik bedoel.'
Duchesne knikte even. 'Wat bent u met dat schijfje van plan?'
'Dat gaat je geen donder aan.'
Ze liepen opnieuw een zijgang in. 'Daar is de kamer,' zei Duchesne.

Terwijl Liz Simon ondersteunde, keek ze wanhopig om zich heen, op zoek naar iets dat hun kon helpen te ontsnappen. Maar Malko had hun wapens en hij zorgde ervoor dat hij buiten bereik bleef. En hoewel hij steeds beter ging lopen, was Simon nog lang de oude niet.
In de andere kamer hoorde ze ijsblokjes rinkelend in een glas vallen.
'Gregory Gilmartin,' riep ze. 'Jij hebt het archief van mijn vader.'
'Inderdaad.'
De ingenieur verscheen in de deuropening, mager en slungelachtig in zijn goedkope pak. Hij had het strakke gelaat van een fanaticus. Zijn analytische blik nam de toestand in één oogopslag op. Hij draaide zich om en liep de kamer weer in terwijl hij een slok uit zijn longdrinkglas nam. Liz hielp Simon naar binnen.
'Maar we zullen ervoor zorgen dat het niet alleen lijkt alsof jij het archief hebt, maar ook bereid was ervoor te doden en te sterven.' Hij wenkte hen met een handgebaar naar binnen. 'Je hoeft niet te hopen dat Santarosa achteraf zijn mond open zal doen. Hij heeft veel te veel te verliezen.' Hij haalde een groene Zipdisc uit zijn zak, gooide het schijfje op tafel en ging voor de dure IBM ThinkPad zitten, waarvan het scherm in vier blokken was verdeeld. Elk daarvan toonde de gang voor de kamer vanuit een andere hoek. Er stonden twee gestalten voor de deur. Hij sloeg de computer dicht en nam opnieuw een slok.

Liz vestigde haar blik weer snel op het schijfje. Ze keek er verlangend naar. 'Is dat het?' vroeg ze voordat ze zich kon bedwingen.
Hij glimlachte koel. 'Je bent gek als je denkt dat ik het ooit uit het oog zou verliezen en zeker hier.' Hij liet een Zipdisc met een soortgelijk groen etiket uit de computer springen en stopte dat in de binnenzak van zijn colbert. 'Malko, ze zijn er. Laat ze maar binnen. Voorzichtig. Heb je ook een wapen voor mij?'
Malko gaf hem Simons Beretta. Terwijl Gilmartin hen onder schot hield, liep Malko snel naar de deur.

52

Met César Duchesne aan zijn zij begon Sir Anthony Brookshire wat langzamer te lopen om de namen op de deuren te kunnen lezen. Ten slotte belandden ze bij de Alloway Room, waarvan de naam op een glanzend koperen plaatje gegraveerd stond. Hij liet zijn hand over zijn colbert glijden, waar zijn Browning veilig opgeborgen zat in de holster onder zijn oksel en bleef staan. Hij hief zijn hoofd op en luisterde. De schreeuwende stemmen kwamen dichterbij. Ergens ging een ruit aan diggelen.
'Ik blijf hier wel wachten,' verkondigde hij. 'Ga jij maar eerst naar binnen. Schiet ze allemaal dood. Met een beetje geluk zorgen die verrekte rellen ervoor dat niemand iets in de gaten heeft.'
Heel even kwam er een barstje in de rustige, onbekommerde gezichtsuitdrukking van Duchesne. Als blikken hadden kunnen doden was er van Sir Anthony een hoopje as overgebleven. 'Nee.' Hij draaide zich met een ruk om en liep weg.
Geschrokken deed Sir Anthony zijn mond open om hem toe te bulderen dat hij moest blijven staan, dat hij terug moest komen en moest doen wat hem gezegd werd. Maar plotseling zwaaide de deur open. Een stevig gebouwde man in een grijs pak met scherpe grijze ogen stond op de drempel.
Achter de man riep een stem: 'Kom binnen, Kronos. Hoe heb je ons gevonden?'
Sir Anthony aarzelde. Dit was niet de bedoeling.
De man in het grijze pak hief een uzi op en richtte het wapen op hem. 'Schiet op.'
Happend naar adem van woede beende Kronos naar binnen. Hij had de stem herkend. 'Verdomme nog aan toe, Atlas. Hou hier onmid-

dellijk mee op. Wat bezielt je in godsnaam? Ik wist dat het een van ons moest zijn. Kijk eens naar alle ellende die je de Spiraal hebt bezorgd! Bestaat er dan helemaal geen loyaliteit meer?'
'Je hebt mijn vraag niet beantwoord. De ingenieur in mij wil dat toch graag weten. Natuurlijk verwachtte ik wel dat je me uiteindelijk een keer zou betrappen. Maar toch wil ik graag weten hoe je ons hebt gevonden.' Vanaf de plek waar hij zat, maakte hij een gebaar met de Beretta. Onder de manchet van zijn goedkope smokingoverhemd was zijn Timex horloge te zien.
Malko sloot de deur en draaide zich weer om naar de kamer. De uzi dwaalde van Sir Anthony naar Simon en Liz en weer terug.
Sir Anthony stond Atlas nog steeds woedend aan te kijken. 'Duchesne heeft een verklikker in de zak van Santarosa gestopt.'
'Ach, netjes.' Gilmartin knikte goedkeurend. 'Ik zie dat Duchesne je in de steek heeft gelaten. Ik heb altijd al gedacht dat hij niet zo goed was als jij beweerde. En als je wilt weten hoe ik wist dat jullie er aan kwamen: via de veiligheidscamera's natuurlijk. Een prachtig voorbeeld van de macht van de technologie. Wat jij hebt gedaan is niet bepaald intelligent, Tony. Je kunt niet elk gevecht winnen en je hebt dat gedoe over het archief veel te ver doorgedreven. Ik heb jullie allemaal vijf jaar lang met rust gelaten, afgezien van de incidentele maar noodzakelijke projecten die ik niet op een andere manier voor elkaar kon krijgen. Maar ik denk dat je het wel met me eens zult zijn dat mijn fusie met Tierney Aviation wel wat moeite waard is. Per slot van rekening hebben we het over meer dan veertig miljard dollar.'
Terwijl de spanning in de kamer groeide, keek Liz naar de patstelling tussen de twee mannen en wierp vervolgens een blik op de openslaande deuren, ongeveer negen meter rechts van haar. Een groep demonstranten holde voorbij, terwijl ze de stenen oppakten die om de bloembedden lagen en ze in hun rugzakken stopten. Ze keek naar Simon. Hij stond niet meer te zwaaien op zijn benen. Ze hielp hem naar een stoel vlak bij de sporttas, die nog steeds op de grond stond waar Malko hem had neergezet toen hij het bevel kreeg om de deur open te doen. Vanaf de plek waar zij stond, kon ze de kolf van een pistool zien. Misschien dat van Malko, want die had inmiddels zijn Glock terug.
'Wat je bedoelt, is dat je dan een monopolie zult hebben in de luchtvaarttechnologie,' zei Sir Anthony ondertussen.
'Ik hoop zeker dat we een monopolie zullen hebben. Daar komt alle concurrentie uiteindelijk immers op neer? Een economisch gevecht op leven en dood tot er ten slotte één bedrijf – één man – overeind blijft. Kijk maar eens naar al die samenwerkingsverbanden die voort-

durend worden gesloten. Wat zou daar anders de bedoeling van zijn? Zeker geen concurrentie. En het zal je trouwens niet zijn ontgaan dat de SEC mijn fusie al goedgekeurd heeft. Santarosa en zijn mensen van de EU gedroegen zich als een stel angstige nonnetjes... de benen stijf tegen elkaar voordat er iets gebeurt.'
Sir Anthony strengelde zijn handen op zijn rug in elkaar en stak zijn kin vooruit. Zijn hele houding straalde afkeuring uit. Toen viel zijn blik op de Zipdisc op het bureau en hij keer er verlangend uit.
De bouwmagnaat schudde zijn hoofd. 'Nee, Tony. Die is niet voor jou. Je hoeft niet te doen alsof je geschokt bent. Ik begreep gisteravond al dat je inmiddels had geraden dat een van ons de chanteur moest zijn.' Zijn mond vertrok minachtend. 'Het wordt tijd dat je eens van die hoge troon af komt, Sir Anthony, KCB, voor welke verrekte titel die initialen ook mogen staan. Dacht je echt dat geld mijn enige drijfveer is? Of de reden waarom ik me bij de Spiraal heb aangesloten? Lieve hemel, wat ontzettend naïef.' Hij zwaaide met de Beretta. 'Je bent een viezerik, Tony. En dat geldt voor jullie allemaal. Zo ben ik niet. Ik hoef niet nog rijker te worden en ik heb het archief ook nooit gebruikt om iemand geld af te persen. Mijn taak is de wereld te veránderen, precies zoals mijn vader, mijn grootvader en mijn overgrootvader hebben gedaan.' Hij zweeg even. Zijn zelfgenoegzaamheid was evident. Hij genoot van de aandacht, van wat hij als respect beschouwde. 'Ik zal niet alleen de grootste constructiemaatschappij ter wereld zijn, maar binnenkort ook het grootste bedrijf op het gebied van luchtvaarttechnologie. Ik zal de beschaving niet alleen vanuit een dal naar de top van de berg brengen, maar ook in de ruimte. Dáárom heb ik het gedaan.'
De stem van Sir Anthony klonk zacht en vriendelijk toen hij zei: 'Je wilde net zoveel indruk maken als zij hebben gedaan. Arme Greg.'
Simon leek zichzelf wakker te schudden. Liz hield hem scherp in het oog toen hij op de stoel ging verzitten en aandachtig om zich heen keek. Ze legde haar hand op zijn schouder en tekende met haar vinger een pijl die in de richting van de openslaande deuren wees. Hij draaide zich om, zag de demonstranten en sloeg hen gade terwijl ze stenen aan het verzamelen waren voordat hij naar haar opkeek. Ze bleef strak naar de sporttas staren. Hij volgde haar blik. Ze hoopte dat hij eraan zou denken dat ze geen betrouwbare schutter meer was.
'Ik lever mijn bijdrage ook,' snauwde Gilmartin.
'O ja?' zei Simon meteen, om te bewijzen dat hij voldoende bij de tijd was om het gesprek te volgen. 'Als die fusie van jou geen winst op zou leveren, zou je er dan ook zo tuk op zijn?'
'Daar gaat het niet om,' zei Gilmartin diep verontwaardigd. 'Na-

tuurlijk levert die wel winst op. Dat is het geval met alles wat waarde heeft.'

Sir Anthony had al een tijdje naar de oproerkraaiers staan kijken, de groepen die heen en weer renden om stenen op te halen. Hij ging diep gebukt onder het gewicht van zijn verantwoordelijkheden en de totale mislukking van de speurtocht naar het archief en de teleurstelling die daarmee gepaard ging, vormden in feite een aanklacht tegen zijn leiderschap. Hij dacht opnieuw aan de Browning in de holster onder zijn colbert. Omdat hij inmiddels begreep dat het begrip 'morele waarden' niet in het woordenboek van Atlas voorkwam, zou Atlas de Spiraal volkomen te gronde richten. Dat zag hij nu duidelijk in. Atlas zou het bestaan van de Spiraal onthullen, hen in problemen brengen met de overheid en een eind maken aan al het goeds dat ze de wereld in de toekomst nog te bieden hadden. Alleen hij, Kronos, mocht dat archief in handen hebben. Alleen hem konden de vreselijke geheimen die het behield toevertrouwd worden. Dat gevoel had hij voortdurend gehad, hij had het alleen niet willen toegeven. Nu bleef hem geen andere keus.

'Jij gedraagt je niet volgens de regels van de Spiraal, Atlas,' zei hij beschuldigend. 'Je hebt ons veel kwaad gedaan. Het is jouw schuld dat we ons hebben gedragen... dat we dingen hebben gedaan...'

'Dat we Sansborough als lokaas hebben gebruikt, bedoel je?' zei Gilmartin, die kwaad uit zijn stoel opsprong. 'Of heb je het over de moorden die gepleegd zijn? Wat ben je toch een oude hypocriet. Niemand heeft je iets láten doen! Je bent zoals je bent en zoals je altijd bent geweest. En dat geldt voor de hele Spiraal! Net als voor Nautilus. Als jullie echt zo altruïstisch waren, zouden jullie dan al die dingen hebben gedaan? Nee! Als iemand eerlijk is, dan ben ik het wel. Ik weet hoe de wereld in elkaar zit en ik verschuil me niet achter illusies. Jij bent niet meer van deze tijd en je kunt het tempo niet meer bijhouden. Jij bent...'

Liz kneep even in Simons schouder. Hij keek snel door de lange vergaderkamer naar de openslaande deuren, zag de van boosheid vertrokken gezichten, de armen die naar achteren werden gezwaaid en de stenen die door de lucht vlogen. Plotseling klonk het luide gerinkel van glazen ruiten die aan diggelen vlogen, een geluid dat tegelijkertijd overal in de vleugel weerklonk en dat zelfs tot het grote oude hotel doordrong.

De kamer lag meteen vol glas en stenen, die tegen een spreekgestoelte vlogen en op het uiteinde van de vergadertafel terechtkwamen. Meteen daarna kwam een vlaag frisse wind naar binnen, koel en met de geur van regen. Plotseling knalden buiten ook geweerschoten.

Terwijl Greg Gilmartin zich met een ruk omdraaide en naar het raam keek, glimlachte Sir Anthony koel bij zichzelf. Hij nam aan dat Gilmartin en zijn assistent het idee hadden gehad dat ze van hem weinig gevaar hadden te duchten en dat ze hem daarom niet gefouilleerd hadden. Maar goed, dat was echt iets voor Greg. Hij was te arrogant, of misschien wel te gretig, om een toestand op de juiste waarde te kunnen schatten. Zeker niet de man die zijn vader was geweest. Hij moest tegengehouden worden. Voorgoed.
Al die dingen vlogen Kronos in een mum van tijd door het hoofd. Hij trok de Browning met een ruk onder zijn colbert vandaan op hetzelfde moment dat Simon zijn hand in zijn sporttas stak en Liz naar Malko toe rende. Een seconde later draaide Gilmartin zich opnieuw om, besefte wat er aan de hand was en richtte de Beretta.

Sarahs hoofd duizelde terwijl ze op het randje van bewustzijn lag. Haar lichaam leek één grote poel van misselijkheid en pijn. Haar kin en haar nek deden zeer. Het kostte haar de grootste moeite om zich te herinneren wat er was gebeurd: Malko had haar een trap tegen haar kin gegeven en haar in het water geschopt.
Kreunend deed ze haar ogen open. Langzaam liet ze haar omgeving tot zich doordringen.
Ze zag een salontafel, een lamp en een bank. Iets verderop een deur. Ze was in een hotelkamer, waar Malko haar op een stoel had vastgebonden. Maar alles zag er vreemd uit. De tafel, een stoel en een bijzettafeltje lagen op hun kant bij het raam, onder een glinsterende laag glas. Boven op de puinhoop lagen stenen. Ze hoorde geweerschoten en geschreeuw. Andere meubelstukken stonden nog wel rechtop. Toen ze naar de deur keek, zag ze dat die horizontaal was...
Dat was het. Ze lag op haar zij, nog steeds aan de stoel gebonden, met een steen naast haar op de grond. Nu herinnerde ze zich alles weer: een gierende herrie, geschreeuw, megafoons, stenen die in het rond vlogen, de knal waarmee een grote steen door het raam vloog, de klap waarmee ze op de grond terecht was gekomen. Daarna was alles zwart geworden en wist ze niets meer.
Verbitterd gaf ze zichzelf een denkbeeldig schouderklopje. Ze was heel slim geweest. Ja hoor, zo slim dat ze zich door Malko in de luren had laten leggen toen hij zich met een voor de hand liggend oud trucje recht onder een raam had verstopt. Maar hij scheen haar toch nog in leven willen houden, althans voorlopig. Ze onderdrukte haar angst en draaide haar hoofd om zodat ze de rest van de kamer kon bekijken. Maar haar wang kwam met een klap op de tegelvloer terecht en opnieuw voelde ze een pijnscheut. Haar hoofd begon weer te dui-

zelen. Het leek net alsof de horizontale deur openging en een paar voeten zijwaarts de kamer binnenzweefden. De pijpen van een mannenbroek en sportschoenen.
Ze kreeg het benauwd en kon van angst nauwelijks ademhalen. Maar ze slaagde erin om haar stem vast te laten klinken. 'Heb je uiteindelijk toch maar besloten me te doden, Malko?'
De man zei niets. Slepend met zijn ene voet liep hij om haar heen. Ze probeerde zich om te draaien zodat ze hem aan kon kijken, maar hij stond te dichtbij. Ze verdrong de pijn. Ineens stond hij achter haar. 'Malko?'

Gino Malko stond achter en iets opzij van Sir Anthony en luisterde met oprecht respect naar zijn werkgever. Hij had nooit eerder voor zo'n rijke en machtige man gewerkt. Voor Malko was ieder compliment van hem een goudstaaf geweest, om bij te schrijven op de innerlijke spaarrekening die hem zekerheid moest bieden tegen de kille wind van armoede en onzekerheid. Malko zag niets ongebruikelijks aan de manier waarop die oude Sir Anthony zich bewoog en Sansborough was niets anders dan een hinderlijk probleem waarmee hij zo meteen wel zou afrekenen. Dus hield hij zijn blik vast op Simon gericht, op de hand die met zijn pistool uit de sporttas te voorschijn kwam.
Simon zag dat Sir Anthony zijn wapen vast in de hand had en het wapen op Gregory Gilmartin richtte. Met een beetje mazzel zouden ze elkaar doodschieten.
Malko vloekte en hief de uzi op. Te laat.
De schoten weerklonken vrijwel gelijktijdig, in een explosie van geluid.
Simons kogel raakte Malko in het hart. Het bloed dat er uitspoot vormde een roze waas in de lucht. Malko's uzi ging met een knal af en de kogel raakte een vaas die als een handgranaat uit elkaar spatte.
Tegelijkertijd kwam het eerste schot van Sir Anthony in Gilmartins witte overhemd terecht en het tweede in zijn keel.
Gregory Gilmartin sloeg voorover, met opengesperde ogen, terwijl zijn vinger zich onwillekeurig om de trekker spande en één kogel in de dure vloerbedekking schoot. Zijn wonden waren bloed spuitende fonteinen.
Er hing even een geschrokken stilte in de kamer, alsof de wereld op zijn kop stond. De drie die nog overeind stonden – Liz, Sir Anthony en Simon – verroerden zich niet, alsof roerloosheid het afgrijzen aanvaardbaar maakte. De lucht werd vervuild door de warme stank van

bloed en het stof van het verbrijzelde raam dreef langzaam in laagjes boven de lijken van de beide mannen.

Liz was de eerste die in beweging kwam en de uzi uit Malko's levenloze vingers griste. Ze richtte het geweer op de leider van de Spiraal. 'Leg uw pistool neer, Sir Anthony. Of hebt u liever dat we u Kronos noemen?'
Sir Anthony knipperde met zijn ogen. Vreemd genoeg moest hij ineens denken aan iets dat George Eliot had geschreven. Hij had het boek – *Adam Bede* – tijdens een lome zomer in Parijs gelezen. *Onze daden bepalen wie wij zijn, in even grote mate als wij onze daden bepalen.* Hij geloofde in de toekomst. Hij had zijn hele leven aan die hartstochtelijke jacht gewijd en hoe erg hij het ook vond, nu zag hij duidelijk in dat alles tot dit ene moment had geleid. Hij begreep instinctief dat hij om de een of andere reden op een bepaald moment een ernstige fout had gemaakt en dat was een wetenschap die hij niet kon verdragen.
Sir Anthony draaide zich snel om terwijl zijn vinger de trekker overhaalde.
Maar Liz zag hem bewegen en raadde wat hij van plan was. Ze vuurde een salvo af. De kogels van de uzi doorboorden de arm van de hand waarin Sir Anthony het pistool vasthield en drongen in zijn borst. Door de schok stond hij ineens op zijn tenen. De kogel uit zijn pistool vloog in het plafond. Een wolk gipsstof dwarrelde naar beneden en bedekte de kamer met een wit laagje, terwijl hij met een opgeluchte blik in zijn ogen om zijn as draaide. Hij sloeg met een dreun tegen de grond.
Terwijl ze omlaag staarde, daalde een oorverdovende stilte op haar oren neer. Ze voelde een steek in haar hart omdat ze gefaald had. Meteen gevolgd door een uitgelaten gevoel van geluk omdat ze nog in leven was. Omdat Simon nog in leven was. Ze wierp een blik op hem. Hij stond haar bezorgd aan te kijken. Ze lachte en knikte even.
De blijdschap flitste over zijn gezicht. Hij legde zijn arm om haar schouders, trok haar tegen zich aan en kuste haar wang. Ze sloeg haar armen om hem heen en hield hem stijf vast, alsof het hele leven in dit ene moment vervat was.
De deur ging open. Ze lieten elkaar onmiddellijk los en draaiden zich om, hun wapens in de aanslag.
'Sarah!' Liz slaakte een diepe zucht van opluchting en liet de uzi zakken.
'Goddank!' Simon liet zijn pistool zakken.

Sarah stapte de suite binnen alsof ze op eieren liep, alsof ze verzwakt of gewond was. Ze werd gevolgd door een oudere man met een pet op. Liz had het idee dat ze hem al eerder in het hotel had gezien, een van de vele anonieme veiligheidsmensen met groene badges. Maar toen hij naast Sarah ging staan, zag Liz dat hij met zijn rechtervoet sleepte. Het was Simon ook opgevallen. Ze wisselden een veelbetekenende blik.

Sarah stond met grote ogen naar het bloedbad te kijken. 'Mijn god, Liz. Wat is er gebeurd?'

'Dat zal ik je zo vertellen,' zei Liz. Daarna keek ze de man recht aan. 'Wie bent u? U hebt ons stiekem geholpen, hè?'

'César Duchesne,' zei hij eenvoudig met een lage stem die een tikje gruizig klonk. 'Dat was mijn opdracht ook, tot Brookshire me vertelde dat ik jullie moest doden.' Zijn ogen waren gevestigd op het groene schijfje dat op de tafel lag. 'Is dat het?'

Vreemd genoeg had ze de neiging om hem te vertrouwen. 'Nee. Gilmartin heeft het in zijn binnenzak. Maar het is nu van mij.'

'Ja, dat klopt.'

'Duchesne heeft mij gevonden,' legde Sarah uit en glimlachte tegen hem. 'Marko was me in het zwembad te slim af. Hij heeft me buiten westen geslagen en me vastgebonden.'

'Liz! Simon!'

Ze draaiden zich met een ruk om toen ze de bekende stem hoorden. Verbijsterd begon Liz opgelucht te lachen. 'Henry!'

'Ja, ik ben het. Onkruid vergaat niet.' Lord Henry Percy strompelde met behulp van een rollator de kamer in. Zijn oude ogen namen het bloedbad op en zijn mond verstrakte. Hij stond bijna rechtop, een imposante figuur die ze zich herinnerde uit de tijd dat hij nog niet in een rolstoel zat. 'Dus met jullie is alles in orde,' concludeerde hij, terwijl hij eerst Simon en haar met een scherpe blik van top tot teen opnam en vervolgens Duchesne aankeek, alsof hij zich ervan wilde overtuigen dat hij het werkelijk was. 'Duchesne verzekerde me dat jullie niets zou overkomen. Het spijt me van die toestand bij mij thuis. Ik was bang dat jullie echt zouden proberen mijn pols te voelen, maar ik vond dat Clive dat keurig heeft opgelost. Duchesne zei dat jullie het gevoel moesten hebben dat we echt aangevallen werden. Dat het noodzakelijk was om jullie de klus te laten klaren.'

'Henry!' zei Simon vol afschuw. 'Vuile smeerlap. We dachten dat je dood was! Wat spook je hier uit?'

Opnieuw die blik naar Duchesne. 'Hij heeft me hier gebracht zodat ik de politie kon uitleggen wat er gebeurd was, als het moment daarvoor aangebroken was.' Hij tuurde omlaag naar het lijk van Sir An-

thony. 'Ik kan het gewoon niet geloven. Dat Tony zo'n stomme vent bleek te zijn.' Hij schudde zijn hoofd.
Sarah stond naar Liz en Simon te staren en scheen iets te begrijpen. 'Asher heeft de agent gevonden die Langley hierheen heeft gestuurd,' zei ze tegen hen. 'Ze komen er zo aan. Henry, we moeten weg. Je moet eerst met hen praten, zodat alles in scène gezet kan worden.'
Hij fronste, knikte en liep achter haar aan de deur uit. Terwijl zij weggingen, hinkte Duchesne naar Gilmartin toe, knielde naast hem neer, fouilleerde hem en stond op met de Zipdisc in zijn hand.
'Dat is de goeie,' zei Simon meteen.
Duchesne keek hem niet aan. Hij liep naar Liz en overhandigde haar het schijfje met neergeslagen ogen.
Ze voelde een rilling over haar rug lopen toen ze erop neerkeek. 'Dank je wel.'
'Volgens mij moeten we het verbranden,' zei Simon tegen haar. 'Niemand mag ooit weer dat soort macht hebben.' Hij bleef haar strak aankijken, wachtend tot ze zou reageren.
Ze zei niets, maar hield haar blik gevestigd op Duchesne die naar de deur hinkte. Met een misselijk gevoel bestudeerde ze zijn manier van lopen. Zodra hij naar buiten stapte, kreeg ze haar antwoord. Het hinken verdween en hij liep ineens normaal, stevig, met een verende tred. Daarna draaide hij snel zijn hoofd om, keek haar recht in de ogen en schonk haar een wrang glimlachje. De deur viel dicht en hij was verdwenen.
Ze werd overstelpt door emoties.
Simon fronste, terwijl hij haar gespannen gezicht bestudeerde en de harde trekken om haar mond.
'Wat is er?' vroeg hij. 'Er is nog iets gebeurd. Gaat het om de Zipdisc? Wil je die liever niet vernietigen?'
Het was net alsof ze uit een verdoving ontwaakte. Ze draaide zich om en keek naar hem op. De schrik stond op haar gezicht te lezen, maar er was ook een vleugje boosheid en angst te zien.
'Ik heb het schijfje niet, Simon,' zei ze tegen hem.
'Jawel, je hebt het...'
Ze schudde heftig haar hoofd. 'Nee. Duchesne heeft de schijfjes verwisseld. Hij heeft mij een valse gegeven. Hij is met het echte schijfje verdwenen.'
'En je hebt hem niet tegengehouden?' schreeuwde Simon bijna. '*Waarom niet?*'
'Omdat ik hem herkende. Hij heeft nog meer plastische chirurgie ondergaan en hij gebruikt weer anabole steroïden. Maar hij was het. Ik heb hem dat soort wisseltrucs vaker zien toepassen. En toen hield hij

plotseling op met hinken. Ik vraag me af hoe lang hij voor Sir Anthony heeft gewerkt. Ik heb het idee dat hij me al die tijd in de gaten heeft gehouden, waarschijnlijk al van voor de tijd dat ik naar Santa Barbara verhuisde.'

Simons blauwe ogen werden zwart. Zijn stem klonk gesmoord. 'Zeg me dat ik me vergis. Vertel me dat ik geen flauw idee heb waar je het over hebt.'

Met een brok in haar keel ontweek ze zijn blik. 'Het schijfje is van hem. Nee, kijk me niet zo aan, Simon. Ik zou hem nooit kunnen verraden.' Ze draaide hem de rug toe. 'Hij is mijn vader. Duchesne is de Carnivoor.'

Epiloog

Bergketen Le Madonie, Sicilië

In de verte klemde het verweerde stadje Gangi zich vast aan de steile helling onder de door de zon uitgedroogde piek van Monte Marone. De kronkelende straten en de zandstenen trappen die de verschillende niveaus van het middeleeuwse stadje met elkaar verbonden, waren niet te onderscheiden toen Liz vanaf de top van een heuvel naar beneden liep. Het enige wat ze er nu van kon zien was een zee van met rode dakpannen getooide daken die in de loop der eeuwen de kleur van vermoeid vlees hadden gekregen. Eerder vandaag was ze al in Gangi geweest en had geprobeerd inlichtingen over haar vader te krijgen door zijn naam te noemen en drie van zijn pseudoniemen: Alex Bosa, Allessandro Firenze en César Duchesne. Ze had een tekening van hem bij zich zoals hij er in Dreftbury uit had gezien.

De burgemeester in zijn keurige zwarte pak had haar trots verzekerd dat hij iedereen in dit afgelegen gebied persoonlijk kende, maar dat die namen en dat gezicht hem niets zeiden. Natuurlijk kende ook de capo van de mafia hem niet en hetzelfde gold voor de carabinieri. Winkeliers en huisvrouwen wisten van niets en hadden niets gezien. Haar tijd zat er bijna op. Het was september en ze zat al bijna een maand op Sicilië. Ze was eerst naar de prachtige vakantieplaats Cefalù aan de noordkust gegaan, want dat was de stad waar de voorouders van de Firenzes en de Bosa's hadden gewoond, de families van wie haar vader, zijzelf en Sarah afstamden. Dat was de plaats waar hij in het geheim een villa had gebouwd, zich had teruggetrokken en zogenaamd was gestorven.

Toen ze daar geen enkele aanwijzing vond, trok ze het binnenland in, via de SS286 en had in oostelijke en westelijke richting alle geïsoleerde boerderijen en dorpjes afgezocht die verspreid lagen in het wilde centrale berglandschap van Sicilië. Het gerucht ging dat Bernardo Provenzano, de briljante *capo di tutti capi* van de Cosa Nostra, de 'baas der bazen', zich daar ergens schuilhield. Provenzano had al veertig jaar weten te vermijden dat hij door de politie gearresteerd werd. En aangezien het om Sicilië ging, was het enige ongebruikelijke aspect van zijn verdwijning het feit dat die al zo opvallend lang duurde. De capo voor hem – zijn vriend Salvatore Riina, beter bekend als 'het Beest' – had zich maar drieëntwintig jaar lang verbor-

gen kunnen houden voordat hij in 1993 eindelijk opgepakt werd.
Liz wierp nog een laatste, argwanende blik op Gangi en liep een *cortile* in die voor een vervallen stenen gebouw langsliep. Het was grijs en verweerd. Op de smerige binnenplaats stonden een stuk of tien tafeltjes met schone, blauwgeruite tafelkleedjes op de klanten van die avond te wachten. Ze had gehoord dat de mensen hier van heinde en ver samenkwamen om te eten, te drinken en met elkaar te kletsen na een dag op het land en in de olijfgaarden. Soms werd het Il Santuario genoemd, dan weer Il Purgatorio. De eigenaar van het *ristorante* had niet alleen een encyclopedisch geheugen, maar scheen ook uitstekende contacten te bezitten.
De deur stond open. De geur van knoflook, gekruide tomatensaus en wijn dreef haar tegemoet. Ze plakte een vriendelijke glimlach op haar gezicht en stapte het koele duister in, zonder te laten merken hoe opgewonden ze was. Het stenen gebouw was ontzettend oud, met kleine raampjes die maar weinig licht doorlieten. Maar het vertrek was groot. Er bevond zich slechts één persoon in.
'Signore Aldo Cappuccio?' vroeg ze.
De man stond achter een houten tapkast. Het blad was in de loop van tientallen jaren gepolijst door ellebogen en glazen. Hij legde zijn handen erop, met de handpalmen naar boven en glimlachte terug. De perfecte gastheer.
'Buon giorno. Che cosa desidera?'
Hij was een klein pezig ventje van een jaar of vijftig, met een zwarte snor, een donkere huid en groene Siciliaanse ogen. Ze zag geen spoor van een wapen. In de halfduistere kamer leek hij op een goedgemutste kabouter, niet op een man die aan weerszijden van de wet op respect kon rekenen. Maar toch was er iets met zijn gezicht. Ze kwam tot de conclusie dat het een masker was.
Ze glimlachte breed. *'Buon giorno. Il vino della casa, per favore.'*
Hij hield zijn hoofd scheef alsof hij ingespannen stond te luisteren. *'Basta cosi?'*
'Si, grazie.'
'Buono. U begint al een Siciliaans accent te krijgen,' besloot hij terwijl hij zich omdraaide om een fles huiswijn te pakken en in het Italiaans doorpraatte. 'U bent Engels, hè? Welkom in mijn huis.'
Terwijl hij ongeveer zeven centimeter wijn in een eenvoudig glas schonk, bleef hij haar aankijken.
Nieuwsgierig blikte ze terug. 'Ik ben Engels en Amerikaans. Ik woon tegenwoordig in Californië.' Ze pakte haar wijn op, leunde tegen de tapkast en onderdrukte haar opwinding terwijl ze het vertrek rondkeek. Sinds Dreftbury was er maar één ding waaraan ze kon denken.

Iedere keer als ze bij een deur kwam, een straat in liep, of mensen ontmoette die ze nog niet kende, wilde ze hen door elkaar schudden en vragen: *Kent u mijn vader? Hebt u hem gezien?*
'Dan bent u een heel eind van huis,' zei hij.
Hoewel het restaurant van Cappuccio ogenschijnlijk in een bouwval was gevestigd, was het vertrek elegant en gevuld met prachtige antieke voorwerpen: dure, met stof overtrokken stoelen, gelakte tafels en oude foto's in zware lijsten. Aan de kleding op de foto's kon ze zien dat ze heel lang geleden genomen waren. Ernaast bevond zich een teer fresco van engelen met fluiten en harpen. De muurschildering was nog veel ouder dan de foto's.
Ze pakte haar glas op en liep ernaartoe. 'Gaspare Vazzano?'
'*Si*. Kent u het werk van Vazzano?' Hij kwam achter de tap vandaan en liep achter haar aan.
'Ik weet dat hij hier in de buurt een heleboel fresco's heeft geschilderd, maar ik dacht dat die zich meestal in kerken bevonden. Uw huis moet op zijn minst uit de zestiende eeuw stammen.' Vazzano was rond 1550 geboren in Gangi, waar ze zijn werk voor het eerst had gezien.
'Niemand weet precies wanneer het gebouwd is, maar ja. Hier gaan de jaren in elkaar over.' Hij knipte met zijn vingers. 'Kijk. Dat is mijn leven.' Hij knipte opnieuw. 'En dat van u. Wij hebben een gezegde dat het leven geen geschenk is, maar een verrassing, en dat de dood nooit een verrassing is, maar vaak een geschenk. Dit is een hard land. Een harde streek met harde regels en nog hardere gebruiken. U weet hoe ik heet, *signorina*. Het lijkt me eerlijk als u mij ook vertelt hoe u heet. *Come si chiama?*'
'Elizabeth Sansborough.' Ze nam een slokje wijn. De smaak was vrij rauw. De drank was van goede plaatselijke druiven gemaakt, maar had niet lang genoeg gelegen. 'Ik ben op zoek naar mijn vader.' Ze pakte de tekening uit haar rugzak en gaf die aan hem, terwijl ze scherp op zijn gezicht lette. 'Het kan best zijn dat hij de naam Bosa of Firenze gebruikt. Dat zijn namen die in onze familie voorkomen. Misschien noemt hij zich zelfs Duchesne.'
'En?' Met een uitdrukkingsloos gezicht bleef hij lang naar de tekening staren. Naar het vierkante gezicht, het kale hoofd en de regelmatige trekken. Toen hij opkeek, bestudeerde hij haar opnieuw. Er lag een blik van herkenning in zijn ogen. Hij deed geen moeite om die te verbergen.
Ze had het gevoel dat de adem in haar keel stokte. 'U kent hem, hè? *Waar is hij?*'
Hij haalde zijn schouders op. Heel even kon ze onder het masker kij-

ken. Hij was een man die altijd risico's incalculeerde. Om de een of andere reden was hij tot de conclusie gekomen dat hij nu niets te vrezen had.
'Hij was een Bosa, Don Alessandro Bosa. Ja, zo heette hij. Zijn gezicht is wel een beetje veranderd.' Hij tikte op de tekening, 'Hij las *The Leopard.*' Zijn blik was op de verte gericht. 'Ach ja. "Kale hellingen vlammend geel onder de zon." Hij heeft me dat voorgelezen, omdat hij vanuit Cefalù hierheen was gekomen om onze zomer te zien.'
'Waar is hij nu?' Ze lette goed op dat haar stem effen klonk, maar hoop bezorgde haar hartkloppingen van opwinding.
Hij fronste. 'Weet u dat dan niet? Hij is dood. Iemand heeft zijn villa opgeblazen en daarbij is hij om het leven gekomen. Een paar jaar geleden. Een jaar of acht, denk ik. Maar als zoiets gebeurt, gaat het als een lopend vuurtje rond.'
'Ik heb gehoord dat hij het overleefd heeft.'
Hij schudde zijn hoofd. 'Wie had daar nu levend uit kunnen komen?' Hij gaf haar de tekening terug. 'Drink uw wijn maar op. U moet niet overstuur raken. Hoe lang bent u al naar hem op zoek?'
'Het gerucht ging dat hij onlangs weer was opgedoken.'
'Ik kan alleen maar zien met mijn ogen en horen met mijn oren. Ik beschik niet over magische krachten. Ik heb u alles verteld wat ik weet.' Hij liep terug naar de tapkast, niet langer in haar geïnteresseerd.
Ze keek naar zijn kaarsrechte rug en zijn magere, pezige schouders terwijl hij om de toog heen liep. Hij was een man die erin was geslaagd een bepaald evenwicht te scheppen in een land waar oude gevoelens van onrecht en kolkende hartstocht bij het minste en geringste tot ontploffing konden komen.
'Dus u hebt hem de laatste tijd niet gezien?' wilde ze weten.
Hij maakte een afwerend gebaar. 'Ik heb u al verteld hoe het zit. Hij is er niet meer. Hij is dood. Niet meer in leven... zelfs niet voor u. Ga naar huis. U zult hem hier toch niet vinden. Waarom blijft u zo hardnekkig zoeken naar iets wat niet meer bestaat? Als hij echt nog in leven zou zijn, wil hij niet gevonden worden. Als hij dood is, gun hem dan rust. Ga terug naar Californië. Probeer uw eigen leven te leiden. Laat de herinneringen aan hem hier, waar ze horen. Probeer hem zo te respecteren dat u zonder hem verder kunt.'
Ze wendde haar blik af. Haar oog viel op het gerimpelde, indrukwekkende gezicht van een oude Siciliaanse vrouw op een van de foto's. Terwijl ze ernaar bleef kijken, kreeg ze vreemd genoeg een gevoel van opluchting. Ze voelde zich getroost.

Daarna keek ze weer naar hem. Haar ogen boorden zich in de zijne.
'Dus u hebt hem niet gezien?'
'Nee!' Hij hief zijn handen ten hemel. Toen zei hij kalm: 'Ik heb klanten die hier zo kunnen zijn. Ga zitten. Drink uw wijn op. Ik moet weer aan het werk.' Hij haalde van een plekje onder de tapkast flessen rode wijn te voorschijn en zette ze achter de kast op een rijtje tegen de wand.
Ze liep naar de toog en zette haar glas neer. '*Quanto costa questo?*' Hij vertelde haar hoeveel euro ze hem schuldig was. Ze legde het geld naast haar wijn en liep naar buiten, de lange schaduwen van de schemer in.
De wind was eindelijk gaan liggen. Terwijl ze de binnenplaats overstak, zette ze haar strohoed af en wreef met haar onderarm over haar voorhoofd. Het was meteen weer nat. Het regenseizoen was nog niet begonnen. De hele dag had de hete sirocco vanuit Noord-Afrika over de uitgedroogde heuvels en valleien gewaaid en de laatste druppeltjes vocht uit het land en de mensen geperst. Verrassend genoeg waren de mensen hier zelden opvliegend. Nadat ze gedurende drieduizend jaar keer op keer veroverd waren, accepteerden Sicilianen gelaten de grillen van God en de natuur.
Drie mannen van middelbare leeftijd kwamen vanaf de weg lachend naar binnen lopen, met sigaretten die aan hun lippen gekleefd leken, en gingen aan een van de tafeltjes buiten zitten. Signore Cappuccio kwam te voorschijn en vroeg zonder haar zelfs maar aan te kijken wat ze wilden drinken.
Ze liep weg, langs een grijze geitenhoeder met zijn hond en een hele kudde schurftige geiten. De wind was gedraaid nu de avond voor de deur stond en blies uit het noorden. Ze tilde haar gezicht op en de koelte bracht haar ontspanning. Het eenzame geluid van een automotor kwam vanuit het oosten duidelijk hoorbaar door de stille bergen. Ze keek op haar horloge. Ja, hij was op tijd.
Ze klom enthousiast naar de top van de volgende heuvel en bleef daar staan wachten terwijl de zonsondergang de horizon in het westen de stralende kleuren gaf van de sinaasappels en de citroenen waarvoor deze streek ooit bekend had gestaan. Nu was de helft van de mensen die hier tien jaar geleden nog woonden naar de steden in Europa vertrokken, op zoek naar werk. De huidige inwoners hadden haar keer op keer verteld hoe leeg hun bergen waren... alleen de oude mensen, de luiaards en de dronkenlappen waren achtergebleven. De globalisering had zelfs hier toegeslagen en de jonge mensen weggetroond, waardoor de ouden gedoemd waren hun leven in armoede te slijten. De globalisering was even onvermijdelijk als de seizoe-

nen. De enige vraag was of de leiders ervan de ontwikkeling door zouden drukken met de minste schade voor de zwijgende massa of met de meeste winst voor henzelf.
Terwijl ze over de heuvels en dalen staarde die langzaam maar zeker in duisternis werden gehuld, moest ze weer aan haar vader denken. In gedachten zag ze hem duidelijk voor zich, zoals hij de kamer in Dreftbury was uitgelopen. Ze had zijn naam kunnen roepen, hem kunnen verraden of een schot boven zijn hoofd kunnen afvuren. Maar dat had ze niet gedaan, omdat hij degene was die wegliep. Daarna had ze bijna een maand gewacht, met een doffe pijn in de buurt van haar hart. Vervolgens was ze naar hem op zoek gegaan, met een wanhopig, intens verlangen om hem te vinden, hunkerend naar zijn liefde.
Achter haar reed de pick-up de weg af. Ze draaide zich om en rende naar het portier. 'Kom even samen met me naar de zonsondergang kijken. Ben je nog iets te weten gekomen?'
Simons gegroefde gezicht keek haar glimlachend aan onder de dikke haarbos die glansde in het wegstervende licht. 'Een paar dingen,' zei hij tegen haar, terwijl hij uitstapte. 'En jij?'
Terwijl ze terugliepen naar haar plekje op de heuvel zei ze tegen hem: 'Ik heb een interessante man leren kennen. Als iemand weet of papa hier ergens in de buurt is, dan is hij het wel. Maar hij denkt dat papa dood is. Dus ik denk eigenlijk niet dat papa hier is.'
Hij knikte. 'Niemand van mijn mensen heeft iets over Jack O'Keefe of een van zijn *compadres* boven tafel gekregen, en dat geldt ook voor Elaine en George Russell. O'Keefe moet zo langzamerhand ver in de zeventig zijn, dus het is best mogelijk dat hij ergens rustig in zijn slaap is overleden.'
'Maar hij kan net zo goed in leven zijn. Samen met papa.' Sarah had O'Keefe gebruikt om de boodschap door te geven waardoor de Carnivoor in zijn villa in Cefalù als een rat in de val had gezeten.
Simon haalde zijn schouders op. 'Dat is waar. Maar als O'Keefe nog actief was, dan zouden wij dat volgens mij wel weten.'
Ze had zich vergist toen ze veronderstelde dat MI6 Simon niet terug zou willen hebben. En wat Sarah en Asher betrof, die waren teruggegaan naar Parijs, vastbesloten om hun vakantie af te maken. Gary Faust was gezond en wel en maakte in elke plaats waar het circus zijn tenten opsloeg nog steeds rondvluchten in zijn Westland Lysander. Samen met Simon had ze ervoor gezorgd dat Paul Hamilton een nieuwe Jeep kreeg en een bedrag in contanten gestuurd naar het studio-appartement in Pigalle als betaling voor het eten en de kleren. De bij Dreftbury gearresteerde oproerkraaiers waren al snel weer op vrije

voeten, dankzij de inbreng van de advocaten die waren ingehuurd door een overkoepelende organisatie die de verschillende takken van de antiglobaliseringsbeweging samen wilde voegen in de hoop met een breder maatschappelijk draagvlak meer effect te sorteren.
En zo ging het leven gewoon door, maar al te vaak draaiend om belangen in plaats van om hartstochten. Een paar korte dagen stond Nautilus in Europa in het centrum van de belangstelling en was de aard van de groep – of die nu onheilspellend of weldadig was – het onderwerp van gesprek in kroegen en directiekamers... en zelfs in een paar slaapkamers. Daarna brak er weer ergens een mini-oorlog uit en kwamen de Britse en Amerikaanse soldaten in Irak onder vuur te liggen, waardoor de nieuwswaarde van de nog steeds clandestiene organisatie tot nul daalde.
Naar later bleek, was de inmiddels verdwenen César Duchesne de enige buitenstaander die op de hoogte was geweest van de bloedige plannen van de Spiraal. De autoriteiten hadden de verklaring van Henry Percy bijzonder interessant gevonden, maar alleen als achtergrondinformatie. En hijzelf had de schade die zijn landgoed bij de quasi-overval had opgelopen lachend afgedaan met de opmerking dat hij echt genoten had van het avontuur en wat had je aan geld als je het niet af en toe aan iets leuks kon uitgeven? De broer van Gregory Gilmartin, de op een na oudste, had de teugels van het familie-imperium in handen genomen en drong erop aan dat voorzitter Santarosa van de EG Commissie voor Concurrentiebedingingen zijn goedkeuring zou hechten aan de fusie met Tierney Aviation.
Het was geen verrassing dat Richmond Hornish, Nicholas Inglethorpe en Christian Menchen zich niet tegen elkaar keerden, maar in plaats daarvan hun advocaten lieten opdraven. De Spiraal zou gewoon doorgaan, geschrokken maar vastbesloten. Ze hielden zich aan hun eigen gouden regel: hij die het goud heeft, bepaalt de regels.
Toen Liz op de top van de heuvel aankwam, gebaarde ze naar het naadloze panorama van golvende heuvels waarover de schaduwen als sluiers verspreid lagen, terwijl hun toppen lagen te glanzen in het stralende licht van de ondergaande zon. Dit was weer zo'n moment waarvan ze hoopte dat er nooit een eind aan zou komen, zoals ze hier samen met Simon stond uit te kijken over een ogenschijnlijk onbezoedelde wereld.
Hij pakte haar hand, bracht die naar zijn lippen en kuste haar vingers. Ze leunde tegen hem aan terwijl ze naast elkaar in de verte bleven kijken en de wilde schoonheid van het landschap in zich opnamen.
'Heb je al een besluit genomen?' vroeg ze.
'Ja. Ik ga met jou mee naar Santa Barbara.'

Ze deed een stap achteruit. Ze keek hem diep in de ogen en zag een vermoeidheid die sinds juli alleen maar was toegenomen.
'Ik kan het niet meer opbrengen,' zei hij tegen haar. 'Terwijl ik voor MI6 werkte, ben ik op een gegeven moment de weg kwijtgeraakt. Het klinkt afgezaagd, maar het is gewoon waar. Ik wil weten wat er verder in de wereld te koop is.'
'Ik ben blij dat je meegaat. Echt ontzettend blij. En ik heb precies hetzelfde gevoel. Daarom moet ik blijven lesgeven. De studenten geven me hoop.'
'Ik weet het.' Hij trok haar aan haar hand naar zich toe en ze keken opnieuw naar het vergezicht. De zon was achter de heuvel gezakt. De lucht was rood.
'Zag jij dat ook?' vroeg ze.
'Nee. Wat?'
'Aan de overkant op de volgende heuvel. Een lichtflits. Die is nu verdwenen.'
'Waarschijnlijk een fietser of een schaapherder met iets van metaal op zijn knapzak. We moeten weg. Het is een lange rit naar Cefalù.'
Ze knikte. Hij sloeg zijn arm om haar schouders en trok haar dicht tegen zich aan terwijl ze naar beneden liepen.
Ze liet haar arm om zijn middel glijden en zorgde ervoor dat haar lichaam met het zijne in de maat bleef. 'Wist je dat er een heidens festival in Gangi wordt gehouden? De christenen vinden het maar niks, natuurlijk. Het heet het Sagra della Spiga en daarbij wordt een processie gehouden met oude goden... Pan, Bacchus en Demeter, de goden van de vruchtbaarheid. Toen ik in de stad was, vertelde een man in het Bongiorno-paleis me dat in de oudheid op de Monte Alburchia waarschijnlijk een vruchtbaarheidstempel heeft gestaan, gebouwd door de Grieken.'
'De Grieken? Ik was vergeten dat die zover waren doorgedrongen op Romeins grondgebied.'
'Vreemd, hè? Waar wij mensen ook naartoe gaan, op de een of andere manier slepen we altijd onze goden mee.'
Terwijl ze op zachte en intieme toon met elkaar bleven praten, rees op de heuvel aan de overkant, waar Liz die lichtflits had gezien, een man overeind. Hij had op zijn buik gelegen onder de takken van een dichtbebladerde olijfboom, met een krachtige richtmicrofoon waarmee hij hen had afgeluisterd, en een verrekijker waardoor hij hen had bespied. Heel even had hij gevreesd dat ze hem ontdekt hadden. Maar dat moment was voorbijgegaan, omdat Liz zich zo druk had beziggehouden met Simon en met de toekomst. Dat was mooi, dat was precies wat hij wilde.

Hij liet zijn hand over de stoppeltjes op zijn hoofd glijden. Het zou niet lang duren voordat hij weer een dikke, grijze bos haar had. Hij onderdrukte een gevoel van verlangen om bij zijn dochter te zijn, pakte zijn apparatuur in en verdween in de duisternis.

Toelichting van de auteur

Ongeveer acht jaar geleden was ik bezig met research toen ik puur toevallig een van die korte berichtjes onder ogen kreeg die voor een schrijver eten en drinken zijn. Het ging over een jaarlijkse bijeenkomst van machtige wereldleiders die zichzelf de Bilderberg Group noemden. Ik werd meteen nieuwsgierig. In tegenstelling tot het van vips wemelende World Economic Forum, dat meestal in het Zwitserse Davos bijeenkomt, en Allen & Co., dat legendarisch is voor de met weinig publiciteit omgeven topconferenties in Sun Valley, Idaho, waren de Bilderbergers mij volslagen onbekend.
En niet zonder reden. Naar later zou blijken, mijdt deze elitaire organisatie niet alleen de publiciteit, ze verbiedt zelfs alle nieuwsgaring. Of zoals de *National Post* uit Toronto op 24 mei 2001 zou verklaren: 'De conferenties zijn strikt geheim en worden streng bewaakt, terwijl de pers niet welkom is.'
Maar destijds in 1995 had ik geen flauw idee wat me te wachten stond. Ik dook erin door mijn tenten op te slaan in de bibliotheek waar ik duizenden Amerikaanse kranten, tijdschriften en boeken napluisde. Ik weet hoe ik research moet plegen en ik kan de meest geheime gegevens te pakken krijgen, maar ik stond met mijn mond vol tanden tot ik op *Spotlight* stuitte, een uiterst rechts populistisch tijdschrift dat wekelijks in Washington, D.C., verschijnt. Het blad beweerde dat het al meer dan twee decennia een verslag publiceerde van de jaarlijkse Bilderberg-bijeenkomsten. Terwijl ik de extreme politieke en emotionele teneur van *Spotlight* negeerde en me concentreerde op de ter plaatse genomen foto's, de deelnemerslijsten en de lijsten van de plaatsen waar de bijeenkomsten sinds 1954 hadden plaatsgevonden, raakte ik er langzaam maar zeker van overtuigd dat de Bilderberg Group niet alleen echt bestond maar ook een mooi onderwerp was voor een boek.
De proef op de som kwam een jaar later, toen *Spotlight* voorspelde dat het volgende geheime overleg van Bilderberg plaats zou vinden in een luxueus hotel even buiten Toronto. Ik nam een abonnement op de *Toronto Star* en hield mijn adem in. Op 6 juni 1996 werden mijn vermoedens eindelijk bevestigd door een erkende bron van vrije nieuwsgaring: 'De Bilderberg Conferentie van 120 zakelijke en politieke wereldleiders vindt in het diepste geheim plaats,' meldde de *Star*, 'precies zoals dat van tevoren gepland was' in het directieverblijf van

de Canadian Imperial Bank of Commerce op de voormalige King City Ranch.

Die avond heb ik een groot glas prima *pinot noir* genomen om het te vieren.

In de loop der jaren heb ik andere boeken geschreven, maar bij wijze van hobby – of misschien was het inmiddels een obsessie geworden – bleef ik onderzoek plegen naar de Bilderbergers. Als gevolg daarvan is de Nautilus Groep in dit boek min of meer gemodelleerd naar de Bilderberg Group. Beide groepen hebben hun hoofdkwartier in Den Haag, beide werden vernoemd naar de hotels waar de leden voor het eerst officieel bijeenkwamen en beide zijn uiterst streng beveiligd en maken gebruik van badges met een kleurcode en snuffelhonden. Maar voor de rest wijken de gegevens van elkaar af. Ik heb bijvoorbeeld geen enkele aanwijzing dat zich ook binnen de Bilderberg Group zo'n diabolische kleine kring van ingewijden bevindt als de Spiraal.

Het doet me genoegen dat ik mee kan delen dat er steeds meer over de groep wordt gepubliceerd, dankzij de vasthoudendheid van een paar journalisten en tegenstanders en de enorme bron van nieuwsgaring die het internet heeft geopend. In feite heeft de Sunday Times uit Londen zelfs bij wijze van grap gesteld dat de Bilderberg-bijeenkomsten ''s werelds grootste gelegenheid [biedt] om binnen een netwerk te functioneren', terwijl *Het Nieuws* uit Portugal de leden en gasten van de groep in volle ernst 'de ongekozen leiders van de wereld' noemde.

In een ironisch bedoeld artikel wijst het Engelse *The Guardian* erop dat 'het volgens sommigen een onguur schaduwkabinet is, dat de wereld regeert en zich ten doel heeft gesteld de besturingsmechanismen van de wereldeconomie in handen te krijgen. Dus waarom... staat er dan een foto van Lord Carrington boven deze column? Hij heeft de leiding [over Bilderberg] samen met Henry Kissinger en David Rockefeller, de miljardair-eigenaar van de New Yorkse Chase Manhattan Bank... En waar ze over praten? Geen flauw idee. Er worden geen verklaringen afgelegd, geen journaalflitsen uitgezonden, geen fotosessies gepland...'

The Atlanta Constitution schijnt te denken dat ze ons meer houvast kunnen bieden: '... volgens de Bilderbergers is de gelofte die alle deelnemers af moeten leggen dat er niet wordt gesproken over wat zich tijdens hun conferenties afspeelt niets anders dan een middel om een besloten, informele sfeer te creëren, waarin degenen die een grote invloed uitoefenen op hun nationale politiek en de internationale zakenwereld de kans krijgen om elkaar te leren kennen en on-

gedwongen over hun gemeenschappelijke problemen te praten.'
Maar goed, zolang zich onder de vaste deelnemers mediagiganten als Donald Graham van *The Washington Post* bevinden naast miljardair-bankiers als Edmond de Rothschild, automagnaten als Jurgen Schrempp van Daimler-Chrysler en politici die internationaal zoveel in de melk te brokken hebben als James D. Wolfensohn van de Wereldbank en Donald Rumsfeldt van het Amerikaanse ministerie van Defensie blijft mijn belangstelling voor de Bilderbergers onveranderd groot.
Misschien praten ze alleen maar over hun werk, maar hun heimelijke bijeenkomsten blijven allerlei reacties oproepen. Zoals *The Financial Times* ooit opmerkte: 'Als de Bilderberg Group niet een of andere samenzwering is, weet de groep door haar manier van werken toch verrassend goed de indruk te wekken dat dit wel het geval is.'
De huidige secretaris-generaal van de groep, Martin Taylor van WH Smith, heeft volgens de *Sunday Times* gezegd dat hij zijn best heeft gedaan om meer openheid te bewerkstelligen. Maar het feit dat de notulen van de vergadering al een halve eeuw geheim worden gehouden zal zijn streven behoorlijk in de weg staan. Toen het tijdschrift *Time* in het nummer van 20 juli 1998 een analyse publiceerde van de zes machtigste 'Zakenclubs' ter wereld gaven ze cijfers voor exclusiviteit. Het hoogste cijfer dat behaald kon worden was een tien en er was maar één groep die dat wist te halen: de Bilderbergers.
Als u meer over dit soort onderwerpen wilt lezen, kan ik u twee boeken aanbevelen die oorspronkelijk in Groot-Brittannië zijn uitgegeven:
MI6: *Inside the Covert World of Her Majesty's Secret Intelligence Service* door Stephen Dorril, uitgegeven door de Free Press in 2000.
Them: Adventures with Extremists door Jon Ronson, uitgegeven door Simon and Schuster in 2002.

Gayle Lynds
Santa Barbara, Californië,
28 augustus 2003

Woord van dank

Een paar jaar geleden heeft Liz Sansborough zich voorgoed in mijn hoofd genesteld. In mijn eerste boek, *Maskerade*, was ze al de spil waar alles om draaide, maar daar was ze niet tevreden mee. Ze wilde haar eigen boek, haar eigen verhaal. Vandaar dat ze bleef hangen, piekerend over haar toekomst, waardoor ze mij een steeds onbehaaglijker gevoel bezorgde terwijl ik op de uitslag wachtte. Wat zou er met haar gebeuren? Haar leven was een aaneenschakeling van geweld. Haar beide ouders waren internationale huurmoordenaars, al waren ze inmiddels beiden overleden. Haar CIA-echtgenoot was gemarteld en vermoord tijdens een opdracht. Zij was zelf ook bij de CIA en ze hield van dat werk. Dat dacht ze tenminste. Maar elk mens verandert. Soms worden we wijzer. Nu wil Liz ermee kappen. Ze wil rust. Voor haarzelf en voor de hele wereld. Het lijkt nauwelijks mogelijk in dit nieuwe, gewelddadige millennium. Maar ze moet een poging wagen.

Liz gaat weer studeren om een graad te behalen... in de pyschologie van het geweld...

Omdat dit hele boek doortrokken is van het onderzoek naar geweld, van de meest subtiele tot de meest bloedige vormen, heb ik de hulp ingeroepen van mijn vriendin en collega Lucy Jo Palladino, Ph.D., die me bij vorige boeken al voorging in het onderzoek naar het Asperger-syndroom, het cellulair geheugen en conversiestoornissen. Zoals altijd opende ze nieuwe wegen voor me door haar intieme kennis van gewelddadige mensen, hun gedrag en hun cultuur.

Voor informatie over huurmoordenaars, MI6, de CIA en de ondergrondse wereld van misdaad en spionage wil ik diverse bronnen bedanken die hier niet bij name genoemd kunnen worden en met name collega-auteur Robert Kresage, een van de oprichters van het antiterrorismecentrum van de CIA.

Parijs speelt een belangrijke rol in *De Kronos affaire*. Ik ben Christine McNaught en romanschrijver Len Lamensdorf dank verschuldigd voor hun belangeloze hulp.

Eindredactie is die mysterieuze maar cruciale kunstvorm waardoor een werk in zeldzame gevallen boven de visie van de auteur uitstijgt. Het merendeel van ons begint met een blanco vel papier en een droom. Op de een of andere manier lopen vervolgens de pagina's vol en bezwijkt de droom onder de woorden, scènes, hoofdstukken en paragrafen. Dat is mij bespaard gebleven dankzij Keith Kahla, eindredacteur extraordinair, die meer inzicht had in de roman binnen *De Kronos Affaire* dan ik. Met diepe erkentelijkheid dank ik hem voor zijn begrip en wijsheid, voor de avonden en weekends die hij eraan heeft opgeofferd en voor het feit dat ik ongebreideld misbruik mocht maken van zijn bijzonder creatieve brein.

Mijn man, schrijver Dennis Lynds, is niet alleen redacteur maar ook medewerker, iemand bij wie ik mijn ideeën constant kan toetsen, en een onuitputtelijke bron van verbeteringen en creatieve voorstellen. Ik ben hem grenzeloos dankbaar en hetzelfde geldt voor mijn literair agent, Henry Morrison, mijn internationale agent, Danny Baror, mijn voormalige webmaster, Brandon Erikson, en mijn huidige webmaster, Greg Stephens.

Ik heb het ongelooflijke geluk gehad bij St. Martin's Press een opmerkelijke, nieuwe uitgeversfamilie aan te treffen, die onder andere bestaat uit Sally Richardson, Matthew Shear, George Witte, Matthew Baldacci, John Murphy, James Di Miero, Joan Higgins, John Cunningham, Jennifer Enderlin, John Karle, Dori Weintraub, Steve Eichinger, Harriet Seltzer, Christina Harcar en Jerry Todd. Ik heb grote waardering voor de manier waarop zij mij allemaal geholpen en gesteund hebben.

En tot slot wil ik er nog op wijzen dat geen enkel boek in een isolement ontstaat. Mijn dank gaat uit naar Barbara Toohey, Paul Stone, Julia Stone, MaryEllen Strange, James Stevens, Theil Shelton, Kathleen Sharp, Elaine Russell, Monika McCoy, Kate Lynds, Deirdre Lynds, Fred Klein, Randi Kennedy, Steven Humphrey, Melodie Johnson Howe, Bones Howe, Nancy Hertz, Gayatri Chopra Heesen, Julia Cunningham, Ray Briare, Katrina Baum, Vicki Allen en Joe Allen.